Forschung zur Bibel I

herausgegeben von
Rudolf Schnackenburg
Josef Schreiner

orschung zur bibel

Dieter Zeller

Juden und Heiden in der Mission des Paulus

Studien zum Römerbrief

Verlag Katholisches Bibelwerk

ISBN 3-460-21011-7

© 1973 Verlag Katholisches Bibelwerk GmbH, Stuttgart

Silberburgstraße 121 A

Umschlag: Christoph Albrecht

Gesamtherstellung: Helmut Gruber, Minden

VORWORT

Diese Studie wurde im Sommersemester 1972 bei der theol. Fakultät der Albert-Ludwigs-Universität in Freiburg i.Br. als Dissertation eingereicht und im Wintersemester 1972 angenommen. Inzwischen habe ich sie an einigen Stellen gekürzt und überarbeitet.

Aufrichtig danke ich vor allem meinem geschätzten Lehrer, Herrn Prof. Dr. A. Vögtle für die vielfache Ermunterung und hilfreiche Belehrung, die ich von ihm empfing. Auch dem Korreferenten, Herrn Prof. Dr. A. Deissler, der die Arbeit aufmerksam gelesen und meinen Weg mit seinem persönlichen Rat begleitet hat, gilt mein herzlicher Dank. Im Jahr 1970 verbrachte ich zwei Semester an der Wilhelms-Universität Münster i.W. Dort fand ich bei Herrn Prof. Dr. W. Thüsing freundliche Aufnahme und Bereitschaft zu bereicherndem Gespräch. Wertvolle Anregungen erhielt ich auch von den Römerbriefvorlesungen meines Lehrers am Bibelinstitut in Rom, Herrn Prof. S. Lyonnet SJ, und Prof. Dr. G. Klein, Münster.

Herr Prof. Dr.Dr.h.c. R. Schnackenburg und Prof. Dr. J. Schreiner nahmen die Untersuchung in diese Reihe auf. Beiden danke ich für wohlwollende Förderung. Auch den Direktoren und dem Lektorat des Katholischen Bibelwerks und des Echter-Verlags bin ich für die Mühe der Herausgabe zu Dank verpflichtet. Die Studienstiftung des deutschen Volkes und die Verantwortlichen der Erzdiözese Freiburg ermöglichten mir das Studium, die Kirchenbehörde gewährte einen Druckkostenzuschuß. Zu danken habe ich schließlich Frl. M. Klein und Frl. E. Rüttnauer, die mir bei der Herstellung des Manuskripts halfen.

Freiburg i.Br., im Oktober 1972   Dieter Zeller

INHALTSVERZEICHNIS

E I N L E I T U N G

1. Die Fragestellung

Pl stellt sich den Römern vor als Apostel, dazu berufen, ἐν πᾶσιν τοῖς ἔθνεσιν das Ev Gottes zu verkünden (1,1-5). Das klingt für unsere Ohren zunächst problemlos. Natürlich wendet sich "Weltmission" potentiell an alle Menschen. Aber während ἔθνη so für uns ein neutraler Begriff für die Weltbevölkerung ist oder höchstens - vom Standpunkt der Gläubigen aus - soviel wie "Heiden" bedeutet, schwingt für Pl in dem Wort ein Verhältnis zur Judenschaft mit; denn seine Sprache ist vom AT und der religiösen Tradition seines Volkes geprägt. Das zeigt[1]

1. Das Gegenüber von
   a) ἔθνη - Ἰουδαῖοι, wobei für ἔθνη - besonders wo Ἰουδαῖος einen Singular erfordert - auch Ἕλλην(ες) eintreten kann. Vgl. 1 Thess 2,16; 1 Kor 1,22-24; 2 Kor 11,26 (γένος); Gal 2,12-15; Röm 3,29; 9,24. Die Doppelbildung Ἰουδαῖοι - Ἕλληνες (1 Kor 10,32; 12,13; Gal 3,28; Röm 1,16; 2,9.10; 3,9; 10,12) will dementsprechend komplementär die ganze Menschheit bezeichnen.
   b) ἔθνη - Ἰσραήλ: Röm 9,30f; 11,25f.
   c) ἔθνη - περιτομή, wobei ἔθνη mit ἀκροβυστία wechseln kann: Gal 2,7-9; Röm 2,14.26; 3,29f; 15,8f.

2. Die ἔθνη werden gegenüber dem Ein-Gott-Glauben und dem Gesetzeseifer der Juden traditionell abgewertet als gottlos, der Leidenschaft verfallen, ohne Gesetzeskenntnis, ja als ἁμαρτωλοί: 1 Thess 4,5; 1 Kor 5,1; 10,20 (v.l.); 12,2; Gal 2,15; Röm 2,14; 9,30.

3. In AT-Zitaten sind die ἔθνη = gōjīm, die nicht zum erwählten Volk gehören. So Röm 2,24. Auch in 15,9-12 sind die ἔθνη nach dem Vorangehenden eindeutig Nicht-Israeliten. Ebenso versteht Pl unter den ἔθνη Gal 3,8.14 die Heidenchristen. So werden wir das auch für Röm 4,17.18 annehmen dürfen, wenn dem atl. Grundtext auch mehr an der Menge der Nachkommenschaft Abrahams als an deren heidnischer Herkunft liegt.

4. Schon von der jüdischen Prägung des Begriffs her ist es unwahrscheinlich, daß ἔθνη in Röm 15,16ff geographisch bestimmt ist und etwa "the Roman provinces in that area" heißt: gg. KNOX, JBL 83 (1964) 3. Freilich hat Pl, wenn er diesen Begriff verwendet, oft die Absicht, Gottes Handeln als weltumfassend zu beschreiben. Deshalb kann für ἔθνη auch κόσμος stehen: Röm 11,12.15.

_____

1) Zum Ganzen vgl. G. BERTRAM, K.L. SCHMIDT, ἔθνος κτλ, in:

̔Εθνη meint 1,5 keine unqualifizierte Völkerwelt mit Einschluß
Israels[2], sondern die Nicht-Juden. Damit ist nicht nur ein
völkischer, sondern zunächst auch ein theologischer Gegensatz
vorgegeben[3]. Verkündigung an die Völker bedeutet so immer
Durchbrechen einer Schranke, Neuformierung des Gottesvolkes vom
Ev her. Deshalb läßt sich die Frage nicht umgehen, wie die an
die ἔθνη gerichtete Botschaft des Pl, und zwar als Einheit von
Inhalt und Vollzug, zum Volk Israel steht. Überwindet der Apostel darin seine religiöse Herkunft, oder ist das Ev für die
Welt in irgendeiner Weise durch Israel vermittelt? Ergeht es
gar in geheimer Funktion zur Bestimmung dieses Volkes? Hängen
Antriebe und Ziele der pl Mission mit der Existenz eines Volkes
zusammen, das Gott sich einst erwählte? Fordert die Kontinuität
des Handelns Gottes eine Rückbindung an die zuerst Berufenen?

So gestellt hat die Frage den Vorteil, von einem für Pl konkreten Phänomen, der Mission, auszugehen. Sie sucht nicht etwas
zu ergründen, was ihm selber nicht thematisch wurde, etwa die
"Idee" der Heilsgeschichte[4] oder das "Geschichtsverständnis"[5]
des Apostels. Man könnte das Problem allerdings auch so

ThW II, 362-370; H. WINDISCH, ̔Ελλην κτλ, in: ThW II, 501-
514; CERFAUX, monde païen 415-423.

2) Gg. BAUR 372, ZAHN z.St.; zu unentschlossen MICHEL; SCHMIDT,
ThW II, 367,20ff. Richtig etwa MURRAY XXf.

3) Das wird besonders am Gegenbegriff ̕Ιουδαῖος deutlich: Röm
2,17 ist er gar als Ehrentitel beansprucht; denn mit ihm ist
ein besonderes Gottesverhältnis, der Besitz des Gesetzes und
der Wortoffenbarung Gottes, sowie eine eigene Verpflichtung
verbunden: vgl. 1 Kor 9,20; Gal 1,13f; Röm 3,1; 9,31; 10,2.
Deswegen kann ̕Ιουδαῖος (wie περιτομή Phil 3,3) vom Juden
losgelöst und auf den übertragen werden, der das Gesetz wirklich hält: vgl. Röm 2,28f.
Vgl. G.v. RAD, K.G. KUHN, W. GUTBROD, ̕Ισραήλ κτλ, in: ThW
III, 356-394, 382ff; BLOCH 11-31; 25f bemerkt sie, "Jude"
stelle bei Pl, besonders wenn das Wort im Singular und ohne
Artikel gebraucht werde, einen "Typ" dar: "celui de l'homme
soumis à la Loi."

4) HOPPE suchte unter diesem Titel im Röm ein menschliche Un-
tat und göttliche Heilstat umgreifendes "Gesetz der Heilsgeschichte", das er in 11,32 fand. Vgl. 60, 133f.

5) LUZ, Geschichtsverständnis 14, 37 gibt zu, daß sein Interesse einem Phänomen gilt, das vermutlich weder im AT noch
im NT je als solches in den Blick gekommen ist.

angeben: "Ist das Ev des Pl 'heilsgeschichtlich' verfaßt?"
Das Stichwort "Heilsgeschichte" freilich verwandelt die wissenschaftliche Szene unweigerlich in ein Kampffeld. KÄSE-MANN[6] hat geraten, man solle "dieses Wort nicht aus der mit ihm verbundenen Problematik herausnehmen und wie alle gefährlichen Worte möglichst genau definieren." Wir nehmen nicht wie CULLMANN und MUNCK einen schon mitgebrachten Begriff der "Heilsgeschichte" zum Leitfaden der Pl-Interpretation, sondern fragen nach der Verfassung der pl Heidenmission, die im Spannungsfeld Israel-Heiden zu stehen kommt. Weil diese Frage unvermeidlich ist, wird hier keine fremde Problematik an Pl herangetragen[7]. Es gilt erst noch einen Ort für etwaige "heilsgeschichtliche" Bezüge im Denken des Pl zu finden[8]. Ist die Mission des Pl in irgendeiner Weise durch das bestimmt, was zwischen Gott und Israel geschehen ist, bzw. geschehen soll? Um hier von "Heilsgeschichte" reden zu können, genügt uns, daß dieses "Geschehen" nach den für Pl maßgebenden Zeugen von Gott her auf Heil angelegt ist, wenn es auch faktisch zum Unheil ausschlug. Wir machen deswegen nicht wie HESSE[9] einen Unterschied zwischen "Heilsgeschehen" und "Heilsgeschichte", weil die Geschichte Israels in der Deutung der Schrift nun einmal durch seine Erwählung zum "Volk Gottes" ihre - positiven oder negativen - Vorzeichen erhält. Es geht auch nicht um das Problem, ob sich die Geschichte des alten Gottesvolkes als "Kontinuum" im Sinn heutiger Geschichtswissenschaft erweisen läßt[10]. So möchte man manchmal den Terminus vermeiden[11],

---

6) Perspektiven 112.

7) Nach RICHTER 13 Anm. 16, 188 ist "Heilsgeschichte" ein Denkschema, das der Exegese vom "Theologen" aufgezwungen wird. Für uns signalisiert sie keine Vorstellung, sondern eine Fragestellung, freilich eine "theologische".

8) Ebenso KÄSEMANN, Perspektiven 118f.

9) 7, 39 u.ö.

10) Dazu HESSE 49ff.

11) Z.B. K.G. STECK 56; LUZ, Geschichtsverständnis 14f.

weil seine zweite Hälfte so urgiert werden könnte, daß dadurch falsche Assoziationen zu einem modernen Geschichtsbegriff geweckt werden. Wir sehen aber, daß Pl etwa das Verhältnis von atl. Zeugnis und bezeugtem Geschehen keine Schwierigkeit bereitet; Wort Gottes und Geschichte sind ihm in dieser Hinsicht keine Alternative[12].

Wohl aber treten die jetzt proklamierte Heilsbotschaft und die in der Schrift festgehaltene Verheißung in ein Zueinander (1,1f), das für Pl zu einer schmerzlichen Diastase wird, wenn er an das jüdische Volk denkt (vgl. 9,1-5; 11,28f). Gotteswort der Vergangenheit und Gotteswort der Gegenwart lassen so die Frage aufkommen: wem gelten eigentlich die Verheißungen? Dem soll Kap. II nachgehen. Dabei wird auch zu klären sein, ob im AT angedeutete "heilsgeschichtliche" Modelle wie der Abrahamssegen, die Vorstellung von der eschatologischen Völkerwallfahrt zum Sion, der Bundesgedanke oder die messianische Erwartung die Universalität des Angebotes Gottes im pl Ev verständlich machen können. "Heilsgeschichtlich" heißt in diesem Fragetitel wieder, daß das Heil der Völker nach diesen Entwürfen in eine geschichtliche Beziehung zu dem Israels gesetzt ist (vgl. Kap. III). Unzweifelhaft kennt Pl einen von Gott geordneten Zusammenhang im Zum-Heil-Kommen der Menschen, wie die Exegese von 11,11ff zeigen kann. Die Frage ist nur, wie diese Verknüpfungen aus dem Heilswillen Gottes gedacht werden können, der im Ev kund wurde. Bedient er sich menschlicher Zwischeninstanzen? Davon handelt Kap. IV. Schließlich ist aufzuhellen, ob sich die in der Verheißung wenigstens angezielte Geschichte des Heils im Ev fortsetzt, nur sozusagen in umgekehrter Richtung: während die Völker über Israel Segen finden sollten, entsteht jetzt der Eindruck, als diene die Rettung der Völker dem Heil Israels. Ist dem Ev durch das geschichtliche Engagement Gottes

---

12) Damit brauchen wir nicht die Problematik zu bearbeiten, die einerseits CULLMANN, Heil 70ff, andererseits KLEIN, ZNW 62 (1971) 4ff verhandeln. Auch die durch das Programm "Offenbarung als Geschichte" ausgelöste Kontroverse berührt uns nicht unmittelbar. Vgl. dazu den weiterführenden Versuch von KNIERIEM. Dort bisherige Lit.

in der Vergangenheit die Zukunft vorgezeichnet? Damit wird sich
Kap. V befassen.

Dadurch, daß wir besonders das Verhältnis von Juden und Heiden
im Auge behalten wollen, können wir den missionarischen Methoden
des Pl und seinem allgemeinen Verständnis von "Mission" keine
direkte Aufmerksamkeit widmen[13]. Trotz einzelner traditionsge-
schichtlicher Rückfragen untersuchen wir auch nicht im Längs-
schnitt, wie es zum weltweiten missionarischen Wirken des Pl
kam[14], bzw. wie sich dieses in die urchristliche Missionsge-
schichte einordnen läßt[15]. Wir stellen vielmehr ein Dokument,
den Röm, in die Mitte unserer Betrachtung, um daraus etwas über
die mögliche "heilsgeschichtliche" Bedingtheit der pl Mission
zu erfahren. Die Aussichten dafür sind nicht ungünstig; denn
allgemein wird zugestanden, daß Pl in diesem letzten erhaltenen Brief zum Problem "Israel" ausgewogener Stellung nimmt
als etwa im Gal, was auch auf einen zeitlichen Fortschritt
hindeutet[16]. Kommt das daher, daß er hier nicht mehr gegen
Falschlehren zu kämpfen hat? Oder sind auch im Röm die Aussagen über "Israel" wieder situationsbedingt, so daß sie nur
relative Bedeutung haben[17]? Damit kommt das Problem der Zielsetzung des Röm ins Blickfeld. Mit ihr werden wir uns Kap. I

---

13) Vgl. dazu HAHN, Mission 80-94 mit Lit.

14) Zur theologischen Wende in der Berufung des Pl vgl. außer
den bekannten Pl-Monographien in letzter Zeit BLANK 184ff;
STUHLMACHER, ZThK 67 (1970) 20ff; DUPONT, conversion.

15) Dazu besonders KASTING und HENGEL, NTS 18 (1971) 15-38.

16) Vgl. BORNKAMM, Testament 130ff, 135. BORSE 80 will den Gal
bis auf ein Vierteljahr an den Röm heranrücken; der Kampf
des Pl gegen die galatischen Judaisten habe auch die Ausführungen im Röm direkt und maßgebend beeinflußt. Das mag
sein; aber die Gefahr von den ihn verfolgenden Juden (Gal
5,11; 6,12; vgl. Röm 15,31) erklärt allein noch nicht, warum Pl in Röm 9-11 die Verheißungen für Israel auch positiv
aufnimmt (zu 81f). Im übrigen rühmt auch BORSE am Röm besondere "Sachlichkeit und Gedankentiefe" (82).

17) So folgert etwa MARXSEN, Einleitung 96 aus seiner Situierung des Röm, es gehe darin nicht um das Problem, wie sich
das Christentum grundsätzlich zum Judentum verhalte, also
nicht um eine dogmatische Behandlung der Bedeutung Israels
für die Kirche.

beschäftigen müssen. Zugleich ist zu klären, ob sich die Thematik des Briefes überhaupt in Beziehung setzen läßt zur Mission, die ja zweifellos Pl Anlaß gibt, an die bisher noch nie besuchte Gemeinde zu schreiben.

2. Hauptsächliche Lösungsversuche

Wie sehr unser Thema mit dem Problem der sogenannten "Heilsgeschichte" verkettet ist, wird daran klar, daß sich die bisher gegebenen Antworten in der Bandbreite dessen bewegen, was zur "Heilsgeschichte" bei Pl gesagt wurde. So müssen wir uns zunächst einen Überblick über die gegenwärtige Diskussion verschaffen; dabei werden wir auch Gelegenheit zu ersten weiterführenden Fragen an die einzelnen Lösungen haben. Sofern sie sich überhaupt isolieren lassen, möchten wir für unsere Thematik drei Aspekte auseinanderhalten:
1) die grundsätzliche Einstellung zum in der Geschichte sich verwirklichenden Heil Gottes;
2) die offenbarungs- oder traditionsgeschichtliche Einordnung der Heidenmission;
3) die Auffassung von der Rolle des Pl, besonders die Deutung von Röm 9-11.

a) Eine deutliche Flügelposition vertritt O. CULLMANN.
Ad 1) Heilsgeschichte ist ihm eine Auswahl und Abfolge von Ereignissen in der Geschichte, die durch einen göttlichen Plan bestimmt sind und zusammenhängen. Durch Offenbarung werden sie dem Menschen erschlossen, damit er sich im Glauben in sie "einreihe"[18]. Trotz der Konstante des göttlichen Plans weist die Heilsgeschichte eine fortschreitende Bewegung auf, weil neue Heilsereignisse die früheren Offenbarungen in ein neues Licht rücken und der Widerstand des Menschen neue Wendungen im Heilsplan bedingt. Der Akt der Neuinterpretation gehört mit zur Heilsgeschichte[19].

---

18) Heil 57ff. Auch die folgenden Seitenangaben beziehen sich auf dieses Buch.
19) Vgl. 70f, 104ff, 133ff, 139f.

Ad 2) Im Bereich des AT tritt "immer deutlicher als Konstante
ein göttlicher Heilsplan zutage, in dessen Mittelpunkt die <u>Er-
wählung Israels</u> zum Heil der Menschheit steht"[20]. Zwar erfordert die Sünde des Volkes eine progressive Reduktion der Erwählung, die schließlich auf Einem - Christus - ruht[21]; die
atl. Deutungskonstante "Erwählung des Volkes Israel" bleibt
aber auch im NT maßgebend, weil von dieser Mitte die Erwählung
des neuen Israel ausgeht[22]. "Das Israel κατὰ σάρκα bleibt der
Ausgangspunkt und der Weg der Heilsgeschichte; es bleibt aber
auch von Christus an, wo es sich zum Volk der Gläubigen aus-
weitet, im Blickfeld als das Erwählungsvolk"[23].

Ad 3) In seiner Christophanie wurde Pl der Heilsplan Gottes
offenbar und zugleich "präzisiert": die Epoche des Schon und
Noch-nicht ist die Zeit der Heidenmission. Pl ist zu seiner
Ausführung berufen[24]. Röm 9-11 sind heilsgeschichtliche Deutung und prophetische Schau des gegenwärtigen Missionsgesche-
hens[25]. Damit die Fülle der Heiden eintreten kann, ist "die
zeitweilige Trennung des neuen Israel κατὰ πνεῦμα vom Israel
κατὰ σάρκα... heilsgeschichtlich notwendig"[26]. Dadurch wird
aber nicht Gottes von der Erwählung Israels ausgehender Plan
aufgegeben[27], denn der Weg führt immer noch über Israel[28];
Röm 11 bestätigt dann, daß Universalismus und Erwählung zusammengehören[29]. Die Einheit des göttlichen Plans kommt am besten darin zum Ausdruck, "daß es schließlich nur noch das ge-
rettete πᾶς Ἰσραήλ (Röm 11,26) geben wird, das die bekehrten
Heiden und das bekehrte Israel umfaßt"[30].

---

20) 74; vgl. 135.

21) Vgl. 136; vgl. Christus und die Zeit 110ff.

22) Vgl. 82f, 110, 141.   23) 241.

24) Vgl. 100, 227ff und den Aufsatz: eschatologischer Charakter.

25) Vgl. 111, 142, 228.   26) 146.

27) Vgl. 106.   28) Vgl. 228.   29) Vgl. 241.

30) 143; diese Deutung wird sich exegetisch nicht halten lassen.
S. u. S. 252.

Wahrhaftig, eine eindrucksvolle Totale. Man fragt sich nur, mit welcher Optik sie gewonnen ist. Offenbar zugleich mit der Gottes - das macht die Konstante - und des Menschen; deswegen kann die Sünde dem Plan "entgegenwirken" und Unvorhergesehenes heraufbeschwören. Deswegen ist einerseits die Ereignisfolge ganz und gar nicht evident[31], und doch weiß ein Mann wie Pl um Anfang und Ende und die allgemeine Heilsrichtung dieser Ge- schichte; nur die nähere Bestimmung des Weges ist noch jedem einzelnen überlassen[32]. Kap. II wird aber zeigen, daß die an- gebliche Konstante des göttlichen Heilsplans, die Erwählung Israels zum Heil der Völker, Pl gar nicht so feststand. Weder weitet sich das Israel κατὰ σάρκα einfach zum Volk der Gläubi- gen aus, noch saugt ein Israel κατὰ πνεῦμα schlechterdings die traditionellen Verheißungen für Israel auf. "Aus der Nähe und vom Standpunkt der Kombattanten aus betrachtet, sieht Heilsge- schichte zumeist anders aus, als die Bücher, die darüber ge- schrieben werden, wahrhaben wollen"[33].

b) Der Entwurf von J. MUNCK ist stark von CULLMANNs Aufsatz aus dem Jahr 1936 angeregt: des Pl "persönliche Berufung stimmt mit einer objektiven eschatologischen Notwendigkeit überein, nämlich Gottes Plan, daß das Evangelium den Heiden vor dem Ende der Tage zu verkünden sei"[34].
Ad 1) Schon dieser Sprachgebrauch zeigt, daß MUNCK unreflektiert von "Heilsgeschichte", etwa im Sinn CULLMANNs redet.
Ad 2) Im Anschluß an SUNDKLER versucht MUNCK, die Alternative Universalismus-Partikularismus schon für die judenchristliche Richtung zu überwinden: das Heil ist für die Völker immer an ein Zentrum gebunden. Was die Heidenmission angeht, so unter- scheidet sich Pl von dieser Auffassung nur in der Reihenfolge, im Zeitpunkt: er ordnet die Bekehrung der Völker der Israels vor[35].

---

31) Vgl. 102.   32) Vgl. 244.
33) KÄSEMANN, Perspektiven 124.
34) Heilsgeschichte 33. Die folgenden Zitate ebenfalls daraus.
35) Vgl. 243ff.

Ad 3) Doch auch für ihn "sind Israel und Jerusalem das Zentrum der Welt. Und Israels Heil ist daher das wichtigste Ziel innerhalb der kurzen Spanne zwischen Auferstehung und Wiederkunft. Aber der Weg dazu ist nicht, wie die ältesten Jünger meinten, die Verkündigung allein für die Juden... auf Grund des Unglaubens und der Verhärtung der Juden hat Gott beschlossen, das Evangelium den Heiden verkünden zu lassen... Ihre Annahme des Evangeliums wiederum würde zur Errettung der Juden führen"[36]. In seiner Interpretation von Röm 9-11 setzt sich MUNCK von CULLMANN ab: "Paulus spricht Röm 9-11 nicht von dem Heil eines geistigen Israels, sondern von Israel nach dem Fleische und von Gottes Plan zu seiner Errettung"[37]. Denn die Bekehrung Israels ist das entscheidende Ereignis in Gottes Heilsgeschichte[38].

Werden hier nicht die Akzente gerade für die pl Heidenmission einseitig verschoben? Sie erscheint ja geradezu als ein Mittel, um Israel zu gewinnen. Ob die Heiden zugelassen werden oder nicht, war für Pl doch mehr als eine bloße Terminfrage innerhalb des eschatologischen Plans Gottes. Schließlich: dieser Plan umgreift in der Deutung MUNCKs so das Ev, daß das νῦν der Versöhnung einen relativen Stellenwert bekommt. Ist das im Sinn des Pl?

c) MUNCKs Aufstellungen konnten R. BULTMANN nur ein ungläubiges Staunen entlocken[39]. Kein Wunder, denn seine Sicht der "Heilsgeschichte" ist der genannten diametral entgegengesetzt. Sie deckt sich offenbar mit dem, was er als das urchristliche und auch für Pl maßgebende Verständnis von Israel und seiner Geschichte beschreibt.
Deshalb ad 1 und 2) Die im AT berichtete Geschichte hat nur in ihrem Scheitern Bedeutung für die neue Gemeinde; denn von der Erfüllung her erweist es sich, daß die Verheißung nicht innerweltlich realisierbar war[40]. Die Erwählung schwebte gleichsam

---

36) 270f.   37) 32 Anm. 11; vgl. 34f.   38) Vgl. 37. 280.
39) Vgl. seine Besprechung in: ThLZ 84 (1959) 481-486
40) Vgl. Weissagung 183ff.

immer nur als Bestimmung und Verheißung über und vor dem hi-
storischen Israel, verwirklicht sich aber - von Ausnahmen abgesehen - erst in der christlichen Gemeinde[41]. Wenn diese
sich das "wahre Israel" nannte, so zeugt das zwar noch von einer gewissen Solidarität mit Israel und seiner Geschichte[42];
aber dieses Verhältnis ist "ein eigentümlich dialektisches
(H.v.m.), weil der Gang des Geschehens von Israel bis zur Gegenwart keine kontinuierliche Geschichte ist, sondern gebrochen
durch das eschatologische Geschehen in Christus"[43]. Die apk
Geschichtsauffassung bedingt, daß "Geschichte von Eschatologie
verschlungen wird"[44]. Die Eschata können nun nicht mehr "verstanden werden... als die Vollendung der Volksgeschichte, auch
nicht in dem Sinn des Deuterojesaja und späterer jüdischer
Hoffnungsbilder, daß die Rettung Israels für alle Völker heil-
sam werden soll, und daß alle Völker zu einer gewissen Einheit
mit Israel kommen sollen"[45]. Denn Christus ist das Ende des
Gesetzes und der Geschichte[46], damit auch der Heilsgeschichte[47]. Nun verschwindet vor Gott alle menschliche Differenzierung; Jude und Grieche stehen nur noch als Mensch vor ihm[48].
Die Eschatologie ist "im Grunde als Ziel des individuellen
menschlichen Seins verstanden"[49], das nun - gerade im Gegensatz zur Macht des Kosmos[50] - eine neue Freiheit und Geschichtlichkeit findet[51].

---

41) Vgl. Theologie 99f.

42) Vgl. Theologie 98; Geschichte und Eschatologie im NT 98f.

43) Theologie 99.

44) Vgl. Geschichte und Eschatologie im NT 99, 102, 106. Dazu
    den Protest von PANNENBERG 28f.

45) Geschichte und Eschatologie im NT 101.

46) Vgl. Geschichte und Eschatologie im NT 102.

47) Vgl. Heilsgeschichte und Geschichte 366.

48) Vgl. Theologie 232. Dieselbe Auslegung bei KLEIN, Römer 4
    149; Individualgeschichte 182f, 194.

49) Geschichte und Eschatologie im NT 102.

50) Vgl. Theologie 255ff.

51) Vgl. Geschichte und Eschatologie im NT 106.

Ad 3) Röm 9-11 muß hier als widersprüchlich empfunden werden. Da BULTMANN meint, die Kirche sei für Pl das "Ende der Heilsgeschichte; alle Verheißungen finden in ihr ihre Erfüllung"[52], muß Röm 11 klar auf das eschatologische Verständnis des Verheißungsvolkes von 9,6ff zurückgeschnitten werden[53]. Dagegen gibt P. STUHLMACHER zu bedenken, daß die atl. Implikationen in der ntl. Zukunftserwartung auch für Pl nicht ohne weiteres gestrichen werden dürfen: "wie Röm 11,28-32 dokumentieren, hat der Apostel Paulus die alttestamentlich-jüdische Verheißung von der Wallfahrt der Völker zum Zion und vom Heilswirken des Messias, der Gott das wahre Gottesvolk bereiten und zuführen werde, in sein Rechtfertigungsevangelium aufgenommen. Er hat diese Tradition aufgenommen und zur Verheißung der Rechtfertigung aller Gottlosen durch Christus transformiert. Der Apostel lebt und wirkt also in der Überzeugung, daß das Ende der Geschichte Gottes mit Israel und den Heiden erst dann gekommen sein wird, wenn nicht nur die Heiden, sondern auch die Juden zum Glauben an und zur Rechtfertigung durch Christus geführt worden sind"[54]. Christus mag das Ende des Gesetzes sein. Wenn aber die Verheißung nach Gal 3,15ff; Röm 4,13ff nicht mit dem Gesetz verwechselt werden darf, ist es fraglich, ob man ihn auch "Ende der Heilsgeschichte" nennen kann[55]. Weitere Zweifel an dieser Konzeption brechen auf, wenn es darum geht, die konkrete Geschichtlichkeit des Glaubenden in der Welt von solchen Voraussetzungen aus zu entfalten[56].

d) G. KLEIN hat die Position BULTMANNs noch verschärft. Ad 1) Ihm geht es ausdrücklich darum, die Heilsgeschichte zu "diskriminieren"[57]. Denn Geschichte gilt ihm "als Gemächte der Sünde"; durch den Glauben muß sie "ihre Macht an das göttliche Heil abtreten"[58]. Weil Geschichte so immer schon mehr

---

52) Theologie 311.
53) Zur Behandlung von Röm 9-11 bei BULTMANN vgl. Ch. MÜLLER 26f; LUZ, Geschichtsverständnis 18, 268f.
54) ZThK 68 (1971) 157.   55) Vgl. Ch. MÜLLER 94; PLAG 69.
56) Vgl. MOLTMANN, EvTh 22 (1962) 44ff, 60f; Ch. MÜLLER 104f.
57) Vgl. ZNW 62 (1971) 1, 3.   58) Ebd. 42f; vgl. 27.

ist als Geschichte, nämlich der Versuch des Menschen, sich selbst zu behaupten[59], muß sie der Ächtung verfallen, und zwar gerade im Interesse der Beziehung des Heils auf Geschichte[60]. - Mag Pl an einigen Stellen auch so auf die Vergangenheit der Menschen ohne Christus zurückschauen, so ist m.E. doch die Frage, ob bei dieser negativen Wertung bei Pl ein Urteil über "die Geschichte im ganzen"[61] gefällt werden soll.

Die Offenbarung der Gerechtigkeit Gottes hat in der Pl-Interpretation KLEINs keine Vorgeschichte[62]. Abraham interessiert Pl zwar als Individuum, aber Kontinuität zu ihm entsteht nur, wenn man wie er glaubt. Dann ist dieses heutige Heilsgeschehen durch das Wort Gottes mit ihm zusammengebunden[63]. Pl hält zwar an der Würde des AT fest, aber es ist für ihn "kein Element der Geschichte Israels, sondern die Geschichte Israels" ist "ein Element des Alten Testaments und als solches von diesem vorweg abqualifiziert"[64]. Mit VIELHAUER weist KLEIN dem AT die Aufgabe zu, die Selbigkeit des Sünder rechtfertigenden Gottes zu bezeugen[65]. Die Rechtfertigungsbotschaft hebt alle Auszeichnung des Menschen eschatologisch auf: die jüdischen Heilssetzungen werden entsakralisiert, paganisiert, profanisiert. Jude-sein hat jetzt nur noch ethnologische Bedeutung[66]. Wenn KLEIN den "an sich zunächst ausgezeichneten Bereich" des Judentums zu "eschatologischer Dignität"[67] hochstilisiert, so tut er das ausdrücklich "abgesehen von Christus"[68]. Trifft er damit nicht

---

59) Vgl. ebd. 37. Man wird an das Werk von W. KAMLAH erinnert, das in seiner 1. Aufl. den Titel "Christentum und Selbstbehauptung" trug. Vgl. dort 42, 53. Auch für LÖWITH ist Geschichte Ausdruck der selbstgerechten Welt und deshalb mit Christentum unvereinbar.

60) Vgl. ZNW 62 (1971) 4, 29.   61) So ebd. 32.

62) Vgl. Römer 4 146; Exegetische Probleme 171f.

63) Vgl. Römer 4 157f; Individualgeschichte 205.

64) Individualgeschichte 205.

65) Vgl. ZNW 62 (1971) 29f, 41.

66) Vgl. Römer 4 149f, 155f; Individualgeschichte 182f u.ö. Auf Einwendungen KÄSEMANNs erwidert KLEIN in ZNW 62 (1971) 37.

67) Individualgeschichte 182f.   68) Vgl. ebd. 194, 203.

nur ein vom Eschaton bloßgelegtes falsches Selbstverständnis, und vermag der "erleuchtete Rückblick des Glaubens" nicht mehr wahrzunehmen? KLEINs Vehemenz ist verständlich, wenn er beteuert, "daß geschichtliche Abläufe als solche zur Stiftung heilvoller Zusammenhänge außerstande sind"[69]. Damit ist aber kaum die ganze heilsgeschichtliche Problematik angemessen wiedergegeben.

Ad 3) Ähnlich wie BULTMANN ist KLEIN der Ansicht, Pl gestehe 9,4f dem empirischen Israel zuerst eine unüberholbare Dignität zu, "um sie doch von V. 6 an von dort einfach abzuziehen und auf ein nicht mehr empirisch zu definierendes Israel zu übertragen"[70]. In seinen bisher veröffentlichten Äußerungen hat KLEIN sich kaum irgendwo auf Röm 11 eingelassen. Wenn er aus 4,16[71] und 11,23[72] entnimmt, Pl lasse für Israel die Verheißung künftigen Glaubens gelten, so wird nirgends deutlich, wie diese mit den geschichtlich an Israel ergangenen Verheißungen zusammenhängt. Selbst wenn die menschliche Antwort darauf Untreue war, so ist doch Israel dadurch grundlegend zum Heil bestimmt, wie die Fortführung von 3,1ff in 9-11 deutlich macht. Seine Geschichte darf doch wohl nicht von den im AT verankerten Verheißungen losgerissen werden. KLEIN lehnt hingegen das Schema Verheißung-Erfüllung im Blick auf den konkreten Vorgang der Bekehrung von Juden vollkommen ab[73].

e) Der KÄSEMANN-Schüler Ch. MÜLLER greift in seiner Arbeit, die 1958/59 als Dissertation vorlag, den Gedanken BULTMANNs auf, daß das Heil sich zur Geschichte Israels dialektisch verhält, betont nun aber auch den Doppelgehalt von "Aufhebung". Der Gottesvolkgedanke müsse - wie auch die Rede von der Gerechtigkeit Gottes - vom Schöpfungsgedanken her interpretiert werden[74]. Dieser selbst ist dialektisch: "Für Paulus heißt Schöpfung ständig neues Schaffen und deshalb auch: Verwerfen

---

69) Ebd. 204; vgl. ZNW 62 (1971) 37; H.v.m.
70) Individualgeschichte 193; vgl. Römer 4 168.
71) Vgl. Römer 4 159ff; seine Exegese wird kaum zutreffen.
   Dazu s.u. II B 2 b ad 2.
72) Vgl. ZNW 62 (1971) 30.
73) Vgl. Individualgeschichte 194.   74) Vgl. 100, 106ff.

und Töten"[75]. Der Israelbegriff des Pl ist notwendig doppelt, denn die Neuschöpfung des Volkes bedeutet Verwerfung des natürlichen Israel, und zugleich wird die - doch wohl geschichtliche - Kontinuität neu gesetzt[76]. Wenn damit aber keine "Vollendung oder auch Wiederherstellung des natürlichen Abrahamvolkes geschieht"[77] und das natürliche Israel in der eschatologischen Kirche aus Juden und Heiden "aufgehen" soll[78], stellt sich die Frage, warum Pl überhaupt noch auf der Verheißung für das geschichtliche Israel insistiert. Er tut es, weil die Aufhebung durch das Neue den Rückbezug auf das Alte nach dem Schema τὰ ἔσχατα ὡς τὰ πρῶτα einschließt[79]. So verbürgt die "Rettung Israels... der Kirche die Gewißheit, daß auch ihre κλῆσις und χαρίσματα ἀμεταμέλητα sind (vgl. 11,29)"[80]. Dann gibt Röm 9-11 eine durchaus klare, wenngleich dialektische "Antwort auf die Frage, wem die Verheißungen gelten: Sie gehören der Kirche, weil sie auch Israel gelten, und sie gehören Israel, weil sie auch der Kirche gelten"[81].

f) Offensichtlich in engem Austausch mit MÜLLER hat E. KÄSEMANN seine Pl-Deutung entwickelt. Auch für ihn bedeutet die Rechtfertigung des Sünders eine Radikalisierung und Universalisierung der promissio, die nur noch als "creatio ex nihilo" umschrieben werden kann. Gott hält zwar die Treue, und deswegen kann das Motiv des Gottesvolkes auf die Christenheit als eschatologisches Israel übergehen, aber es ist die Treue des Schöpfers, vor dessen Allmacht es keine Privilegien gibt; sie ist der ganzen Schöpfung gewährt[82]. Röm 9-11 haben dann zuerst den Zweck, den Gang des Röm am Juden als Urbild des homo religiosus, der die Gabe Gottes mißbraucht und zu seinem Vorrecht machen möchte, noch einmal zu wiederholen[83]. So kann

---

75) 84.   76) Vgl. 93.   77) 100.

78) Vgl. 93, 105.   79) Vgl. 98.   80) 100.

81) 105.   82) Vgl. Gottesgerechtigkeit 190ff.

83) Vgl. Gottesgerechtigkeit 191; Paulus und Israel 195f; Perspektiven 128.

26

nach dem Vortrag von 1961 die Heilsverheißung über dem ganzen
Israel durch diese "exemplarische Bedeutung Israels erklärt"
werden; sie sagt uns, daß Verheißung sich nicht aus der Kontinuität menschlicher Geschichte entfaltet, sondern nur über
unserem Scheitern und unserer Schuld aufleuchtet[84].

Das klingt zunächst an BULTMANN an. Aber genügt es? In seiner
"exemplarischen"[85] Rolle ist der Jude erledigt, sobald es
sich herausgestellt hat, daß die Verheißung nicht vom Menschen
in Anspruch genommen werden kann. Ist damit jedoch schon die
positive Seite der Verheißung recht erfaßt?

Schon am Ende seines Aufsatzes über Gottesgerechtigkeit bei
Pl[86] hatte KÄSEMANN angedeutet, wie die BULTMANNsche Engführung der pl Theologie auf Anthropologie überwunden werden kann,
indem die Gerechtigkeit Gottes als der auf alle entschränkte
Heilswille des Schöpfers ausgelegt wird. Dieses Anliegen verfolgen die späteren Äußerungen noch intensiver. KÄSEMANN sieht
sich nun genötigt, eine Doppelfront zu beziehen[87]. Er wendet
sich nach wie vor gegen einen irdisch ablesbaren Heilsplan, der
von einer immanenten Entwicklung aufgesogen wird[88], aber da
Rechtfertigung als Herrschaft Christi einen überindividuellen,
apk Horizont[89] hat, darf man Heilsgeschichte und Rechtfertigung nicht gegeneinander ausspielen. Beides gilt: die Rechtfertigungslehre "ist der Schlüssel der Heilsgeschichte wie umgekehrt die Heilsgeschichte die geschichtliche Tiefe und kosmische Weite des Rechtfertigungsgeschehens"[90]. Deshalb liegt Pl

---

84) Vgl. Paulus und Israel 197.

85) GOPPELT, Israel 178 hält es für unzureichend, nur von der
"exemplarischen" Bedeutung Israels zu sprechen. Dahinter
stecke eine aktualistische Auffassung von der Gnade.

86) Vgl. 192f.   87) Vgl. Perspektiven 152ff.

88) Vgl. ebd. 112, 154.

89) Vgl. Perspektiven 116f. Es ist interessant, daß KÄSEMANN
aus der apk Gebundenheit des pl Denkens gegenteilige
Schlüsse zu BULTMANN zieht. Für diesen ergab sich daraus
die Vereinzelung des Menschen auf die Entscheidung hin und
die Entweltlichung. Vgl. etwa Geschichte und Eschatologie
im NT 94.

90) Perspektiven 134.

die Erfüllung der Verheißung auch für Israel als "geschichtliche Größe" am Herzen[91]; denn Gottes Treue richtet seine von
uns mißbrauchten Verheißungen mitten in der Welt der Sünde und
des Todes wieder auf[92]. Einerseits ist die Kontinuität der
Heilsgeschichte paradox und nur dialektisch zu verstehen[93],
denn Gottes Wort schafft sich gegen die irdischen Realitäten
Heilsgemeinschaft. Aber aus demselben Grunde darf man auch die
Heilsgeschichte nicht leugnen, "weil Gottes Wort handelnd die
Welt in ihrer Weite und Tiefe durchdringt"[94].

Speziell ad 2 und 3) Diese Darstellung ist verbunden mit der
religionsgeschichtlichen These, daß Pl die apk Elemente innerhalb eines hellenistisch-enthusiastischen Christentums kritisch
zum Zug gebracht habe. Während die judenchristliche Gemeinde
sich noch in Kontinuität mit dem sich restituierenden Zwölf-
stämmevolk verstehen konnte[95], war für die griechischsprechen-
den Christen der Gottesvolkgedanke "nur noch übertragen brauch-
bar", weil man sich auf die Heidenmission eingelassen hatte.
"Die Empfänger der Verheißung gehörten ja nicht mehr ungebro-
chen mit denen der Erfüllung zusammen. Hier springt nun die Anthropologie in die sich öffnende Bresche, und zwar eine my-
thisch eingekleidete, die überschaubare Heilsgeschichte über-
greifende und nur exemplarisch noch verwertende Anthropologie"[96]. Ihre Parole lautet: weder Jude noch Grieche[97]. Obwohl Pl aus diesem Milieu kommt, ist sein apostolisches Selbstbewußtsein "nur von seiner Apokalyptik her begreiflich"[98],
und dasselbe gilt von der Methode und dem Ziel seiner Mission[99]. Sie ist ein "ungeheuerlicher Umweg zum Heil Israels",
weil die Weltgeschichte nicht enden kann, "ehe nicht auch die

---

91) Vgl. ebd. 121, 155.   92) Vgl. ebd. 133.

93) Vgl. ebd. 120f, 124.   94) Ebd. 155.

95) Vgl. Römer 3,24-26 99; Apokalyptik 112.

96) Apokalyptik 123.

97) Ebd. 124. Damit ist die Position BULTMANNs (s.o. Anm. 48)
    theologiegeschichtlich relativiert.

98) Apokalyptik 125.

99) Er stand unter apk Drang: Gottesgerechtigkeit 193; vgl.
    Perspektiven 117.

zuerst Berufenen als letzte heimgefunden haben". So wird Pl
zum "Vorläufer des Weltendes"[100]. Darin berührt sich KÄSE-
MANN bemerkenswert mit MUNCK[101].

g) P. STUHLMACHER nimmt dieses Schema seines Lehrers auf und
versucht, darin die Mission des Pl anhand des Begriffes εὐαγγέλιον noch genauer zu orten. Ad 2) Mit KÄSEMANN, MUNCK
u.a.[102] begründet er die judenchristliche Zurückhaltung gegenüber der Heidenmission mit einem apk Konzept, das Apk 14,6
illustrieren soll[103]. Wenn auch dort der Terminus εὐαγγέλιον
zugestandenermaßen neutral gebraucht ist und nichts mit einer
Bekehrungspredigt zu tun hat[104], überträgt STUHLMACHER doch
seine inhaltliche Bestimmtheit durch den Kontext auf die Sache
der Heidenmission, die jetzt als "Vorgriff auf Gottes Recht",
die Völker am Ende zu versammeln, erscheint[105]. Hand in Hand
damit geht das Verständnis von δικαιοσύνη τοῦ θεοῦ als Gottes
Recht, dem Pl jetzt schon - proleptisch - Bahn bricht[106]. Das
Merkwürdige ist: obwohl sich der hellenistischen Gemeinde neue
christologische Perspektiven eröffnet haben, bleibt ihr Missionsverständnis von einem apk Schema überlagert. Die alttе-
stamentlich-jüdische Hoffnung auf die Völkerwallfahrt zum Sion
wurde auch von ihr aufgenommen, "nun aber erklärend und in gewissem Sinne auch polemisch mit dem umstrittenen neuen Missionswerk unter den Heiden verbunden"[107]. Die Heidenmissi-

---

100) Vgl. Frühkatholizismus 244.

101) Vgl. etwa Heilsgeschichte 57.

102) Vgl. dazu meine Ausführungen in BZ 16 (1972) 92f.

103) Vgl. Evangelium 210ff.   104) Vgl. ebd. 214.

105) Vgl. ebd. 89, 98f. GÜTTGEMANNS, VuF 15 (1970) 72 beklagt
     nicht ohne Grund "eine konsequente Verwirrung der Be-
     griffsgeschichte (semantischer Aspekt) mit dem Inhalt des
     ntl. Kerygmas (inhaltlicher Aspekt)" bei diesem Autor.

106) Vgl. Evangelium 281; Gerechtigkeit Gottes 204ff, 206:
     "Paulus geht es, trotz seiner Naherwartung und seiner en-
     thusiastischen, apokalyptisch motivierten Missionsfahrt in
     die Mittelmeerwelt, in seiner Eschatologie nur noch darum,
     daß Gott zu seiner Zeit zu seinem Recht komme." Das "trotz"
     soll hier nur zeitliche Berechnung ausschließen. Vgl. noch
     EvTh 27 (1967) 376ff; Interpretation 567 Anm. 49.

107) Interpretation 565. Auch CULLMANN, Heil 141, 143 versteht

on ist so "ein in Gottes Geschichtsplan mit der Welt vorgese-
henes, freilich auch epochal begrenztes Geschehen. Ihr gehen
die Erwählung Israels, das Auftreten Jesu, sein Tod und seine·
Auferweckung (als das eigentlich Mission auslösende Ereignis)
voran. Die Heidenmission wird aber und soll noch gefolgt werden
von der Erlösung Israels selbst"[108]. Hier sei Röm 11,25ff ein-
zuordnen.

Man kann sich fragen, ob STUHLMACHER hier konsequent ist. Denn
nach der Vorstellung von der endzeitlichen Wallfahrt der Völker
hängt der Ruf an die Heidenwelt davon ab, daß sich Gott in Israel durchsetzt. Die heidenchristliche Vorwegnahme besteht doch
darin, daß dieser Vorbehalt fällt. Wie kann nun dennoch die
Völkermission in epochaler Abhängigkeit zur Bekehrung Israels
bleiben? Ist die Umkehrung, die in der Wendung zu den Heiden
liegt, nun doch wieder nur heilsgeschichtliche Taktik? Damit
käme man in die Untiefen der Theorie MUNCKs.

h) U. LUZ möchte diese Gefahrenzone vermeiden: "Der Begriff der
Prolepse scheint, wie das Beispiel Pannenbergs zeigt, insofern
mißverständlich, als damit auch die Annahme eines festgefügten,
von seinem Ende her verstehbaren apokalyptischen Geschichtsent-
wurfs verbunden sein könnte, wobei dann Gottes Offenbarung und
sein Geschichtshandeln dem Ende vorausläuft"[109]. Nun ist aber
gerade das Ergebnis seiner Arbeit, daß Pl keinen Gesamtentwurf
der Geschichte kennt, sondern daß Vergangenheit und Zukunft um
der Gegenwart des Christusgeschehens im Glauben willen zur
Sprache kommen[110]. LUZ führt darin exegetisch aus, was verschiedene Systematiker zur Korrektur CULLMANNs von K. BARTH her
vorgeschlagen haben[111]. Heilsgeschichte muß demnach theolo-

---

    die Bekehrung der Heiden als korrigierende Neuinterpreta-
tion der Völkerwallfahrt.

108) Interpretation 565f.

109) Geschichtsverständnis 398. Die folgenden Seitenangaben beziehen sich auf diese Arbeit.

110) Vgl. 227, 400 u.ö.

111) Vgl. D. BRAUN, FANGMEIER, KRAUS, Bibl. Theologie 352f.

gisch gesehen werden: d.h. sie hat kein Kontinuum außer dem
sich dem Menschen frei zuwendenden Gott, der mit sich selbst
zusammenhängt. Deswegen ist sie auch "einbegreifende" Geschichte, auf die man nur bekennend, doxologisch eingehen kann.
Sie ist konzentriert in Person und Werk Christi.

Ad 1) Auf dieser Linie deutet LUZ das pl Denken "theozent-
risch"[112]. Programmatisch ist der gegen CULLMANN gerichtete
Satz, wonach "nicht der Ereigniszusammenhang, verstanden als
Einordnung der einzelnen Ereignisse in einen nur auf einer
Horizontale darzustellenden Geschichtsentwurf, für das paulinische Denken der Ausgangspunkt ist, sondern nun doch die
Interpretation der 'vertikalen' Gnade Gottes, ein Sprachge-
schehen, das sich aber gerade der Horizontalen zur Manifesta-
tion von Gottes Gottheit bedient"[113].

Das bedeutet in Bezug auf die Vergangenheit: gerade wegen der
Offenbarung der Gerechtigkeit Gottes im Jetzt muß etwa in Röm
4 auch die Geschichte ins Gespräch kommen, denn Gott offenbart sich als ihr Herr[114]. "'Epaggelia' zeigt, daß die Geschichte durch das Tatwort Gottes theologisch relevant wird.
Dieses Tatwort Gottes geht nicht gleichsam in die sichtbare
Geschichte ein, so daß es in ihr vorfindlich wird, sondern es
bleibt als Wort ihr gegenüber, so sehr es geschichtswirksam
wird"[115]. LUZ liegt sehr an dieser "Unverfügbarkeit" des Handelns Gottes in der Geschichte[116]; diese ist zugleich Ort der
Offenbarung und der absconditas Gottes[117]. So schließt er,
"daß es eine menschliche Heilsgeschichte abgesehen davon, daß
über der menschlichen Unheilsgeschichte die göttliche Verhei-

---

112) Vgl. 135 Anm. 461, 397 Anm. 37; dort weitere Verweise.
113) 278f Anm. 51; STUHLMACHER, Interpretation 558 vermißt gerade die Explikation auf der Horizontalen im Buch von LUZ.
114) Vgl. 177, 226.   115) 183.
116) Vgl. 75, 84, 248 u.ö. WILCKENS, Geschichtsverständnis 407
bezweifelt, ob bei Pl - etwa in Röm 4 - darauf der Hauptakzent liegt.
117) Mit dieser Doppelung schließt sich LUZ deutlich an LUTHER
und K. BARTH an; vgl. 29 Anm. 54, 248 Anm. 76, 296 Anm.
127. So kann es 397 Anm. 36 heißen, Pl beschäftige sich
deswegen so intensiv mit dem Unglauben Israels, um "Gottes Verborgenheit in der Gegenwart" durchzuhalten.

ßung mächtig ist auf das Kommen Christi hin, nicht gibt"[118].

Ein Unbehagen meldet sich: läßt sich die Vergangenheit so zwei-
zügig (vgl. Abschnitt II und III des 1. Teils) auseinandernehmen
men in eine Vergangenheit Gottes und eine unheilvolle, durch
das Gesetz bestimmte Vergangenheit des Menschen, die sich nun
einmal wieder "dialektisch" verhalten sollen[119]? Gott spricht
und handelt ja nicht ins Leere; selbst wenn die Gnade Gottes
nur episodisch Wurzel schlägt, läßt sich nicht alles auf den
Gegensatz "zwischen menschlichem Ungehorsam und Gotteswort"
bringen[120].

Ad 3) Auch in Röm 9-11 geht es um die Gottesfrage[121]. Bezeichnend für die Auslegung von LUZ ist nun, daß nun alle Wi-
dersprüche der Geschichte sozusagen in Gottes Gottsein zurück-
verlegt werden. Der "dialektische" Ablauf der Kapitel und die
Dialektik des Gottesvolkgedankens sind theologisch notwendig[122]. Das Israel-Problem wird gleich dadurch entschärft, daß
LUZ den Vorzug dieses Volkes schon 9,4f als "Gottes Handeln"
interpretiert. Er kann so niemals verfügbar werden, aber auch
niemals dahinfallen[123]. Von diesem Gottesbild her ist beides
festzuhalten: "der absolute Verzicht auf Aufweisbarkeit des
Gottesvolkes, weil die Vorzüge des Gottesvolkes jederzeit Gottes eigene Tat bleiben und Gott jederzeit die Macht zur Preis-
gabe des Gottesvolks behält, und zugleich die volle Wirklichkeit dieses Gottesvolkes, dessen Vorzüge und dessen Heiligkeit
eben darum bleiben, weil sie freie Tat von Gottes Güte
sind"[124]. So kommen in Gott widerstreitende Aspekte zusammen,
ohne daß die je verschiedene menschliche Perspektive genügend
berücksichtigt wird. Exegetisch überzeugt so nicht ganz die

---

118) 193. CAMBIER, Bibl 51 (1970) 241-252 scheint mir mit seiner Kritik an LUZ vorbeizuzielen, wenn er ihn im Fahrwas-
ser BULTMANNscher "Entweltlichung" glaubt. LUZ vernach-
lässigt nicht "la valeur d'histoire" vergangener Ereignisse auf Kosten ihrer existentiellen Bedeutung. Nicht ihr
Geschichtswert, sondern der Wert der Geschichte ist ihm
fraglich.

119) Vgl. 134, 226.   120) Vgl. 84.   121) Vgl. 25, 277 u.ö.
122) Vgl. 277, 402.   123) Vgl. 270ff.   124) 277.

Auslegung von 9,19ff[125], 11,22[126] und 11,28f[127]. M.E. ist der Tenor dieser Röm-Kapitel letztlich, daß Gott das Heil aller will. Bei LUZ erscheint als die Hauptsache, daß Gott Gott bleibt[128]. So ist nach ihm der Skopus des Mysteriums 11,25ff das Paradox der Errettung Israels, "die Unberechenbarkeit und die Gnadenhaftigkeit dieses Geschehens"[129]. So wichtig die Untersuchungen von LUZ für uns bleiben, so scheint er doch Röm 9-11 nicht immer aus dem günstigsten Winkel anzuleuchten.

i) Die Schrift von Ch. DIETZFELBINGER[130] schließlich ist deswegen für uns interessant, weil sie einen neuen methodischen Ansatz zeigt. Sie möchte den verschiedenen Umgang des Pl mit der Geschichte auf das Nebeneinander von drei "Denkformen" zurückführen, die er übernommen habe[131]. Sie kommen darin überein, daß Israels Geschichte nicht als Heilsgeschichte angesehen werden darf, wenn man den ersten Bestandteil dieses Wortes wörtlich nimmt. Diese setzt erst mit Christus ein. Aber dadurch ist m.E. der Zusammenhang des endlichen Heils Israels mit seiner Erwählung nicht erklärt[132].

3. Anweisungen zum Vorgehen, Grenzen der Arbeit

a) In Auseinandersetzung mit der Darstellung CULLMANNs hat man öfter davor gewarnt, "objektivierend" von Gott und seinem Wir-

---

125) Vgl. 247, dazu u. IV Anm. 2 und 12.

126) Vgl. 277. Aber "Güte und Strenge" werden aus der Sicht des Glaubenden nicht zugleich erfahren.

127) LUZ 296f möchte V. 29 als Begründung zum ganzen V. 28 nehmen. So erhält er die Aussage, daß Gott "gerade in seiner Divergenz" "bei sich selbst und sich selbst treu bleibt". Wahrhaftig ein kühner Gedanke! Aber χαρίσματα und κλῆσις τοῦ θεοῦ gehören mit Sicherheit nur zu πατέρες (V. 28b).

128) Dafür steht ihm vor allem der Gedanke der Prädestination; vgl. 236, 264. Er weist darauf hin, "daß es bei Gottes Handeln in Vergangenheit und Gegenwart um ihn selbst geht".

129) 294.   130) Heilsgeschichte bei Paulus?

131) Vgl. bes. 33f.

132) Vgl. 44: "Damit aber, daß Israel aus seinem Widerspruch gegen Gottes Gerechtigkeit umkehrt und Gottes Recht annimmt, steht dann die mit Christus einsetzende Heilsgeschichte unmittelbar vor ihrem Ziel." Wieso ist das ihr Ziel?

ken in der Geschichte zu reden. Wenn es "Heilsgeschichte" gibt,
dann hat sie nur auf Glauben hin und innerhalb des Glaubens Bedeutung. Dem wollen wir methodisch schon dadurch Rechnung tragen, daß wir - was sich eigentlich von selbst versteht - "heilsgeschichtlich" relevante Aussagen des Pl in ihrem jeweiligen
<u>Kontext</u> untersuchen. Dann bleiben sie auf die Verkündigung des
Apostels bezogen und können in ihrem Stellenwert für den glaubenden Hörer bestimmt werden. Bei der Fülle der in Frage kommenden Texte können wir nicht allen Einzelheiten eines Stückes
nachgehen, sondern nur die für unser Thema wichtige Aussage erheben.

<u>b)</u> Besonderes Augenmerk verdienen sicher auch die <u>traditions-
geschichtlichen</u> Fragen, etwa ursprüngliche Bedeutung und spätere Interpretation von wichtigen Bibelzitaten, Herkunft von Begriffen und Vorstellungen. Wer auf diese Methode den Nachdruck
legt, läuft allerdings Gefahr, wie neuere Versuche belegen[133],
die Text-Ebene zu überspringen und diachron gewonnene Ergebnisse in den synchronen Zusammenhang einzutragen. Eine Verknüpfung
beider Forschungsrichtungen ist nur dann möglich, wenn der Hintergrund im Text selbst noch durchblickt oder bei den damaligen
Hörern unweigerlich mit in Sicht kommen mußte.

<u>c)</u> Die vorliegende Arbeit möchte eine <u>historisch</u> begründete
Deutung des Pl geben. Zuerst heißt die Frage: auf was kam es Pl
an? Damit ist auch eine gewisse Distanz erforderlich. Manche Autoren identifizieren sich "naiv" mit ihrer Pl-Deutung[134]. Doch
gilt es, sich offen zu halten für die geschichtliche Bedingtheit
seiner Anschauungen. Das Kriterium dafür kann freilich nicht die
Option für das jetzt Mögliche sein, der natürlich gerade in Röm
11 manches anstößig und unrealistisch erscheinen muß.

---

133) S.o. Anm. 105 zu STUHLMACHER; ähnliches wird zur Forschung
über die δικαιοσύνη θεοῦ und bei der Behandlung von 11,25f
zu Ch. MÜLLER und PLAG zu sagen sein.

134) Das hat WILCKENS, Geschichtsverständnis 403f an LUZ auszusetzen. Umgekehrt möchte sich DIETZFELBINGER, Heilsgeschichte bei Paulus? 44f vorsichtig von der pl Sicht des
AT, sofern sie auf kontingenten Voraussetzungen beruht,
lösen; die Überraschung von KLEIN, Individualgeschichte
223, darüber ist nicht gerechtfertigt. Denn DIETZFELBINGER

d) Denn gleichzeitig ist die Exegese <u>theologisch</u>[135], d.h.: sie
kann nicht vom Offenbarungsanspruch, den ihr Gegenstand mitbringt, absehen. Diesem Anspruch gegenüber ist zunächst der
Versuch des Nachvollzugs angemessen. Das diktiert der Methode,
auf die innere Stimmigkeit der Texte zu hören. Erst wenn dieses
Bemühen scheitert, kann eine von der Sache gebotene "Tendenz-
kritik"[136] am Platze sein.

Ich bin mir darüber im klaren, daß solche Auslegung erst die
Voraussetzung für ein wirkliches Verstehen der Schrift schaffen
kann, das auch ihre Relevanz für uns aufweist. Begriffe, auf
die die Untersuchung nur allzuoft führt, weil sie für Pl letzte
Wirklichkeiten bedeuten, wie "Handeln Gottes", "Heil des Menschen", müssen als Chiffren stehen bleiben. Diese Grenze ist
vielleicht heute besonders fühlbar.

---

will durchaus bewahren, was die pl Deutung der atl. Geschichte über die Situation des Menschen sagt.

135) N. LOHFINK 218ff hat die verschiedenen Haltungen des Hi-
storikers und des Auslegers gegenüber dem Text dargestellt.
S. 225ff zeigt er aber auch, wie sie sich gegenseitig fördern könnten, und dies an der konkreten Aufgabe eines
christlichen Tractatus de Judaeis.

136) Ansätze dazu bei GÜTTGEMANNS, Heilsgeschichte 54f.

K A P I T E L   I

DAS ZIEL DES RÖMERBRIEFS UND DIE MISSION DES PAULUS

A) Anlaß und Zweck des Röm

1. Das Problem

Ein Brief ist mehr als eine theoretische Abhandlung durch die Situation geprägt, in der er entstanden ist. Deshalb ist es unzulässig, sachliche Äußerungen daraus isoliert zu entnehmen, ohne vorher ihre Valenz für das Ganze des Briefes zu ermitteln. Das gilt auch für die Aussagen über Juden und Heiden im Röm. In welchem Verhältnis stehen sie zum Tenor des Schreibens? So erweist es sich als vordringliche Aufgabe, eine Antwort auf die vielverhandelte Frage nach dem Zweck des Röm zu suchen.

Fast allgemein unterscheidet man davon die Frage nach dem Anlaß des Briefes[1]. Warum schrieb Pl überhaupt nach Rom? Das erhellt ziemlich eindeutig aus dem Rahmen (1,1-17; 15,14-33): Pl will mit dem Brief seinen sich zunächst noch verzögernden Besuch in Rom ankündigen und vorbereiten; am Schluß erfahren die Römer, daß sie Sprungbrett für seine Mission in Spanien sein sollen. Solche Motivierung genügt freilich nicht, um zu erklären, warum der Apostel gerade diesen großangelegten und aufwendigen Brief an eine ihm noch fremde Gemeinde sandte.

So nützlich diese Problemteilung ist, so werden wir doch zusehen müssen, ob Anlaß und Zweck des Röm nicht innerlich zusammenhängen. Hat der praktische Hintergrund des Röm, den die Mission des Pl abgibt, auch Einfluß auf Gehalt und Gestalt des Schreibens? Auch für diese Frage wird der Briefrahmen aufschlußreich sein. Denn es steht zu erwarten, daß sich hier der Übergang zwischen Anlaß und Ziel des Dokuments andeutet. Das Moment des oft vernachlässigten Rahmentextes geht schon daraus hervor, daß er sich am meisten gegen Versuche sperrt, den Lehrgehalt des Briefes aus seiner konkreten Situierung herauszulösen. Die Schwierigkeit, mit der der Ausleger fertig werden muß, liegt ja darin, daß der Röm sich fast durchgehend mit dem

---

1) Vgl. KÜMMEL, Einleitung 223; SANDAY-HEADLAM XXVIIIf.

jüdischen Heilsweg auseinandersetzt und doch an eine heiden-
christlich bestimmte Gemeinde[2] gerichtet sein soll[3]. BAUR[4]
konnte seine Antijudaismus-These bezeichnenderweise nur retten, indem er die Einleitung des Briefes nicht gründlich un-
tersuchte und Kap. 15f schlicht für unecht erklärte. Denn im
Rahmen schürzt sich der Knoten zwischen konkreter Bestimmung
und Thema des Schreibens. Auch neuere Bemühungen, den Röm
durch ein überlokales pastorales Ziel verständlich zu machen,
scheitern immer wieder an diesen Briefteilen, von denen man
auch in der nach P^{46} vermuteten Urgestalt des Röm nicht absehen kann[5]. NOACK geht zwar zu weit, wenn er meint: "The frame-

---

2) Daß die römischen Christen in ihrer Mehrheit heidnischen Ur-
   sprungs waren, wird heute fast allgemein angenommen. Vgl.
   KÜMMEL, Einleitung 221f. KERTELGE, Rechtfertigung 74, der
   nun wieder überwiegend judenchristliches Gepräge vermutet,
   stützt sich auf das argumentum e silentio, von einer heidenchristlichen Missionstätigkeit vor Pl wüßten wir nichts.
   Vgl. dagegen die Überlegungen von KÄSEMANN, Frühkatholizismus 241. J. KNOX rechnet damit, daß die römische Christenheit früher einmal - vor dem Edikt des Claudius - mehrheit-
   lich aus ehemaligen Juden bestand. Das ist durchaus möglich.
   Zur Zeit des Röm, oder wenigstens nach der Ansicht des Pl im
   Röm, lassen sich die Leser jedoch als ἔθνη charakterisieren.
   So auch neuerdings WIEFEL. Dabei ist die Annahme BOUSSET-
   GRESSMANNs 81 nicht ausgeschlossen, daß unter ihnen die Anzahl einstiger Proselyten erheblich war.

3) Deswegen möchte KINOSHITA mit einem literarkritischen Ge-
   waltstreich den Brief in ein "manual on Jewish problems" und
   ein Schreiben an die römische Gemeinde auseinandernehmen.

4) Vgl. seinen Paulus I. Dagegen die Kritik von ZAHN 6f.

5) Davon ausgehend nimmt T.W. MANSON verschiedene Ausgaben des
   Briefes an. Aber auch seine ephesinische Form enthielt die
   persönlichen Notizen 15,14ff! Ihm folgten MUNCK, Heilsgeschichte 190-203, BRUCE 18. J. KNOX, NTS 2 (1955/56) 191ff
   meint, Röm liege ein enzyklikaartiges Formular zugrunde, in
   dem sich Pl bei nicht von ihm gegründeten Gemeinden, denen
   er noch keinen Besuch abstatten konnte, als Heidenapostel
   einführe. J. KNOX neigen FUNK und SUGGS zu. Aber J. KNOX
   dürfte sich nicht darauf berufen, daß einige Codices die Lo-
   kalangaben in 1,7.15 auslassen; denn diese sind im konkreten
   Kontext nicht durch andere auswechselbar. Zum Textproblem
   vgl. T.W. MANSON 227f; LYONNET, Exegesis I-IV 73-75. TROCMÉ
   wittert hinter dem Röm ein "document de base", das Pl jeweils an Gläubige gerichtet habe, die der Bruch mit der Synagoge hilflos und ohne rechtes Gemeindebewußtsein zurück-
   ließ. Da käme der Brief bei der doch den Juden gegenüber
   recht selbstbewußten heidenchristlichen Gemeinde Roms an die
   falsche Adresse.

work of the whole epistle is the real purpose of the letter, that is to inform the Roman Christians of Paul's future plans"[6], aber zweifellos muß die Fassung des Briefes, soll sie dem Corpus nicht heterogen gegenüberstehen, einen Hinweis darauf geben können, welches Ziel das Ganze bei seinen Adressaten verfolgt.

2. Neuere Thesen zum Zweck des Röm

Wir möchten nicht alle Einleitungsfragen zum Röm ausbreiten, sondern lassen nur einige markante Lösungsversuche zum Sinn des Röm unter dem Gesichtspunkt an uns vorüberziehen, wie sie Anlaß und Ziel zusammenbringen. Gleichzeitig achten wir darauf, welche Stellen des Briefrahmens sie für sich in Anspruch nehmen. Bei diesem Verfahren erweisen sich viele Kommentare schon deswegen als unangreifbar, weil sie sich nicht auf einen Grund des Röm beschränken, sondern ein ganzes Bündel von verschiedenen Motiven glaubhaft machen wollen[7]. Doch so sehr man gerade beim Röm "mit komplexen Entstehungsfaktoren" rechnen muß[8], so werden wir doch wenigstens den Versuch wagen dürfen, ein leitendes Interesse aufzuzeigen.

a) Wie frühere Kampfbriefe möchte eine Reihe von Auslegern auch den Röm in Auseinandersetzungen innerhalb der Gemeinde ansiedeln. Bevor Pl nach Rom komme, wolle er die Atmosphäre bereinigen. Von den 14,1-15,13 wahrnehmbaren Fronten sowie von manchen Selbsteinwänden aus schließt man auf antisemitische Strömungen[9] und libertinistische Fehldeutungen des Ev bei der hei-

---

6) StTh 19 (1965) 160ff.

7) Vgl. die Kommentare von MICHEL und SCHMIDT.

8) Vgl. KUSS, Paulus 203.

9) So in der Reaktion gegen die von BAUR ausgehende Welle sehr deutlich FEINE. Diese Tendenz wird zum Erklärungsprinzip bei MARXSEN, Einleitung 88ff; BARTSCH, Gegner; ders., Situation; WILLIAMS. MINEAR legt nun einen Entwurf vor, der den ganzen Röm von Kap. 14 her aufrollen will. Die röm. Christen seien in verschiedene "congregations" zerfallen, die nicht einmal einheitlichen Gottesdienst halten könnten. Pl wolle sie versöhnen, um ihre Einflußnahme in Jerusalem und spätere Unterstützung in der Spanienmission zu gewinnen. Aber MINEARs Durchführung überzeugt schon deshalb nicht, weil die tragen-

denchristlichen Mehrheit[10]. In der Briefrahmung ist davon allerdings nicht viel zu spüren. Nur MICHEL sieht in den zurückhaltenden Formulierungen von 1,11f; 15,14 eine Rücksicht auf diese hellenistische Gruppe, die "Pneumatiker", walten.

b) Daß Pl seine Rechtfertigungslehre zum Teil polemisch entwickelt, führte einige Autoren[11] dazu, in Rom eine judenchristliche Minderheit anzunehmen, die besondere Vorzüge behauptete. Da es aber nach 11,17ff nicht so aussieht, als müsse der Apostel die Heidenchristen in Schutz nehmen, verlegten andere Erklärer die judaistische Kampagne aus der Gemeinde heraus. Pl befürchte judenchristliche Agitatoren, die seine Botschaft von vornherein entstellen. So sei der Röm eine Art "Apologie" des gesetzesfreien Ev[12]. Im Rahmen des Briefes wird dafür die Betonung des Völkerapostolats sowie die kämpferische Wendung 1,16a beansprucht. Es fällt aber auch auf, daß 1,2 und 15,27 die Kontinuität zum jüdischen Stammvolk herausstellen. Im Brief selbst sind mögliche Hinweise auf Verleumder von außen sehr dünn gesät[13].

---

den Begriffe von Kap. 14 wie πίστις (40f) oder κρίνειν (46ff) im Vorderteil des Briefes ohne konkreten Bezug auf innerkirchliche Zwistigkeiten sind.

10) So W. LÜTGERT; vgl. das Referat bei KUSS, Paulus 186f; PREISKER; WOOD.

11) Vgl. schon KÜHL. Dann HARDER; ULONSKA 151ff: Heidenchristen hätten Pl um Hilfe gegen die nach Rom zurückströmenden Juden und Judenchristen gebeten. Auch KERTELGE, Rechtfertigung 74 glaubt unter den Christen Roms "jüdische Eiferer und Restauratoren des Gesetzes". Bei den fünf (!)-Gruppen, die MINEAR aus Röm 14 herausschält, sind auch Judenchristen, die die "Starken" verurteilen (8ff).

12) Vgl. LIETZMANN, Zwei Notizen 287ff; W.L. KNOX 345ff; MICHEL 4; EICHHOLZ, Prolegomena 166ff.

13) In Frage kommt höchstens 3,8. Die hier vorausgesetzte "Blasphemie" legt nahe, daß es sich nicht nur um einen rhetorischen Selbsteinwurf des Pl handelt. Unwahrscheinlich ist, daß die Libertinisten sich diese Parole selbst auf die Fahnen geschrieben hatten (gg. KÜHL und LAGRANGE richtig KUSS). Eher ist sie polemische Konsequenzenmacherei gegen die Theologie des Pl aus judaistischem Lager: MICHEL, HARDER. Damit ist aber noch nicht bewiesen, daß sie die römische Gemeinde beunruhigen mußte.
Zur Warnung 16,17-20 vgl. SCHMITHALS, Irrlehrer. Er zeigt

c) Da Gemeindeprobleme nur am Rand des Röm auftauchen, suchen andere Forscher seine Eigenart aus der Situation des schreibenden Apostels selbst zu begreifen. "Apostolus sua propria problemata evolvit, potius quam Romanorum"[14]. Gerade 15,14-33 sind dafür aufschlußreich. Nach 15,19.23 ist Pl ja an einem bedeutenden Einschnitt seiner Missionsarbeit angelangt. Der Röm sei eine Art "Testament"[15]. Pl ziehe Bilanz, wobei er entweder an seine früheren Kämpfe um die Freiheit des Ev zurückdenke[16] oder angesichts der 15,31 spürbaren Bedrohung vorausblickend die Römer am Ringen um sein Missionsverständnis beteilige, für das er sich bald darauf vor der Urgemeinde zu verantworten habe[17]. Diese Interpretation hat gerade von unserer Fragestellung her den Nachteil, daß sie nicht verständlich macht, warum gerade die Römer die Empfänger dieses "Testaments" sind[18]. Sicher ist die Lage des Briefschreibers hermeneutisch

---

zumindest, daß der Abschnitt nicht gegen judaistische Gegner gehen muß. Grundsätzlich gilt: da Kap. 16 in seiner Zugehörigkeit zum Röm umstritten ist, ist es methodisch ratsam, es nicht zur Beweisführung heranzuziehen.

14) LYONNET, Quaestiones I,44; ebenso NYGREN 14; KUSS, Paulus 200ff: "Der Brief sieht, im Ganzen genommen, eher wie eine grundsätzliche Besinnung des Paulus auf die theologische Thematik aus, die ihn immer und überall beschäftigte, wie eine auch vor dem Forum des eigenen Ich sich ereignende Selbstrechtfertigung..." (202f).

15) So BORNKAMM, Paulus 103ff; ders., Testament. KUSS, Paulus 200 Anm. 2 bemerkt dazu richtig, daß man davon eigentlich erst aus der Sicht derer sprechen kann, denen dieser Brief als letztes Dokument überkommen ist.

16) Vgl. T.W. MANSON 226; 240f; W. MANSON 150ff; MUNCK, Heilsgeschichte 190ff; HUBY u.a.

17) Vgl. LYONNET, Quaestiones I,50; BORNKAMM, Testament 136ff; nun auch - anscheinend unabhängig davon - JERVELL, StTh 25 (1971) 61-73: die Hauptintention des Schreibens komme 15,30 heraus: es war Reflexion über die Verteidigungsrede, die Pl vor der Gemeinde in Jerusalem halten will.

18) Das fragt mit Recht SUGGS 291. Schickt er ihnen nur diese lange "Zurüstung" für die bevorstehende Auseinandersetzung, damit sie besser für ihn beten (15,30) können? Nach JERVELL, StTh 25 (1971) 71ff möchte Pl diese anerkannte Gemeinde hinter sich wissen (wie?), damit er in Jerusalem die ganze heidnische (will sagen: heidenchristliche) Welt repräsentieren kann. Nach BORNKAMM, Testament 138f Anm. 47 wendet sich der Apostel an die römischen Christen, "weil

von Belang, aber wir können nicht annehmen, daß Pl einen Mono-
log gleichsam zum Fenster hinaus gehalten hat. Was die Jerusalemer Urgemeinde als "geheime Adressatin des Römerbriefs"[19)]
angeht, so gibt die Tatsache zu denken, daß der Apostel nirgends einen judenchristlichen Kompromiß bekämpft, sondern den
Unglauben des gesetzestreuen Judentums als solchen vor Augen
hat[20)].

d) Ein anderer Vorschlag knüpft noch enger an das Missionsvorhaben des Pl an: Pl wolle sich den Römern unbekannterweise mit
seinem Ev vorstellen[21)], "present his credentials"[22)], sich als
legitimen Apostel ausweisen[23)]. Diese Ansicht setzt voraus, daß

---

das weitere Schicksal der Heidenmission und damit auch die
volle Gliedschaft der römischen Gemeinde in der Gesamtkir-
che im Augenblick, da er schreibt, wie nie zuvor bedroht
waren." Es ist nur merkwürdig, daß dieses so entscheidende
Motiv erst ganz am Schluß ans Licht treten soll.

19) Diese Formulierung stammt von E. FUCHS 191.

20) Das haben seit FEINE 144 viele Autoren festgestellt. BORN-
KAMM, Paulus 110 möchte das so mit seiner These in Einklang
bringen: das Heilsverständnis des Judentums wirke "ver-
kappt" auch im Judenchristentum Jerusalemer Observanz nach.

21) Vgl. ZAHN 71: "Nur im Einverständnis mit der dortigen Gemeinde, die, wie alle Gemeinden jener Zeit an der Ausbreitung des Christentums tätigen Anteil hatte, konnte er hoffen, den Hauptzweck seines beabsichtigten Aufenthalts in
Rom zu erreichen. Es galt vor allem, sich mit ihr über das
Wesen des Ev zu verständigen... Dies unternimmt Pl in 1,16b-
11,36." ALTHAUS schreibt in der Einleitung zu seinem Kommentar, Pl gebe den Römern, die ihm missionarischer Stützpunkt
sein sollen, Rechenschaft über das von ihm verkündigte Ev,
vor allem über seine Stellung zum Gesetze. Ähnlich faßt KÜM-
MEL, Einleitung 223f den Röm als ein aus einer konkreten
Notwendigkeit seiner Missionsarbeit entstandenes theologisches Selbstbekenntnis des Pl auf. In milderer Form findet
sich diese Meinung auch bei LAGRANGE, der aber XXXIII bemerkt: "Non qu'il les fasse juge de la vérité de ce qu'il
enseignait."

22) Besonders DODD 4: Pl habe keine Autorität über die ihm unbekannte Kirche; deswegen möchte er ihre Anteilnahme für
sein geplantes Missionswerk gewinnen. 1,1-7 biete darum ein
"summary of his credentials as a missionary" und ein "brief
outline of the Christian faith which he preaches."

23) So FRIDRICHSEN, Apostle 7f: "I believe that the main motiv
of Romans is to assert, in a discreet way, the apostolic
authority and teaching of Paul in the church of Rome". Ihm
stimmt J. KNOX, NTS 2 (1955/56) 191ff zu.

der Röm einen inhaltlichen Abriß des pl Ev gibt. Aber spricht der Apostel die Römer nicht auch auf das Ev als gemeinsamen Besitz hin an? Hierfür muß vor allem das Präskript und die sogenannte Themaangabe 1,16f untersucht werden. Zu bedenken ist ferner die Selbstverständlichkeit, mit der sich Pl als Völkerapostel anmeldet und seinen Anspruch auch gegenüber der römischen Gemeinde geltend macht (vgl. 1,1.5f; 15,15-19).

e) Während die genannte Auffassung der römischen Kirche doch eine entscheidende missionsrechtliche Stellung einräumt, verfällt eine andere These ins genaue Gegenteil. G. KLEIN nimmt in Rom gar keine gefestigte Gemeinde an; sie bedürfe noch der apostolischen Fundierung[24]. Bezeichnend für diese Ansicht ist, daß sie den Inhalt des Briefes mit dem Zweck des angekündigten Besuches in eins setzt; der Brief ist gleichsam ein schon vorweggenommenes εὐαγγελίζεσθαι. Hier sind die Zielangaben 1,11ff, die teilweise dem in 15,20f genannten Prinzip zu widersprechen scheinen, näher zu betrachten.

f) Eine Variante zu d), in der die römische Gemeinde weniger als prüfende Instanz denn als Missionszentrum erscheint, hat SCHRENK[25] zur Debatte gestellt. Danach geht es im Röm um Zurüstung lebendiger Arbeitsgemeinschaft. Die "Missionsüberzeugungen" des Apostels werden der "Sendungsgemeinde" zur Reinigung ihrer Theorie und Praxis nahegelegt. Läßt sich diese missionstechnische Bedeutung Roms für die Pläne des Pl im Westen im Rahmen des Briefes verifizieren? Wie verhalten sich dazu 1,13.15, wo es den Anschein hat, als sei in Rom selbst noch das Ev zu verkünden?

---

24) Vgl. Abfassungszweck 140ff. Auf eine ähnliche Folgerung müßte auch ROOSEN hinauskommen. Mit KLEIN setzt sich ausführlich BORNKAMM, Testament 128f auseinander.

25) Römerbrief 82f.

B) Analyse des Rahmens

Daß der Briefeingang und das Stück 15,14-33 sachlich aufeinander bezogen und vielfach verklammert sind, ist schon oft bemerkt worden. Zu den Gemeinsamkeiten, die MICHEL[26] nennt, wäre vor allem hinzuzufügen, daß das Thema "Evangelium" in diesem Rahmentext besonderes Gewicht hat[27]. Das Substantiv erscheint 1,1.9.16; 15,16.19; das Verbum 1,15; 15,20. Pl beschreibt seine Aufgabe am Ev in kultischer Terminologie (1,9; 15,16) und mit ihrer besonderen Ausrichtung auf die ἔθνη (1,5. 13f; 15,16.18). Wiederholt begegnet das Stichwort δύναμις: hinter dem Ev steht der in Macht Erhöhte (1,4), es ist so selbst Machtereignis Gottes (1,16), in seinem Verkünder wirkt Christus mit Machterweisen und in der Kraft des Geistes (15,18) zur ὑπακοή der Glaubenden (1,5; 15,18). Trotz dieses inneren Zusammenhangs beider Teile ist aber auch ein gewisser Unterschied nicht zu übersehen: was der Apostel eigentlich im Westen vorhat sowie seine konkrete Situation, enthüllt sich erst am Ende des Schreibens deutlicher.

Wir überprüfen den Briefrahmen daraufhin, ob und wie von dem darin ausgesprochenen Anlaß des Röm aus auch eine Folgerung für die Absicht des Verfassers möglich ist, die den Brief im ganzen trägt. Obwohl Eingang und Ausleitung am meisten Persönliches mitteilen, partizipieren sie doch auch am stärksten an der Formelhaftigkeit des Briefstils, wie sich aus dem Vergleich mit entsprechenden Partien anderer Pl-Briefe erschließen läßt. Dies ist beim Wägen der einzelnen Aussagen besonders in Rechnung zu stellen.

---

26) Vgl. Kommentar 362. Vgl. auch die Aufstellung von MINEAR 37.

27) Darauf weist mit Recht KLEIN, Abfassungszweck 134f hin.

28) Darauf hat wieder KLEIN, Abfassungszweck 142 aufmerksam gemacht. STECKER 40ff behandelt Röm 1,1-7 im Anschluß an Tit 1,1-4; die ähnlichen Züge sind aber nicht auf formgeschichtlichen Zwang zurückzuführen. Im Präskript des Tit wirkt das im Röm noch fehlende Revelationsschema nach.

1. Zuschrift und Segenswunsch (1,1-7)

Das Präskript hat gemeinhin die Funktion, das grundlegende Verhältnis zwischen Schreiber und Empfänger auszusagen, innerhalb dessen die briefliche Kommunikation sinnvoll verlaufen kann. Formal fällt die Adresse des Röm durch ihren ausladenden Bau zumeist in Doppelgliedern und durch feierliche Stilisierung auf. Inhaltlich ragt sie dadurch heraus, daß sie das dem Apostel anvertraute εὐαγγέλιον θεοῦ betont herausstellt[28]. Es wird zweifach bestimmt: a) in vielleicht liturgisch geprägter Sprache[29] als Erfüllung der prophetischen Verheißung; b) in seiner Botschaft durch eine christologische Bekenntnisformel[30]. Grammatikalisch untergeordnet, aber offenbar mit Bedacht kehrt V. 5 dann noch einmal zum bereits V. 1 angesprochenen apostolischen Dienst des Pl zurück. Was bewog, auf das Ganze des Briefs gesehen, Pl zu dieser im Präskript ungewöhnlichen, einprägsamen Präsentierung des Ev?

a) Zu V. 2: Hebt Pl aus apologetischen Gründen die Kontinuität seiner Botschaft mit dem atl. Gotteswort hervor? So vermuten DODD und KNOX, der Apostel wehre sich hier gegen Angriffe des Judentums, er zerstöre das Gesetz. Wir müssen aber die heidenchristlichen Adressaten berücksichtigen. Ihnen ist nicht das Apostolat des Pl strittig, aber das Ev wird ihnen umso glaubwürdiger vorkommen, je mehr es in Gottes immer schon bezeugtem Willen verankert ist. Pl möchte hier auch nicht schon der Versöhnung zwischen Juden und Heiden in Rom vorarbeiten, wie

---

29) So LUZ, Geschichtsverständnis 111.

30) Vgl. dazu die Bestandsaufnahme bei BURGER 25ff mit Lit. Mit SCHLIER, Zu Röm 1,3f stimme ich ihm gegenüber WENGST 112f darin zu, daß der Gegensatz κατὰ σάρκα - κατὰ πνεῦμα schon zum vorpl Bestand gehört, wobei offen bleiben kann, ob er in einer weiteren, palästinensischen Vorform gefehlt haben mag (so SCHLIER 214f). Auf eine ausführliche Diskussion der Überlieferung brauche ich mich hier nicht einzulassen.
Auch Gal 1,4 wird in einem Präskript die Erwähnung Jesu Christi mit einer formelhaften Wendung erweitert, allerdings innerhalb des Segenswunsches. Sie steht in Bezug zum Anliegen des Briefes, dem es ja darum geht, daß Christus nicht umsonst gestorben ist (2,21). So ist auch für Röm 1,3f zu fragen, was die Erweiterung soll.

LIGHTFOOT meint[31]. Denn der Satz ist auf die Verkündigung des
Pl bezogen; die Leser sollen merken, daß sie vom treuen Gott
herkommt und also zuverlässig ist[32].

b) Zu V. 3f: Warum schließt sich Pl einer Tradition an? Stellt
er bewußt das heraus, was ihn mit den Römern verbindet[33]? Will
er seine Einheit mit der Jerusalemer Urgemeinde dartun[34]? Liefert er mit diesen Versen gleichsam sein Beglaubigungsschreiben
bei den Römern ab[35]? So motiviert die oben unter d) aufgeführ-
te Anschauung die Bezugnahme auf eine Glaubensformel. Sie setzt
dabei voraus, daß die Römer die angezogene Überlieferung als
Tradition - gar noch als judenchristliche - hören konnten;
das ist aber unwahrscheinlich, zumal die Traditionsterminologie
hier fehlt[36]. Da die zitierte Formel deutlich in der zweiten
Hälfte gipfelt, geht es Pl eher um eine christologische Begründung des ihm übertragenen Ev. "Der ganze Gedankengang V. 3-4
führt zu dem Amt des κύριος hin" - 'Ιησοῦ Χριστοῦ τοῦ κυρίου
ἡμῶν ist ja pl Akzentuierung -,"in welchem die Weltmission und
damit vor allem das Heidenapostolat des Paulus seinen Grund
hat"[37]. Wenn wir das ἐν δυνάμει als Einfügung des Pl erklären
dürfen[38], dann ist es offensichtlich: was als Inhalt (περί)

---

31) Nach MINEAR 38 ist das Präskript ebenfalls auf die Uneinig-
    keit der Römer gemünzt: "the Gospel of God had destroyed
    their extreme positions by its inclusion of both Jews and
    Gentiles."

32) Vgl. KÜHL und STUHLMACHER, EvTh 27 (1967) 376ff.

33) LAGRANGE: Röm 1,3f sei "comme un mot de passe, en leur per-
    mettant de se rendre compte, dès le début, que l'évangile
    qu'il prêchait était aussi le leur". ZAHN: Pl nimmt Rück-
    sicht auf den judenchristlichen Gesamtcharakter der römi-
    schen Gemeinde. Vgl. noch RENGSTORF 463; BURGER 30f.

34) DODD, MICHEL, auch KUSS: "Offenbar legt er Wert darauf,
    durch betonten Anschluß an die Tradition der ihm unbekann-
    ten Gemeinde zu Rom seine 'Rechtgläubigkeit' zu beweisen."

35) So SANDAY-HEADLAM.

36) Das unterstreicht WEGENAST 76 mit Recht.

37) So gut SCHMIDT. Ähnlich KASTING 136f: "Paulus begründet
    hier mit der Christologie seinen eigenen Apostolat." Frei-
    lich setzt sich Pl mit seiner Berufung auf den Erhöhten
    nicht von den ersten Aposteln ab, wie SCHMIDT will.

38) Vgl. STECKER; BURGER 32: "sehr plausibel"; SCHLIER, Zu Röm
    1,3f 209f.

des Ev angegeben wird, zielt in Wahrheit darauf, seine durch-
schlagende, universale Macht zu untermauern. Pl entwickelt V.
3f keine in sich ruhende "verheißungsgeschichtliche Christologie"[39], die christologische Formel unterstreicht den Anspruch des Herrn, der im Ev durch seinen δοῦλος zur Sprache
kommt.

c) Zu V. 5: Weil es ihm auf die von Christus, dem Herrn, her-
geleitete Autorität seiner Verkündigung ankommt, lenkt Pl mit
δι' οὗ zurück auf sein Apostolat unter den Heidenvölkern. Zweifellos will er sich damit der noch unbekannten Gemeinde als A-
postel vorstellen, der ein Anrecht hat, überhaupt an sie zu
schreiben, weil er Heidenapostel ist[40]. Demselben Zweck dient
dann 15,15ff. Aber nun fragt sich erst, warum er ihnen als Völ-
kermissionar schreibt. Es ist doch nicht anzunehmen, daß er ein
Besitzrecht auf einen Glauben anmeldet, den er selbst nicht geweckt hat[41]; andererseits braucht er denen, die schon κλητοὶ
'Ιησοῦ Χριστοῦ sind, nicht erst noch die Glaubensforderung nahezubringen. Was haben die ἔθνη in Rom mit der Aufgabe des Pl
unter den ἔθνη zu tun[42]? Auch in dem gerafften Ausdruck εἰς

---

39) Gg. die Überinterpretation von STUHLMACHER, EvTh 27 (1967)
384f; vgl. die Kritik von LUZ, Geschichtsverständnis 111
Anm. 360, auf die STUHLMACHER, ZThK 67 (1970) 25 Anm. 26
antwortet. Auch SCHLIER, Zu Röm 1,3f 217f vermag kein
heilsgeschichtliches Interesse zu entdecken. Seine eigene
Lösung, Pl knüpfe an eine in vorpl Form in Rom als bekannt
anzunehmende Formel an und praktiziere zugleich durch seine Interpretation "das geistliche Verhältnis von Apostel
und Kirche", scheint mir aber zu kompliziert.

40) Vgl. LIETZMANN und die Aufzählung der Autoren bei KUSS.

41) FRIDRICHSEN, Apostle 7 entgeht nicht einer gewissen Widersprüchlichkeit, wenn er schreibt: "he does not attempt to
claim any direct authority as a superior overseer, but it
is obvious that he tried to assert his position and his
doctrine also in the non-Pauline missionary churches of the
Gentiles... Paul has not aspired to apostolic dominion over
the churches among the heathens, but as the apostle to all
the Gentiles he endeavoured to wield his influence over the
whole of the area."

42) Man hat die Tatsache, daß Pl ἐν οἷς statt ἐξ ὧν schreibt,
dahin deuten wollen, daß Pl die entscheidende Lage der römischen Gemeinde für die Mission anvisiert. So SCHLATTER;
MICHEL, LEENHARDT als Möglichkeit. Doch ist das kaum wahrscheinlich. Noch weniger läßt sich die Behauptung von MAR-

ὑπακοὴν πίστεως hat man verschiedene Absichten entdecken wollen, die sich aber schon wegen ihrer Widersprüchlichkeit nicht
empfehlen und die drei Worte überladen[43]. Für uns ist wichtiger, daß dieselbe Sachverbindung noch 10,13-16 und 15,18-21 an-
zutreffen ist. Jedesmal dreht es sich darum, daß das ὄνομα
Christi (1,5; 10,13; 15,20) in aller Welt ausgerufen werden muß
auf einen Gehorsam hin, der sich als Glauben äußert[44]. Nur
wer dem Namen des Herrn unterstellt ist, hat die Möglichkeit
zum Heil. Will Pl also schon hier der römischen Christenheit
die Dringlichkeit seiner Mission unter den Völkern ans Herz
legen?

Zusammenfassend können wir aus dem Präskript für unser Problem
nur folgendes entnehmen: Pl sucht als Heidenapostel bei der
heidenchristlichen Gemeinde in Rom einen Anknüpfungspunkt. Sein
Grundverhältnis zu ihr ist durch eine dritte Größe gestiftet:
das Ev Gottes, das er auszurichten hat und durch das auch die
Römer berufen sind (zweimal κλητοί V. 6f). Er beschwört seine
Dynamik, die vom in Gottes Macht eingesetzten κύριος aus-
strahlt. Das läßt ahnen, daß hier auch der Grund liegt, weshalb er sich an diese Leserschaft wendet.

TIN 303 nachprüfen: "He views the congregation in Rome as
representative of the whole world of diverse peoples as a
kind of firstfruits of the world for Christ (1:6)."

43) Während die Formel nach MICHEL polemisch gegen Judentum
und Judenchristentum gerichtet ist, wendet sie sich nach
GRAYSTON 572 gegen eine antinomistische Mißdeutung des pl
Ev. Nach BARTSCH, Gegner 37f vereint sie gar die Parolen
der Juden- und Heidenchristen. Wie sie dabei den Lesern
"auf Anhieb verständlich" sein soll, ist mir wieder nicht
verständlich.

44) Vielleicht bildet sich hier eine missionstechnische Umschreibung für die Bekehrung heraus (vgl. Röm 6,17; Apg
6,7; 1 Petr 1,22). Während in dieser Verwendung aber der
Genetiv objektiven Sinn hat, scheint ihn Pl epexegetisch
zu verstehen. Dafür plädieren BULTMANN, Theologie 315f
und EICHHOLZ, Theologie 233.

2. Die Danksagung (1,8-12)

a) Zur formalen Abgrenzung

SCHUBERT[45] sieht in Röm 1,8ff eine vergleichsweise recht freie Kombination der beiden üblichen Typen pl Danksagung. Zumindest V. 11-13 gehöre noch als integraler Bestandteil dazu. Als Surrogat für die zu erwartende eschatologische Klimax am Schluß betrachtet SCHUBERT die "eschatological terms" in V. 16f. Was ist aber mit dem dazwischenstehenden Stück? Die meisten Kommentare machen auch schon vor V. 16 einen leichten Einschnitt, weil mit V. 15 die persönlichen Mitteilungen enden[46]. MICHEL erkennt, daß sogar schon in V. 14 ein neuer, mehr bekenntnisartiger Ton einsetzt.

In der Verlegenheit, wo die Danksagung eigentlich aufhört, hilft die Beobachtung, daß V. 13 mit οὐ θέλω δὲ ὑμᾶς ἀγνοεῖν, ἀδελφοί, ὅτι... eine im Briefeinsatz häufige Form zeigt[47]. Dann wird die Danksagung, in die hier die Versicherung der Sehnsucht hineingearbeitet ist[48], wohl in V. 12 abgeschlossen sein. V. 13ff können also einen neuen Gedanken anschneiden. Das ist für die Exegese nicht ohne Folgen.

b) Der Sinn von V. 8-12

An sich gehört Danksagung mit Fürbitte zu den konventionellen Elementen pl Briefe, die darin einige, wenn auch nicht ganz zureichende hellenistische Vorbilder haben[49]. Nach der mehr offiziellen Adresse soll sie die persönliche Verbundenheit des Schreibers mit der Gemeinde bekunden. Weil sie fast obligatorisch ist, kann man aus ihr nicht ein tatsächliches vertrautes

---

45) Vgl. 31ff.

46) Vgl. LAGRANGE, NYGREN, MICHEL, KUSS.

47) Vgl. 1 Thess 2,17 (thematisch verwandter Einsatz nach Danksagung V. 13ff); 2 Kor 1,8; Phil 1,12. Vgl. schon DUPONT, RB 62 (1955) 394f. Er meint allerdings, der literarische Plan sei hier nicht mit dem logischen Zug der Gedanken kongruent, nach dem V. 10-15.16f zusammengehöre. SANDERS hat diese Übergangswendung formgeschichtlich näher untersucht. MULLINS differenzierte noch einmal genauer zwischen der "petition-form" (παρακαλῶ κτλ) und einer "Enthüllung" wie Röm 1,13, zu der übrigens schon ROLLER 65 mit Anm. profane Analogien am Eingang des Briefkontextes beigebracht hatte. WHITE verfeinert noch mehr die Kategorien; für Röm 1,13 bleibt es aber dabei, daß hier die eigentliche Einführung in den Brief beginnt.

48) Das ist nach 1 Thess 3,9f; Phil 1,8; 2 Tim 1,3f gar keine solche Ausnahme, wie FUNK 263 Anm. 1 glaubt.

49) Vgl. SCHUBERT.

Verhältnis des Pl zu Rom erschließen[50]. Interessant ist nun, daß Pl in V. 9 doch eine "amtliche" Bemerkung über seinen Dienst am Ev des Sohnes Gottes einflicht.

Zunächst aber zu V. 8: was bewegt den Apostel, für den Glauben der Römer Dank zu sagen? Wenn man die Parallelen[51] ansieht, ist das nicht so verwunderlich und wohl nicht ohne Hintergedanken. Pl schafft damit in gewissem Sinn "gut Wetter" und die Voraussetzung dafür, daß dieser Glaube, wenn der Apostel in die Hauptstadt kommt, neu gefordert werden kann (V. 12). Immerhin mag diese Anerkennung - wie dann V. 12; 15,14; vielleicht 16,19 - anzeigen, daß Pl die angeschriebene Gemeinde nicht in Glaubensschwierigkeiten sah, daß er hier nicht erst die apostolische Grundlegung nachholen mußte[52]. Auch die kosmische Weite, in der der Ruhm der Römer laut wird, könnte in der pl Danksagung stereotyp sein[53]. Vielleicht deutet das in V. 8b enthaltene Kompliment aber doch darauf hin, daß Rom in den Augen des Pl eine gewisse Schlüsselstellung für die Ausbreitung des Ev besaß.

Auch die Versicherung steter Fürbitte gestattet keine Rückschlüsse auf das Frömmigkeitsleben des Apostels; alles, auch die feierliche Anrufung Gottes zum Zeugen[54], läuft auf den Gedanken V. 10b hinaus. Die Römer sollen wissen, wie sehr es Pl immer schon nach Rom zog; um so fruchtbarer wird dann die

---

50) Gegen RENGSTORF 452f.

51) Vgl. 1 Thess 1,8; 2 Thess 1,3; Kol 1,4-6; Eph 1,15. ZAHN und LAGRANGE warnen denn auch davor, 1β zu wörtlich zu nehmen.

52) Gg. die Lösung von KLEIN, Abfassungszweck. Auch die oben unter a) gesammelten Deutungen verlieren von hier aus an Wahrscheinlichkeit.

53) Vgl. LOHSE, Kolosser 49f; vgl. noch Kol 1,23. Daß das Echo des römischen Glaubens plerophorisch beschrieben wird, erläutert WREDE 26 so: "Die christliche Sprache liebte Hyperbeln wie die, daß Mazedonien das Wort Gottes angenommen habe, oder daß das Evangelium 'aller Welt kund geworden sei'. Es war dies die Sprache der Wirkenden und Glaubenden: die Wirklichkeit sah etwas anders aus."

54) Auch 2 Kor 1,23 und Phil 1,8 im Zusammenhang von Reiseplänen des Apostels.

bevorstehende Begegnung werden. FUNK[55] hat die typischen Elemente zusammengestellt, die bei solcher Ankündigung eines apostolischen Besuches häufig wiederkehren. In Röm 1,8ff sind dies

> V. 10b "prayer for his presence, 'if God wills'",
> V. 11a "desire to come"[56],
> V. 11b.12.13c "benefit from the apostolic parousia accruing to Paul and to the recipients",
> V. 13.15 "intention to come, hindrance to his coming".

Bei aller Sprachkonvention bleibt aber zu bedenken, warum sich Pl schon so früh[57] eine Wirksamkeit in Rom vorgenommen hatte und was das für seine Konzeption der Glaubensausbreitung bedeutet.

c) Die Ausdrucksweise V. 11f im besonderen

Es läßt aufhorchen, wie Pl V. 11f das Ziel seines Besuches formuliert. Schon V. 11 legt er sich betonte Zurückhaltung auf. Er spricht weder von grundstürzender Bekehrung noch von Korrektur: er möchte vielmehr μεταδιδόναι χάρισμά τι πνευματικόν. MICHEL sieht Pl hier im Gespräch mit den römischen Pneumatikern, denen gegenüber er sich als autoritatives Vorbild behaupte. Der Apostel sei bereit, sich vor ihnen "als Geistträger zu legitimieren, ohne selbst diese Pneumatiker in ihrem Anspruch zu bestätigen." Aber diese Differenzierung ist unserer Stelle nicht zu entnehmen. Natürlich kann das Apostolat nach der überlieferten Aufzählung 1 Kor 12,28 oder wie im Hendiadyoin χάρις καὶ ἀπο-

---

55) Vgl. 252f. Er scheint mir allerdings zu schnell von inhaltlich bestimmten Topoi auf eine strukturbildende formgeschichtliche Kategorie zu schließen.

56) Ἰδεῖν V. 11 bedeutet nicht unbedingt "wiedersehen", setzt also keine persönliche Bekanntschaft voraus, wie RENGSTORF 453 behauptet. Das Verb kann auch "kennenlernen" heißen: vgl. BAUER s.v. εἶδον 6 und Apg 19,21 als schlagenden Beleg. Zu den sonstigen Argumenten RENGSTORFs vgl. BORNKAMM, Testament 127.

57) Vgl. V. 10 ἤδη ποτὲ; 13 πολλάκις; 15,22 τὰ πολλὰ bzw. πολλάκις; 15,23 ἀπὸ πολλῶν bzw. ἱκανῶν ἐτῶν; vgl. Apg 19,21. Eine Andeutung vielleicht 2 Kor 10,16. Nach BORNKAMM, Christus und die Welt 158 hatte Pl schon auf seiner "2. Missionsreise", als er nach Philippi kam, "das ganze Imperium in seine Missionspläne einbegriffen." "Der Weg nach Rom war beschritten", nämlich die via Egnatiana. S. auch EICHHOLZ, Horizont 92.

στολή 1,5 als besondere Gnadengabe des Herrn gelten[58]; aber
hier ist das χάρισμα kein ausgesprochen apostolisches Spezifi-
kum; es soll ja - nach dem μεταδιδόναι zu schließen - gemein-
samer Besitz werden. Zudem zeigt das vorsichtige τί, daß sich
erst im Zusammenkommen mit der Gemeinde herausstellen wird, was
für eine Geistgabe Pl ihr mitteilen wird[59]. Daß sie in irgendeiner Weise mit der Verkündigung des Ev zu tun hat, läßt sich
zunächst höchstens erahnen. Der Satz mit εἰς τό verdeutlicht
sein Ansinnen. (Ἐπι)στηρίζειν ist sowohl in der Terminologie
des Lk (Apg 14,22; 15,32.41; 18,23) wie bei Pl (1 Thess 3,2)
ein schon fast technischer Ausdruck für die apostolische Nach-
arbeit[60]. Hier überrascht die passive Form, durch die Pl seinen Teil gegenüber der Wirksamkeit Gottes in den Schatten
stellt.

Aber auch dieser Ausdruck scheint zu stark: Pl korrigiert (δέ)
sich erneut, wobei der Stil leidet[61]. Das παρακαλεῖν soll
nicht einseitig geschehen. Deswegen mangelt dem Begriff hier
auch die sonst damit verbundene Strenge[62]. Pl erwartet gegenseitige Aufmunterung inmitten der Gemeinde, wobei sich der
Glaube der beiden Partner erweisen soll[63]. Die Behutsamkeit
des Apostels darf sicher nicht bloß als Ausdruck seiner persönlichen Bescheidenheit und seines besonderen Zartgefühls ge-

---

58) Vgl. KÄSEMANN, Amt und Gemeinde, und die ausgewogene Darstellung von SCHÜRMANN. Ferner SATAKE; er versucht, die χάρις des Apostels terminologisch vom χάρισμα der Gemeinde-
dienste abzusetzen. Das ist aber anfechtbar. Denn welcher
Art die χάρις des Pl ist, geht aus dem Kontext hervor (vgl.
bes. Röm 1,5; 15,15; 1 Kor 3,10), und auch bei den Gläubigen entspringen die Gnadengaben der grundlegenden χάρις
(vgl. Röm 12,6; 1 Kor 1,4.7). Vgl. H. CONZELMANN, χαίρω κτλ,
in: ThW IX, 350-405, 394ff.

59) So MICHEL.

60) Vgl. G. HARDER, στηρίζω κτλ, in: ThW VII, 653-657.

61) Vgl. LIETZMANN.   62) Vgl. BARRETT.

63) BARTSCH, Gegner 28 meint, das Hapaxlegomenon συμπαρακληθῆ-
ναι sei ad hoc gebildet, um "die Gegenseitigkeit der παρά-
κλησις unter Christen zum Ausdruck" zu bringen. EICHHOLZ,
Horizont 94 folgert daraus mit SCHRENK, Römerbrief 83:
"Paulus 'sucht als Diener der Gemeinde Arbeitsgemeinschaft'".

wertet werden[64]. Hängt sie nur damit zusammen, daß er sich auf
einem Terrain bewegt, das nicht das seine ist[65]? Hat sie nur
den Sinn einer "mehr rhetorischen - wenn man will: konventionellen oder taktischen" Konzession[66]? Daß Pl Rücksicht auf
eine besondere Gemeindegruppe in Rom nimmt, wie MICHEL vermutet, läßt sich jedenfalls kaum feststellen; denn er spricht ja
zur ganzen Kirche Roms. Dasselbe werden wir bei 15,14, das die
These MICHELs auch bestätigen soll, zu konstatieren haben. Wenn
all diese Erklärungen nicht recht befriedigen, so ist zu überlegen, ob Pl nicht vielleicht deswegen die Eigenständigkeit der
römischen Christen so betont, weil er solche Tatkraft des Glaubens erst provozieren möchte. Hebt er sie deswegen vorweg schon
hervor (1,8.12; 15,14), weil er sie bei seinem Besuch noch
braucht[67]?

3. Überleitung und Thema (1,13-17)

Nach dem "disclosure"-Einsatz sind persönliche (V. 13.15) und
grundsätzliche Feststellungen (V. 14.16f) ineinander verwoben.
Vordergründig rechtfertigt sich Pl dafür, daß er noch nicht
nach Rom gekommen ist[68]. Unter der Hand, aber wohl der eigentlichen Absicht nach, wird daraus eine Apologie des Ev, womit in
V. 16f das Thema des Briefes erreicht ist. Der Abschnitt verdient deswegen besondere Beachtung, weil - wie WHITE[69] ausge-
führt hat - in der "introductory section" gewöhnlich die sach-

---

64) Gg. SANDAY-HEADLAM, MURRAY u.a.   65) So LAGRANGE.

66) So KUSS; MEYER III,467 nennt Pl einen gewandten Diplomaten.

67) Hier ist zu berücksichtigen, daß das Lob des Glaubens in
    den Proömien oft einen paränetischen Unterton hat. Ver-
    gleichbar ist auch das an 15,14 anklingende Kompliment 2
    Kor 8,7 ἐν παντὶ περισσεύετε, πίστει καὶ λόγῳ καὶ γνώσει
    καὶ πάσῃ σπουδῇ καὶ τῇ ἐξ ἡμῶν ἐν ὑμῖν ἀγάπῃ, das Pl den
    Korinthern ja doch im Hinblick auf ihre Beteiligung an der
    Kollekte macht.

68) Daß ihm daran liegt, zeigt sich stilistisch an dem verfrüh-
    ten καὶ ἐκωλύθην ἄχρι τοῦ δεῦρο vor dem Finalsatz. Anderer-
    seits ist dieser, wie noch einleuchtender werden wird, viel-
    leicht deswegen so ungeschickt angestückt, weil Pl damit
    auf sein Thema kommen will.

69) Vgl. 97.

liche Basis zwischen Verfasser und Hörer gelegt wird, die die thematischen Erörterungen im Hauptteil tragen soll.

a) Die Zielsetzung in V. 13.15

Diese Verse bergen zunächst eine inhaltliche Schwierigkeit, die KLEIN für seine oben erwähnte These nutzbar gemacht hat. Pl sagt hier eindeutig, er habe vorgehabt, bei den Römern denselben missionarischen καρπός[70] einzuheimsen "wie bei den übrigen Heidenvölkern". Damit geht er anscheinend über das in V. 11f angekündigte Ziel weit hinaus. Er denkt nicht nur an geistliche Förderung der schon bestehenden Gemeinde[71], sondern an regelrechte Bekehrung zum Glauben. Die mehr lokale Umschreibung ἐν ὑμῖν (V. 13)[72] vermeidet das in der wohl verkürzten Redeweise von V. 15 mögliche Mißverständnis, daß die schon Glaubenden Gegenstand des εὐαγγελίσασθαι sind; Pl will in Rom neue Christen gewinnen. Dann steht dieser Vorsatz aber in kaum auszugleichender Spannung zu dem Prinzip 15,20. Genügt die Auskunft, Rom sei für den Apostel eben so wichtig, daß er hier von seinem Grundsatz abgewichen sei[73]? "Es ist als hätte er die freundliche Konzession von V. 12 schon wieder vergessen"[74].

---

70) Vgl. Phil 1,22; auch Kol 1,6: καρποφορεῖσθαι des Ev. Zwar schränkt das τινὰ bescheiden ein (ALTHAUS), aber der Ausdruck besagt doch Gewinn durch Mission.

71) Als Möglichkeit erwogen von KUSS. Dagegen LAGRANGE: "Paul se proposait sans doute non seulement d'arroser... l'Église de Rome, mais encore d'y faire des plantations nouvelles par la conversion des gentils." Ebenso ALTHAUS, BARRETT, BRUCE.

72) KUSS schlägt die Übersetzung "in eurer Umgebung" vor. Wenn man dagegen wie WEISS ἐν ὑμῖν streng wie V. 12 faßt, dann kann man im hergebrachten Verständnis das εὐαγγελίσασθαι in V. 15 nicht mehr auf die Missionspredigt auslegen. WEISS bezieht es denn auch auf die "schriftliche Verkündigung seiner Heilsbotschaft" an die Gläubigen im vorliegenden Brief.

73) LIETZMANN: "Der Gemeinde der Weltstadt gegenüber wird er zum ersten Mal seinem Prinzip untreu - begreiflich genug! Daher das Bedürfnis, seinen Schritt genau zu motivieren, daher die uns fast übertrieben scheinende Bescheidenheit 1 12, daher aber auch die Schiefheit der Parallele mit seinem bisherigen Wirken 1 13 und die Unmöglichkeit für den Exegeten, präcise zu sagen, was Paulus in Rom will und was er nicht will."

74) KUSS zu V. 15.

Als Ausweg wurde vorgeschlagen, εὐαγγελίσασθαι könne auch einmal nicht die grundlegende Verkündigung, sondern eher die vertiefende Unterweisung der Gemeinde bedeuten[75]. Das wäre aber
so ziemlich der einzige Fall dieses Sprachgebrauchs bei Pl, der
zum missionarischen Klang von εὐαγγέλιον in der Textumgebung
schlecht paßte[76]. Auch kann man das Verbum nicht im Hinblick

---

75) Vgl. MOLLAND 59f: "Weil das Christenleben nicht nur durch
das Evm geschaffen ist, sondern auch in der Sphäre des Evms
gelebt wird, daher soll es auch denjenigen verkündet werden, die es schon empfangen haben und schon Christen sind",
z.B. Röm 1,15. Ebenso möchte G. FRIEDRICH, εὐαγγελίζομαι,
in: ThW II, 705-735, 717; 732,40ff zeigen, daß der Terminus
nicht nur Missionspredigt meint. Aber gerade der Hinweis
auf 1 Kor 15,1 kann dartun, daß es dabei immer um das An-
fangskerygma geht, das sich als Fundament und Norm des
Glaubens freilich durchhält. STUHLMACHER, Evangelium 83
will das Ev als eine "über aller Verkündigung bleibende,
sich in sie hineinereignende und dennoch in ihr nie aufge-
hende Offenbarungs- und Schöpfermacht" erweisen. Doch dürfte zumindest Röm 1,15 dafür kein Beleg sein. STUHLMACHER
zeigt 236ff selbst, daß εὐαγγέλιον τοῦ θεοῦ in der hellenistischen Missionssprache an der monotheistischen Bekehrungspredigt haftet; wenn er 276 anhand von 1 Kor 15,1ff feststellt, daß der Begriff auch die "jene ersten Proklamatio-
nen vertiefende und einprägende katechetische Didache" um-
schließt, dann ist gerade die Frage, ob die Römer eines so
elementaren Taufunterrichts (vgl. 263 den Hinweis auf Hebr
6,1f) bedürfen, wie ihn 1 Kor 15,3ff in Erinnerung bringt.

76) Immer wieder wird Gal 4,13 οἴδατε δὲ ὅτι... εὐαγγελισάμην
ὑμῖν τὸ πρότερον als Beweis dafür ins Feld geführt, daß Pl
auch ein "zweites" εὐαγγελίζεσθαι kenne. Aber einmal ist
umstritten, ob Pl hier auf einen zweiten Besuch in Galatien anspielt (so MARXSEN, Einleitung 45) oder, was der Zusammenhang (3,1ff; 4,8ff; vgl. das πάλιν V. 19) nahelegt,
die Erfahrung des Anfangs ins Gedächtnis ruft (so SCHMIT-
HALS, Häretiker 12f). Rein lexikalisch läßt sich das nicht
entscheiden, da τὸ πρότερον "das erstemal" oder "früher"
heißen kann: vgl. BAUER s.v. Selbst wenn man einen zweiten
Missionsansatz des Apostels in diesem Gebiet annimmt, so
verhindert doch die rückwärts gewandte Sicht, daß hier einmal den Christen als solchen ein εὐαγγελίζεσθαι widerfuhr.
Gegenüber den jetzigen Lesern kann er wohl von seiner wiederholten missionarischen Bemühung sprechen, der sie teilweise erst ihr Christsein verdankt haben werden. Wenn sich
auch für Röm 1,15 eine ähnliche Perspektive erweisen läßt,
wäre der Ausdruck ὑμῖν τοῖς ἐν Ῥώμῃ εὐαγγελίσασθαι weniger
problematisch.

auf den Brief so fassen, "daß Pls der römischen Gemeinde seine
Botschaft vortragen will", wobei MICHEL wohl "die besondere
Form der paul. Botschaft (= τὸ εὐαγγέλιόν μου)" im Auge hat.
Denn einmal geht es nicht um das, was im Brief geschehen soll,
und zum anderen kommt nirgends ein pl Spezialevangelium in
Sicht: Pl redet den Römern vom Ev wie von einer bekannten Größe[77]. Aber auch die KLEINsche Lösung ist, wie wir schon früher sahen, kaum akzeptabel. Pl braucht in Rom nicht erst das
Fundament zu legen, denn dies geschieht nach 15,20 (vgl. 1 Kor
3,11) durch nichts anderes als durch das "Nennen des Christus",
durch das christologische Kerygma[78], und das wird man bei den
römischen Gläubigen doch voraussetzen können. V. 13 und 15
sprechen also unbestreitbar von einer eventuellen Missionstätigkeit des Pl in Rom.

Zum Verständnis ist vielleicht ein wenig geholfen, wenn man erkennt, daß entsprechend zum Präteritum in V. 13 in V. 15[79] logischerweise nicht ἐστίν[80], sondern ἐγένετο[81] oder ἦν zu ergänzen ist. Die Zäsur, die wir aus formalen Gründen vor V. 13
machten, wirkt sich jetzt auch sachlich aus. Gegenüber den Zu-
kunftsaussichten von V. 10ff schaut Pl zunächst zurück. Er sagt
auf jeden Fall nicht - im Widerspruch zu V. 11f -, daß er jetzt,
bei seinem Kommen, die Römer evangelisieren möchte. In 15,14ff
ist ja anerkanntermaßen davon überhaupt nicht die Rede. Früher
mag er einmal solche Pläne gehabt haben[82]. Wenn Pl jetzt dar-

---

77) MOLLAND 83ff hat m.E. überzeugend herausgearbeitet, daß die
gelegentliche Wortbildung τὸ εὐαγγέλιόν μου - in unspezifi-
schem Zusammenhang 2,16, dazu MOLLAND 73ff - nicht polemisch oder abgrenzend gemeint ist. Vielmehr sieht Pl die
Gesetzesfreiheit für die Heiden im Wesen des Ev selbst begründet.

78) Zu den Grundinhalten der Pl Missionspredigt vgl. MOLLAND
64ff und jetzt BUSSMANN. Während man früher oft Röm 1-8
ganz dafür ausgewertet hat, ist man heute vorsichtiger geworden. Vgl. NYGREN 13.

79) Das οὕτως zeigt an, daß die prinzipielle Behauptung V. 14
nun auf V. 13 angewandt wird.

80) So die meisten Kommentare; vgl. SANDAY-HEADLAM; ZAHN; KÜHL;
LAGRANGE; MICHEL; KUSS.

81) Mit LIETZMANN.

82) Vgl. Anm. 57. CONZELMANN, Geschichte 77 schränkt den Grundsatz Röm 15,20 realistisch ein: er "besagt nicht, daß er

auf zu sprechen kommt, so nur, um das Thema seines Briefes einzuführen; er steuert auf das Stichwort "Evangelium" (V. 16) und
seine universale Notwendigkeit zu[83]. Wie hätte er es sonst anklingen lassen können? Es wäre wohl ungeschickt gewesen, hier
gleich mit den Spanienplänen herauszurücken[84]. Für seine gegenwärtigen römischen Ziele vermied er das Wort εὐαγγελίζεσθαι,
sonst hätte es schon V. 11f fallen müssen. So knüpft er an die
früheren Projekte an. Vielleicht ist das auch psychologisch
nicht unklug: die Römer erfahren sich als potentielle Adressaten seiner Missionspredigt; seine Sache wird die ihre. So werden sie innerlich dafür aufgeschlossen, daß Pl den machtvollen
Anspruch des Ev über sie hinaus tragen muß und möchte. Von den
Aporien der V. 13 und 15 aus sind wir so indirekt auf das ge-
stoßen, worauf dieses Übergangsstück hinausläuft: den Christen
in Rom soll aufgehen, daß alle Menschen des Ev zu ihrem Heil
bedürfen.

b) Der implizierte Vorwurf

Damit haben wir auch eine gewisse Handhabe, um die apologeti-
sche Ausdrucksweise von V. 14 und 16 recht einordnen zu können.
V. 14 schlüsselt Pl die ἔθνη (V. 13) in bildungsmäßig entgegen-
gesetzte Gruppen auf: allen, auch denen, die bereits alles zu
wissen meinen, ist Pl mit seiner Botschaft verpflichtet[85].

(Pl) Orte meidet, an denen sich schon Christen befinden,
sondern solche, wo bereits eine wirkliche Gemeinde besteht".
Es läßt sich ein Stadium denken, in dem Pl - ob mit Recht
oder auf Grund von mangelnder Information, sei dahinge-
stellt - in Rom noch keine gefestigte Gemeinde annahm. Als
er den Röm schrieb, war er aber davon überzeugt, daß der
Glaube dort fest verwurzelt ist. Der schwankende Stand seines Wissens mag die unterschiedliche Zielsetzung V. 11ff
erklären. Auch BORNKAMM, Paulus 70f rechnet mit verschiedenen Graden von Informiertheit bei Pl. Nur habe er auch
später an dem eigentlich überholten Plan festgehalten.

83) Das hat ansatzweise schon LAGRANGE zu 15,20 vermerkt: Der
Gegensatz zu 1,15 sei nur "dans les termes, ceux de I,15
dépassant un peu la pensée parce qu'ils préparent la thèse
relative à l'évangile."

84) MEYER III,467 stellt den Sachverhalt auf den Kopf: nach ihm
ist Spanien für Pl mehr ein Vorwand, um erst einmal in Rom
festen Fuß fassen zu können.

85) Daß die Gegensätze V. 14 die Menschheit unter heidnischer

V. 16a nimmt gar bekenntnisartigen Charakter an, so daß man schon Verbindungslinien zu Mk 8,38par gezogen hat[86]. Hat der Apostel konkreten Anlaß, so den Vorwurf abzuwehren, er habe es nicht gewagt, in Rom mit seinem Ev aufzutreten[87]? Welche Front taucht hier auf, judenchristliche Agitation[88] oder hellenistischer Bildungsdünkel[89]? Wenn man bedenkt, daß die folgende Darlegung - im Gegensatz zu den Korintherbriefen - nirgends eine persönliche Rechtfertigung versucht, sondern die "Sache" des Ev entfaltet, wird man es aufgeben, konkrete Angriffe auf Pl zu rekonstruieren. Vermutlich stellt sich der Apostel eine mögliche Reaktion in der geistigen Metropole des Reiches in Analogie zu seinen Erfahrungen in Korinth vor: in 1 Kor 1,18ff finden sich denn auch die nächsten Anklänge an die Thesen von Röm 1,14ff[90]. Was polemisch klingt, wäre dann nur ein Scheinge-

---

Optik anvisieren, sagt schon BILLERBECK III,29. Vgl. auch EICHHOLZ, Horizont 95f. Deswegen kommt hier KERTELGE, Rechtfertigung 86 Anm. 113 mit seiner Annahme von "starken judenchristlichen Voraussetzungen"in Rom in Schwierigkeiten; er behilft sich damit, daß die Juden unter dem Gesichtspunkt der Bildung auch als Hellenen zu gelten haben. Aber an die Juden ist hier noch gar nicht gedacht.
Wie Pl noch unbekannten Leuten gegenüber in Schuld sein kann, erklärt sehr schön MINEAR 104: "Obligation to him who died produces obligation to those for whom he died." "Yet this debt depends not in the least upon the tangible contributions of the creditors to the debtors, but wholly upon the gift of God in Christ". Sachparallelen bilden 1 Kor 9,16f; 2 Kor 5,14ff.

86) Vgl. MICHEL; BARRETT, Not Ashamed. In der anschließenden Diskussion machen aber einige Redner zu Recht geltend, daß der verschiedene Kontext traditionsgeschichtliche Rückschlüsse kaum ermöglicht (vgl. 41f; 47).

87) ALTHAUS erinnert an 2 Kor 1,15ff.

88) So am eindeutigsten GRAYSTON: Juden bzw. Judenchristen hätten Pl Antinomismus und Antisemitismus vorgehalten. Dazu paßt auf keinen Fall V. 14. MOLLAT fragt sich in seinem Diskussionsbeitrag zu BARRETT, Not Ashamed 48f, ob 1,16a nicht dem apostolischen Freimut von 2 Kor 3,12ff anzunähern sei, den Pl gegenüber "judaisants" an den Tag lege.

89) So SANDAY-HEADLAM, ZAHN, KUSS, SCHMIDT. MICHEL trifft mehrere Fliegen mit einem Streich: "Pls scheut sich weder vor der Welthauptstadt noch vor der Besonderheit der römischen Gemeinde... Er scheut sich weder vor Judenchristen, die ihn lästern, noch vor Pneumatikern, die ihn verachten". Das dürfte doch des Guten zu viel sein.

90) Vgl. LIETZMANN; LYONNET in seiner Bemerkung zu BARRETT, Not

plänkel, das zum eigentlichen, überpersönlichen Anliegen des Briefes überleiten möchte[91]: Pl will den Römern von der δύναμις des Ev sprechen.

c) Das Ev und das Thema des Briefes: V. 16f

Fast allgemein akzeptiert ist die Beobachtung, daß V. 16f das Hauptmotiv des Briefes anschlagen. Das wird aber manchmal so mit einer überspitzten Auslegung von V. 15 verbunden, daß sich die Folgerung ergibt, der Brief selber sei eine Zusammenfassung des pl Ev[92]. KLEIN meint, die Tatsache, daß die Römer des grundlegenden Kerygmas noch immer entbehren, erkläre, "daß der Inhalt des Briefes dem Zweck des angekündigten Besuchs derart nahtlos entspricht, daß der Brief geradezu als ein vorweggenommener Akt jenes εὐαγγελίσασθαι erscheint"[93]. ROOSEN[94] sieht im Brief wenigstens eine "seconde évangélisation". Sehen wir einmal davon ab, daß die Voraussetzung, der Glaubensstand der Römer sei schwach, sich nicht bestätigte, so müßte doch das Schreiben als ganzes inhaltlich als nachgeholtes apostolisches Kerygma erkennbar sein. Das wäre der Fall, wenn der Röm "auf weite Strecken als Kommentar zu überkommenen Glaubensformeln gestaltet" wäre[95]. Es ließe sich aber zeigen, daß die in 3,24ff; 4,25; 6,3f; 8,3; 10,9; 14,9 angezogenen christologischen Traditionen eher die umgekehrte Funktion haben: sie sind gleichsam die Nägel, mit denen Pl seine eigentliche These ins

---

Ashamed 42; BORSE 75.

91) Ähnlich auch NYGREN; EVANS in seinem Beitrag zu BARRETT, Not Ashamed 46f.

92) Vgl. z.B. DESCAMPS 5: bis 11,36 biete der Brief ein "condensé du message évangélique, l'objet par excellence du kérygme apostolique, l'évangile même de Paul." Und CAMBIER, Évangile 17.

93) Abfassungszweck 144.

94) Vgl. 468: "L'épître aux Romains est un εὐαγγέλιον, une prédication rappelant les fondements de la vie chrétienne, en vue de cette conversion dont les Rabbins affirmaient qu'elle doit remplir toute notre vie." Vgl. 471.

95) So drückt sich CONZELMANN, NTS 12 (1965/66) 232 aus. Dagegen auch LUZ, ThZ 25 (1969) 172f. Nach PRÜMM 348 bilden die Christustexte das "Rückgrat des Briefes".

vorausgesetzte Glaubensbewußtsein einhämmert. Außerdem ist noch einmal festzuhalten, daß er nirgends ausdrücklich den Zweck des Schreibens mit dem des Kommens in eins setzt.

Der Sache näher kommt eine andere Ansicht, die im Röm weniger die fundamentale Glaubensbotschaft für die Römer als einen Niederschlag der Theologie des Apostels erblickt. So erscheint V. 16f als erschöpfende Inhaltsangabe des Ev, freilich in der Sprache des Pl[96]. Aber auch dabei darf nicht vergessen werden, daß V. 16a Bezug auf die Predigttätigkeit V. 14f nimmt: um seiner missionarischen Aufgabe willen bekennt sich Pl zur Macht des Ev. V. 16f sind also nicht thesenartige Überschrift über einen Lehrtraktat. Das Ev soll nicht in abstrakter Inhaltlichkeit entfaltet werden, sondern ist als Heilsereignis gemeint. Es geht um seine wirksame Ankunft in der Missionspredigt, wie auch die assoziierten Begriffe dartun[97].

Das sei an der Struktur von V. 16f kurz entwickelt. Sie können nicht als ein formgeschichtlich einheitliches "Logion"[98] betrachtet werden. "V 16a dient als Überleitung von der persönlichen Aussage V. 15 zu den feierlichen Bestimmungen des Evangeliums in V 16b und 17" (MICHEL). Aus ihm bezieht Pl das Subjekt für einen definitorischen Satz, der im polemischen statement 1 Kor 1,18 (vgl. 24) sein Vorbild hat. Er trägt zwei Akzente: 1) Weil im Ev Gottes Kraft am Werk ist, kann es das Heil wirken. 2) Diese Wirkung ist umfassend und exklusiv; sie fordert ein Verhalten, den Glauben, der per definitionem andere Heilsbemühungen ausschließt. V. 17a begründet beides, das Ev als Ereignis der Macht Gottes wie die geziemende Antwort des Menschen, darin, daß in der Botschaft Christi die "Gerechtigkeit Gottes" endgültig greifbar wird für den, der sich im Glauben darauf einläßt[99]. Das Schriftzitat illustriert V. 16b.17a

---

96) So BORNKAMM, Paulus 128, 250. Vgl. BARRETT 27.

97) Σωτηρία wie πίστις sind zunächst in der Sprache der Mission und der Taufe beheimatet.

98) Gg. CAMBIER, Évangile 11ff, der 1,16f als "un dit prophétique - proclamation de salut" behandelt und dafür so schiefe Parallelen wie Mt 1,21 anzieht.

99) Zur Verdoppelung der Präpositionalwendungen vgl. FRIDRICH-

in umgekehrter Reihenfolge[100]. Deswegen gehört ὁ δὲ δίκαιος ἐκ πίστεως zusammen; ζήσεται nimmt äquivalent σωτηρία (V. 16) wieder auf.

So läßt sich das Verhältnis von 1,16:17 genauer bestimmen. Die in 1,16b behauptete Heilsmacht des Ev ist das umgreifende Motiv[101]. Es geht deswegen nicht an, einfach das Ev mit der pl Rechtfertigungslehre gleichzusetzen[102]. Sie ist eingelagert in das Ev als Geschehen der Predigt, das im Glauben ankommt. Erst so wird sie zur Rechtfertigungs"botschaft" und vermag, die These von der Heilsnotwendigkeit und Heilsmächtigkeit des Ev zu begründen (γὰρ V. 17). Innerhalb des Röm dient sie als interpretatives Moment dem eigentlichen Anliegen, den Lesern das Ev als δύναμις θεοῦ nahezubringen.

Dieser Ansatz wäre nun in der Ausführung des Briefes weiter zu überprüfen. Damit streifen wir die Diskussion um den Aufbau des Röm. Hier werden die verschiedensten Methoden vorgeschlagen. Man kann einmal von der faktischen Endgestalt des Briefes ausgehen. Dabei wird das Werk als Einheit[103] mit streng durchgeführtem Gedankengang[104] gewertet. Dann kann man sich anhand relativer Worthäufigkeit Gedanken über das "Thema" des Schreibens machen[105]. Um Willkür auszuschalten, achtet man auch auf

---

SEN, Coniectanea Neotestamentica XII (1948) 54.

100) Die These FEUILLETs, NTS 6 (1959/60) 52-80, das Hab-Zitat bestimme den ganzen Gedankengang der Kap. 1-8, läßt sich nur so vertreten, daß darin selbst wieder V. 16b und 17a zusammengefaßt sind. Zu den verschiedenen Konstruktionen des Schriftworts vgl. einerseits LAGRANGE, NYGREN, denen ich zuneige, andererseits KERTELGE, Rechtfertigung 90f und CAMBIER, Évangile 42ff.

101) Darin stimme ich mit LYONNET, RSR 49 (1951/52) 305 und DUPONT, RB 62 (1955) 374 überein. Vgl. auch HOPPE 10, 25, 81.

102) Das hat bereits MOLLAND 61ff gesehen. KERTELGE, Rechtfertigung 286f hebt ebenfalls auf den "Funktionswert" des Gedankens der Rechtfertigung ab, der "der δύναμις des Evangeliums Ausdruck und Nachdruck" verschaffen soll. Zum Verhältnis von christologisch zentrierter Verkündigung und Rechtfertigungstheologie vgl. GÜTTGEMANNS, Apostel passim; BORNKAMM, Paulus 249ff; STUHLMACHER, ZThK 67 (1970) 14-39; EICHHOLZ, Theologie 38, 190, 196ff ("Interpretation" und "Konsequenz" der Christologie).

103) Vgl. RUIJS 41; ebd. 2ff eine Übersicht über die Lösungen.

104) So NYGREN 27.

105) So MORRIS, der eine relative Dominaz der Vokabel θεός

Ordnung und Wiederkehr tragender Begriffe[106]. Oder größere
formale Regelmäßigkeiten sollen einen Hinweis auf die "Struktur" des Ganzen geben[107].

Es ist die Frage, ob bei diesem Vorgehen überhaupt noch das
genus litterarium "Brief" eine Rolle spielt. Für dieses ist
eigentlich kein übergeordneter Plan kennzeichnend, sondern eine
maßgebende Absicht, die durchaus durch Einwürfe, Exkurse, Di-
gressionen gestört werden kann. Hier empfiehlt es sich eher,
das Schriftstück genetisch aus einem Kern zu erklären. In diese
Richtung sind in neuerer Zeit mehrere Arbeiten vorgestoßen[108].
Sie stimmen darin überein, daß das 1,16f angerissene "Programm"
nur bis einschließlich Kap. 5 strukturbestimmend ist. Danach
hat Pl überhaupt keinen "zweiten Hauptteil" konzipiert[109]. Wir
halten uns, ohne große Begründungen zu liefern, an diese Versuche, weil so am ehesten ein Licht auf den gesuchten Zweck des
Röm fällt.

Das γάρ V. 18 zeigt an, daß das Folgende die These entfalten
soll, die - wie wir III B 1 noch sehen werden - V. 16b.17a. umfaßt. Sie wird zunächst negativ, dann (3,21ff) positiv entwik-
kelt. Vor dem Hintergrund der heillosen Menschheit erweist sich
die im Glauben erfaßte Gerechtigkeit Gottes als das einzig Rettende. Daß V. 16b noch nachwirkt, wird 5,1-10 klar, wo Pl auf
die mögliche σωτηρία zurückkommt; 5,12-21 setzt zu einer abschließenden, alle Menschen umspannenden Geschichtskonfrontati-
on an, um das Heil als ζωή auszulegen. Damit ist eigentlich das
Ziel erreicht; nur mögliche Mißverständnisse, die Pl schon län-
ger vor sich herschob, nötigen ihn, in Kap. 8 das Thema der dem
Glaubenden gewissen Heilszukunft noch einmal triumphaler aufzu-
greifen.

Das Leitmotiv des Röm 1,16f strebt also von einer anderen Seite
her auf dasselbe Ziel zu, das - in teilweise gebundener Sprache

---

feststellt, die Gottesaussagen jedoch dann nach seinem Gutdünken arrangiert.

106) Vgl. PRÜMM; LYONNET, RSR 49 (1951/52) 301ff orientiert
sich am Vorkommen von δικαιοσύνη θεοῦ und ἀγάπη θεοῦ. Anders wieder FEUILLET, NTS 6 (1959/60) 52-80.

107) LYONNET, RSR 49 (1951/52) 313ff behauptet eine wiederhol-
te Abfolge von dogmatischer These und Schriftbeweis (Kap.
4 und 9-11); FEUILLET, NTS 6 (1959/60) 61ff Antithesen im
"rythme trinitaire"; DESCAMPS einen steten Wechsel von
"exposé dogmatique" und Beweisführung.

108) Vgl. JEREMIAS, Zur Gedankenführung 269ff; DUPONT, RB 62
(1955) 365-397; LUZ, ThZ 25 (1969) 161-181. BALZ 27ff verzichtet darauf, ein Briefthema, das zugleich Dispositions-
schema ist, zu suchen, und rekurriert auf das· "geheime
Thema" im Präskript. Dabei unterschätzt er m.E. die Bedeutung von 1,16f.

109) Vgl. LUZ, ThZ 25 (1969) 180f; DUPONT, RB 62 (1955) 383ff.

- schon 1,1ff im Auge hatte: das Ev des Pl soll den Römern in
seiner von Gott garantierten Heilsbedeutung bewußt werden. Seine Verkündigung ist von Christus autorisiert. Aber warum sollen
ausgerechnet die römischen Christen nachvollziehen, was ihnen
doch nichts absolut Neues ist? Die etwas umständliche Weise,
wie der Apostel trotz seiner V. 11f formulierten direkten Absichten für Rom auf seine einstigen Missionspläne V. 13.15 zurückgreift, ließ uns vermuten, daß in der Mission das eigentliche Um-Willen seiner Darlegungen zu suchen ist. Der Auftrag
des Pl für das Ev erscheint aber von vornherein nicht nur auf
die Römer ausgerichtet, sondern in einem größeren, alle Heidenvölker einschließenden Horizont (vgl. den Übergang von 1,5:6;
V. 13.14.16). Dem entspricht, daß in der Ausarbeitung des Briefes das Heilsgeschehen in weltweiten Dimensionen gesehen ist.
Wie V. 16 taucht auch an anderen Kernstellen ein emphatisches
πᾶς auf[110]. Sollen die Römer selbst Anteil daran nehmen, daß
das Heil im Ev die ganze Welt ergreift? Das läßt sich erst vom
Epilog 15,14ff her näher beantworten.

4. Der Briefschluß (15,14-33)

Wie üblich folgt auf das Briefcorpus - hier nach einem verfrüh-
ten, vielsagenden Segenswunsch V. 13 - ein mehr persönlicher
Schlußteil. Phm 21f.25 bietet eine formgeschichtliche Analogie
en miniature zu diesem Eschatokoll[111] und erlaubt zugleich,
Besonderheiten zu registrieren.

1) Nachträgliche Rechtfertigung des Schreibens
   mit captatio benevolentiae
   (Πεποιθὼς τῇ ὑπακοῇ σου ἔγραψά σοι,   = Röm 15,14-21
   εἰδὼς ὅτι καὶ ὑπὲρ ἃ λέγω ποιήσεις)

---

110) Im Unheilszusammenhang 1,18; 2,1.9; 3,4.9.12.19.20.23;
     5,12.18; 11,32; im Heilskontext 1,16; 2,10; 3,22; 4,11.16;
     5,18; 8,32; 10,4.11.12.13; 11,32; 15,11; vgl. auch ἄνθρω-
     πος 1,18; 2,9.16; 5,12.18; κόσμος 3,6.19; 5,12.13; 11, 12.
     15; πᾶσα ἡ κτίσις 8,22; πᾶσα ἡ γῆ 9,17; 10,18. Kap. 12-15,
     6 wurden hier nicht berücksichtigt.

111) Vgl. dazu SCHMITHALS, Thessalonicherbriefe 93ff.

2) Reisepläne   = Röm 15,22-32

   a. Bitte um Aufnahme
      (Phm 22a; vgl. Röm 15,22f)
   b. Empfehlung der Fürbitte
      (Phm 22b; vgl. Röm 15,30-32)[112]

3) Segenswunsch   = Röm 15,33

Im Vergleich zu anderen Briefschlüssen überrascht, daß Pl, um
seine Weisungsbefugnis zu begründen, ziemlich ausführlich und
über den besonderen Anlaß hinausgehend V. 15b-21 seine Missionsaufgabe darlegt. Das fordert die Überlegung heraus, ob sich
hier nicht sozusagen das Umgekehrte wie in der Einleitung vollzieht: koppelt hier der Apostel sein Schreiben nicht wieder an
seine Situation als Bote des Ev, und wird damit nicht der eigentliche Beweggrund des Röm sichtbar?

Was den Aufbau betrifft, so ist mit 15,22ff ein neuer Absatz
zu machen. Nach den grundsätzlichen Ausführungen über das, was
an missionarischer Leistung schon hinter ihm liegt, wendet sich
Pl der konkreten Zukunft zu, wobei der Überleitungsvers 22 auf
die römische Gemeinde zurückbiegt.

a) Rechtfertigung der apostolischen Ermahnung (V. 14f)

Zunächst gesteht Pl seinen Adressaten die Fülle von ἀγαθωσύνη
und γνῶσις in einer plerophoren Ausdrucksweise zu, wie man sie
sonst in Danksagungen und Gebetswünschen findet[113]. Er räumt
den Lesern die Fähigkeit ein, sich selbst gegenseitig zu ermah-
nen[114]. Diese Wendung ist typisch in brieflicher Paränese[115]

_____

112) Bitte um Gedenken am Ende des Briefes 1 Thess 5,25; Kol
     4,18b; Hebr 13,18; jedesmal handelt es sich nur um kurze
     Imperative; der auffallend ausgebauten Aufforderung zur
     Fürbitte Röm 15,30-32 stehen in der Formulierung näher:
     2 Thess 3,1f; Kol 4,3; Eph 6,18ff.

113) Vgl. 1 Kor 1,5.7; Phil 1,9; 1 Thess 3,12; 2 Thess 1,3;
     Phm 6; Kol 1,9.

114) Schon weil es um Ermahnung geht, kann man aus dieser Stel-
     le nicht mit KRIEGER folgern, "daß Pl den Brüdern nahe
     legt, seinem Vorbilde zu folgen und Heidenmission zu trei-
     ben." Pl vermerkt hier auch nicht die Bedeutung der Römer
     "for the instruction of others in the faith" (gg. SANDAY-
     HEADLAM). Dann müßte man wenigstens mit K und ZAHN ἄλλους
     lesen. Das ist aber indiskutabel.

115) Vgl. die Formel "Ihr habt es nicht nötig, daß ich euch

und soll mithelfen, daß die Mahnungen Kap. 12ff nicht wegen ihres autoritären Klanges die Wirkung verfehlen. Auch der Begriff γνῶσις legt einen Rückbezug auf die unmittelbar vorangehenden Stücke nahe, in denen es um die Integration der "Schwachen" geht[116]. So wird auch das gewundene Zugeständnis V. 15 τολμηρωτέρως δὲ ἔγραψα ὑμῖν ἀπὸ μέρους... auf den paränetischen Teil des Briefes gehen[117]. Wenn dieser teilweise einen Eindruck macht, der nicht zur V. 14 vorausgesetzten Mündigkeit der Gemeinde paßt, so wollte Pl ihr damit nur schon bekannte Handlungsprinzipien in Erinnerung rufen[118]. Das tat er freilich kraft seines apostolischen Berufs, der ihm eine Verantwortung für alle Heiden gibt. Der Brief selber bringt dazu am Einsatz der konkreten Weisungen 12,3 eine Parallele: Λέγω γὰρ διὰ[119]

---

schreibe, denn ihr selbst...", die 1 Thess 4,9; 5,1 Paränese einleitet. Im Brief des Sempronios bei DEISSMANN 160, Z. 24ff findet sich eine profane Analogie: ἐπείσταμε ὅτι χωρὶς τῶν γραμμάτων μου δυνατὸς εἶ αὐτῇ ἀρέσε. ἀλλὰ μὴ βαρέως ἔχε μου τὰ γράμματα νουθετοῦντά σε. Das bestärkt uns in der Ansicht, daß die Ausdrucksweise 15,14 nicht durch bestimmte Gemeindeverhältnisse oder die mangelnde Zuständigkeit des Pl in röm. Angelegenheiten bedingt ist.

116) R. BULTMANN, γινώσκω κτλ, in: ThW I, 688-719, 707 hebt auf die praktischen Konsequenzen der Einsicht ab. DUPONT, Gnosis 250ff bemerkt in Röm 15,14 einen Nachklang der "terminologie corinthienne."

117) Demgegenüber treten ROOSEN 465ff und SCHLIER, Liturgie 170 für den ganzen Brief als Hintergrund von V. 15 ein.

118) Ὡς ἐπαναμιμνῄσκων dient der Beschwichtigung (MICHEL). Es steht statt des sonstigen παρακαλῶ und ist durch den paränetischen Bezug zu bestimmen. Deswegen und weil es objektlos gebraucht ist, kann man nicht mit MICHEL sagen: "Die 'Erinnerung' besteht hier in der Einschärfung der katechetischen Tradition." Ähnlich ROOSEN 468. SCHLIER, Liturgie 258f legt sein ganzes Verständnis des Röm in die Vokabel: sie meine "ein erinnerndes Auslegen und Entfalten des gemeinsamen Evangeliums unter seinen, des Apostels, besonderen Aspekten." Er sei damit der fremden Gemeinde gegenüber in die Stellung des charismatischen Lehrers geraten. Das mag zutreffen, läßt sich aber schwerlich aus der Formulierung von V. 15 eruieren.

119) Zwischen διά mit Genetiv und mit Akkusativ (15,15) ist wohl auf dieser Sprachstufe nicht zu unterscheiden. Es gibt den berechtigenden Grund an (vgl. BAUER s.v. B II 1), so gut die Version "um (des missionarischen Auftrags) willen" (so ZAHN, ROOSEN 466f) für unser Gesamtverständnis zu gebrauchen wäre.

τῆς χάριτος τῆς δοθείσης μοι... Gerade diese Stelle **zeigt, daß**
Pl seine Autorität gegenüber der Gemeinde ziemlich unbedenklich
ausspricht. Warum nun, am Ende des Briefes, noch diese wort-
reiche Begründung, die seine ganze missionarische Aufgabe thematisch macht? Rechnet er mit Kritik an seinem Schreiben[120]?
Verteidigt er sich gegen den Vorwurf, seine Art, an eine fremde
Kirche zu schreiben, stamme aus einem maßlosen pneumatischen
Selbstbewußtsein[121]? Die Lösung dürfte einfacher sein: er
möchte noch einmal auf seine Missionspläne eingehen. V. 15 ist
mehr eine geeignete Floskel, um diesen Gedanken einzuführen.

b) Die apostolische καύχησις (V. 16-21)

Dies bestätigen die folgenden Verse, in denen sich Pl als Missionar, bildhaft als priesterlichen Diener Jesu Christi im Gottesdienst des Ev, vorstellt[122]. Er schlägt darin einen bei ihm
ungewohnten Ton der Selbstempfehlung an, wie wir ihn sonst nur
bei seinen Gegnern aus dem 2. Korintherbrief erschließen können[123]. Τολμᾶν scheint ein Schlagwort der konkurrierenden Missionare zu sein[124]. Ähnlich wie V. 18 spielt 2 Kor 13,3 auf die
bei den Korinthern so begehrte δοκιμή des im Apostel redenden
Christus an. Vielleicht gehört das Wort καύχησις, wie es durch
den speziellen Zusammenhang von V. 17 geprägt ist, zum Jargon
apostolischer Legitimation, wie er in Korinth Gehör fand[125].
V. 18b.19a benutzen offenbar ebenfalls feste Sprachmittel, mit
denen wohl die Missionare im (judenchristlich-)hellenistischen
Bereich auf den verheißungsvollen, sie bestätigenden "Anfang"
(vgl. εἴσοδος 1 Thess 1,9; 2,1) ihres Wirkens hinzuweisen pfleg-
ten[126]. Schließlich führt der Konsekutivsatz V. 19b des

---

120) So MICHEL zu V. 15.   121) So MICHEL zu V. 17.
122) Zur inhaltlichen Deutung s.u. S. 222f.
123) Vgl. GEORGI, Gegner 220ff.
124) Vgl. 2 Kor 10,12, das fast wie Röm 15,18 anlautet.
125) So GÜTTGEMANNS, Apostel 154f.
126) Darauf deutet die stereotype Zusammenstellung von σημεῖα
     καὶ τέρατα im Dativus modi; vgl. KÄSEMANN, Legitimität
     509ff. Ferner die Begriffe λόγος, δύναμις, πνεῦμα; vgl.
     1 Thess 1,5; 1 Kor 2,4; 2 Kor 12,12 - dort auch κατεργά-

Apostels erschöpfende Predigttätigkeit[127] in einem großzügig
umschriebenen geographischen Feld[128] als Zeichen dafür an,
daß Christus machtvoll in ihm gegenwärtig ist. MICHEL ist also
recht zu geben, wenn er aus diesen Versen die Sprache apostolischer καύχησις heraushört. Gerade das macht aber seine Annahme unwahrscheinlich, daß die Gesprächspartner des Pl in Rom
Pneumatiker sind; denn für diese wäre solches Rühmen eher verfänglich und mißverständlich. Freilich übernimmt Pl diesen Jargon nicht ohne Modifizierung. V. 17 und 18 sollen sicherstel-
len, daß der Apostel nicht auf eigene Faust, sondern ἐν Χριστῷ
Ἰησοῦ (vgl. 2 Kor 3,4ff) tätig ist. Wenn er sich rühmt, dann
nicht vor menschlichem Forum, sondern τὰ πρὸς τὸν θεόν. Alles
soll dazu dienen, daß bei den Römern ein wirkungsvolles Bild

ζεσθαι im Passiv wie Röm 15,18 -; Gal 3,3-5; Hebr. 2,4.
Ἔργον dürfte in dieser Verbindung mit λόγος (vgl. Lk
24,19) den bei Pl singulären Sinn von "Wundertätigkeit"
haben. Die von MICHEL 366 Anm. 4 gegebenen pl Parallelen
nützen nichts. Richtig BARTSCH, Gegner 37. Pl zählt hier
die σημεῖα τοῦ ἀποστόλου (2 Kor 12,12) als für seine heidenchristlichen Hörer geläufige Kriterien auf. Wie er
sich selbst kritisch dazu stellt, faßt KERTELGE, Apostelamt 174f zusammen.

127) Πεπληρωκέναι meint hier tatsächlich, daß Pl seinen Auftrag völlig (Perfekt!) durchgeführt hat; vgl. WEISS; G.
DELLING, πλήρης κτλ, in: ThW VI, 283-309, 296. Die Parallelen Kol 1,25 πληρῶσαι τὸν λόγον τοῦ θεοῦ; Apg 14,26
πληρῶσαι τὸ ἔργον (Abschnitt der Mission); 2 Tim 4,17
(vgl. 4,5) δι'ἐμοῦ τὸ κήρυγμα πληροφορηθῆναι könnten annehmen lassen, daß es sich hier um einen "geprägten, festen Ausdruck" handelt, der "zum plerophoren Stil der καύχησις gehört" (MICHEL). Aus der richtigen Erkenntnis, daß
Pl ja doch diesen Raum nicht intensiv und extensiv missio-
niert haben kann, versuchten manche Autoren, die Wendung
umzudeuten: Pl habe das Ev "zur Vollentfaltung gebracht" -
FRIEDRICH, ThW II,729; "faire en sorte que l'Évangile pro-
duise tous ses fruits" - LYONNET in den Anm. zu HUBY, ähnlich LEENHARDT. Das ist genau so unnötig wie die gezwungene Interpretation von πληροῦν als "to fill out what has
been partly done" durch KNOX, JBL 83 (1964) 9f, der die
Aussage von V. 19 mit der Tätigkeit anderer Glaubensboten
in Einklang bringen möchte.

128) Pl kannte ein καυχᾶσθαι von Aposteln in einem Gebiet, das
von ihrem Erfolg zeugte: 2 Kor 10,12-18; vgl. noch 1 Kor
15,10. Im Kontext solcher renommierenden Rede wird man die
Einzelheiten nicht pressen dürfen. Die Erkenntnis MICHELs,
daß Pl 15,19 keinen modernen Arbeitsbericht gibt, wird uns
später (s.u. IV C 1) noch zustatten kommen.

vom Missionar Pl entsteht, der von Gott selbst legitimiert ist und in dem Christus unübersehbar wirkt.

Durch trübe Erfahrungen belehrt[129], aber mehr noch weil er diesen Grundsatz von vornherein vertrat[130], präzisiert Pl in V. 20f die Weise seines εὐαγγελίζεσθαι. Das Partizip φιλοτι-μούμενον = "es ist Ehrensache"[131] zeigt an, daß er den Stil des "Sich-Rühmens" beibehält[132]. V. 20 möchte die vorher behauptete Vollständigkeit der Verkündigung nicht wieder einschränken[133], sondern ist im Vorblick auf das Kommende gesagt, "comme une explication destinée à préparer la confidence de ses intentions sur des missions nouvelles"[134]. Sachlich bedeutsam ist, daß das Prinzip, nicht auf das Fundament fremder Christusverkündigung zu bauen, nicht rein polemischer Abgrenzung gegen andere Missionare entspringt, sondern daß es sich für Pl offenbar aus seiner Auffassung seines persönlichen Auftrags für das Ev ergibt[135]. Im Zusammenhang des Röm will der Satz den Lesern die Missionsmethode des Pl näherbringen und ihnen zugleich indirekt zu verstehen geben, daß er sich nur kurz bei ihnen aufhalten kann.

---

129) Vgl. die Polemik in 2 Kor 10,12ff. LIETZMANN meint, V. 20 sei "mit einem Seitenblick auf die seinen Schritten stets folgende judaistische Propaganda" geschrieben. Ähnlich vermutet MICHEL 12 und Anm. z.St. eine polemische Absicherung gegen eine andere Auffassung des Apostolats. Dagegen etwa ALTHAUS.

130) Vgl. 1 Kor 1,14-17; 3,10.

131) Für diese Nuance des Verbums, das sonst auch nur "sich eifrig angelegen sein lassen" heißen kann, tritt z.B. LAGRANGE ein.

132) Vgl. MICHEL 367 Anm. 2.

133) So SANDAY-HEADLAM. Wenn dies auch nicht die Intention des Apostels ist, so kann V. 20 doch helfen, den hinter der καύχησις von V. 19 verborgenen faktischen Wahrheitskern zu bestimmen.

134) LAGRANGE gibt dieser Deutung den Vorzug.

135) Es wird zu fragen sein, welche Konzeption der Frohbotschaft dahinter steckt, ob etwa Pl sich mit einer eschatologisch dringlichen Sonderfunktion betraut weiß usw. Vgl. S. 270ff.

c) Rom als Zwischenstation

Den Anschluß von V. 22 mit διό an das Vorhergehende darf man
nicht so pressen, daß man folgert[136], der Grundsatz V. 20f habe Pl früher von der Hauptstadt ferngehalten, damit er nicht
auf schon angebautem Grund pflüge; sonst könnte er ja nicht
seine mehrmaligen Versuche, dahin zu gelangen, erwähnen. Der
stärkere Einschnitt, den wir hier machen dürfen (s.o.), erlaubt, daß das διό weiter zurückgreift. Denn die V. 20f ge-
schilderte Methode allein erklärt nicht, daß der Apostel noch
nicht nach Rom kommen konnte; erst die Überfülle der Arbeit,
die V. 19ff insgesamt durchblicken läßt, macht das verständlich[137]. Die Konstruktion der Verse 23f läßt allerdings erraten, daß der Apostel jetzt wegen dieses seines Axioms keine
Zeit für Missionsversuche in Rom hat: der V. 23 begonnene Satz
schließt nicht, wie zu erwarten, mit der Ankündigung des Kommens, sondern schießt darüber hinaus: Rom ist nur Zwischensta-
tion zum eigentlichen Ziel, Spanien. Deswegen endet V. 23f ana-
koluthisch, so daß ein Begründungssatz nachholend erklären muß,
wie die Spanienreise des Apostels mit seiner Sehnsucht, nach
Rom zu kommen, zusammenhängt[138]: er hofft, von den Römern aus-
gerüstet zu werden. Προπεμφθῆναι könnte von einigen Stellen der
Apg (20,38; 21,5; vgl. 17,15) her einfach ein Stück Weggeleit
meinen. In 1 Kor 16,6[139] = 2 Kor 1,16 scheint aber wenigstens
noch die Ermöglichung der Weiterreise eingeschlossen. Tit 3,13f;
3 Jo 6 hat der Begriff eine noch größere missionstechnische
Füllung[140]. So erhofft sich Pl wohl von den Römern, daß sie
ihn mit allem ausstatten, was er für sein sonst nicht gesicher-

---

136) Wie DORNFRIED 442.

137) So SANDAY-HEADLAM, LIETZMANN, ZAHN, LAGRANGE, MICHEL.

138) So SANDAY-HEADLAM.

139) Vielleicht darf man das unschlüssige ἐὰν δὲ ἄξιον ᾖ 1 Kor
16,4 und die Konstruktion mit οὗ ἐάν V. 6 so deuten, daß
Pl es der Großmut der Gemeinde anheimstellt, ob sie seine
Reise nach Jerusalem finanzieren will. Vgl. noch 1 Kor
16,11 für Timotheus.

140) Vgl. BAUER s.v.

tes Unternehmen in Spanien braucht[141]. Er ist nicht gerade darauf aus, bei der römischen Gemeinde "akkreditiert" zu werden[142], aber sehr wahrscheinlich sucht er im westlichen Raum eine Operationsbasis für sein Wirken, wie er sie im Osten ja auch hatte[143]. Dem kann man nicht entgegenhalten, daß der Apostel doch auf Unterhalt von seiten seiner Gemeinden verzichtet habe[144]. Denn dies tat er, wo beim Entstehen einer Glaubensgemeinschaft das Ev unter dem Verdacht persönlicher Gewinnsucht gelitten hätte[145]. Warum sollte er aber nicht von einer blühenden Gemeinde wie der in Rom Unterstützung annehmen, wie er wiederholt von den Philippern Hilfe erhalten hatte, zumal er damit ja nicht in ihrer Mitte Mission treiben wollte? Wenn Pl einen Brief an die römischen Christen schrieb, so konnte er dabei durchaus auch von dieser begreiflicherweise nicht sehr laut ausgesprochenen Hoffnung geleitet sein. Sie ist nicht der tragende Sinn des Ganzen, aber mit Anlaß, der zum Grundgedanken 1,16f paßt. Der Apostel möchte sich in Rom eine κοινωνία... εἰς

---

141) DODD, MICHEL, SCHMIDT denken an Empfehlungsbriefe, Proviant, Geld, Beschaffung von Fahrgelegenheit, eventuell Stellung von Begleitern. Dazu kommt eine konkrete Berechnung. Wie fast allgemein angenommen wird, schreibt Pl den Röm im Frühjahr. An Pfingsten will der Apostel in Jerusalem sein (Apg 20,16). Nachdem man mit einer aufwendigen Delegation die Kollekte überbracht hatte (dazu GEORGI, Kollekte 87f), konnte man dort erst recht die Kasse nicht füllen. Die schwierige Reise nach Rom, wo sich Pl ja nicht lange aufhalten konnte (vgl. V. 24.28), wenn er - wie zu vermuten - noch vor Ende der Reisezeit Spanien erreichen wollte, läßt nirgends einen längeren Zeitraum, in dem er sich für die Tätigkeit auf noch unbekanntem Boden etwa mit eigener Hände Arbeit einen finanziellen Rückhalt hätte schaffen können.

142) Diese in Apg 15,3 vielleicht mögliche Nuance von προπεμφθῆναι dehnt DODD zu Unrecht auf die anderen Vorkommen aus.

143) Für die Anfangszeit war es wohl Antiochien. Später tritt - nach den lückenhaften Quellen - vor allem Philippi in dieser Hinsicht hervor. Vgl. MUNCK, Heilsgeschichte 293f.

144) So etwa KNOX 359.

145) Vgl. TURLINGTON 172f. CONZELMANN, Geschichte 76 stellt nüchtern fest, daß Pl wohl mit seinem selbst erarbeiteten Lohn nicht einmal seinen eigenen Aufwand bestreiten konnte: "Reisekosten, Bücher, Schreibmaterial, Bezahlung von

τὸ εὐαγγέλιον bereiten, wie er sie den Philippern rühmend nachsagen kann (Phil 1,5.7). Sie umfaßt auch materielle Mitwirkung, geht aber weit darüber hinaus: der Brief zeigt insgesamt, daß Pl bei den Adressaten echte Mitverantwortlichkeit wecken möchte, die von der "Sache" des Ev ergriffen ist[146]. Diese zielt aber über die römische Gemeinde hinaus; deshalb setzt Pl V. 24 fast entschuldigend hinzu, daß ihm die wichtige Aufgabe in Spanien es nur ungenügend vergönnt, das Zusammensein mit den Römern zu genießen[147].

d) Die Überbringung der Kollekte als Voraussetzung
   für die Mission im Westen (V. 25-32)

V. 25 bricht diese Gedankenreihe plötzlich ab. Die Reise nach Jerusalem bestimmt die nächste Gegenwart, und davon ist die Zukunft abhängig. Pl versucht, den Römern klar zu machen, warum die Übergabe der Kollekte vordringlich ist: dem dienen V. 26f, ohne daß damit eine Nebenabsicht verbunden ist[148]. V. 28 nimmt den V. 24 verlorengegangenen Faden wieder auf. V. 29 beteuert, daß mit der Abgabe der Sammlung das geplante Missionswerk im Westen nicht nur aufgeschoben ist, sondern im Gegenteil ein positiver Ausgangspunkt dafür - und für seine Begegnung mit den Römern - geschaffen wird: Pl wird "in der Fülle des Segens Chri-

---

Stenographen. Und es reichte schon gar nicht für die Bezahlung der Mitarbeiter..." Wenn seine Unabhängigkeit nicht ins Zwielicht geriet, konnte er Unterstützung annehmen.

146) Vgl. SCHRENK 82f. Man darf aber nicht mit BARTSCH, Gegner 29 einen möglichen finanziellen Beitrag ausschließen.

147) Zu dem unscharfen, höflichen ἐμπλησθῆναι vgl. DELLING, ThW VI,131; auf jeden Fall bezeichnet sich Pl als den Nehmenden.

148) Keinesfalls will Pl auch die Römer zur Hilfe für Jerusalem aufrufen: gg. NICKLE 69f, der dafür auch καρπός 1,13 bemüht; als Möglichkeit KÜHL, ALTHAUS, LEENHARDT. Nach MICHEL soll die fast aufdringliche Wiederholung von εὐδόκησαν γάρ vielleicht auf die Freiwilligkeit und Einsicht der römischen Gemeinde - doch wohl betreffs der Spanienmission - einwirken. In der Exegese von V. 29 macht MICHEL das noch durchsichtiger: "Pls verheißt seinerseits 'geistliche Gaben', die den in Anspruch genommenen 'fleischlichen' weit überlegen sind (προπεμφθῆναι V 24)". Wir werden aber

sti kommen"[149]. Trotz dieser Überzeugung fordert der Apostel abschließend seine Leser noch eindringlich zum Fürbittgebet auf, damit die Kollekte auch gut an den Bestimmungsort gelangen und er endlich mit ihnen glücklich vereint sein kann.

Auf die hier durchscheinende Lage stützen nun BORNKAMM u.a. ihre Bestimmung des Röm. Zweifellos deutet schon συναναπαύεσθαι V. 32 eine gewisse Lösung von Spannungen an, die nicht im Verhältnis des Pl zu den Römern liegen können[150]. Der Ausgang in Jerusalem ist ungewiß. Aber warum? Nach BORNKAMM[151] deswegen, weil die Kollekte der pl Gemeinden bei den Jerusalemer Judenchristen die ganze Frage der Zulassung der Heiden, der Gesetzesfreiheit des Ev, noch einmal aufrollen mußte. Nun sollte man meinen, seit dem Apostelkonvent sei dieses Problem entschieden[152]. Läßt das Wörtchen εὐπρόσδεκτος V. 31 den Schluß zu, die Urgemeinde könne die Annahme der Kollekte auch verweigern, ja diese sei "im höchsten Maße fraglich", so daß Pl gezwungen ist, persönlich zur erneuten "Auseinandersetzung" zu erscheinen[153]? Wie ist damit die V. 29 und anderswo[154] geäußerte Gewißheit darüber, daß die Aktion reichen Segen wirken würde, zu vereinbaren? Der größere Unsicherheitsfaktor scheint mir in der V. 31 auch zuerst genannten Nachstellung durch die

---

S. 233f sehen, daß V. 29 einen anderen Hintergrund hat.

149) SANDAY-HEADLAM, MICHEL, SCHMIDT denken an die pneumatische Gabe, die Pl den Lesern 1,11 versprochen hat; LIETZMANN und BARRETT möchten gar noch die Gegengabe 1,12 einbegreifen. Aber diese Verse sind weit weg. Der Zusammenhang von Kap. 15 spricht doch eher dafür, daß Pl in erster Linie Segen für das westliche Missionsprojekt erwartet.

150) Vgl. MICHEL.   151) Vgl. Paulus 107, Testament 137.

152) So SCHMITHALS, Paulus und Jakobus 64ff. Daß die Sammlung unter Umständen nicht angenommen werde, sei durch den Terror der Synagoge, keineswegs durch grundsätzliche Differenzen in der Urkirche bedingt.

153) Vgl. die Ausdrücke bei BORNKAMM, Testament 136ff.

154) Vgl. GEORGI, Kollekte 76 zu 2 Kor 9,12ff: "Paulus ist von einem Erfolg der Gesandtschaft und damit auch der Kollekte überzeugt. Er weiß so gut wie sicher, daß sich die Delegation in Jerusalem bewähren wird und die Jerusalemer dazu bringen wird, Gott zu verherrlichen (V. 13)."

feindlichen Juden zu liegen. Daß sich Pl trotzdem nach Jerusalem
wagt, könnte indirekt anzeigen, daß dort einiges für ihn auf dem
Spiel stand[155]. Aber für unsere Frage nach dem Zweck des Röm
ist entscheidend, wieviel Pl den Römern davon mitteilt. Für sie
nimmt sich das εὐπρόσδεκτος eher wie ein understatement aus[155a].
Kann der mögliche Konflikt in Jerusalem so das geheime gedankliche Zentrum des Briefes bilden, daß er von daher gelesen werden
muß, um verständlich zu werden? Wir haben erkannt, daß der Begriff εὐαγγέλιον - εὐαγγελίζεσθαι das Briefcorpus umklammert.
Die Missionsaufgabe des Apostels verbindet Thematik und Anlaß,
ausgerechnet an die Römer zu schreiben. Nehmen wir den Brief als
Kommunikation ernst, dann ist das Ev, das den Lesern dabei vor
Augen steht, nicht das, das Pl eventuell in Jerusalem zu verteidigen hat - davon erfahren sie nichts -, sondern das, das er mit
ihrer Mithilfe auch in der westlichen Hemisphäre ausrichten will.
Dabei soll nicht bestritten werden, daß beides für Pl selbst eng
zusammengehört. Aber mag die Sorge um die Ablieferung der Kollekte ihn persönlich auch noch so sehr beschäftigt haben, für
das, was er mit dem Schreiben will, ist das Vorhaben im Westen
von größerem Gewicht. Schon formal zeigt die Inklusion V. 24.28f,
daß das Gelingen der Jerusalemreise nicht Endziel, sondern Voraussetzung für die neue Etappe der Mission ist[156], der die Römer durch ihr fürbittendes Gedenken jetzt schon vorarbeiten können. Und auch die "Ruhe", die Pl nach V. 32 in Rom zu finden
hofft, braucht nicht nur rückwärts bezogen zu sein. Vielleicht
will er hier Kräfte für seine weitere Tätigkeit sammeln.

---

155) Die meisten Ausleger vermuten starke Reserven der Kirchen-
leitung gegenüber der Heidenmission. Vgl. HAENCHEN 544, der
eine Rückwirkung des Kampfes in Galatien annimmt. Vorsichtig jedoch KUSS, Paulus 204 zum Motiv der Reise: "mannigfache Auskünfte von gleicher Wahrscheinlichkeit und Unsicherheit sind möglich."

155a) MICHEL 373 Anm. 3: es bezeugt "die apostolische Demut des
Pls". Er stellt die Aktion als "Dienst" hin.

156) Vgl. LAGRANGE: "Après cela Paul sera quitte envers Jérusalem." GEORGI, Kollekte 81 fragt, ob nicht "die Überbringung
der Kollekte die gleiche Funktion erfüllen sollte wie der
Römerbrief und dann der geplante Rombesuch: Rückendeckung
zu geben für die Arbeit im Westen."

C) Z u s a m m e n f a s s u n g

1. Was sagt der Briefrahmen über die Bestimmung des Röm aus?

Wir meinten, die Verbindung zwischen dem aktuellen Hintergrund
des Röm und seinem Hauptanliegen in der Verkündigung des Ev sehen zu können, das Pl auch noch dem westlichen Mittelmeerraum
schuldig ist. Für sie sollen seine römischen Leser aufgeschlossen werden. Pl setzt dabei voraus, daß sie das grundlegende Ev
von Jesus Christus (1,3f) angenommen haben. Er sieht es in der
angeredeten Gemeinde nicht entscheidend gefährdet. Wie er 1,16b
selbst sagt, will er ihr die dem Ev eigene δύναμις vor Augen
führen, die ihr selbst zur Rettung wurde und die die einzige
Heilsmöglichkeit für alle Menschen darstellt. Deswegen zeigt er
ihr die theologische Tiefendimension des Ev auf, indem er es
als Eröffnung der Gerechtigkeit Gottes in der Versöhnungstat
am Kreuz Jesu interpretiert, an welcher nur der Glaube Anteil
gewinnt. Diese Reflexion führt auf die vom Wir-Stil bestimmten
Stücke (5,1ff; 8,3ff) zu, in denen die Gläubigen dankbar ihren
gegenwärtigen Stand in der Liebe Gottes als unvergleichliches
Gnadengeschenk erkennen sollen. Solche Gedankenbewegung rückt
die Leser unwillkürlich in eine umfassende Solidarität mit allen Menschen, die noch des Ev harren. Wenn sie die χάρις nicht
als Eigenbesitz für sich reklamieren, wird sie zum χάρισμα, das
auch anderen zugute kommt. Die im Brief 1,8.11f; 15,14 geradezu
provozierte Selbständigkeit des Glaubens widerstreitet so nicht
dem Anspruch, den Pl als Heidenapostel an die Gemeinde stellt.
Er requiriert damit ihren Glauben nicht für sich, sondern lockt
ihn aus einer möglichen Selbstgenügsamkeit heraus, damit er tätig werden kann, sobald der Apostel nach Rom kommt. Aus dem Gang
der Verse 15,14-33 glaubten wir die These erhärten zu können,
daß Pl mit dem Röm die Errichtung eines missionarischen Stütz-
punktes für sein Projekt in Spanien vorbereiten will. Er
schreibt deswegen keinen Bettelbrief, sondern sucht bei den Römern Verständnis zu wecken für das Ev, das ihm zur Weitergabe
aufgetragen ist.

Demgegenüber erweisen sich andere Hypothesen, das Ziel des Röm
zu erfassen, als weniger fruchtbar. Das Anliegen des Pl läßt
sich nicht aus Objektionen und Zwischengedanken erraten, sondern muß dem Fluß der Argumentation zugrunde liegen. Deswegen
können weder die Passagen, in denen sich Pl gegen eine Mißdeutung seines Ev als Gesetzlosigkeit absichert[157], noch die Stellen, die den jüdischen Vorrang auf Grund der Verheißung zum Thema haben[158], das primäre Ziel des Schreibens angeben (zur Meinung a)). Zur Frage eines judaistischen Gegenüber (b)) läßt sich
eigentlich erst dann mehr sagen, wenn wir zu Gesicht bekommen
haben, wie der ganze Brief vom "Juden" spricht. Immerhin können
wir nach der Untersuchung des Briefrahmens den Satz unterschrei-
ben: der Röm "ist nicht zunächst gegen eine oder mehrere Fronten, sondern für sein Evangelium gemeint. Paulus will sich weniger auseinander- als vielmehr für seine Botschaft einsetzen -
wobei dann freilich Abgrenzung und Abrechnung nach rechts und
links zur Sache gehören."[159] Die BORNKAMMsche Version der Ju-
daisten-These (c)) überzeugte uns deswegen nicht, weil Pl danach
etwas schriftlich memoriert hätte, ohne den Lesern recht zu sagen, warum es ihre Aufmerksamkeit verdient. Wer dagegen behauptet (s. Meinung d)), Pl wolle sich im Röm mit seinem Ev "vorstellen", darf weder die inhaltliche Diskrepanz seiner Botschaft noch die Urteilskompetenz der Römer überschätzen. Daß er
ein entscheidendes Manko ihres Glaubens auszufüllen hat (e)),
ließ sich aus dem Rahmentext selbst widerlegen. So erwies sich
uns der unter f) verzeichnete Ansatz noch am tragfähigsten, vorausgesetzt, daß man damit nicht die vordergründigen Missionspläne des Apostels zum Grundgedanken selbst erhebt, sondern sich
damit begnügt, von hier aus die Kontinuität zwischen Anlaß und
Briefthematik darzulegen.

---

157) Vgl. 3,8.31; 6,1ff.15ff; 7,7ff (8,3f; 13,8-13).
158) Vgl. 3,1f; 9,1ff; 11,1; dazu ausführlicher unten II C.
159) ALTHAUS 3.

2. Hermeneutische Folgerungen

Daraus ergibt sich, daß unser Text unter dem leitenden Gesichtspunkt, den wir gewählt haben, befragbar ist. Theorie und Praxis der Mission spielen für den Röm eine entscheidende Rolle. Die Aussagen über das Apostolat des Pl unter den Heiden, über das alle angehende Ev, liegen in seiner direkten Intention.

Auch das Problem "Juden-Heiden" erscheint demnach aus dem Blickwinkel der Mission. Die Situation der Verkündigung des Ev ist dadurch gekennzeichnet, daß die Juden sich gegen es faktisch gesperrt haben. Es gilt zu deuten, was das für die allein heilbringende Gottesmacht des Ev heißt. Wir dürfen also vom Röm weniger Aufschluß darüber erwarten, wie Pl sich persönlich zu den Juden stellt, ob er "Anitsemit" oder "Nationalist" ist. Er verhandelt die "Judenfrage" nicht an sich, sondern im Zusammenhang seiner spezifischen Evangeliumsverkündigung unter den Heiden[160]. Hier muß sie aber auf zwei Ebenen erscheinen:

a) Der Versuch der Juden, auch post Christum proclamatum in der Gesetzestreue ihre eigene Gerechtigkeit zu behaupten, widerstreitet dem Anspruch des Ev, allein das Heil zu wirken. Von dieser Warte aus kann Pl nur polemisch gegen den "Eigensinn" des Juden angehen; seine Besonderheit wird kritisch durchleuchtet werden.

b) Weil die Weigerung des Großteils Israels, dem doch in der Schrift das Heil zugesagt war, die rettende Kraft des Ev in Frage stellt, muß der Bezug "Juden-Ev" neu beleuchtet werden, und zwar diesmal von daher, daß das jüdische Volk durch die Verheißung positiv auf die im Ev offenbare σωτηρία hin angelegt war. Diese Zweigleisigkeit durchzieht auch die Ausführungen des Pl über den Zusammenhang zwischen ἐπαγγελία und εὐαγγέλιον, dem wir im nächsten Kap. genauer nachgehen wollen.

---

160) Vgl. MARQUARDT 8.

K A P I T E L   I I

DIE ZUORDNUNG VON VERHEISSUNG UND EVANGELIUM

Gleich die ersten Zeilen des Röm geben uns das Thema dieses
Kap. vor. Es geht um die spannungsreiche Beziehung zwischen
zwei Heilssetzungen Gottes: ἐπαγγελία und εὐαγγέλιον. Pl
nimmt eine im Judenchristentum vorgegebene Überzeugung auf,
wenn er 1,2 schreibt: Gott hat seine gute Nachricht vorher an-
gesagt[1] durch seine Propheten in heiligen Schriften. Wir sahen[2], daß durch diese Versicherung das Ev den heidenchristlichen Hörern um so verläßlicher klingen sollte. Die partikuläre
Vorgeschichte einer universalen Verkündigung bleibt dabei noch
unproblematisch. Eher enthält V. 3 schon eine gewisse Spannung:
die Verheißung beginnt sich zu verwirklichen, indem der Sohn
Gottes nach 2 Sam 7,12 aus dem Samen Davids kommt. Diese Tatsache gehört offenbar auch für Pl in das Ev vom Sohn Gottes
hinein. Aber während die angeführte Glaubensformel damit die
vollgültige Qualifikation Jesu zum Messias schon von seiner Abstammung her behauptete, tritt sie für Pl als Vorstufe hinter
dem zurück, was ihn für seinen Dienst unter allen Völker bevollmächtigt: durch die Geistmacht Gottes ist Jesus zur Herrschaft über alle Welt erhoben.

Daß das unter allen Heiden verkündete Ev doch nicht so bruchlos
aus seiner Vorankündigung in der Schrift der Juden folgt, läßt
die paradoxe Formulierung 3,21 erkennen: Νυνὶ δὲ χωρὶς νόμου
δικαιοσύνη θεοῦ πεφανέρωται, μαρτυρουμένη ὑπὸ τοῦ νόμου καὶ τῶν
προφητῶν. Während die Tradition mehr ein christologisches Interesse am AT hat, ruft Pl es hier zum Zeugen[3] für seine

---

1) Προεπαγγέλλειν hat 2 Kor 9,5 einen prägnanten Sinn: Pl hat
   die Gabe der Korinther den Makedoniern schon gerühmt, bevor
   sie überhaupt fertig zugerüstet war. So wird auch Röm 1,2
   das in der Verheißung liegende Moment des zeitlichen Zuvor
   betont sein. Vgl. J. SCHNIEWIND, G. FRIEDRICH, ἐπαγγέλλω
   κτλ, in: ThW II, 573-583, hier 582f.

2) Vgl. S. 46f.

3) Wenn LÜHRMANN, Offenbarungsverständnis 150 hieraus schließt,
   das AT habe für Pl nicht den Charakter von Offenbarung, so
   gilt das in dem von LÜHRMANN selbst herausgearbeiteten speziell apk Sinn von φανεροῦν. Er stellt auch heraus, daß
   μαρτυρεῖν eine feierliche Deklaration besagt.

Heilslehre auf[4]. Diese proklamiert ein unableitbares, eschatologisches Offenbarwerden der Gerechtigkeit Gottes in Jesus Christus. Das Gesetz kann diese in keiner Weise hervorbringen, und doch ist es, zusammen mit den prophetischen Schriften[5], ihre Urkunde. Das Gesetz zeugt nicht nur - wie 3,19[6] - gegen sich selbst und behaftet den Juden bei seiner Sünde[7]; es weist nach der Aussage von 3,21 positiv über sich hinaus, indem es zeigt, daß das Heil aller Menschen (V. 22!) von jeher schon der Wille Gottes war.

Hier muß sich unabweisbar eine Schwierigkeit einstellen: war das Gesetz nicht in erster Linie Urkunde eines ganz besonderen Verhältnisses Gottes zu einem bestimmten Volk? Wie kann Pl es als Zeugen für die allen offenstehende Gnade beanspruchen? Inwiefern bestimmt das Ev seine "Voraussetzung", die Verheißung, und umgekehrt?

A) G r u n d s ä t z l i c h e s
   z u r   V e r h e i ß u n g   b e i   P l

1. Der endzeitliche Blickpunkt

Nun kann man natürlich sagen, daß dieses Verfahren des Pl einer hermeneutischen Eigenart entspricht, die sich bereits im AT und

---

4) Vgl. VIELHAUER, Pl und das AT 34.

5) Der bei Pl ungewöhnliche globale Ausdruck ὁ νόμος καὶ οἱ προφῆται meint in traditioneller Prägung (vgl. 2 Makk 15,9) die Schrift als Ganzes (vgl. W. GUTBROD, νόμος κτλ, in: ThW IV, 1029-1084, 1062,36ff), nicht nur als Lebensnorm, wie BORNKAMM, Gesetzesverständnis 75 Anm. 7 für Mt 5,17 vorschlägt. Daß die Propheten erwähnt werden, könnte darauf hindeuten, daß die Behauptung V. 21 nicht nur im Hinblick auf Kap. 4 aufgestellt ist.

6) Vgl. MICHEL, Bibel 142.

7) Diesen Aspekt hebt BORNKAMM, Gesetzesverständnis 110f an 3,21.31 so stark hervor, daß der m.E. in 3,21 betonte positive Wert des "Gesetzes" als Schrift verdunkelt wird. Auch Ch. MÜLLER 67f wird ihm nicht gerecht, weil er das μαρτυρεῖν nur auf die anklagende Zeugenaussage V. 9-19 beziehen will. Sein Verständnis von δικαιοσύνη θεοῦ als Sieg im Rechtsstreit läßt sich aber nicht generell halten. Außerdem kommt bei ihm der Neuansatz mit νυνὶ δέ nicht zur Geltung.

seiner Auslegungsgeschichte oft beobachten läßt: eine Zusage
kommender Wirklichkeit - sei es in den Vätergeschichten oder
in einem prophetischen Botenspruch - kann immer wieder neu und
anders aufgenommen[8] und schließlich durch ihre "Erfüllung" so
überboten werden, daß die Verheißung selbst von da her neu interpretiert werden muß[9]. Die überkommenen Erwartungen von Land,
Leben, Segen werden zusehends überhöht, so daß sie schließlich
das Kommen Gottes selber ansagen. Ja, in der Verwirklichung des
Gotteswortes bricht zugleich neue Hoffnung auf; die Erfüllung
hat selbst wieder Verheißungscharakter[10]

Auch die rabbinische Schriftauslegung fußt auf der Einsicht,
daß die Schrift in die Zukunft offen ist, und nimmt sie so je
für ihre Situation in Anspruch[11]. Die Qumrangemeinde geht noch
darüber hinaus, weil sie weiß, daß sie bereits am Ende der Tage
lebt. So kann sie zeitgenössische Ereignisse als die eschatologische Entsprechung zu biblischen Prototypen auffassen[12]. Von
hier ist es nicht weit zu Pl. Bereits die Termini ἀποκαλύπτεσθαι (1,17) und πεφανεροῦσθαι weisen darauf hin, daß die Gerechtigkeit Gottes als endzeitliche Offenbarung zugänglich wird und
alle Welt ins Zeichen des neuen Äons stellt[13]. Für Pl ist der
angekündigte letzte Augenblick des Heiles jetzt gekommen (2 Kor
6,1f); so kann er die Christen als Menschen des Weltendes betrachten, auf die hin die Geschichte Israels gerichtet und geschrieben ist[14]. Wegen dieses δι' ἡμᾶς (1 Kor 9,10; Röm 4,23f)

---

8) Vgl. v. RAD, Theologie II,339ff; 386ff.

9) Vgl. ZIMMERLI, Verheißung 87; SAUTER 47 schreibt: "Vor dem
schlagartig erhellten Horizont vollzieht sich also ein hermeneutisch produktiver Vorgang; erst wenn der Zielinhalt
effektiv zum Vorschein kommt, stellen sich ihm die adäquaten Begriffe ein." Vgl. ferner CULLMANN, Heil 105f, 140 u.
ö.; PORTEOUS, Perspectives.

10) Vgl. ZIMMERLI, Verheißung 92, 94; v. RAD, Theologie II,
408f; SAUTER 156f; MOLTMANN, Hoffnung 208.

11) Vgl. DIETZFELBINGER, AT 33ff.

12) Vgl. zusammenfassend LUZ, Geschichtsverständnis 102ff.

13) Vgl. zur eschatologischen Bestimmtheit der pl Theologie
DELLING, Zeit 57ff.

14) Vgl. 1 Kor 10,11; Röm 15,4. Zum pl Schriftverständnis vgl.
die Werke von MICHEL, Bibel; GOPPELT, Typos 152ff; ELLIS;
DIETZFELBINGER, AT; GALLEY; ULONSKA; LUZ, Geschichtsver-

wagt es Pl, die Ereignisse des AT als christliche Vorgeschichte zu vereinnahmen.

Es ist allerdings eine Sache genauerer Sprachregelung, wieweit bei Pl von "Erfüllung" der Schrift die Rede sein kann. Wenn man "Weissagung" für das Pendant zu "Erfüllung" hält, greift man von vornherein zu kurz; denn der Blick ist auf das identifizierbare Eintreffen einer Vorhersage eingeengt[15]. Mit dem Begriff "Verheißung" tragen wir eher dem dynamischen Voraus des Wortes Gottes in der Geschichte Rechnung. Dann ist aber nicht zu verkennen, daß Pl aus der Erfüllung der Schrift argumentiert. Daß er sich wegen der Naherwartung keines Abstandes zur erfüllten Schrift bewußt war, spricht - wie schon das analoge Verständnis in Qumran zeigt - nicht dagegen[16]. Freilich geht Pl nicht von Zeitschemata wie alter Äon - neuer Äon aus, sondern vom Christusereignis, das den Gläubigen gerade für ihre Existenz in dieser Zeit bedeutsam werden soll. Von ihm kann er 2 Kor 1,20 sagen, daß es das Ja zu allen Verheißungen Gottes darstellt. So sehr der Kontext deutlich macht, daß damit den Christen die vollkommene Fülle des Heiles erst im Geist vor-gegeben ist (vgl. V. 22), so legt Pl doch im Zusammenhang Wert darauf, daß die Erfüllung der Zusagen Gottes in Christus nicht bloß grundgelegt, sondern vollzogen ist[17]. Anlaß zu Differenzierungen gab oft

---

ständnis 41-135; CONZELMANN, Theologie 187ff; VIELHAUER, Pl und das AT; STUHLMACHER, ZThK 64 (1967) 434ff; SAND 347ff.

15) ZIMMERLI, Verheißung 96ff beharrt mit Recht darauf gg. BULT-MANN, Weissagung.

16) Gg. ULONSKA 52ff u.ö. Seine Arbeit hat das Verdienst, daß sie den pl Schriftbezug in die jeweilige Situation hineinstellen möchte. Aber gerade im Fall des Gal und Röm ist ihr m.E. der Nachweis nicht gelungen, daß Pl die Bibel gegen die angezielten Kontrahenten als jüdische Tradition ins Feld führt; er spricht ja direkt zur heidenchristlichen Gemeinde. So kommt man nicht darum herum, die eigentümliche Autorität, die die Schrift auch für die Christen hat, verständlich zu machen. Vgl. auch die Kritik von LUZ, Geschichtsverständnis 43.

17) Es geht ja um die Festigkeit des apostolischen Wortes, das das Christusereignis (vgl. das Perfekt γέγονεν V. 19) als Inhalt und Grund hat. Das ist gegenüber der Unterscheidung zu bemerken, die THÜSING 179 und LUZ, Geschichtsverständnis 67 anbringen möchten.

auch das Verbum βεβαιῶσαι Röm 15,8. Man schloß daraus, daß Pl die Verheißungen in Christus nicht als erfüllt, sondern nur als bekräftigt ansehe[18]. Dem ließ sich nur so ein Sinn abgewinnen, daß man den folgenden Infinitiv noch dazunahm und in den ἐπαγγελίαι τῶν πατέρων die das Heil der Völker betreffenden atl. Ankündigungen erblickte[19]. Aber diese Inhaltsbestimmung von ἐπαγγελίαι läßt sich schon deshalb nicht durchführen, weil der Finalsatz den Sinn von V. 8a deuten möchte[20]. Wenn Christus Diener der Beschneidung wurde, so erwies sich darin die ἀλήθεια θεοῦ, indem die Verheißungen Jahwes in Erfüllung gingen. Dabei wird vornehmlich an die messianisch bedeutsamen Zusagen an Abraham und David (vgl. 1,3) gedacht sein, wonach der Christus zunächst für und aus Israel kommen muß[21]. Das Wort βεβαιοῦν bestimmt sich je aus dem Zusammenhang[22]. Es kann auch, wo es in einem Verhältnis zu einem λόγος, einem Versprechen, steht, geradezu technisch das "Einlösen" bezeichnen. So kann Pl hier im Rückblick auf das Kommen Christi sagen, daß Gott darin die Verheißungen an die Väter wahr gemacht hat.

Halten wir fest: im Blick auf Christus kann Pl von der Erfüllung der Verheißungen sprechen. Auch das Ev von diesem Christus ist ein verheißenes (1,2); es bringt aber den Angesprochenen gerade dadurch die Möglichkeit, ihrerseits der Verheißungen teilhaftig zu werden.

---

18) So BARTSCH, Gegner 34ff; ULONSKA 205; THÜSING 44: "Die Erfüllung selbst vollzieht sich jetzt dadurch, daß der erhöhte Kyrios die Heiden in seine Gemeinschaft aufnimmt"; LUZ, Geschichtsverständnis 67.

19) Dafür läßt sich aber nicht geltend machen, daß das καθὼς γέγραπται mit den V. 9ff folgenden Schriftworten die Erfüllung der Verheißungen konstatiere (so etwa KÜHL, SCHMIDT), noch daß sie unbedingt von Röm 4 her inhaltlich gefüllt werden müßten (THÜSING 43; vgl. aber 9,4). Auch die Ausdrucksweise bei LUZ, Geschichtsverständnis 390 "Das Gotteslob der Heiden ist βεβαίωσις der Verheißungen an Israel" scheint mir nicht treffend.

20) S. die genauere Analyse IV B 2.

21) So auch MICHEL.

22) In 4,16 hat βέβαιος eine mehr juristische Note; im Gegensatz zu καταργεῖν stellt es die unverbrüchliche Gültigkeit der Verheißung heraus. Zu diesem Sprachgebrauch vgl. MICHEL und H. SCHLIER, βέβαιος κτλ, in: ThW I, 600-603; 601,36ff. Für βεβαιοῦν im Sinn von "erfüllen" vgl. die Belege mit ἐπαγγελία aus Polybius, Diodor v. S. und der Inschrift von

84

2. Traditionelle Verwendung des Begriffs

In 15,8 gebraucht Pl das Wort "Verheißung" offenbar in herkömmlicher Weise[23]. Schon der Plural ἐπαγγελίαι ist für ihn nicht charakteristisch; er schaut auf die ganze atl. Geschichte als Ort der Zusage Gottes zurück[24]. Die Verheißungen ergehen an die "Väter"[25]. Es ist nur natürlich, daß die Nachkommen, das jetzige Volk Israel, von der Treue Gottes ihre Erfüllung erwarten dürfen. Ähnlich setzt die Aussage 4,13 ἡ ἐπαγγελία τῷ ᾿Αβραάμ ἢ τῷ σπέρματι αὐτοῦ voraus, daß die Verheißung zunächst einmal den Abrahamssöhnen gilt[26], wenn auch im Folgenden der Begriff σπέρμα neu bestimmt wird.

Ganz deutlich wird es in der aus für Pl untypischem Material zusammengestellten Liste der Auszeichnungen Israels 9,4f[27], daß

Priëne bei LAGRANGE, MICHEL, BAUER s.v.

23) Vgl. allgemein zum Begriff ἐπαγγελία bei Pl den Anm. 1 gen. ThW-Artikel; DIETZFELBINGER, AT 7ff; LUZ, Geschichtsverständnis 66ff.

24) Pl ist sonst am Inhalt der einzelnen Verheißungen wenig interessiert; wichtiger ist ihm das Faktum als solches. Vgl. DIETZFELBINGER, AT 7f. Damit scheint auch eine Neigung zum Gebrauch des Singulars zusammenzuhängen (LUZ, Geschichtsverständnis 68). Immerhin schlägt der Plural auch an so grundsätzlichen Stellen wie Gal 3,16.21 durch.

25) Πατέρες hat im Spätjudentum eine ziemliche Bedeutungsbreite; vgl. G. SCHRENK u.a., πατήρ κτλ, in: ThW V, 946-1024, 975f. 1 Kor 10,1 zeigt, daß damit auch einmal die wenig vorbildliche Wüstengeneration gemeint sein kann. Im Röm aber sind die Väter der Stolz Israels (9,5), seine heilige Wurzel (11, 16), die Erstlingsgabe (11,16), durch die das Ganze geweiht und für Gott bleibend wertvoll wird (11,28). So prägt die Gestalt Abrahams an der Spitze der Väter den Begriff. Da aber in 15,8 auch David (vgl. 1,3) mitgedacht sein kann, wird man darunter weiter die Vorfahren Israels verstehen, soweit sie Träger göttlicher Erwählung und Verheißung waren.

26) Dazu WEISS: noch ganz alttestamentlich. Vgl. Gal 3,16.

27) MICHEL hat den kunstvollen Aufbau des Katalogs sichtbar gemacht und älteres hellenistisch-jüdisches Bekenntnisgut vermutet. Ihm stimmt BARTSCH, ThZ 21 (1965) 404 und ROETZEL 388f zu. Dagegen LUZ, Geschichtsverständnis 270 Anm. 13: pl Bildung.

die Verheißungen Besitz der Israeliten sind. Während Pl sonst
die Verheißung aus der unheilvollen Verknüpfung mit dem Gesetz
zu lösen bestrebt ist, stehen hier die ἐπαγγελίαι in der Nach-
barschaft von Vorzügen, die in der Exodus-Sinai-Tradition verwurzelt sind. So könnte man denken, daß hier die Verheißungen
- wie in der Überlieferung - zur Sanktion des Gesetzes werden[28]. Doch greift möglicherweise schon der Plural διαθῆκαι
am Ende der ersten Dreierreihe weiter zu den Vätern der Gn zurück[29], so daß ἐπαγγελίαι alle Zusagen Gottes, beginnend mit
Abraham, umfassen kann. Das wird wahrscheinlicher, wenn wir die
Pointe der Aufzählung 9,4f bedenken: sie liegt in der einseitigen Zuwendung Gottes zu diesem Volk, die sich durch mannigfache
Gaben in der Geschichte bekundete. Ihre Krönung finden sie in
der Abkunft des Χριστός von Israel. Daß hier Pl seinen Brüdern
dem Volkstum nach die Privilegien Gottes vorbehaltlos zuerkennt,
darf man nicht gleich wieder durch 9,6ff relativieren[30]. Er
setzt jedenfalls bei einem Niveau des Gesprächs ein, in dem
dies alles seine Gültigkeit hat.

Vorher hatte er schon 3,1f die Frage nach dem περισσὸν τοῦ
Ἰουδαίου angeschnitten. Er sieht es vor allem darin, daß den
Juden τὰ λόγια τοῦ θεοῦ anvertraut sind. Der Umfang dieses fei-
erlichen, ein wenig archaisierenden Begriffes ist umstritten;

---

28) Zu den Verheißungen als Lohn für Gesetzesgehorsam im Spätjudentum vgl. SCHNIEWIND-FRIEDRICH, ThW II, 576,7ff. DIETZ-
FELBINGER, Heilsgeschichte bei Paulus? 17 meint: "In dem
Begriff ἐπαγγελίαι ist zwar die Verheißung an Abraham inbegriffen; er ist aber hier sehr viel allgemeiner als Gal 3
und Röm 4 gefaßt und dürfte die eschatologischen Verheißungen des Alten Testaments überhaupt meinen." Im Unterschied
zum sonstigen Gebrauch stehe er hier parallel zum Nomos.

29) ZAHN und KÜHL denken in erster Linie an die Bundesschlie-
ßung am Sinai. Das wäre wahrscheinlich, wenn der Singular
original wäre: so CERFAUX, privilège 347ff. ROETZEL empfiehlt nun sogar, διαθῆκαι mit "commandments" zu übersetzen.
Dafür lassen sich freilich Belege beibringen. Vgl. auch
HARNISCH 30 Anm. 1. Aber daß das Wort die mit den Vätern
geschlossenen Bündnisse zusammenfassen kann, ist genügend
bezeugt: vgl. Weish 12,21 (συνθῆκαι); 18,22; 2 Makk 8,15;
Sir 44,18.20a (Singular).23 (Singular).

30) Vgl. das S. 24f, 31ff kritisch zu KLEIN und LUZ Gesagte.

der Akzent liegt darauf, daß Gott zu diesem Volk gesprochen
hat. Denkt Pl vor allem an die Verheißungen, für die Gott ja
seine Treue (V. 3) engagiert[31]? Mir scheint, daß auch das Gesetz als Offenbarung (vgl. νομοθεσία 9,4) nicht ausgeschlossen
werden darf[32]. Das Verbum πιστευθῆναι ist schon so gedeutet
worden, daß Israel nur den Vorzug habe, dieses Gut verwalten
zu dürfen, um es dann in der Zeit der Erfüllung allen Menschen
weiterzugeben[33]. Aber diese Feinheit ist kaum zu vermuten, wo
Pl doch das περισσόν des Juden gegenüber den anderen Völkern
zur Sprache bringen möchte.

Es bleibt der anstößige Tatbestand, daß Pl an einigen Stellen
sich der traditionellen Redeweise anschließt, wonach die Verheißungen nicht nur an Israel gerichtet sind, sondern auch für
dieses Volk ergehen. Ihre Erfüllung muß dann zugleich die Vollendung der Geschichte des Gottesvolkes bringen. Wie steht es
dann aber mit der Universalität des Heiles? Der elegante Ausweg, daß "durch den Begriff der Erwählung Israels von vornherein die Menschheit visiert ist"[34], ist nicht gangbar, weil dadurch die Heilsgeschichte in der Vogelschau überflogen wird.
Wir müssen zunächst einmal der Beobachtung standhalten, daß Pl
in den angeführten Belegen den hergebrachten Bezug der Verheißung auf Israel aufnimmt. Tut er dies nur, um mit den Juden ins
Gespräch zu kommen und dann die Reichweite der Verheißung zu
erweitern oder polemisch die Heidenvölker als ihr eigentliches
Woraufhin einzusetzen? Handelt es sich hier nur um das Relikt

---

31) So MICHEL; mehr oder minder ausschließlich plädieren für
    die Verheißungen WEISS, LIETZMANN, OLIVIERI 34ff (weil Pl
    vorher die Nutzlosigkeit des Gesetzes erwiesen habe), LY-
    ONNET, Exegesis 191, DOEVE 122f (nur haggadisches Element
    des Wortes Gottes).

32) Vgl. SANDAY-HEADLAM, LAGRANGE, BARRETT, KUSS, LJUNGMAN 16.
    Das ließe sich erhärten, wenn die λόγοι des Richters im
    Zitat V. 4 mit den λόγια zu tun hätten (vgl. V. 19).

33) Vgl. ZAHN: Durch ἐπιστεύθησαν "sind die Wortoffenbarungen
    Gottes als ein diesem Volk zur Verwaltung anvertrautes Gut
    vorgestellt (cf 1 Kr 9,17; 4,1) und an seinen Beruf erin-
    nert, von diesem Gut anderen mitzuteilen (Rm 2,19)". Ähn-
    lich CERFAUX, privilège 355: "l'Israël historique n'était
    qu'un fidéicommissaire et un dépositaire de la promesse."

34) Vgl. CULLMANN, Heil 141; PORTEOUS, Magnalia Dei 422f.

einer eigentlich überholten Sprache, so daß Verheißung hier
(Röm 9,4f) und dort (Gal 3 und Röm 4) jeweils etwas sehr Ver-
schiedenes meint[35])? Oder liegt ihm doch daran, daß Israel
auch die Verwirklichung der atl. Zusagen erfährt?

B) Abraham und die Völker

Es liegt nahe, mit den Verheißungen einzusetzen, die in ihrem
Inhalt noch am ehesten über das auserwählte Volk hinausgreifen.
Sie sind mit der Gestalt Abrahams verbunden. Um ihre Interpre-
tation durch Pl würdigen zu können, müssen wir uns erst vor
Augen führen, wie sie zu seiner Zeit verstanden werden konnten.

1. Die Verheißungen für die Völker und ihre Auslegung im Judentum

a) Der Segen der Nationen in Abraham (Gn 12,2f)

Die vom Jahwisten überlieferte Verheißung, der auf Abraham ruhende Segen Gottes werde auf alle Geschlechter der Erde über-
strömen, ist bekanntlich in ihrer Tragweite diskutiert[36]. Man
kann den Konsekutivsatz V. 3b noch als Abwandlung der vorhergehenden Versprechen an Abraham betrachten: seine Nachkommenschaft
wird derart groß werden, daß er zum Inbegriff des Segens für
alle Völker wird. Von ihrer Haltung zum Gesegneten Gottes hängt
ihr eigenes Glück ab. Eine starke Auslegergruppe meint aber, der
Intention von J nach steigerten sich die Segenszusagen dahin,
daß erst V. 3b ausdrücke, wem Jahwes Handeln eigentlich gilt.
Hier sei die schöpferische Wende gegenüber der Lebensminderung
seit Gn 2[37]. Zwar deute V. 3a eine Stellungnahme der Völker zum
Heil Abrahams an, aber V. 3b setze den Akzent auf die reale Möglichkeit, sich in Abraham Segen zu erwerben.

Während Gn 18,18 und 28,14 noch einmal die nif'al-Form von brk
steht, verwendet 22,18 und 26,4 das hitpa'el. In dieser letzte-
ren Schicht ist die Verheißung Antwort auf einen Gehorsamser-
weis; deshalb hat wohl die Aussage, daß die Völker sich im Na-
man der Patriarchen Glück verschaffen können, die Funktion, de-

---

35) So DIETZFELBINGER, AT 8 Anm. 4.
   2 Kor 7,1, wo die ἐπαγγελίαι des Gottesvolkes eindeutig für
   die Christen beansprucht werden, ohne daß das Judentum als
   Konkurrent in Erscheinung tritt, kann wegen der zweifelhaf-
   ten pl Autorschaft für das Stück 6,14-7,1 einmal außer Be-
   tracht bleiben. Vgl. dazu GNILKA, 2 Kor 6,14-7,1.

36) Zur Auslegung vgl. MARTIN-ACHARD 32ff; SCHARBERT 77ff.

37) Vgl. SCHREINER, BZ 6 (1962) 1ff; WOLFF 351ff; O. H. STECK.

ren Segensfülle hervorzuheben. In der Zeit des Deuteronomisten, dem SCHREINER Gn 22,18b und 26,4f zuordnet, werden die Aussagen vom Völkersegen "auf Israel zurückgebogen"[38]. Das zeigt auch Jr 4,2c.

Das Echo auf Gn 12,3 im sonstigen AT ist schwach[39]. Die Prophezie Is 19,24f[40] steht da auf einsamer Höhe; sie aktualisiert den Gottesspruch Gn 12,2b so, daß Israel ein Segen für seine großen Nachbarvölker wird, die ihm als Gottesvolk gleichgestellt sind. Diese Aussage ist nach FOHRER im AT "einzigartig und ein Zeugnis für die Weitherzigkeit einer Zeit, die auf die Gewinnung der Völker für den atl. Glauben hoffte"[41].

Die LXX gibt die Väterverheißungen für die Völker durchweg mit ἐνευλογηθήσονται wieder; vielleicht denkt sie dabei an eine Verwirklichung in messianischer Zeit[42]. In Sir 44,21 macht sich eine gewisse Umdeutung bemerkbar. Gott schwört dem Urvater Israels den Segen für die Völker auf Grund seiner Treue zu, und die Fortsetzung konkretisiert, worin dieser Segen besteht: darin, daß sein Same die ganze Welt zum Erbe bekommt (vgl. Gn 28,14). Es muß erst recht mißtrauisch machen, wenn die sonst national beschränkten Jub die Segensverheißung für die Völker einfach übernehmen können (12,23; 18,16; 24,11; 27,23). Wie Jakob "zum Segen unter den Menschenkindern" (= Sir 44,23) werden soll (Jub 19,17), erklären die folgenden Verse: er allein wird von allen Völkern Bestand haben; dann wird er "uns zum Segen sein auf der Erde von jetzt an bis auf alle Geschlechter der Erde" (V. 20). Die Völker sind nur mehr die Kulisse für das Wohlergehen Israels[43], das sie am besten dadurch bestätigen, daß sie sich ihm unterwerfen und ihm dienen (22,11; 26,23f; 32,18f). JosAnt I,235 drückt das auf seine Weise aus, wenn Gott dort verheißt, das aus Isaak stammende Geschlecht werde von allen Menschen beneidet werden. In der ApkAbr 29,19f; 31,2ff bleibt schließlich nur noch der Fluch, der die Verfolger Israels trifft.

In der spätjüdischen Beschäftigung mit Abraham überwiegt das Interesse an seiner Weisheit, seinem Ein-Gott-Glauben, seiner

---

38) Vgl. SCHREINER, BZ 6 (1962) 18.

39) Meiner Ansicht nach braucht man in Ps 47,10 keine Anspielung darauf anzunehmen. Daß "die Fürsten der Völker versammelt sind als Volk des Gottes Abrahams" kann in strengem Parallelismus zu V. b heißen, daß Gott sie Israel unterworfen hat (vgl. V. 4).

40) Dazu FEUILLET, RSR 39 (1951) 65-87; SCHREINER, BZ 6 (1962) 20ff.

41) Jesaja I z.St.

42) So SCHREINER, BZ 6 (1962) 30f. Daran schließe Pl an.

43) Vgl. 20,10: "Und ihr werdet zum Segen auf der Erde sein, und alle Völker der Erde werden an euch Gefallen haben und werden eure Kinder segnen in meinem Namen, daß sie gesegnet seien gleichwie ich" (Abraham); 21,25; 31,18ff.

Gesetzestreue, seiner Bewährung in der Versuchung[44]. Deswegen
rücken die Verheißungen immer mehr in den Rang einer Belohnung.
Wenn der Segen für die Völker erwähnt wird[45], dann veranschaulicht er die Konsequenzen des neuen Verhältnisses Gottes zur
Welt, das in Abraham begann. In Abraham erneuert Gott seine
Schöpfung, auf ihn hat er sie von vornherein gebaut[46]. Aber indem das jüdische Volk so die Schrift auslegt, sieht es sich
selbst in seinem Ahnherrn verkörpert. In den Völkern, im Kosmos,
die aufgeboten werden, um die Bedeutung Abrahams zu unterstreichen, kann es leicht seine eigene Bestätigung erblicken[47].

b) Abraham als "Vater vieler Völker" (Gn 17,4f)

Daß der Stammvater Israels von Gott zum Vater einer Menge von
Völkern eingesetzt ist, ist von vornherein zweideutig. P legt
denn auch den Völkersegen 17,6.16; 28,3; 35,11 auf die wunderbare Vermehrung der Abrahamnachkommen aus. Die Priesterschrift
kann sich den Segen nur innerhalb des Gottesbundes denken und
gibt deshalb das universale Traditionselement "wie in einem ver-
siegelten Zustand"[48] weiter. Auch Sir 44,19 überliefert den
Titel μέγας πατὴρ πλήθους ἐθνῶν von Abraham, ohne ihn näher auszudeuten. Jub 15,6f schließt sich in Text und Interpretation eng
an P an. Im palästinensischen Judentum ist das σπέρμα 'Αβραάμ
unter den Juden zu suchen. Die Abkunft von Abraham gibt Anrecht
auf die Verheißungen[49]. Das ist trotz aller werbenden Aufge-
schlossenheit für die nicht-israelitische Welt bei der hellenistisch-jüdischen Literatur kaum anders. 4 Makk 16,20 nennt Isaak den ἐθνοπάτωρ υἱός, es ist aber nach 18,1 u.a.[50] kein Zweifel daran, daß die Israeliten die τῶν 'Αβραμιαίων σπερμάτων ἀπό-

---

44) Vgl. SCHMITZ; LUZ, Geschichtsverständnis 177ff; HAHN, Genesis 15₆ 90ff; EHRLICH; MAYER.

45) Vgl. BILLERBECK III,539ff.

46) SCHMITZ 107f: "Um seinet- und seiner Kinder willen kommt
Tau und Regen hernieder, fahren die Schiffe glücklich usw.
Nachdrücklich wird auch auf den Segen hingewiesen, d." der
Menschheit durch Abrahams erfolgreiches Werben von Proselyten zuteil geworden sei. Das will ihm Gott so anrechnen,
als ob er gemeinsam mit ihm die Welt erschaffen habe. So
dient auch der Völkersegen letztlich dazu, den Heiligen-
schein um die Gestalt Abrahams zu vergrößern." Der letzte
Satz ist m.E. zu korrigieren: es geht dem Judentum nicht um
den individuellen Glanz Abrahams; es projiziert vielmehr in
ihn seinen eigenen Glauben.

47) AALEN, Licht 289 urteilt noch härter: wenn etwa NmR 11,12
Gn 22,18 anführe, um zu beweisen, daß ohne Israel die Welt
nicht bestehen würde, so sei das "eine universalistische und
kosmologische Begründung eines jüdischen Partikularismus."

48) So v. RAD, Das erste Buch Moses z.St.

49) Vgl. PsSal 9,9; 11,8f; 12,6; AssMos 3,9; 4 Esr 3,15. Zu
Abraham als Vater Israels vgl. BILLERBECK I,116ff.

50) Vgl. SCHMITZ 109.

90

γονοι sind. Weil die Abrahamskindschaft so ausschlaggebend
bleibt, bemüht man sich, für eine heilsgeschichtlich wichtige
Gestalt wie Sippora auf dem Weg über Midian (Gn 25) diese Abstammung nachzuweisen[51]. Plötzlich entdeckt man auch, daß
ganze Völker über Abraham mit Israel verwandt sind[52]. Durch
solche Genealogien werden sie aber nicht als gleichberechtigte
Erben der Verheißung anerkannt; die weitverzweigten Beziehungen
spiegeln nur die Bedeutung des jüdischen Volkes und bezwecken
teilweise politisches Wohlverhalten diesem gegenüber[53].

Die Rabbinen[54] kennen allerdings auch eine Anwendung von Gn
17,5 auf Heiden; dann wird aber Abraham zum Vater der Proselyten. EHRLICH[55] deutet das so: "Abraham wurde als erster der Erkenntnis des einen Gottes teilhaftig, als diese noch national
entschränkt war; erst durch Jakob und vollends durch Mose kam
zur Glaubensgemeinschaft auch die Volksgemeinschaft hinzu. So
sind im Grunde Abrahamsnachkommen nicht nur die, die in Israel
eingeboren werden, sondern auch jene, die, wie Abraham selbst,
ihr Vertrauen in den einen Gott setzen (vgl. Gen. 15,5f)." Das
klingt fast paulinisch, umschreibt aber kaum die Situation der
pl Schriftauslegung. Denn zur Zeit des Pl forderte man von den
Proselyten, gerade auf das Beispiel Abrahams gestützt, fast immer die Beschneidung, die als Zeichen für den Anschluß an das
Volk der Verheißung bzw. als Anerkennung seines Gesetzes gewertet wurde. Andere rabbinische Äußerungen nennen Abraham "Vater
der ganzen Welt"; darin spricht sich mehr die Hochschätzung Abrahams als eine eschatologische Erwartung für die Völker aus[56].

---

51) Vgl. Demetrius (Denis 178 Nr. 3).

52) Vgl. Artapanus (Denis 186 Nr. 2): arabische Könige; Kleo-
    demos (Denis 196 Nr. 17e): Troglodyten, Lybien, Assyrien;
    JosAnt I,220f außerdem die Nabatäer; 1 Makk 12,21: Sparta-
    ner. Vgl. MAYER 122f.

53) MAYER 122f sieht zwar darin einen ersten Versuch, die Schwel-
    le der überspitzten völkischen Interpretation zu über-
    schreiten, räumt aber andererseits ein, daß diese Stammbäume
    als Umsetzung biblischer Grundmuster zu verstehen seien,
    bzw. daß bei der Idee der συγγένεια die Staatsideologie
    hellenistischer Herrscher Pate gestanden hat. Zum Erwäh-
    lungsbewußtsein in dieser Literatur vgl. DALBERT 137ff.

54) Vgl. BILLERBECK III,195λ; 211; SCHOEPS 241.

55) 72.

56) Zu dieser "universalen" Deutung von Gn 17,5 vgl. J. JERE-
    MIAS, πολλοί, in: ThW VI, 536-545; 539,29ff. Die Parallel-
    begriffe zu "Vater" im Notarikon Schab 105a (zitiert bei
    BILLERBECK III,211) machen die Tendenz deutlich.

So geht es also in der Auslegungsgeschichte der Abraham-Völker-Tradition: "Das Judentum hat den Universalismus zwar herausge-hört, ihn aber in eigenem Interesse verstanden"[57]. Mag die überkommene Verheißung auch vor allem in Gn 12,2f universale Weite haben; dadurch, daß sie an einen konkreten Träger wie Abraham oder Israel gerichtet ist, steht sie in der Gefahr, auf ihn zurückbezogen zu werden. Sie löst im menschlichen Adressa-ten einen Entwurf ihrer Erfüllung aus, durch den er die Zukunft für sich in Beschlag zu nehmen droht. Israel betrachtet sich nicht nur als Medium, sondern auch als Bezugspunkt des Völker-segens. Ein Aufriß der "Heilsgeschichte" vom NT her muß den Traditionsweg der Verheißungen Gottes berücksichtigen. Dann er-weist sich aber, daß die Zulassung der Heiden keineswegs so ge-radlinig in der Konsequenz des konkret gehandhabten und tradier-ten Gotteswortes liegt. Wie konnte Pl sie trotzdem als den je schon offenbaren Willen Gottes verteidigen?

2. Der Bezug der Verheißungen Abrahams bei Pl

Welchen Sinn hat es, daß Pl in Gal 3 und Röm 4 auf die Gestalt Abrahams zurückgreift? Reklamiert hier der Apostel einfach von der Gegenwart her ein Stück Vergangenheit für sich und sein Ev? Oder ist die universal waltende Heilsmacht Gottes im Ev nicht ohne atl. Vorbereitung zu denken? Die Debatte, die seit einigen Jahren um diese pl Kapitel entbrannt ist[58], hat die prinzipiel-le Bedeutung von Geschichte für das gegenwärtige Heil zum Gegen-stand. Nun dürfte kaum zu bestreiten sein, daß Pl sich auf ein maßgebendes Handeln Gottes in der Geschichte beruft, wie es in der Schrift fixiert ist. Wir möchten das Problem aber enger ein-kreisen: spielt es eine Rolle, daß die Verheißung an den Stamm-

---

57) OEPKE, Galater 71.
58) Vgl. die Kontroverse WILCKENS - KLEIN: WILCKENS, Rechtferti-gung; ders., EvTh 24 (1964) 586-610; KLEIN, Römer 4; ders., Exegetische Probleme; ders., Individualgeschichte; ders., ZNW 62 (1971) 29ff; 34ff Auseinandersetzung mit KÄSEMANN, Perspektiven 108ff; 140ff; vgl. ferner GOPPELT, Heilsge-schichte; BERGER; DIETZFELBINGER, AT; ders., Heilsgeschich-te bei Paulus?; MOLTMANN, Hoffnung 134ff; LUZ, Geschichts-verständnis 146ff; 168ff; HESTER 52ff; 105ff; GÜTTGEMANNS, Heilsgeschichte 56ff übernimmt die Thesen KLEINs.

vater _Israels_ erging? Ist damit ausgesagt, daß sie für die Heiden nur über eine Kontinuität mit Israel zugänglich wird? Nur unter dieser Hinsicht zeichnen wir den Duktus der beiden Stücke kurz nach.

a) Gal 3

Für unser Interesse ist es nicht unerheblich zu wissen, was die ἀναστατοῦντες in Galatien genau wollten. Die Forschung hat in den letzten Jahrzehnten neue Anläufe genommen, um die judenchristliche Front des Briefes näher zu bestimmen[59]. Die Gnostiker-Hypothese von SCHMITHALS leidet darunter, daß sie gerade Kap. 3-5 nicht genügend in Anschlag bringt[60]. Denn hier wird deutlich, daß nach der Auffassung des Pl die von den Gegnern gepredigte Beschneidung tatsächlich auf das Gesetz festlegt. Dann bleibt allerdings der Vorwurf mangelnder Gesetzestreue (5,3; 6,13) schwierig. Wer daraus auf eine grundsätzliche Haltung der Gegner schließen möchte, kann nur noch mit MARXSEN zur Auskunft geben, Pl habe Laxismus und Beschneidungsforderung in ihrem Zusammenhang nicht durchschaut und sei wie gegen Nomisten vorgegangen. Aber wir brauchen nicht unbedingt an eine aus Überzeugung propagierte Freizügigkeit bei den Gegnern zu denken, da die fraglichen Stellen auch als Gegenangriff des Pl ausgelegt werden können[61]. Immerhin könnte die praktische Inkonsequenz darauf hindeuten, daß das Zeichen der Beschneidung nicht so sehr aus heiligem Eifer für das zu haltende Gesetz[62], sondern vielmehr im Zug judenchristlich-synkretistischer Propaganda für jüdisches Volkstum gefordert wurde. Es konnte als Zugang zu den Segnungen des Volkes Israel angepriesen werden. Dabei standen eher die rituelle Besonderheit, "aufweisbare Zeichen heiliger Tradition" (ULONSKA), vielleicht "die pneumatischen und kosmologischen Zusammenhänge der Beobachtung des Ritualgesetzes" (KÖSTER) im Vordergrund. Spielarten solcher Werbung treten ja in Korinth[63] und Philippi (vgl. Phil 3,2ff) auf. Ob die Gegner da-

---

59) Vgl. SCHMITHALS, Häretiker; SCHLIER, Galater 18ff; WEGENAST 36ff; LÜHRMANN, Offenbarungsverständnis 67ff; MARXSEN, Einleitung 49ff; ULONSKA 46ff; KERTELGE, Rechtfertigung 196ff; KÖSTER, GNOMAI DIAPHOROI 135ff; JEWETT.

60) So mit vielen Kritikern WILSON 365.

61) So TYSON 248 Anm. 2. Sein Versuch, den Zwist auf ein Mißverständnis wegen der Vielfalt der Prediger zurückzuführen, scheitert allerdings daran, daß Pl auch nach den Aussagen des Gal die Gemeinde selbst gegründet hat (gg. 252). Neben "seinem" Ev kommt für die Galater gar kein anderes in Frage.

62) Deswegen scheint die Linie, die KERTELGE, Rechtfertigung 200 zu Qumran zieht, wenig hilfreich. Die Gegner setzen sich nicht für das Gesetz "als Zeichen der intensivierten Anforderung der Endzeit" ein.

63) Vgl. 2 Kor 11,22 σπέρμα Ἀβραάμ; dazu GEORGI, Gegner 51ff. Dort haben die Gegner allerdings kaum die Beschneidungsforderung erhoben.

bei mit einer Kombination von Gn 12,3 und 17 arbeiteten[64], um den Segen für die Völker an das Bundeszeichen zu koppeln, können wir nicht mehr ausmachen. Trotz dieser vermutlichen Eigenart der Opposition in Galatien ist es möglich, daß Pl sie auf Grund seiner Jerusalemer Erfahrungen (2,1ff) beurteilt. Er sieht durch die Gesetzesauflage die Freiheit seines Ev radikal in Frage gestellt.

Das Abrahambeispiel Gal 3,6 folgt auf die Frage, ob die Christen im Hören des Glaubens oder mit Werken des Gesetzes den Geist empfingen[65]. Der zugehörige Abschnitt reicht bis V. 14, denn dort kehrt inkludierend das πνεῦμα-Thema wieder. Aus diesem Vers wird aber auch ersichtlich, warum Pl von der Geisterfahrung der Gemeinde (V. 2-5) auf den Glauben Abrahams springt: der Geist als ἐπαγγελία (Genetivus epexegeticus V. 14b) ist strittig, und der gleichlaufende V. 14a zeigt, daß er das als εὐλογία τοῦ Ἀβραάμ, als dem Abraham zugesagtes Verheißungsgut, ist. Das καθώς (V. 6) könnte zunächst glauben machen, Pl wolle nur einen erhellenden Parallelfall aus der Schrift einführen. Aber er wählt kein beliebiges Beispiel; wenn er auf Abraham zu sprechen kommt, dann vermutlich deshalb, weil er von der Basis der Gegner ausgeht, die vorgaben, man müsse "Sohn Abrahams" sein, um der Gabe des Geistes teilhaft zu werden. Daher steht auch υἱοί Ἀβραάμ V. 7 ziemlich unvermittelt, wie etwas den Galatern Bekanntes. Pl gesteht zu: alle müssen Abrahamssöhne werden, aber der Weg dazu ist nicht eine an der Beschneidung erkenntliche Einreihung ins Gottesvolk, sondern der Glaube. Sohnsein ist nicht genealogisch begründet und durch äußere Zeichen übertragbar; es äußert sich als Entsprechung zum ersten Träger der Verheißung. Und dieser empfing sie nur als Glaubender. So kann das ἐν im Zitat von Gn 12,3 (V. 8) durch σύν (V. 9) wieder

---

64) So BURTON 3. Ähnlich W. FOERSTER - J. HERRMANN, κλῆρος κτλ, in: ThW III, 757-786, 784. Die Verbindung ist schon Sir 44, 20f vorgegeben.

65) Mögen sich die Galater auch als πνευματικοίgefühlt haben, so braucht die Erinnerung 3,2 nicht auf die betonte Behauptung von Gemeindemitgliedern einzugehen, sie hätten den Geist empfangen; gg. SCHMITHALS, Häretiker 32f; WEGENAST 38. Die Wendung πνεῦμα λαμβάνειν ist schon gar nicht gnostische Ideologie, sondern urchristliches Allgemeingut. Vgl. nur 1 Kor 2,12; 12,13; 2 Kor 1,22; Röm 8,15 u.a.

aufgenommen werden[66]. Mit dem Ton auf ἐν σοί erreicht Pl, daß
Abraham nicht in sich bzw. als Urahn Israels Grund des Segens
ist, sondern als πιστός. Die Verheißung des Völkersegens ist
von vornherein durch Gn 15,6 kanalisiert.

Umgekehrt ist der Umstand, daß Abraham als Glaubender gesegnet
wurde bzw. Gerechtigkeit erlangte, dafür entscheidend, daß den
gläubigen Heiden der Segen direkt eröffnet ist[67]. Pl setzt wohl
bewußt statt "alle Geschlechter der Erde" πάντα τὰ ἔθνη (aus Gn
18,18) ins Zitat von Gn 12,3 ein[68]. Daß diese Segen empfangen,
ist nicht - wie im traditionellen Verständnis - erst die Folge
davon, daß Abraham bereits überreich gesegnet ist, so daß auch
die Völker etwas davon abbekommen, wenn sie den Segen Gottes an
ihm, bzw. an seiner Nachkommenschaft, anerkennen. Hier sind die
Heidenvölker zu Abraham "kurzgeschlossen": wenn sie mit ihm
glauben, kommt ihnen das Heil Gottes zu, das die Schrift schon
zu seinen Zeiten vorverkündet hat. Die Frage, ob auch vor Christus Abrahamskindschaft möglich ist, berührt Pl gar nicht[69];
denn er geht von der bei den Galatern in Zweifel gezogenen gegenwärtigen Wirklichkeit, daß "Gott die Heiden aus dem Glauben
gerechtspricht" (V. 8), aus. Das Schicksal des jüdischen Volkes
steht bei diesen Darlegungen als solches nicht im Blick[70].

---

66) ULONSKA 51ff hebt sehr stark auf die Gleichheit des Glau-
bensvollzuges zwischen Abraham und den Heidenchristen ab.
Dabei kommt Abraham als der unauswechselbare Adressat der
Verheißung etwas zu kurz.

67) Vgl. HAHN, Genesis 15_6 99: "Für Paulus ist... die erfüllte
Verheißung des Segens für die Völker aus Gen 12_3; 18_{18} der
eigentliche Schlüssel für das Verständnis von Gen 15_6."

68) Vgl. ZAHN, Galater; BURTON; OEPKE, Galater z.St.

69) Grundsätzlich richtig gesehen bei BERGER 48 u.ö. gg. KLEIN,
Individualgeschichte 203. Auch DIETZFELBINGER, Heilsgeschichte bei Paulus? 21f zieht voreilige Schlüsse aus der
einseitigen Problemlage des Gal. Vgl. noch den Paragraphen
"Das Fehlen Israels im Galaterbrief" bei LUZ, Geschichtsverständnis 279ff.

70) Noch weniger ist das Gal 4,21-31 der Fall. Dort sind die
leiblichen Nachfahren schon ipso facto vom Erbe ausgeschlossen, denn die Linie der Fortpflanzung steht zu dem κατὰ
πνεῦμα = διὰ τῆς ἐπαγγελίας (vgl. V. 23 mit 28f) in Widerspruch. Damit sind aber die Juden gemeint, die die Unfrei-

Diese Perspektive ändert sich auch nicht in der Fortsetzung
V. 15-29. Wenn dort Verheißung und Gesetz in ein zeitliches
Nacheinander treten, so interessiert Pl daran nicht die Geschichte Israels, sondern die Frage: worin ist das endzeitliche Heil vermacht, im Glauben oder im Gesetz? Pl beantwortet sie, indem er nachweist, daß der Glaube an Christus immer
schon in den Verheißungen für Abraham gemeint war. Ein solches
prius in der Verheißung kann das Gesetz aber nicht vorzeigen.
Das Stichwort, das den Abschnitt zusammenhält, ist σπέρμα (V.
16.19.29); hatte Pl vorher klargemacht, daß nur die Glaubenden
υἱοὶ ᾿Αβραάμ sind, so bezweckt der anscheinend logisch damit
unvereinbare Kunstgriff, das σπέρμα singularisch zu fassen und
an Christus zu binden (V. 16), dasselbe[71]. Schon 14a bahnt
sich der Gedanke an: der Segen geht auf alle über, die ἐν ᾿Ιη-
σοῦ Χριστῷ, d.h. im Bereich der V. 13 genannten Rettungstat,
sind. Daß Pl die Verheißung auf den einen Samen Abrahams zen-
triert, hat den Sinn, sie dem Glauben an Jesus Christus und der
Gemeinschaft, die er erschließt, vorzubehalten. Das zeigt auch
ein Vergleich von V. 19 und 23: das Kommen des σπέρμα geht mit
dem Kommen des Glaubens in eins. Nach verschlungenen Zwischengedanken, die wir nicht näher analysieren können, erreicht V.
22 wieder dieses Hauptanliegen: ἵνα ἡ ἐπαγγελία (= Verheißungsgut) ἐκ πίστεως ᾿Ιησοῦ Χριστοῦ δοθῇ τοῖς πιστεύουσιν. Pl muß
die Verheißung über Christus engführen, um seinen Heidenchristen den Weg des Glaubens gegenüber der Anmaßung des Gesetzes
offenzuhalten.

---

heit unter dem Gesetz gewählt haben, das νῦν ᾿Ιερουσαλήμ,
das sich gegen Christus entschied. Geschichtstheologische
Folgerungen für die Vergangenheit Israels sind deshalb
nicht angebracht. Vgl. wieder BERGER 59ff gg. KLEIN, Individualgeschichte 216f. Aber auch die Bemerkung von LUZ,
EvTh 27 (1967) 321, daß durch den Begriff ἐπαγγελία hier
der neue Bund auch in den alten Äon hineinreiche, geht zu
weit, weil ἐπαγγελία an dieser Stelle nur die Heilsstruk-
tur des "oberen Jerusalem" umschreibt.

71) LÉON-DUFOUR, lecture chrétienne, hat vorgeschlagen, V. 15
- 29 als wiederholende Neuinterpretation von V. 6 - 14 im
Licht Christi zu verstehen. Aber Christus war von Anfang
an in der πίστις dabei; V. 6 - 14 sind keineswegs lecture
non chrétienne der Abrahamsgeschichte.

Die Prädikationsrichtung des Textes ist zu beachten: nicht weil
Jesus leiblicher Same Abrahams ist, haben die an ihn Glaubenden
am Abrahamssegen teil - das wäre eine ausgesprochen "heilsgeschichtliche" Folgerung -, sondern weil die Heiden an Christus,
dessen israelitische Abkunft problemlos vorausgesetzt ist, glauben, erlangen sie eine Unmittelbarkeit zu Gott (υἱοὶ θεοῦ V. 26;
vgl. 4,4ff), die die Gegner von der genealogisch vermittelten
Abrahamskindschaft abhängig machen wollten[72]. Der Grund für das
emphatische "alle seid ihr Söhne Gottes" ist nicht eine über Jesus laufende Herkunft von Abraham; erst 4,4f entschleiert ihn:
dieser Nachkomme Abrahams ist Gottes Sohn. Da nur noch die in
der Taufe geknüpfte Beziehung zu Christus (V. 27) vor Gott
zählt, gelten die Unterschiede, wie sie die Menschen mitbringen,
nicht mehr. Die offensichtlich vorgeprägte Formulierung V. 28a,
die wohl hellenistisch-enthusiastischen Gemeinden entstammt[73],
wendet das u.a. auch auf Juden und Griechen an. Diese Einheit ἐν
Χριστῷ ᾿Ιησοῦ - hier dürfte wohl die Leib-Christi-Vorstellung
nachwirken - erlaubt es V. 29, die Heidenchristen nun ausdrücklich mit dem V. 16 genannten, ursprünglich personal gedachten
τοῦ ᾿Αβραὰμ σπέρμα zu identifizieren.

Fassen wir für unsere Belange zusammen: Pl möchte die Gegenwart,
die Ausgießung des Geistes unter den Heiden auf Grund von Glauben, rechtfertigen, indem er sie als eschatologische Erfüllung
der Abraham gegebenen Verheißung erweist. Der polemische Ausgangspunkt bringt es mit sich, daß er das gegenwärtige Heil als
κληρονομία (V. 18.29) interpretieren muß. Das berechtigt aber
nicht dazu, diesen zweifelsohne "heilsgeschichtlichen" Begriff
zum Leitfossil der pl Theologie zu erheben[74]. Auch ist Abraham

---

72) BLANK 273: "Indem Paulus hier beide Linien festhält, die
    'heilsgeschichtliche' Linie der Abrahams-Verheißung und die
    Abrahams-Sohnschaft auf der einen Seite und auf der anderen
    die vertikale, von 'oben' kommende Linie des göttlichen Han-
    delns in Christus, die Gottessohnschaft, gelingt es ihm,
    beide Linien in der christologischen Mitte sich treffen zu
    lassen". BLANK kann m.E. den Text nur deshalb so harmonisch
    in dieses Koordinatensystem einzeichnen, weil er zu wenig in
    Rechnung stellt, daß die 'heilsgeschichtliche' Achse der
    υἱοθεσία durch die Kontroverse vorgegeben ist.

73) Vgl. 1 Kor 12,13; Kol 3,11; dazu KÄSEMANN, Ruf 89.

74) Wie es HESTER im Gefolge CULLMANNs tut.

für Pl nicht der "Ausgangspunkt einer <u>Entwicklung</u>"[75]. Denn es zeigte sich, daß das "Erbe" nichts ist, was von Mensch zu Mensch über eine Kette vieler Erben weitergegeben werden kann; es ist ja die Unmittelbarkeit des Vatergottes selber, die nur der Sohn vermitteln kann. Pl lag daran, daß der Zugang dazu nicht über ein menschliches Kontinuum führt[76], das die Beschneidung markieren könnte, sondern nur über Jesus Christus und den Glauben an ihn. Abraham wird nicht als Stammvater Israels beansprucht, sondern als erster Glaubender. In ihm setzt Gott - in der Schrift niedergelegt - die unumstößlichen Maßstäbe für sein Handeln in der "Fülle der Zeit" (4,4). Der Teil V. 15ff ist so radikal von der Gegenwart aus entworfen, daß der Gedanke von V. 6ff zurücktritt, wonach der Glaube wenigstens am Einsatz der Verheißung, bei Abraham, einmal verwirklicht war. Weil er an Christus gebunden ist, erscheint der Glaube nun als etwas, das nach dem dunklen Regime des Gesetzes fast wie ein neues Zeitalter[77] hereinbricht. Daß die Verheißung leiblichen Abrahamsnachkommen gilt, kommt schon wegen der Frontstellung gegen die Gegner nicht in Sicht. Auch daß Christus, dem V. 16ff die Verheißungen reserviert, Same Abrahams war, spielt - wie wir sahen - im Trend der Gedanken nur eine untergeordnete Rolle. In ihm kann jeder Erbe der Abrahamsverheißung werden. So ist es nur konsequent, wenn 6,16 den Ehrentitel Ἰσραὴλ τοῦ θεοῦ der Kirche zuspricht[78].

---

75) So CULLMANN, Heil 111.

76) Aus dem Übergang von V. 13 zu V. 14 hatte einst ZAHN, Galater eine "Vermittlung durch das erlöste Abrahamsgeschlecht" herausgelesen. Aber heute sind sich fast alle Exegeten einig, daß ἡμᾶς in V. 13 nicht nur die Juden meint. Im "Wir" des Gal spricht Pl gewöhnlich die heidenchristlichen Leser auf ihre Gemeinsamkeit mit ihm an. Vgl. KLEIN, Individualgeschichte 206f; LUZ, Geschichtsverständnis 152 Anm. 70; VAN DÜLMEN 36 Anm. 67.

77) Vgl. die Verben ἔρχεσθαι, μέλλειν und ἀποκαλύπτεσθαι, die gewöhnlich mit dem kommenden Äon assoziiert werden. Dazu LÜHRMANN, Offenbarungsverständnis 79f.

78) Vgl. DAHL, Judaica 6 (1950) 161-170, der G. SCHRENKs These, es seien christgläubige Juden gemeint, unwahrscheinlich macht. Ferner SCHLIER, Galater z.St. RICHARDSON 74ff ver-

<u>b)</u> Röm 4

Wir müssen uns zunächst vergewissern, welche Funktion dieses Abrahamkapitel im Verhältnis zum Vorhergehenden hat. Eine große Zahl von Exegeten[79] sieht in 3,31 das Programm für das Folgende angegeben. Pl wolle das "Gesetz" in seiner offenbarungsgeschichtlichen Bedeutung "aufrichten", indem er das Beispiel Abrahams daraus anführt. Aber steht diese für den Apostel überhaupt in Frage? In den unmittelbar vorhergehenden Versen war ja vom Gesetz die Rede, das Werke verlangt. Deswegen möchte ich eher der anderen Auslegergruppe zustimmen, die V. 31 als eine thetische Vorwegnahme betrachtet, mit der sich Pl gegen den Vorwurf des Antinomismus verwahrt[80]. Zu den üblichen Argumenten gesellt sich m.E. auch noch die Einleitung von Kap. 4: τί οὖν ἐροῦμεν bezeichnet gewöhnlich eine Aporie, die sich aus dem Vorigen ergibt, aber keinen glatten Übergang. Die Schwierigkeit erwächst hier offensichtlich daraus, daß das Judentum Abraham als Kronzeugen für die Gerechtigkeit aus den Werken anrief. So wird die Frage 4,1 zu vervollständigen sein: fand Abraham etwa δικαιοσύνην ἐξ ἔργων[81]? Pl hat also nicht im Sinn, der Schrift wieder zur Geltung zu verhelfen; sondern er möchte aus der vorausgesetzten Normativität der Schrift und dem allgemein anerkannten Urbild des Stammvaters für die Gerechtigkeit aus Glauben argumentieren. Das Problem ist dabei nicht, wie KLEIN[82] meint, die zeitliche Distanz Abrahams zur Offenbarung der Gottesgerechtigkeit; Pl muß nicht beweisen, daß sie auch in einer vor-

---

tritt nun sogar die Deutung auf das zeitgenössische (noch ungläubige) Judentum.

79) Vgl. LIETZMANN; LAGRANGE; DODD; SCHMIDT; WILCKENS, Rechtfertigung 120; ders., EvTh 24 (1964) 591; CAMBIER, Évangile 157ff.

80) Vgl. LYONNET, Quaestiones I,111ff; KLEIN, Römer 4 150, 166f; 173; BERGER 65; LUZ, Geschichtsverständnis 171ff; 177.

81) Meistens schlagen die Erklärer vor, χάριν zu ergänzen: MICHEL; BERGER 66 Anm. 29; LUZ, Geschichtsverständnis 174. Aber daß Abraham Gnade gefunden hat, hätte - zumindest in dem vorausgesetzten atl. Sinn - niemand bestritten. V. 2a gibt einen Fingerzeig auf die verschwiegene Alternative.

82) Römer 4 151f; auch GÜTTGEMANNS, Heilsgeschichte 58.

aufgehenden Epoche Menschen erreichen konnte. Der Streit geht vielmehr um Abraham als um eine Gestalt, auf die man sich berufen muß, wenn es das rechte Verhalten vor Gott und die Garantie der Verheißung gilt. Das Kap. schließt also eigentlich an 3,27ff an (vgl. καύχησις 3,27 - καύχημα 4,2); dort setzt die Proklamation des Gesetzes des Glaubens die Folgerung aus sich heraus, daß Gott nicht bloß ein Gott der Juden ist. Denn mit der Gerechtigkeit aus Glauben steht auch gleich die <u>Universalität des Heils</u> auf dem Spiel. Das wird sich bei der Analyse des Aufbaus von Röm 4 bestätigen.

Der Zweck dieses Kap. ist nämlich nicht zureichend damit bestimmt, daß man sagt[83], es solle anhand der Gestalt Abrahams explizieren, was Glaube ist. Der Glaube ist nicht neutral, sondern steht von vornherein in Konkurrenz zu einem anderen Heilsweg, den ἔργα. Diese Gegenstellung beherrscht V. 1-8. Dabei ist der Gesprächspartner das Judentum, das Abraham seinen προπάτωρ κατὰ σάρκα nennen kann. Nachdem Pl klargestellt hat, daß der allseits gerühmte Glaube Abrahams nicht Leistung, sondern Annahme der Verzeihung Gottes war, ist eigentlich die eingangs aufgeworfene Frage beantwortet. Aber Pl begnügt sich nicht damit, sondern wertet das Schriftwort Gn 15,6 V. 9ff noch in einer anderen Hinsicht aus. V. 22ff kommt er wieder darauf zurück. D.h. die ganze Durchführung V. 9-25 beschäftigt sich eigentlich mit dem Problem, <u>wem</u> die an Abraham erwiesene Gerechtigkeit aus Glauben "zugerechnet" werden kann. Wem gilt die Seligpreisung (V. 9), der Beschneidung oder der Unbeschnittenheit, wem die Verheißung (V. 13ff)? Abraham tritt also nicht nur als Vorbild des Glaubens auf den Plan, sondern als Stammvater (V. 11.12.16), der für die nach ihm Kommenden steht, und als erster Empfänger der Verheißung (V. 13.14.16.20.21). Daß auch er nur durch den Glauben gerechtfertigt wurde, legt ein für allemal fest, wer sich legitimerweise von ihm herleiten und die mit ihm gegebene Verheißung in ihrer endzeitlichen Fülle beanspruchen kann[84].

---

83) Vgl. HAHN, Genesis 15₆ 101; JEREMIAS, Röm 4 51ff; darauf reagiert VAN UNNIK im selben Band 65 mit der richtigen Bemerkung, Pl sei noch viel mehr darum zu tun, wie die Heiden gerechtfertigt werden.

84) Nach LUZ, Geschichtsverständnis 175 geht es V. 9-16 darum,

Der Nachweis erfolgt in mehreren Schüben[85], die an bezeichnenden Themabegriffen erkenntlich sind. V. 9-12 erscheint das Paar
περιτομή - ἀκροβυστία; V. 13 führt das Leitwort ἐπαγγελία ein
und stellt die These auf, daß nicht das Gesetz, sondern der
Glaube dazu Zugang gewährt. Die etwas gedrechselte Übergangswendung κατέναντι οὗ verrät das Bemühen, noch tiefer in die
Struktur des Glaubens Abrahams als Gottesverhältnis einzudringen
und gerade darin seine Bedeutsamkeit für die Heiden aufzuweisen
(V. 17b-25). In den drei sich so ergebenden Unterteilungen zeigen jeweils Konsekutiv- bzw. Finalsätze[86], worauf Pl im Verlauf
von Kap. 4 eigentlich hinaus will. Sie weisen eine ähnliche Thematik und eine sich steigernde Tendenz auf. Wir stellen sie zunächst einmal untereinander, um sie dann näher zu analysieren.

1) V. 11f

εἰς τὸ εἶναι αὐτὸν ΠΑΤΕΡΑ <u>πάντων</u> τῶν πιστευόντων δι'ἀκροβυστίας
..............καὶ ΠΑΤΕΡΑ περιτομῆς τοῖς............'Αβραάμ.

2) V. 16f

εἰς τὸ εἶναι βεβαίαν τὴν ἐπαγγελίαν <u>παντὶ</u> τῷ <u>σπέρματι</u>,
οὐ τῷ ἐκ τοῦ νόμου μόνον ἀλλὰ καὶ τῷ ἐκ πίστεως 'Αβραάμ,
        ὅς ἐστιν ΠΑΤΗΡ <u>πάντων</u> ἡμῶν, καθὼς γέγραπται
            ὅτι ΠΑΤΕΡΑ <u>πολλῶν</u> ἐθνῶν τέθεικά σε.

3) V. 18

εἰς τὸ γενέσθαι αὐτὸν ΠΑΤΕΡΑ <u>πολλῶν</u> ἐθνῶν κατὰ τὸ εἰρημένον·
        οὕτως ἔσται τὸ <u>σπέρμα</u> σου.

<u>Ad 1)</u> In Röm 4 ist ein Crescendo in der Verwendung des "Vater"-
Titels für Abraham zu bemerken: kam es Pl in der Diskussion mit
den Juden (V. 1-8) darauf an, die Glaubensgerechtigkeit gerade
am leiblichen Ahnen Israels[87] anschaulich zu machen, so tendiert
der erste Unterabschnitt V. 9-12 dahin, die Abrahamskindschaft

---

daß Rechtfertigung aus Glauben jedes andere Rechtfertigungsprinzip ausschließt. Ja, aber um der Universalität des Heiles willen. Das hat CAMBIER, Évangile 168ff gut gesehen.

85) Über die Gliederung besteht ziemliche Einmütigkeit; vgl. MI-
CHEL; KUSS; KLEIN, Römer 4 151ff; HAHN, Genesis 15_6 101ff.

86) Auf ihre Wichtigkeit hat schon Ch. MÜLLER 53 Anm. 24 hingewiesen.

87) Κατὰ σάρκα ist nicht zum Verb zu ziehen, wie LUZ, Ge-

auf die Heiden auszuweiten. Weil die Schrift die Rechtfertigung
vom glaubenden Abraham schon vor seiner Beschneidung aussagt,
kann er als der Vater aller unbeschnittenen Gläubigen gelten.
Während das Judentum seine Vaterschaft nur auf die Proselyten
ausdehnen konnte, verlangt Pl hier das Zeichen der Zugehörigkeit zu Gesetz und Volk, die Beschneidung, nicht mehr; "Vaterschaft" ist ähnlich wie das Sohn-Sein Gal 3,7 der Geschlechter-
folge entnommen; sie wurzelt in der Entsprechung der Glaubens-
haltung. Da diese aber jedem möglich ist, hat die Aussage V. 11b
auf den Juden so anstößige Weise den Vortritt vor V. 12b; auch
die Heidenchristen können Abraham ihren Vater nennen[88]. Bei den
Juden aber muß noch der Glaube zur Beschneidung hinzukommen, damit sie sich wirklich auf Abraham, ihren Vater, berufen können[89].

Ad 2) Wäre die Verheißung durch das Gesetz bedingt, so wäre sie
nicht nur faktisch hinfällig (V. 13ff), sondern auch eingeschränkt auf den Kreis derer, die das Gesetz vorfindlich besit-
zen. Aus dieser hypothetischen Erwägung heraus formuliert V. 16
positiv: die Zusage Gottes in Abraham ergeht bedingungslos, damit sie für die ganze, in V. 11f ja schon umschriebene Nachkommenschaft Gültigkeit behält. Die ἐπαγγελία wird V. 13b inhaltlich spezifiziert; τὸ κληρονόμον αὐτὸν εἶναι κόσμου sagt m.E.
noch nicht die universale, auch Heiden umfassende Erstreckung

---

schichtsverständnis 174 Anm. 148 will. Vgl. 9,3; 1 Kor 10,18.

88) Vgl. MICHEL; KLEIN, Römer 4 155; KÄSEMANN, Perspektiven
151f; BERGER 68 Anm. 38 dagegen möchte die deutliche Wendung von "den in Unbeschnittenheit Glaubenden" nicht auf
Heidenchristen einschränken.

89) Die Ausdrucksweise in V. 12 kann dazu verleiten, hier zwei
Gruppen anzunehmen. So läßt CERFAUX, Abraham, auch V. 12 in
seiner betonten 2. Hälfte von den Heidenchristen, der "wahren Beschneidung", handeln. Ähnlich CAMBIER, Évangile 171
Anm. 1. Aber dann müßte es wiederum οὐ τοῖς ἐκ περιτομῆς
μόνον heißen. Vgl. LIETZMANN; KUSS; LUZ, Geschichtsverständnis 175f. - Wenn Pl V. 12 von "unserem Vater Abraham"
spricht, so geschieht das nur beiläufig. Nach 9,10; 1 Kor
10,1 scheint das eine jüdische Sprachgewohnheit zu sein,
die er auch Heidenchristen gegenüber beibehält. BERGER 68f
überlädt den Satz, wenn er meint, Pl schließe damit ausdrücklich Juden und Heiden ein.

des Gottesvolkes mit aus[90], sondern ist eine Kurzform für das
eschatologische Heilsgut. An sich ist es an das σπέρμα Abrahams
gekoppelt. Damit es auch den Heiden zukommen kann, muß der σπέρ-
μα-Begriff erweitert werden. Pl zählt V. 16 auch die darunter,
die nur im Glauben Abrahams ihr Prinzip haben. Da der σπέρμα-
Begriff so eine gewisse Zweideutigkeit erhält, wird die Formulierung οὐ τῷ ἐκ τοῦ νόμου μόνον ἀλλὰ καὶ τῷ ἐκ πίστεως 'Αβραάμ
mißverständlich[91]. Weil das οὐ μόνον nicht ausschließt, hat man
in verschiedener Weise angenommen, daß Pl auch die Wirklichkeit
der Verheißung für die Juden zu verstehen geben will[92]. Aber

---

90) Anders Ch. MÜLLER 52, 98; BERGER 69, 73; KÄSEMANN, Perspektiven 156. Die Entwicklungsstufen dieser Erwartung ließen
sich so skizzieren: 1. Das Gn 15 versprochene "Land" wird
zum Kosmos, weil das spätere Judentum zunehmend auf eine
ewige Weltherrschaft hofft; vgl. BILLERBECK III,209; Sir
44,21; Jub 17,3; 19,21; 22,14; 32,19; Sib III,768. Das ist
2. nach apk Anschauung, aber auch nach dem Rabbinentum erst
in der endzeitlichen Umwandlung der Welt möglich; vgl.
syrApkBar 57,2; 1QH 17,15; 4QpPs37 3,1f.10; FOERSTER, ThW
III,779f. 3. übernehmen das frühe Christentum (vgl. Mt 5,5
u.a.) und Pl (1 Kor 3,21f; Röm 8,17ff u.ö.) diese Ausprägung der Vorstellung.

91) Drei Lösungen werden angeboten, um die beiden Gruppen zu
bestimmen:
1. Juden / Heidenchristen (LIETZMANN; MICHEL)
2. Juden / Christen aus Juden und Heiden (WEISS; KÜHL;
KLEIN, Römer 4 160f; BERGER 70)
3. Judenchristen / Heidenchristen (ZAHN; KUSS; SCHMIDT).

92) So WILCKENS, EvTh 24 (1964) 604; BERGER 70; VIELHAUER, Pl
und das AT 44, der hier eine Vorwegnahme des in Kap. 11 Ausgeführten sieht. Auch KLEIN, Römer 4 159ff meint, in V. 16
werde die zuvor ausgegliederte Judenheit wieder eingegliedert, weil der Glaube der χάρις zutraue, daß sie sich gegenüber dem paganen Israel noch durchsetzen wird. Dem steht
aber entgegen, daß dann Pl diese eigentlich so überraschende Wende "fast beiläufig und wie etwas Selbstverständliches
erwähnt", wie KLEIN 161 Anm. 57 selbst bemerkt. Ch. MÜLLER
52f und LUZ, Geschichtsverständnis 176 haben versucht, das
Gesetz hier nur als Kennzeichen für die volksmäßige Existenz
des Juden zu fassen. Aber dafür gibt es sonst keine Belege.
Auch greift das οὐ τῷ ἐκ τοῦ νόμου μόνον auf V. 14 zurück
(vgl. BARRETT); die dortige Hypothese hält sich auch jetzt
noch durch, so daß das erste Glied der correctio nicht denselben Nachdruck hat wie das zweite. Dieses bringt eine völ-
lige Neufassung des Umfangs von σπέρμα, die sich nicht mit
"denen, die sich durch das Gesetz erbberechtigt glauben",
einfach zu πᾶν σπέρμα addieren läßt. VAN DÜLMEN 94 schreibt

weighed out

es handelt sich nicht um ausgewogene Überlegungen, sondern um
zugespitzte Sätze, die auf den Einschluß der nur auf Glauben an-
gewiesenen Heiden hintreiben. Die Pointe deutet das zweimalige
emphatische πᾶς an. In dem ἡμῶν schließt sich Pl wie V. 24 mit
seinen Lesern zusammen, es ist auf jeden Fall weiter als das
ἡμῶν V. 1. Das bestätigt die Schriftillustration Gn 17,5. Sie
soll zunächst nicht die Verheißung materialisieren; das hat bereits die eschatologisch gedeutete Landzusage V. 13 besorgt. Sie
bekräftigt vielmehr, daß eben diese Verheißung auch den Heiden
erreichbar ist, wenn sie wie Abraham glauben. Ἔθνη ist in diesem Zusammenhang unbedingt mit "Heiden", und nicht mit "Völker"
zu übersetzen[93]. Gn 17,5 ist dabei gegenüber dem herkömmlichen
Verständnis "entsiegelt"; denn es schaut nicht nur auf eine gewaltige Vermehrung Israels hinaus, durch die Abraham zum "Vater
vieler Völker" würde. Er heißt ja "Vater der Heidenvölker", weil
diese durch Glaubensgerechtigkeit Erben der ihm geschenkten Verheißung werden können.

Ad 3) Auch in V. 17b-25 gibt Pl keine unbeteiligte "Phänomeno-
logie" des Glaubens Abrahams. Die krönenden V. 23ff machen ja
deutlich, daß Pl das alles "unseretwegen" interessiert. So wiederholt er V. 18 das Gn-Wort wohl nicht, um den Gegenstand des
Glaubens zu beschreiben[94]. Εἰς τό mit Infinitiv zur Angabe des
Objekts von ἐπίστευσεν wäre schon grammatikalisch einzigartig[95]; damit wird eher die Konsequenz aufgezeigt, die der Glaube Abrahams gerade in seiner paradoxen Gestalt in sich barg,
eine Erfüllung, wie sie dem Gotteswort Gn 15,5, das dem ent-

---

m.E. mit Recht: "οὐ τῷ ἐκ τοῦ νόμου μόνον besagt nicht eine
tatsächliche Gültigkeit der Verheißung für die, die im Gesetz leben. Vielmehr geht Pl damit nur nochmals auf den ver-
meintlichen Vorzug der Juden ein".

93) WEISS, SANDAY-HEADLAM, DODD, BERGER 71 wollen auch die Juden inbegriffen wissen. Dagegen verweisen MICHEL, BARRETT,
KÄSEMANN, Perspektiven 156 mit größerem Recht auf die fast
technische Bedeutung, die ἔθνη sonst im Röm hat (vgl.S. 13).

94) Anders WEISS, KUSS; MICHEL schwankt, nimmt aber in der Übersetzung V. 18b als Inhaltsangabe.

95) Vgl. LAGRANGE.

scheidenden Glaubensakt unmittelbar vorausging, entsprach. Durch
die Kombination von Gn 17,5 mit 15,5 ist der Begriff des σπέρμα
endgültig neu umrissen. Er umfaßt die ἔθνη, denen einst - wie
ihrem Vater - der Glaube zur Gerechtigkeit angerechnet werden
wird. Dadurch daß Pl nun mit Gn 15,5 die ἐπαγγελία (V. 20f) konkretisiert, erreicht er, daß der Glaube Abrahams und der der
Christen nicht nur strukturell verwandt, sondern auch aufeinander bezogen sind. Der "Same" der Heidenchristen tritt in dasselbe Verhältnis zu Gott wie ihr "Vater" Abraham, nur sozusagen am
Pol der Erfüllung. Damit ist ihr Glaube als verheißungsträchtig
erwiesen, weil auch Abraham schon nichts hatte, woran er sich
halten konnte, sondern glaubend die Verheißung des Unmöglichen
ins Vermögen Gottes zurücklegen mußte. So hielt er die Verheißung für die Zukunft der Heiden offen. Indem Abraham Gott zu-
traut, daß er mächtig ist, das Versprochene auch zu verwirklichen und aus dem Nichts Leben zu rufen, geht er gleichsam auf
die δύναμις des Ev zu. Hier wird eschatologisch wahr, was er geglaubt hat: derselbe Gott wird einst seinen Sohn von den Toten
erwecken und jeden, der daran glaubt, gerechtsprechen[96].

Wir können resümieren:
1. Wo Pl im Schlagabtausch mit seinem fiktiven Partner, dem Juden, steht, konzediert er schlicht einmal die wegweisende Bedeutung des Stammvaters Israels. Im Verlauf der Debatte verlieren aber die Besonderheiten, die Abraham mit seinen jüdischen
Nachkommen teilt, die Blutsbande wie die Beschneidung, jedes Gewicht. Seine Größe besteht darin, daß er, wie heute die Hörer
des Ev, den Zuspruch der Gerechtigkeit empfing, und daß es schon
damals keine andere Weise gab, ihn aufzunehmen, als den Glauben.
Ein ausgesprochen heilsgeschichtliches Denken hätte vielleicht
betont, daß eben der Erzvater Israels bereits Verheißungen für
die Völker erhielt, die einst über seinen Samen auf diese über-

---

96) Im Sinn des Pl findet das καλεῖν des μὴ ὄν im Schoß der Sa-
    rah (Röm 4,17) seine Entsprechung nicht nur in der Aufer-
    weckung Jesu (V. 24f), sondern auch - damit zusammenhängend
    - in der Berufung der Heiden: Röm 9,24-26; 1 Kor 1,28. Dar-
    auf machen besonders STUHLMACHER, Gerechtigkeit 226f; Ch.
    MÜLLER 28 Anm. 7 u.ö.; KÄSEMANN, Perspektiven 159ff auf-
    merksam.

gehen sollten. Aber im Gedankengang V. 9ff gibt es keine bevorzugte Verheißungslinie. Zwar holt V. 12 - entsprechend dem Leitsatz 3,30 - noch nach, daß auch Israel durch den Glauben zum Heil finden kann. Darin unterscheidet sich Röm 4 von Gal 3. Aber Pl läßt nicht erkennen, daß die Juden durch irgend etwas Abraham näher stehen als die Heiden. Ja, sie scheinen nach und nach immer mehr von der Bühne zu verschwinden, bis V. 18 durch die Verbindung von Gn-Anspielungen den Samen Abrahams geradezu mit den ἔϑνη identifiziert.

2. Warum greift Pl überhaupt auf die Vergangenheit, speziell die Abrahamsverheißungen, zurück? Sicher nicht deswegen, weil er dartun möchte, daß alles schon einmal dagewesen ist. Was mit Abraham geschah, hat vielmehr in der Gegenwart sein "Um-willen". Daß der Apostel die Voranzeige des Ev in der Abrahamsüberlieferung bedenkt, hat eine sachliche Funktion: er kann damit die Freiheit des Ev vom Gesetz und seinen umfassenden Radius einsichtig machen. Im Jetzt des Ev spricht derselbe Gott, der immer schon dem Menschen bedingungslos das Heil anbot. Die Gerechtigkeit Gottes ist eschatologisches Heilsgut, weil sie verheißen ist; als solches bringt sie ihre Möglichkeit selber mit und kann nicht vom Menschen erdacht und zurechtgemacht werden[97]. Mit ihrem Gnadencharakter[98] hängt ihre Universalität zusammen. Je mehr die jüdische Tradition den Völkersegen als Belohnung verstand, desto mehr verlor sie das Heil der Völker aus dem Visier. Pl löst Gn 15,6 aus der gewöhnlichen Zuordnung zu Beschneidung und Bewährung[99]; indem er auf den Glauben abhebt, gewinnt Abraham für die Völker Relevanz (Gn 17,5). Das Ev ist dem Gesetz schon am Ursprungsort der Verheißung zuvorgekommen[100].

---

97) Vgl. ZIMMERLI, Verheißung 75.
98) Daß die Verheißung eigentlich nur als Gnade recht aufgenommen wird, sagt 4,16. Gal 3,18 wird sie dem Gesetzesprinzip diametral entgegengesetzt. Vielleicht verwendet Pl dort auch das Wort χαρίζεσϑαι, um die Nähe von ἐπαγγελία und χάρις auszudrücken. Vgl. SCHLIER, Galater z.St.; skeptisch jedoch VAN DÜLMEN 39 Anm. 78. Röm 11,29 umfaßt χαρίσματα wohl auch die "Verheißungen", für die Ezechielus Tragicus (Denis 211 Nr. 12) δωρήματα sagen kann.
99) Vgl. HAHN, Genesis 15$_6$ 100ff.
100) Vgl. DIETZFELBINGER, AT 24ff; JÜNGEL, Gesetz 148ff defi-

3. Ob man das Verhältnis Abrahams zur Gegenwart der an Christus Glaubenden tunlichst mit "typologisch" umschreiben soll oder nicht[101], braucht uns schon deshalb nicht zu beschäftigen, weil sich damit die verschiedensten Wertungen verbinden[102]. Die Charakteristik Ch. MÜLLERs[103], die neue, universale Schöpfung werde deshalb auf Abraham in der Verheißung zurückprojiziert, weil sie die alte Schöpfung nicht nur aufhebe, sondern sich darin auch auf sie beziehe, befriedigt ebensowenig wie der ähnliche Versuch KÄSEMANNs[104], Röm 4 aus der Entsprechung von Urzeit und Endzeit zu erklären. Denn schon jüdische Exegese läßt Abraham durch das Verdienst seines Glaubens nicht nur diese, sondern auch die zukünftige Welt in Besitz nehmen[105]. Weil in Abraham

---

niert glücklich: Das Ev setzt sich die Verheißung voraus; diese hat im Ev ihre Zukunft und kann so "Zuvor des Ev" genannt werden; das Gesetz dagegen findet im Ev sein Ende, es ist nur sein "Vorher". Dieses Moment hätte auch VAN DÜLMEN in ihrer Studie mehr berücksichtigen müssen. Gegenüber der BULTMANN-Schule beharrt sie zu Recht darauf, daß nicht schon der Werkcharakter der Gesetzesforderung den Fluch bewirkt, sondern ihre tatsächliche Unerfüllbarkeit ohne die Gnade Christi. Hier läuft die Autorin aber in die Enge eines Offenbarungspositivismus. Pl vermied ihn dadurch, daß er in der dem Gesetz vorweggehenden Verheißung die Struktur des künftigen Heiles immer schon vorgezeichnet fand. Dann erscheint das Ev von der Gerechtigkeit Gottes in Christus nicht nur als Ersatz, der ein ungenügendes System ablöst. Das Ev ist dem Gesetz deshalb übergeordnet, weil es der Verheißung entspricht, in der Gott definitiv kundgetan hatte, wie er mit dem Menschen verfahren will.

101) Dafür: GOPPELT, Typos 166; ders., Apokalyptik 251f; dagegen LUZ, Geschichtsverständnis 180 Anm. 174 von seiner Begriffsbestimmung 52ff aus. Vor allem ist umstritten, ob Pl hier das Zwei-Äonen-Schema abwandelt, wie auch KÄSEMANN, Perspektiven 172 meint. Es eignet sich ja, streng genommen, eher dazu, den Gegensatz zur überholten Welt auszudrücken als eine Entsprechung. Vgl. dazu GALLEY 60ff.

102) Autoren wie CULLMANN, Heil 227 und PANNENBERG, Heilsgeschehen und Geschichte 35 vermissen an der Typologie den "wirklich heilsgeschichtlichen Zusammenhang" bzw. die "zeitliche Kontinuität". KÄSEMANN, Perspektiven 170f hält das für ein Positivum und glaubt, sie könne doch einer "heilsgeschichtlichen Betrachtung" dienen, da das Historische in ihr "eigene Realität und Bedeutung" habe.

103) 98f.

104) Perspektiven 171ff. Er möchte sich entschlossen davon lösen, die Perspektive von Verheißung und Erfüllung anzulegen, gesteht aber 173 zu, daß Abraham für Pl "als der Verheißungsträger schlechthin" interessant wird.

105) Vgl. M^{e}kh Ex 14,31 (40^b) bei BILLERBECK III,200; ferner

ein alles entscheidender Anfang gemacht ist und er den Juden
als Garant der eschatologischen Verheißung gilt, will Pl an
ihm demonstrieren, welche Voraussetzung sie im Menschen erfordert. Wenn man mit KLEIN[106] der Ansicht ist, das Kontinuum zwischen Abraham und dem Glauben sei allein durch das Wort der
Schrift gestiftet, so muß man m.E. hinzufügen: das AT macht
für Pl offenkundig, wie Gott handelt. So scheint mir das Ergebnis VIELHAUERs adäquater: es geht Pl um die Einheit Gottes, wie
er sich im AT offenbart und dem Glaubenden begegnet[107]. Die
Schrift ist Pl unbezweifelte Autorität, weil sie die Selbigkeit
Gottes in der iustificatio impii bezeugt. So kann er sie in der
Auseinandersetzung mit dem Judentum dem Volk vorhalten, dem sie
Norm sein sollte. Freilich - und darin hat KLEIN[108] für Röm 4
recht - bedeutet diese Bindung an das AT keine Bindung an die
Geschichte Israels.

C) I s r a e l   u n d   d i e   V e r h e i ß u n g e n

In Gal 3 und Röm 4 war "Verheißung(en)", "Segen" oder "Erb-
schaft" fast zum Inbegriff des gegenwärtigen Heiles geworden.
Abraham wurde aufgeführt, weil er ihr erster geschichtlicher Ort
war. Dabei war es Pl aber darum zu tun, daß die Heiden in Christus auch ohne den im Gesetzesgehorsam vollzogenen Anschluß an
Israel ein Anrecht auf die Verheißung haben. Deswegen mußte er
Abraham von seinem Volk isolieren, um so zu sichern, daß nichts
als Glauben notwendig ist. Dabei konnte nicht ausdrücklich bedacht werden, daß die Verheißungen Israel galten; zumindest

---

ebd. 209. Für die Apkk vgl. syrApkBar 57,2.

106) Vgl. Römer 4 163, Individualgeschichte 205.

107) Vgl. Pl und das AT 54, 61; ihm stimmt KLEIN, ZNW 62 (1971)
     41 zu. Fraglich ist aber, ob er die Folgerung KÄSEMANNs,
     Perspektiven 155, unterschreiben würde: "Heilsgeschichte
     ist die Geschichte des Glauben findenden und Aberglauben
     verursachenden göttlichen Wortes, darum nicht durch ab-
     lesbare irdische Kontinuität, sondern durch Brüche und Pa-
     radoxien gezeichnet... Man darf sie aber nicht negieren,
     weil Gottes Wort handelnd die Welt in ihrer Weite und Tiefe
     durchdringt."

108) Vgl. ZNW 62 (1971) 29.

(Röm 4) schien der Anweg zu den Verheißungen für Juden und
Heiden derselbe zu sein.

Tritt nun die Gemeinschaft der Glaubenden, in die Juden und
Heiden unterschiedslos aufgenommen sind, an die Stelle des erwählten Volkes? Ist das Volk, auf das die Berufung Abrahams hin-
zielte, von vornherein das "Israel Gottes" (Gal 6,16), die wahre
"Beschneidung" (Phil 3,3), eben die Kirche? Hat das "Israel dem
Fleische nach" (1 Kor 10,18)[109] nur vorläufige Bedeutung? Man
kann natürlich einwenden, daß solche Übertragung bei Pl "nur gewissermaßen am Rand", in polemischen Zusammenhängen und "gewissermaßen in Anführungszeichen"[110] zu registrieren ist. Aber
grundsätzlich ist damit die Tür für ein christliches Selbstbewußtsein aufgestoßen, das dem aktuellen Israel keinen besonderen
Anspruch auf die Verheißung mehr zuerkennen kann. Das steht aber
in scharfem Kontrast zu dem unter A 2 vermerkten Sprachgebrauch.
Vor allem Röm 9-11 tritt dazu in zumindest verbalen Widerspruch.
Es wird deshalb zu untersuchen sein, wieweit die Unausgeglichen-
heit der Sprache auch eine solche der Sache ist. Unter welchem
Gesichtspunkt trägt Pl Röm 9-11 das Problem Israel-Verheißung
neu vor? Damit verbindet sich für uns die Frage, ob sich dieser
Briefteil überhaupt mit dem in Kap. I hypothetisch gewonnenen
Sinn des Röm vereinbaren läßt.

1. Die Problematik von Röm 9-11 und das Thema des Briefes

Allgemein wird der Beginn von Kap. 9 als abrupt empfunden. Von
der im Geist geschenkten Gewißheit des Heiles für die Christen
kommt Pl ziemlich unvermittelt auf seine abstammungsmäßigen Brüder zu sprechen. Dabei sagt er nicht einmal, warum ihn ihretwe-
gen solcher Schmerz (9,2) erfüllt. Nur indirekt wird V. 3 deut-

---

109) Ihm steht im Kontext zwar nicht ausdrücklich ein "Israel
     nach dem Geist" gegenüber. Aber Pl vergleicht die euchari-
     stische κοινωνία mit der Opferpraxis Israels; im vorherge-
     henden Abschnitt hatte er sogar die Väter Israels als war-
     nendes Beispiel für die christliche Gemeinde der Endzeit
     (V. 11) usurpiert.
110) So GUTBROD, ThW III,390f. BULTMANN, Theologie 98ff wertet
     diese Äußerungen dagegen für das normale Kirchenbewußtsein
     der hellenistischen Gemeinde aus.

lich, daß sie "fern von Christus" sind. Daß er das nicht ausdrücklich erwähnt, zeigt nur, wie unmittelbar es ihn bedrängt.
Angesichts der Erwählung und Berufung (8,29f) der Glaubenden zur
Sohnschaft (8,14ff) bricht es in ihm schmerzlich auf, daß die
Juden das Ev, die Chance des Heils, zurückgewiesen haben. Es
steht also die δύναμις τοῦ θεοῦ im Ev in Frage, von der 1,16b
behauptet hatte, sie schaffte jedem, der glaubt, ᾿Ιουδαίῳ τε
πρῶτον καὶ ῞Ελληνι, Rettung. Die Thematik des "Heiles" durchzieht denn auch Kap. 9-11 wie ein roter Faden bis zum abschließenden Satz 11,32: Gott will sich aller erbarmen, über Juden und
Heiden[111]. Daß das anscheinende Versagen des Ev bei seinem eigenen Volk ein schweres Hindernis für die Missionspläne des Apostels darstellt, liegt auf der Hand. Wir können dabei offen lassen, ob sich den Lesern dieses Problem aufdrängen mußte[112],
oder ob - was ich eher annehme - Pl hier im Anschluß an den
Briefkern einer mehr persönlichen Schwierigkeit nachgeht (vgl.
die ungewöhnlichen subjektiven Ausbrüche 9,1-3; 10,1f; 11,1b.
13f). 11,13f scheint aber durch, daß er die Israel-Thematik im
Zusammenhang mit seiner Aufgabe als ἐθνῶν ἀπόστολος gesehen haben will.

Führt nur eine gefühlsmäßige Assoziation Pl auf das Los der Juden, oder besteht für ihn eine sachliche Verklammerung zwischen
dem Heil Israels und dem Ev, das er den Heiden zu verkünden hat?
Aufschluß darüber gibt 9,4, wo offenbar die Schärfe des Schmer-
zes Pl erklärt wird. Gott hat Israel im Lauf seiner Geschichte
durch ein Übermaß von Relationen mit sich verbunden. Ihre Aufzählung gipfelt in den ἐπαγγελίαι an die Väter (s. S. 85f), auf
Grund derer ja dann auch der Χριστός aus diesem Volk kam. Nun
hängt schon nach 1,2 die Wahrheit des Ev mit der Beständigkeit

---

111) Vgl. σώζειν 9,27; 10,9.13; 11,14.26; σωτηρία 10,1.10;
11,11.

112) SCHRENK, Römerbrief 99 meint, bei den Lesern müßten Zweifel
aufgekommen sein, ob Pl angesichts des Unglaubens Israels
zu seinen hochfliegenden Rom- und Spanienunternehmen überhaupt berechtigt sei. Gegen den Versuch MUNCKs, Röm 9-11
durchweg aus dem aktuellen Problem des Verhältnisses von
Judenmission zu Heidenmission zu deuten, wenden sich mit
Recht Ch. MÜLLER 20; BORNKAMM, Verhalten 156f.

der Verheißung zusammen[113]. Es stellt nach Gal 3 und Röm 4
selbst unter die Verheißung. Kann es für die Heiden Macht Gottes bleiben, wenn Gott den ersten Adressaten der Verheißung
nicht Wort gehalten hat[114], zumal die Auszeichnungen in 9,4
unüberhörbar an das anklingen, was Pl soeben in Kap. 8 den Christen zugesprochen hatte[115]? Damit ihm das überhaupt zum Problem werden kann, muß er doch voraussetzen, daß die Verheißungen
Israel galten und noch gelten[116]. Bei allen späteren Differenzierungen kann es nur darum gehen, _wie_ das möglich ist.

Mit dieser Bestimmung der Thematik von Röm 9-11[117] können wir
uns grob gegen andere extreme Meinungen abgrenzen.

1. Unzureichend sind alle Versuche, für diese Kap. primär ein
paränetisches oder polemisches Anliegen verantwortlich zu machen[118]. 2. Sie lassen sich auch schwerlich als "Theodizee"
charakterisieren[119]; selbst wenn man damit nicht die Rechtfertigung Gottes vor dem Forum der menschlichen Vernunft meint[120],
darf doch nicht außer acht bleiben, daß es Pl auf das auch Israel im Ev gewährte Heil ankommt. 3. Andererseits entwirft er

---

113) Vgl. LYONNET, Quaestiones II,12ff.

114) Ähnlich GAUGLER 6; MUNCK, Israel 31.

115) Vgl. Ch. MÜLLER 54f.

116) Vgl. SANDAY-HEADLAM 232: "The promises were given to and
     for Israel: Israel alone would not inherit them. Such was
     the problem." Falsch ZAHN zu 9,6, der Israel nur als "prie-
     sterlichen Mittler der wahren Religion für die ganze
     Menschheit" betrachtet. Gegen ähnliche Meinungen hatte
     sich schon WEISS z.St. ausgesprochen. Nun wehrt sich auch
     OESTERREICHER 319 mit Recht gegen CERFAUX, der die Verhei-
     ßungen vorschnell auf ein "ideales Israel" beziehen will.

117) Vgl. die Übersichten bei Ch. MÜLLER 5ff; LUZ, Geschichts-
     verständnis 22ff. Es würde zu weit führen, hier alle ein-
     schlägigen Autoren einordnen zu wollen.

118) So sieht man Pl kämpfen: a) für die Allgemeinheit des Heils
     gegen Judenchristen (BAUR 343ff, PLAG 72ff); b) gegen hei-
     denchristlichen Übermut (NOACK 155ff, nach dem Pl sein
     Recht verteidigt, zuerst den Juden predigen zu dürfen;
     BARTSCH, Situation 288; EICHHOLZ, Theologie 289); c) gegen
     die wachsende Verfeindung von Judenchristen und Juden (U-
     LONSKA 180ff).

119) So vor allem Autoren um die Jahrhundertwende; vgl. Ch. MÜL-
     LER 18f. Auch KÜHL; GAUGLER; LUZ, Geschichtsverständnis 24f
     bewegen sich in diese Richtung.

120) Dagegen NYGREN 255.

nicht einfach einen "Heilsplan"[121] für Israel; jedenfalls
schreibt er nicht aus einer abstrakten Übersicht über die Geschichte, sondern aus der Einsicht in die Wirksamkeit des Wortes
Gottes[122]. 4. Neuerdings ist man bestrebt, den Zusammenhang
des Israelproblems mit dem Hauptthema der Offenbarung der Gottesgerechtigkeit herauszustellen[123]. Aber schon das tastende
Vor und Zurück in Röm 9-11 spricht dagegen, daß Pl einfach seine
Rechtfertigungslehre am Beispiel Israels wiederholt[124]. Zudem
ist der Ausgangspunkt ein anderer: Israel hat das rechtfertigen-
de Ev schon großenteils abgelehnt. Wie bei der Verhältnisbestim-
mung von 1,16b zu 1,17ff wird auch hier zu fragen sein: ist die
Rechtfertigungsbotschaft nicht eher Interpretament, um am Geschick Israels die δύναμις des Ev zu erweisen? Wird sonst nicht
das Problem mit den Prinzipien seiner Lösung verwechselt? Ein
Indiz dafür könnte sein, daß es nicht möglich ist, den Begriff
der δικαιοσύνη θεοῦ aus jeder Phase der Kap. 9-11 gedeuteten Geschichte Israels seinerseits zu erhellen[125].

Möglicherweise kündigen sich die Israel-Kap. schon in 3,2f an.
Für einen Augenblick treten die unaufhebbaren Vorzüge der Juden
dem Apostel ins Bewußtsein. Das ist in erster Linie die Wortoffenbarung Gottes (s. S. 86f); durch sie ist eine Geschichte Got-

---

121) Vgl. die Überschriften bei LAGRANGE, DODD, MICHEL.

122) Deshalb behandelt CONZELMANN, Theologie 273ff das Problem
"Israel" unter dem Paragraphen "Das Wort als Ärgernis".
Der Satz S. 274 "Die Kap. Röm 9-11 bieten kein Geschichts-
bild, sondern eine Erwählungs- und Gnadenlehre" ist freilich in dieser Verkürzung auch schief, weil Israel dadurch
zum auswechselbaren Exempel werden könnte.

123) Vgl. KÄSEMANN, Gottesgerechtigkeit 191; Ch. MÜLLER 57 u.ö.:
"Das Israelproblem entscheidet über die Geschichtlichkeit
der Offenbarung der δικαιοσύνη θεοῦ." Er kann sich auf
9,12.30ff; 11,6.32 stützen. S. 107 spricht er aber richti-
ger davon, daß die Rechtfertigungslehre das "Prinzip" sei,
durch das die Gottesvolkfrage gelöst werde. LUZ, Geschichtsverständnis nennt die Gerechtigkeit Gottes "Hintergrund" (29) oder "Zentrum" (36) dieser Kap. Vgl. DINKLER
248f: die Nebenthemen übernehmen die Führung, während das
Hauptthema zum unterliegenden Motiv wird. Auch BORNKAMM,
Paulus 158 rät davon ab, Röm 9-11 als Schlüsseltext für die
pl Lehre von der Gerechtigkeit Gottes zu betrachten; eher
würden die Grundgedanken der vorangehenden Briefkapitel auf
das spezielle Problem Israel angewendet.

124) Auf die "relative contingence" dieses Briefteils macht
SENFT 131f zu Recht aufmerksam.

125) Die Schwierigkeit kommt zutage, wenn Ch. MÜLLER 30ff aus
der Bestreitung der ἀδικία bei Gott 9,14ff die Gottesgerechtigkeit als Schöpferrecht deutet. Aber darin sind ja
Erwählung und Verwerfung gleichermaßen beschlossen. Dagegen
CONZELMANN, Theologie 241: diese Stelle ist ebensowenig wie
3,3-5 ein geeigneter Ansatz.

tes mit Israel inauguriert, die an sich eine Geschichte des gegenseitigen Zutrauens und der Treue hätte sein sollen. Die aneinander anklingenden Vokabeln πιστευθῆναι - ἀπιστῆσαι - ἀπιστία - πίστις sind sicher mit Absicht gewählt. Bei der Untreue der Menschen bleibt die Treue Gottes bestehen. Diese Passage würde 9-11 eindeutig präludieren, wenn τὰ λόγια τοῦ θεοῦ auch das ntl. Reden Gottes einschlösse[126], oder wenigstens das an 11,17.20.23 erinnernde ἠπίστησάν τινες auch auf die Konfrontation der Juden mit dem Ev anspielte[127]. Aber wahrscheinlicher meint es - dem Gesichtspunkt der ersten Kap. des Röm entsprechend - den Abfall Israels als Bundesvolk. Und doch gehen diese Verse nicht einfach in der großen Anklagerede des Pl auf, etwa so, daß er nun nach der Nutzlosigkeit des Gesetzes und der Beschneidung systematisch auch die der Verheißung erweisen wollte[128]. Denn die πίστις τοῦ θεοῦ = ’æ mūnā ist mehr als die im Rechtsstreit bekannte ἀλήθεια = ’æ mæt, bzw. δικαιοσύνη. Von V. 4 an blendet aber Pl wieder auf die Schuld des Menschen ab, bei der auch Israel keine Ausnahme macht. Die einseitige Treue Gottes ist damit aber nicht erledigt; sie kommt sachlich in Röm 11 zum Tragen.

Wir versuchen nun, den Gedankengang von Kap. 9-11 knapp nachzuvollziehen; damit stecken wir auch den Rahmen für die spätere Behandlung einzelner Stellen daraus ab. Läßt sich der Text aus der Spannung zwischen geschichtlich ergangener Verheißung und jetzt zu proklamierendem Ev begreifen?

2. Die gegenwärtige paradoxe Situation des Ev widerspricht nicht dem Verheißungswort Gottes (9,6-29)

a) Die Einheit des Abschnitts

Wie eine Überschrift wirkt V. 6a: "Nicht als wäre das Wort Gottes dahingefallen". Er macht noch einmal ausdrücklich, worin das 9,1ff angerührte Problem besteht. Die augenblickliche Heillosigkeit der dem Ev ungehorsamen Juden könnte den Gedanken aufkommen lassen, die Heilserweise Gottes von V. 4 seien vergebens. Ὁ λό-

---

126) So ZAHN und G. KITTEL, λόγιον, in: ThW IV, 140-145, 141f.

127) So SANDAY-HEADLAM, ZAHN, SCHLATTER, denen auch KUSS zuneigt. Aber die im Ev offenbare Gerechtigkeit Gottes tritt erst 3,21 auf den Plan: vgl. LIETZMANN, KÜHL, LAGRANGE u.a.

128) So RUIJS 257; trotz ausführlicher Behandlung von 3,1ff S. 220ff offenbart diese Ansicht die Schwäche seiner strukturellen Methode, die nicht mit gedanklichen Unebenheiten in einem Brief rechnen kann.

γος τοῦ θεοῦ ist zwar ein weiterer Ausdruck als ἐπαγγελία[129], er bringt aber die genannten Wohltaten Jahwes auf ihren worthaften Nenner: in ihnen äußert sich der unfehlbare Ruf Gottes[130], und zwar zum Heil. Mit der Macht des Wortes Gottes steht und fällt aber auch das Ev[131]. Ὁ λόγος τοῦ θεοῦ ist deswegen nicht <u>identisch</u> mit dem Ev[132]. Das "Syntagmem" ist zwar sonst bei Pl Ausdruck für die gegenwärtig erklingende apostolische Heilsbotschaft, aber es ist nicht so festgefügt, daß es sich nicht aus dem Kontext je bestimmen würde. Hier ist dieser durch den Rückblick V. 4f vorgegeben. Auch im Folgenden drent sich alles darum, wie das Wort Gottes schon in der Konstitution des Verheißungsvolkes wirkte. Allerdings interpretiert Pl die Vorzüge Israels nun im Licht des Ev. Der Wortcharakter der Offenbarung einst und jetzt macht ihm einerseits den Zustand seines Volkes zum Problem, andererseits vermag er dadurch Vergangenheit und Gegenwart Israels als Einheit zu sehen.

Wie weit reicht der mit 9,6a angefangene Abschnitt? KÜHL[133] erblickte in V. 6a das Leitmotiv für die folgenden Israelkapitel. Aber einmal weist das Perfekt ἐκπέπτωκεν darauf hin, daß es um die Bewährung des Wortes Gottes in der Situation geht, die die

---

129) Richtig ZAHN, der mit 3,2 vergleicht. Vgl. auch im Zitat V. 4 λόγοι σου. LAGRANGE denkt nur an "promesse"; SANDAY-HEADLAM: "the declared purpose of God."

130) An dieser Stelle distanziert sich Ch. MÜLLER 29f von MICHEL, der "Heilsplan" und "Verheißung" auseinandertreten läßt.

131) Die LXX gebraucht für den Ausfall des Wortes Gottes πίπτειν oder ἐκπίπτειν, häufig in dtr. Partien. Vgl. die Belege bei BERGER 79 Anm. 77. Der Gegensatz dazu ist μένειν (hier V. 11); vgl. Ps 32,11LXX, Spr 19,21 von der βουλή Gottes; Is 14,24; 40,8 (τὸ ῥῆμα τοῦ θεοῦ). Oft wird auch Is 31,2 zum Vergleich herangezogen. - Es ist interessant, daß Pl nun gerade nicht wie die dtr Theologie des Wortes Gottes verfährt (vgl. dazu v. RAD, Theologie I,352ff). Dort tritt neben die Verheißung eben die Drohung,und sie erfüllt sich ebenso unerbittlich wie jene. Bei Pl jedoch ergeht die Zusage in den Anfängen Israels bedingungslos, gerade deshalb wird ihm jetzt die Festigkeit göttlichen Redens, und zwar im Heilskontext,fraglich.

132) So GÜTTGEMANNS, Heilsgeschichte 40f.

133) Ebenso BORNKAMM, Paulus 159.

Begegnung mit dem Ev bereits für die Juden herbeigeführt hat.
Darunter läßt sich der Ausblick in die Zukunft Kap. 11 schlecht
subsumieren. Der erste Gedankengang bewältigt das anstehende
Problem nur vorläufig[134]. Auch zeigt schon die negative Formulierung, daß Pl zuerst gegen eine falsche Erwartung, die sich
auf die Verheißungen Gottes stützt, angehen möchte. Um die Freiheit und zugleich die Unfehlbarkeit des λόγος τοῦ θεοῦ zu illustrieren, führt er die Urgeschichte der Berufung Israels vor.
Wegen der Grundsätzlichkeit der Ausführungen V. 6b-13 und der
an der Vergangenheit exemplifizierenden Redeweise ist es unwahrscheinlich, daß bereits eine geschichtliche Konkretion, nämlich der judenchristliche Rest, als Beweis für die Treue Gottes
zu seinem Wort aufgeboten würde. Noch weniger denkt Pl daran,
daß in den "Glaubenden", besonders ihrer heidenchristlichen
Mehrheit, das "wahre Israel" zum Vorschein kommt[135]. Sonst
könnte die Argumentation nicht die Kontinuität des Verheißungs-
wortes an Israel (vgl. V. 6a) auslegen. Überhaupt kommt es diesen Versen nicht auf das geziemende menschliche Verhalten, etwa
den Glauben, sondern auf die Wirkweise des Wortes Gottes an.

V. 14ff folgt ein noch prinzipiellerer Exkurs über das Recht
Gottes, sich zu erbarmen und zu verstoßen. Er schließt zwar mit
seinen Geschichtsbeispielen Moses und Pharao an die Patriarchen-
überlieferungen an, sprengt aber andererseits den Horizont des
Gottesvolkes: es steht zur Debatte, wie Gott überhaupt mit dem
Menschen handeln kann. Man erwartet, daß Pl irgendwann wieder
zu seinem Ausgangspunkt (V. 6a), dem Paradox der Erwählung Israels im Zeichen des souveränen Rufes Gottes, zurückkehrt. V.
22f setzt dazu an, das Erarbeitete im Blick auf die aktuelle
Situation zusammenzufassen. Das Satzgebilde muß aber m.E. zer-
brechen, weil logischerweise aus der bisherigen Sicht auf Is-

---

134) Richtig GÜTTGEMANNS, Heilsgeschichte 39, 43f.
135) Gal 3ff und Röm 4,11 dürfen nicht so ohne weiteres als Hin-
    tergrund namhaft gemacht werden wie bei LIETZMANN, HUBY,
    SCHMIDT. Dagegen mit Recht WEISS, SANDAY-HEADLAM, F.W. MAI-
    ER 17f, GAUGLER, Ch. MÜLLER 90f. DINKLER hat im Nachtrag
    267 seine frühere, vom historischen Israel ganz absehende
    Interpretation auf das "eschatologische" Israel widerrufen.
    Wenn Pl in V. 6b Gal 6,16 im Sinn gehabt hätte, hätte er
    besser umgekehrt formuliert: "Nicht alle, die 'Israel'
    sind, sind aus Israel."

rael bei den σκεύη ἐλέους an die Judenchristen gedacht werden mußte[136]. Nun öffnet aber gerade der Umstand, daß die Berufung Sache des göttlichen ἔλεος ist, den Heiden die Tür. V. 24ff verhält sich, wie schon zahlreiche Wortkorrespondenzen anzeigen[137], zu V. 6-12 wie die andere Seite eines Diptychon: jetzt enthüllt Pl die konkrete Lage des Ev und bekräftigt durch massierte Bibelzitate, daß sie dem λόγος τοῦ θεοῦ entspricht. Daß nun die Berufung der Heiden so breiten Raum erhält, war vielleicht 9,6ff noch gar nicht beabsichtigt; aber die paradoxe Erwählung des Nicht-Volkes (V. 25f) macht krass deutlich, wie Gott sich gerade in der Souveränität seines Rufens selber treu blieb. V. 27ff gehen dann auf den Zustand des gegenwärtigen Israel ein: auch er ist die Wirkung des frei schaltenden Wortes Gottes.

b) Die Ausgrenzung des Gottesvolkes durch den souveränen Ruf Gottes

Pl erweist in Kap. 9 die Gültigkeit der Verheißung, indem er den Begriff des Volkes der Verheißung neu faßt. Wir können damit ähnliche Lösungen vergleichen, die das Judentum in der Bedrängnis bereithielt.

1. Es gibt die Möglichkeit, den Kreis derer, die wirklich zum "Samen Abrahams" gehören und als "Kinder Gottes" zählen, durch das Rechttun zu bestimmen. Den "wahren Juden" erkennt man an der Praxis: so die Rabbinen[138] und auf eine radikale, vielleicht durch das Diasporajudentum vermittelte Weise[139] Pl

---

136) So erklärt auch KNOX das Anakoluth. Weiteres s. IV A 1.

137) BERGER 80 betont den Zusammenhang der Bibelworte V. 27ff mit der Argumentation V. 7ff. An Stichworten kehren wieder: καλεῖν V. 24 = V. 12; ἀγαπᾶν V. 13 und 25; κληθήσονται υἱοὶ θεοῦ V. 26 entspricht κληθήσεταί σοι σπέρμα V. 7 (vgl. τέκνα τοῦ θεοῦ V. 8), allerdings auf einer neuen Ebene geschichtlicher Realisierung. Das Verhältnis der υἱοὶ Ἰσραήλ zum ὑπόλειμμα V. 27 erinnert an V. 6b. Σπέρμα ist V. 8 wie V. 29 Verheißungsträger. Außerdem soll unten noch wahrscheinlich gemacht werden, daß der λόγος V. 6 mit dem in V. 28 in Beziehung steht.

138) Vgl. BILLERBECK I,219f; III,263; SJÖBERG 38; SCHOEPS 233; SCHLIER, Galater zu 3,7.

139) Vgl. KÄSEMANN, Perspektiven 243f, 247 mit Berufung auf FRIDRICHSEN.

116

selbst Röm 2,25ff, wo die ursprünglichen Träger ihre Titel ja geradewegs vertauschen. Freilich befähigt erst die eschatologische Herzensbeschneidung im Geist zu einem Handeln, das eines "Juden" würdig ist[140]. Ein solches vom Tun genommenes Kriterium mag in Kap. 2 am Platze sein, wo der Mensch auf Grund seines faktischen Versagens überführt wird. Hier, in 9,6ff, aber geht es um den Bestand des initiativ wirkenden Wortes Gottes. Pl kann nur es selber zum Maßstab nehmen.

2. In den Jahrhunderten um die Zeitenwende bilden sich jüdische Sondergruppen, die den Anspruch erheben, stellvertretend für ganz Israel zu stehen[141]. Besonders in der Gemeinschaft von Qumran ist dieses Bewußtsein lebendig; ihre Mitglieder betrachten sich als die "Erwählten Israels"[142], die jetzt schon den Kern des in der Endzeit siegreichen Gottesvolkes darstellen. Aber auch hier ist das Unterscheidungsmerkmal jeweils eine besondere Verpflichtung auf den "Bund", die die Gruppe - anders als die 9,6ff beschriebene Auswahl - auch soziologisch aufweisbar macht. Pl möchte hingegen nicht elitäres Selbstbewußtsein fördern, sondern die Festigkeit des λόγος τοῦ θεοῦ dartun.

3. Aufschlußreich ist ein Vergleich mit den apk Schriften des 1. Jh. nC., die ja auch vom Schicksal des Volkes der Verheißung bewegt sind[143]. Die Zerstörung Jerusalems gibt das Problem auf, ob Gott noch zu seinem Wort steht, das doch das allmächtige Wort des Schöpfers ist[144]. Allerdings verschiebt sich der Fragepunkt gegenüber Pl: es quält den Seher[145], daß die Verheißung so wenig irdisch erfahrbar ist; er wird darauf verwiesen, daß sie sich von vornherein auf den kommenden Äon bezog[146]. Im Zuge dieser Eschatologisierung wäre auch die Antwort denkbar, daß die von Gott vorausbestimmte Schar der Verheißungsträger eben erst mit der neuen Welt offenbar wird.

---

140) Vgl. die bei MICHEL zu 2,29 angegebenen Parallelen aus hauptsächlich dtr Tradition. 1QpHab 11,13; 1QS 5,5; 1QH 2,18; 18,20; vor allem Jub 1,23. KÄSEMANN, Perspektiven 240ff und LYONNET, "circoncision" 96f machen richtig darauf aufmerksam, daß Pl hier seine Voraussetzung vergißt, Juden und Heiden allein von ihren vorchristlichen Möglichkeiten her zu vergleichen. Dagegen möchte KUSS den "Geist" entsprechend reduzieren.

141) Vgl. JEREMIAS, Der Gedanke des "Heiligen Restes".

142) Vgl. CD 4,3f; 4Qflor 1,19; ferner 1QSa 1,1; 15,5; 1QS 5,22; 1QM 3,13.

143) Vgl. HARNISCH 19ff: "Die Aporie der Verheißung als Grundproblem der Apokalyptik." Zu Pseudo-Philos Liber Antiquitatum Biblicarum vgl. LIMBECK 91f: auch hier war die Verläßlichkeit Gottes in seinen Zusagen fragwürdig geworden.

144) Vgl. 4 Esr 3,4.13ff; 5,23; 6,38ff.54; syrApkBar 14,17f.

145) 4 Esr 4,23ff; syrApkBar 14,5ff.

146) 4 Esr 4,26ff; syrApkBar 15,8; 19,8; 42,6; 48,50.

Tatsächlich schimmert dieser Gedanke nur einmal erkennbar durch: syrApkBar 75,1ff. Die Stelle will besagen, daß zu den Plänen Gottes nur die hinzugelangen können, denen er sich gnädig zuneigt. In diesem Zusammenhang betont der Verf., daß auch die Zugehörigkeit zum empirischen Volk der Erwählung, das hier mit "die unter deiner Rechten sind" umschrieben wird, dafür noch keine Garantie ist; V. 6: "Denn wenn du nicht von dir aus den Menschen Gnade erweisest, so können (auch) die, die unter deiner Rechten sind, sie (die Gedanken) nicht erreichen - ausgenommen die, die (da sie) bei den namhaft gemachten Zahlen (einbegriffen sind), berufen werden können".

Diese Lösung der Prädestination tritt aber in der Apkk so wenig in Erscheinung[147], weil die Zusicherung des Kommenden dem paränetischen Ziel dient (vgl. unmittelbar in V. 7f die versteckte Mahnung), die Israeliten trotz der gegenwärtigen Prüfung zum Festhalten am Gesetz zu bringen[148], durch sie ja als Volk gekennzeichnet sind. Wer die Verheißungen nicht erlangt, hat sich das selbst zuzuschreiben; er hat das Gesetz verworfen[149]. Die Qumransekte konnte den Prädestinationsgedanken hingegen gerade dazu benutzen, um ihren besonderen Ort in der Gottesgeschichte zu fixieren[150]. Es kommt, zumal bei Pl[151], viel darauf an, in welchem Zusammenhang das vielfach verwendbare Motiv der Vorherbestimmung steht.

---

147) Höchstens noch ApkAbr 29,17; vgl. VOLZ 109. Zur Entwicklung des Begriffs "Auserwählte" in der Apkk vgl. G. SCHRENK, ἐκλέγομαι κτλ, in: ThW IV, 173-197, 188f. Selbst wenn die Auswahl der Gerechten der Vorherbestimmung Gottes überlassen ist, so sollen sich doch mindestens die Leser der apk Schriften mit ihnen identifizieren können.

148) Vgl. HARNISCH 222ff.

149) Vgl. LIMBECK 100ff.

150) So die bündige Formulierung von LUZ, Geschichtsverständnis 262; vgl. seine Ausführungen 229ff. Besonders interessant ist ein Vergleich von Röm 9 mit 1QH 15. Auch dort ist der Gerechte schon, bevor er geschaffen wurde, vom Mutterleib an "bestimmt für die Zeit des Wohlgefallens", während die Gottlosen vom Schoß der Mutter an dem Zorn geweiht sind (Z. 17), damit alle Gottes Herrlichkeit und Kraft erkennen (Z. 20). Vgl. damit Röm 9,11.17.22. Wie das begründende kī Z. 18 aber zeigt, hat die Vorherbestimmung hier die Funktion, dem Beter die Gewißheit seiner Erwählung und des Sieges über das Böse zu sichern. In Röm 9 dagegen steht die Freiheit Gottes in seiner Zuwendung im Mittelpunkt. Damit ist nicht ausgeschlossen, daß Pl die Vorstellung auch einmal (z.B. 8,28ff) in einer Weise einsetzen kann, die ihrer Verwendung in Qumran näher kommt. Das wird bei LUZ nicht genügend berücksichtigt.

151) G. MAIER 351ff scheint mir darauf zu wenig zu achten.

Pl will die Konsistenz des Wortes Gottes an Israel erweisen, obwohl die geschichtlichen Auszeichnungen dieses Volkes anscheinend wirkungslos geblieben sind. Als erstes greift er auf das Ἰσραηλῖται von V. 4 zurück: "Israel", d.h. Besitzer der Verheißungen, sind nicht alle, die aus Israel stammen. Der parallele Satz V. 7 erlaubt die Ergänzung: einfach schon dadurch, daß sie aus Israel stammen. Es geht also um den Grund, weshalb sich einer der Vorzugslinie zurechnen darf. Man hat mit Recht festgestellt, daß der folgende Beweisgang eigentlich nicht durchschlägt, weil das zeitgenössische Israel sich ja gerade von Ismaeliten und Edomitern durch seine Herkunft distanzierte[152]. Doch Pl zwingt die Juden sozusagen in die Perspektive des Anfangs: der jetzt als Vorrecht beanspruchte Name σπέρμα Ἀβραάμ verbürgte damals noch nicht die Gotteskindschaft[153]. V. 7-9 machen klar, wie ein Verheißungszusammenhang entsteht: eben durch Verheißung, die sich ihren Träger selbst schafft. Das Schriftwort ἐν Ἰσαὰκ κληθήσεταί σοι σπέρμα will wohl generell verstanden werden[154]. Dabei hat das ἐν selektive Bedeutung: nur wer auch heute wie Isaak ein Kind der Verheißung ist, ist auch Kind Gottes. Dieses ungebundene Werten Gottes wird hier mit κληθῆναι = λογίζεσθαι ausgedrückt[155].

---

152) Vgl. BARRETT; bezeichnend: Jub 15,30; 4 Esr 3,16.

153) Vielleicht nimmt Pl in V. 7f auf die υἱοθεσία (V. 4) Bezug.

154) LUZ, Geschichtsverständnis 69 meint, Pl habe bei ἐν Ἰσαὰκ primär an das Individuum Isaak gedacht. Das ist schon Gn 21,12 nicht der Fall und läßt sich auch nicht durch den untergeordneten V. 9b begründen, denn V. 8 hatte eine verallgemeinernde Folgerung für die τέκνα τῆς ἐπαγγελίας gezogen. Auch die Rabbinen (vgl. BILLERBECK III,265) können auf das b^e Wert legen und darin eine besondere Qualifizierung des Samens entdecken. Zur Redeweise vgl. noch Jub 19,16. Ganz verwirrt MURRAY z.St.

155) Oft will man das καλεῖν V. 7 mit dem schöpferischen Ruf 4,17 (vgl. Anm. 96) bzw. der Berufung 9,12 zusammenbringen; so u.a. LAGRANGE; F.W. MAIER 21; SCHMIDT; Ch. MÜLLER 28 Anm. 9; LUZ, Geschichtsverständnis 65; skeptisch dagegen WEISS, SANDAY-HEADLAM. Tatsächlich hat das "Nennen" V. 7 zunächst eine mehr rechtliche Nuance. Wie aber der Ruf Gottes mit diesem "Umbenennen" wurzelhaft zusammenhängt, zeigt die Abfolge von V. 24f: ἐκάλεσεν (V. 24) - καλέσω (V. 25); letzteres wohl absichtlich statt ἐρῶ LXX. Vgl. BERTRANGS 392.

Hatte V. 7-9 das Rufen Gottes in der Geschichte als ἐπαγγελία
ausgelegt, so interpretieren V. 10-13 es als Vollzug der κατ'
ἐκλογὴν πρόθεσις. Dadurch ist es nicht bloß von den Bedingun-
gen der Abstammung, sondern auch von der späteren Bewährung
durch das Tun unabhängig. Die quantitative Einschränkung durch
die ἐκλογή wird sich dabei nicht bestreiten lassen[156]. Sie hat
aber den Sinn, die Unverfügbarkeit des Rufes Gottes anschaulich
zu machen. Die Exegeten sind sich uneinig, ob Pl V. 12f wie am
Fundort der zitierten Bibelstellen an Völker[157] oder an die Berufung des Einzelnen[158] gedacht hat. Weder die eine noch die
andere Lösung trifft m.E. die Intention dieser Verse. Pl bietet
keine Prädestinationslehre für das Individuum, er verdeutlicht
- in die Richtung des sich erwählt glaubenden Kollektivs gewandt - anhand von Einzelschicksalen die freie Wahl Gottes, die
an keine menschlichen Voraussetzungen gebunden ist. Das würde
verharmlost, wenn man die Erwählung auf eine vorläufige Funktion - etwa des Heidenchristentums[159] - innerhalb der Heilsgeschichte bezöge.

Für das Verständnis der Israel-Worte V. 27-29, die durch das
Motiv vom "Rest" zusammengehalten sind, leistet uns der Überblick a) gute Dienste. Pl möchte im Kontext am Mißverhältnis
der jetzt Berufenen dartun, wie Gott gemäß prophetischer Vor-

---

156) KÜHL wollte diesen Gedanken ganz eliminieren. Dagegen etwa
SCHMIDT. Differenziert Ch. MÜLLER 29. Die zahlenmäßige
Auswahl ist auch durch die Vorgeschichte des Begriffes nahegelegt; vgl. SCHRENK, ThW IV, 173,50. Dagegen negiert
jüngst wieder G. MAIER 361 die quantitative Komponente.
Diese wird aber unumgänglich, wo mit ἐκλογή eine Menschen-
gruppe gemeint ist, wie 11,7. Das Gegenüber zu λοιποί
macht auch LUZ, Geschichtsverständnis 82 Anm. 227 zu schaffen, der hier ebenfalls ernsthaft den aktiven Sinn erwägt
und ἐκλογή als rein qualitative Bestimmung der Gnade nehmen
möchte.

157) So SANDAY-HEADLAM; GAUGLER; HUBY; LYONNET, Quaestiones II,
37f; MUNCK, Israel 36; dagegen KÜHL; LUZ, Geschichtsverständnis 70 Anm. 170.

158) Nach DINKLER 269 will Pl nur die für Juden und Heiden prinzipiell gleichen anthropologischen Voraussetzungen für Gottes Handeln entwickeln. Dagegen Ch. MÜLLER 75ff: Pl kennt
den Einzelnen nur in Einheit mit einer Gemeinschaft.

159) So entdeckt SCHRENK, ThW IV,184f in V. 12 eine Anspielung
auf den zeitweiligen Vorrang der Heidenkirche.

ankündigung menschliche Vorgegebenheiten überspringt. Das hindert uns daran, V. 27f als reines Gerichtswort - etwa in Ausführung der seit V. 14 betonten Zweiseitigkeit des Handelns Gottes - und V. 29 als Hoffnungssignal zu verstehen[160]. Beide Zitate besagen vielmehr zusammengenommen: Zu den "Söhnen Israels" zu gehören, bedeutet noch nicht Rettung; Gott bestimmt, wer das σπέρμα ist[161], durch das sich die Juden von anderen, dem Untergang preisgegebenen Völkern abheben, indem er einen "Rest" übrigläßt. Darin erfüllt er sein von jeher gegebenes Wort.

Damit möchte ich einen Vorschlag zur Erhellung des dunklen Zitats λόγον γὰρ συντελῶν καὶ συντέμνων ποιήσει κύριος ἐπὶ τῆς γῆς verbinden. Λόγος heißt wohl "Wort"[162]. Könnte man dann nicht annehmen, daß Pl dabei noch die Problematik des an Israel ergangenen λόγος τοῦ θεοῦ (V. 6) vor Augen steht? V. 28 würde dann begründen (γάρ), wie Gott in dem mit Is 10,22a umschriebenen Geschehen sein Verheißungswort[163] verwirklicht[164]. Er tut es gerade, indem er die Zahl der sich als "Söhne Israels" sicher wähnenden Juden dezimiert[165]. Ob es allerdings möglich ist, alle

---

160) Wie MICHEL: "V. 27f. klingt wie ein Gerichtswort, während V. 29 als Ausdruck der Hoffnung angesprochen werden kann."

161) LAGRANGE findet, "Same" habe an sich etwas Tröstlicheres als "Rest". Ähnlich MICHEL. Das Verbum ist aber nicht zu übersehen. Zum Kontext des σπέρμα vgl. Anm. 137.

162) DELLING, ThW VIII,65 schlägt "Sache" vor. Das bibelfremde "Rechnung" (ZAHN) kommt kaum in Frage.

163) Der Sinn von "Strafurteil" mag sich vom AT her nahelegen. So LAGRANGE, DODD, MICHEL, MURRAY. Damit wird aber der Kontext nicht genügend beachtet. Daß Gott sein Gerichtswort unverzüglich durchführt, läuft ja V. 22 zuwider.

164) Man muß wohl konsequent beide Partizipien auf λόγον als Objekt beziehen, zumal sie dazu vom AT und von außerbiblischen Belegen her Affinität haben. Vgl. BAUER s.v. συντελέω und συντέμνω. Dann kann aber συντέμνων nicht heißen, daß Gott die Verheißung "verkürzt" (WEISS, KÜHL, F.W. MAIER 58f); denn das widerspräche V. 6. Zusammen mit συντελῶν wird es die unverzügliche Ausführung des Wortes ausdrücken. Sonst bliebe nur die Alternative, die Partizipien als modale Bestimmung von λόγον ποιήσει zu verstehen. Dann könnte συντέμνειν "einschränken, vermindern" bedeuten, συντελεῖν wäre wie Jr 14,12; Ez 8,15; TestLev 5,4 entsprechend mit "dahinraffen" zu übersetzen. Sprachlich ist das aber noch schwieriger.

165) In V. 27b ist mit SANDAY-HEADLAM, KÜHL u.a. ein "nur" zu

einzelnen Elemente des Bibelwortes so auszudeuten, muß fraglich
bleiben.

Die Kluft zwischen den den Juden zuteilgewordenen Verheißungen
und dem im Ev erreichbaren Heil, die 9,1-5 aufgerissen hatte,
wird also zunächst nicht ganz überbrückt. 9,6ff geht zuerst einmal gegen ein mögliches jüdisches Mißverständnis der Vorzüge
9,4f an[166]: wenn die Juden glauben, schon ihr so ausgezeichne-
tes Volk-Sein gewährleiste eine totale Heilssicherheit, so müssen sie erkennen, daß das Wort Gottes sich erst ein Volk
schafft. Verheißung ist kein Titel, auf den man sich berufen
kann, sondern die Weise, wie Gott von sich aus ruft. Darin entspricht die jetzige Umkehrung der Gottesvolkverhältnisse (V.
24ff), in der nur ein Rest Israels zum Heil kam, den Anfängen
seiner Erwählung. Und so ist das Wort Gottes, wie es schon von
Abraham her wirksam ist, auch in der augenblicklichen Katastro-
phe eigentlich nicht ausgefallen.

3. Daß Israel scheiterte, lag nicht am Ungenügen des Ev (9,30-10,21)

V. 30f faßt die seit V. 24 offengelegte Situation in der Gegenwart des Ev unter einem neuen Gesichtspunkt zusammen. Diesmal
führt nicht der Besitz der Verheißung in die Aporie, sondern
die Gabe des Gesetzes (vgl. 9,4 νομοθεσία). War Israel nicht
durch das Gesetz auf die im Ev offenbare Gerechtigkeit hinge-
ordnet? Wie konnte es trotz dieser Zurüstung daran scheitern?
Die Frage διὰ τί; findet zunächst nur eine kurze, änigmatische
Antwort (V. 32f); diese schwingt auch noch bei den Ausführungen
von Kap. 10 mit[167]. Wir betrachten also V. 30ff als eine Art
Vorspiel zum folgenden Kap. Es schließt weniger das Vorhergehende ab, sondern weist nach vorn[168].

---

ergänzen. Vgl. auch V. HERNTRICH, G. SCHRENK, λεῖμμα κτλ,
in: ThW IV, 198-221, 217.

166) EICHHOLZ, Theologie 293 meint dagegen, 9,6-13 sei "nicht
primär israelkritisch orientiert", sondern schon in der
Auseinandersetzung mit der jungen Kirche von Rom begriffen,
die Israel abschreiben möchte.

167) Zur Bedeutung von 9,33 für Kap. 10 vgl. Ch. MÜLLER 34ff.

168) Deshalb setzen SANDAY-HEADLAM; KÜHL; LAGRANGE; BARRETT;

Ältere Kommentare erblickten übereinstimmend den Zweck von Kap.
10 darin, daß Pl jetzt nach der göttlichen Souveränität im Gang
der Heilsgeschichte die menschlichen Ursachen und die Schuld Israels herausarbeiten wolle[169]. Aber schon theologisch ist diese
Alternative zwischen Gott und Mensch bedenklich[170]. Gott bleibt
das handelnde Subjekt der Geschichte, indem er Israels Entscheidung provoziert. Das kommt besonders in den atl. Zitaten zum
Ausdruck, in denen oft das "Ich" Gottes spricht[171]. Kap. 10
läßt sich nicht einfach in den Prozeß der Rechtfertigung Israels
als Anklage des Schuldigen einordnen[172], weil ja schon 2,2ff
diese Funktion erfüllten[173]. Inzwischen ist längst das Ev auf
den Plan getreten, und das Problem ergibt sich gerade daraus,
daß das Ev durch die Ablehnung der Juden kompromittiert werden
könnte, weil sie doch an sich die bessere Ausgangsposition und
subjektiv guten Willen (10,1f) hatten. So versteht sich das Vorgehen des Pl in Kap. 10: V. 1-13 sagen: Im Ev wird das Heil jedem angeboten. Wenn die Juden dennoch leer ausgingen, so lag das
nicht am Ev, sondern gerade an ihrem Gesetzesstreben. Hätte Pl
sein Volk nur der Schuld überführen wollen, dann hätte es genügt, darzulegen, wie leicht ihm die Rettung gefallen wäre. So

---

LUZ, Geschichtsverständnis 30 u.a. bei 9,30 neu ein. Anders
LEENHARDT; LYONNET, Quaestiones II,86.

169) Vgl. WEISS, SANDAY-HEADLAM, LIETZMANN, LAGRANGE, DODD, ALT-
HAUS, NYGREN, GAUGLER, HUBY.

170) Bereits KÜHL 342 hatte betont, daß der Gedanke der Vorherbestimmung Gottes im Folgenden nicht außer Kurs gesetzt
wird. Vgl. jetzt auch SCHMIDT und Ch. MÜLLER 33. G. MAIER
382ff: Kap. 10 soll kein Gegengewicht zu Kap. 9 bilden, es
entfaltet vielmehr die Prädestinationslehre des 9. Kap.
weiter, "indem es die gegenwärtig erfahrene Ablehnung der
Juden auf deren vorherbestimmtes Nichterkennen der Gerechtigkeit Gottes zurückführt" (392). Das scheint mir auch
übertrieben. Doch darf man keinen zu tiefen Unterschied
zwischen der "prédestination par l'Évangile universelle"
und der "prédestination arbitraire" außerhalb des Ev machen wie SENFT 135ff; vielmehr: "Erwählung und Verwerfung
vollziehen sich in der Begegnung mit dem Evangelium" (MI-
CHEL 253); zum Verhältnis von Wortverkündigung und Prädestination vgl. noch Ch. MÜLLER 78 und CONZELMANN, Theologie 278.

171) Vgl. das τίθημι 9,33; dazu MICHEL; 10,19ff.

172) Gg. KÄSEMANN, Gottesgerechtigkeit 191.

173) Vgl. auch LUZ, Geschichtsverständnis 30, 33.

aber macht er aus dem Gegensatz von Gesetz und Glaube verständlich, warum Israel sich so schwer tat[174]. Es kommt Pl auf die Rechtfertigung des Ev an, in dem Gott seine Gerechtigkeit allen mitteilen möchte (V. 3f). V. 14ff halten dann mit einem Kettenschluß die faktische Konfrontation Israels mit dem Ev fest.

Wenn dies die Absicht des Kap. ist, erklären sich auch die mannigfachen universalistischen Akzente besser, die den Exegeten schon manches Kopfzerbrechen machten. Tatsächlich überraschen sie in einem Stück, in dessen Mittelpunkt Israel steht.

a) In dem zentralen Vers 10,4 heißt es, Christus habe dem Gesetz als unheilvollem Rechtfertigungsprinzip ein Ende gemacht, indem er "für jeden, der glaubt", Gerechtigkeit heraufführte[175]. Pl trägt diese Formel mit Bedacht in das V. 11 wiederaufgenommene Is-Wort von 9,33 ein. In den sich anschließenden kurzen Begründungssätzen kehrt πᾶς noch viermal wieder. V. 12a taucht gar die aus 3,22 bekannte Wendung οὐ γάρ ἐστιν διαστολή auf; während sie dort gegen das jüdische Selbstbewußtsein die allgemeine Heilsbedürftigkeit unterstrich, sagt sie hier, daß jeder, ob Jude oder Heide, Zutritt zum Herrn hat, der Heil gewährt. Man kann diese Aussagen natürlich so deuten, daß Pl den Juden damit schuldig sprechen wollte: wenn jeder gerettet werden konnte, warum nicht auch du[176]? Aber Pl führt - der Gesamtausrichtung des Röm entsprechend - diese Auseinandersetzung mit dem Juden sozusagen im Schaufenster: sie geht eigentlich die Heidenchristen an; ihnen soll sich die Heilskraft des Ev dadurch bestätigen[177].

b) Auch im Abschnitt V. 14ff ist es das in aller Welt verkündete Ev, an dem die Juden Anstoß nahmen. Schon das Subjekt des V. 14

---

174) Vgl. schon HOPPE 130.
175) Zur Exegese vgl. u. III D 2.
176) So etwa LIETZMANN, LAGRANGE, DODD, F.W. MAIER 84.
177) Etwas unglücklich bezeichnet LUZ, Geschichtsverständnis 31f V. 5-13 als "Exkurs", der auf das Problem "Israel" keinen Bezug nehme. Es wird gerade anhand des universalen Ev erörtert.

bezieht sich nicht eindeutig auf die 3. Person Plural von V. 3, sondern ist durch das allgemeine ἐπικαλούμενοι von V. 12 bestimmt. So entsteht der Eindruck, als wolle Pl generelle Regeln der Mission liefern[178], obwohl er doch sinngemäß die Juden im Auge hat. Dieselbe Unbestimmtheit herrscht in V. 16 und noch V. 18. Das Psalmzitat V. 18 schießt über das, was zu beweisen war, hinaus, indem es die Kunde von den Taten Gottes bis an die Enden des Erdkreises dringen läßt[179]. Selbst V. 19, der zum ersten Mal wieder ausdrücklich Israel nennt, erweist die Tatsache, daß es erkannt hat, zuerst nur indirekt[180]: wenn sich Gott schon von den unverständigen Heiden finden ließ, hätte ein gehorsames Israel doch seine Botschaft auch wohl erfassen können[181]. Das heißt aber: wie schon Kap. 9 das Prinzip der Erwählung nicht darstellen konnte, ohne auf die Berufung des Nicht-Volks einzugehen, so vollzieht sich auch hier das Drama Israels vor dem Hintergrund der weltweiten Mission. Den heidenchristlichen "Brüdern" (10,1) löst sich dadurch das Paradox des verirrten Judentums von den Voraussetzungen ihres eigenen Heiles her auf. Das Ev Gottes, das sie selbst ohne weitere Forderungen, nur auf gehorsames Hören hin, zum Heil rief, hat bei den Juden nicht versagt, sondern diese haben sich ihm versagt. SCHLATTER umschreibt die Intention des Kap. treffend: der Fall der Juden widerlegt

---

178) Deshalb wollten LIETZMANN und DODD V. 14f noch zum Vorhergehenden ziehen. Vgl. auch bei SANDAY-HEADLAM 301 die Auseinandersetzung mit Deutungen, die Pl in diesen Versen seine Sendung zu den Heiden verteidigen lassen. LUZ, Geschichtsverständnis 157 Anm. 82 mutmaßt, die Unsicherheit darüber, wer in 10,14ff gemeint ist, könne daher kommen, daß der Israelit als "Mensch par excellence" erscheinen soll. Von diesem könnte Pl aber nicht behaupten, daß er faktisch schon Verkündigung erfahren hat.

179) V. 18 läßt sich nicht auf die Verkündigung an die Juden, auch nicht die der Diaspora, beschränken, wie dies ZAHN, BRUCE und MUNCK, Israel 75, Heilsgeschichte 269, 272 versuchen.

180) Deshalb konnte man noch bis DODD meinen, als Objekt zu οὐκ ἔγνω sei "die Berufung der Heiden" zu ergänzen. Es ist unmöglich, das ἔθνος ἀσύνετον mit LUZ, Geschichtsverständnis 33 Anm. 77 auf die Juden zu beziehen. Zur Verwendung der Schriftworte vgl. die gründliche Untersuchung von BERTRANGS 395ff.

181) So SANDAY-HEADLAM, KÜHL, LAGRANGE, SCHLATTER, NYGREN, MI-

das Ev des Pl nicht, weil es gerade als Botschaft für alle Glaubenden ihnen zum Verhängnis wird[182]. Indirekt wird dadurch noch
einmal deutlich, daß das jüdische Nein die Überzeugungskraft des
Ev entscheidend zu schwächen drohte; am Ende des Kap. muß den
Lesern aber klar sein, daß Gott sein Volk nicht durch das Gesetz
fehlleitete, sondern daß er es gerade durch das Ev vom Fluch des
Gesetzes befreien wollte. Noch ist der Blick apologetisch nach
rückwärts gewandt. Was das durchhaltende Bemühen Gottes um Israel (V. 21)[183], ja was gerade die im Glauben an Christus er-
schlossene σωτηρία (V. 4ff) für dieses Volk "jetzt" (vgl. 11,31)
bedeutet, kommt erst in Kap. 11 an den Tag.

4. Gegenwart und Zukunft des erwählten Volkes im Licht des Ev (Kap. 11)

a) Der Rest als Unterpfand der Gnade Gottes für sein Volk (11,1-10)

Bringt dieser Abschnitt eigentlich gegenüber dem Kap. 9 Gesagten
einen gedanklichen Fortschritt? Charakterisiert hier nicht auch
wieder die "Auswahl" das Verhältnis Gottes zu seinem Volk? Wenn
man so deuten wollte, müßte man ὄν προέγνω V. 2 konsequent einschränkend verstehen: Gott hat sein Volk nicht verstoßen, denn
seine Erwählung bezog sich immer schon auf eine vorher festgelegte ἐκλογή. V. 1a wäre durch V. 2ff präzisiert und ausge-
schöpft[184].

CHEL, LEENHARDT.

182) 319.

183) Nach MUNCK, Israel 66 und SCHMIDT spricht Pl mit diesem Zitat schon aus, was ihn für Israel hoffen läßt. RICHARDSON
134ff will sogar schon von V. 14 an den dem Heil Israels
gewidmeten großen zweiten Hauptteil beginnen lassen. HASLER
176 sieht Israels Unglauben in Kap. 10 wegen 9,33b und
10,21 von der Verheißung des Glaubens umschlossen. Er geht
sicher zu weit, wenn er das als das eigentliche Anliegen
von Kap. 10 betrachtet. Nach HOPPE 126ff und SENFT 137 Anm.
2 kommt es Pl dagegen auf das Widerstreben des Volkes an.
Das wird zutreffen, denn, wie schon die Einleitung von V.
21 rät, muß der Vers mit V. 20 zusammengenommen werden und
liefert dann wie V. 19 ein Kontrastbild Heiden - Israel.

184) Das ist die Auslegung vieler Kirchenväter; vgl. SCHELKLE
380f. Nun offensichtlich auch GÜTTGEMANNS, Heilsgeschichte
47.

Aber in Wirklichkeit greift die Frage 11,1 weiter aus als der
Ansatz des 9. Kap. Und die Behauptung V. 2a ist, da ὃν προέγνω
das αὐτοῦ V. 1a interpretiert[185], mit 1a deckungsgleich. Das
empfiehlt sich noch mehr, wenn V. 1b eine das μὴ γένοιτο begründende persönliche Interjektion des Pl darstellt, durch die er
seine Solidarität mit den Stammesbrüdern bekundet[186], und nicht
schon einen ersten Beweis dafür liefern will, daß Gott sein Volk
nicht verstoßen hat, wie die meisten Kommentare meinen. Nach
dieser Unterbrechung muß die These, daß der gegenwärtige Zustand
Israels nicht endgültige Verbannung aus der Nähe Gottes bedeutet, noch einmal wiederholt werden. Der Relativsatz ὃν προέγνω
läßt erkennen, warum Pl den Begriff des Volkes Gottes, der in
Kap. 9 doch schon einschneidend transformiert war, in einer Weise wieder aufwertet, die der jüdischen Konzeption mehr entgegen-
kommt[187]. Der Grund liegt im Akt der Erwählung; προγινώσκειν
meint dabei nicht nur die geschichtliche Bevorzugung vor anderen
Völkern[188], sondern darüber hinaus die in der Ewigkeit Gottes
verankerte Wahl, die deswegen nicht zu einer fixen Vorherbestimmung werden muß[189]. "Volk Gottes" ist hier nicht wie Kap. 9 vom

185) Vgl. SCHMIDT und den Kontext der biblischen Vorbilder für
     V. 1: 1 Sam 12,22; Ps 93,14LXX.

186) So SANDAY-HEADLAM, DODD, KNOX; LIETZMANN, BARRETT und MUR-
     RAY als Möglichkeit. Denn Pl ist angesichts des Massenab-
     falls Israels ebensowenig ein Trost wie der sich einsam
     glaubende Elias V. 2f.

187) Vgl. Ch. MÜLLER 92f.

188) Vgl. Am 3,2LXX (ἔγνων), 4 Esr 5,23ff; Sib V,330: ταύτην γὰρ
     πρώτην ἔγνως, θεός. So LAGRANGE.

189) Vgl. 8,29 und BULTMANN, ThW I,716. AssMos 12,4ff begründet
     darin, daß Gott Israel und alle Völker "vorhergesehen" hat,
     die Festigkeit des Bundes und das Glück derer, die sich zu
     ihm halten, ja selbst die Unmöglichkeit, daß Gott die Sün-
     der in Israel völlig ausrottet und verläßt (V. 12). Das
     "Vorauserkennen" von Röm 11,2 könnte allerdings nicht eben-
     so auf die Völker angewandt werden, weil es auch die Kompo-
     nente des "Sich-Entscheidens-für" enthält. Von der Erwäh-
     lung des Volkes vor aller Schöpfung spricht Josef und Ase-
     nath 8,11 Ms FA. Doch ist die Aussage wahrscheinlich auf
     Asenath selbst bezogen. Verwandte apk und rabbinische Zeug-
     nisse bei SCHLIER, Epheser 49 Anm. 4.

Menschen mißbraucht, um Rechte gegenüber Gott anzumelden, sondern von der grundlegenden Tat Gottes her gesehen.

Inwiefern trägt V. 2bff mit dem Hinweis auf den gläubigen Rest Israels die Überzeugung des Apostels, daß sein Volk unveräußerlicher Besitz Gottes ist? Fallen diese Verse nicht in schon vorher Gesagtes zurück[190]? Besagt der Restgedanke nur, daß die Hoffnung auf die Rettung ganz Israels sub contraria specie verborgen ist, nämlich daß sie nur über ein radikales Gericht möglich ist[191]? Mit SCHRENK[192] bin ich der Meinung, daß Pl hier über 9,27ff hinaus den nachexilisch vorherrschenden, auch in Qumran bezeugten positiven Aspekt der "Rest"-Vorstellung[193] aufgreift. Danach deuten die Übriggebliebenen zwar keineswegs auf eine künftige "Vollzahl"[194] – 11,25 kommt hier noch nicht

---

190) Ch. MÜLLER 38 meint, V. 1b-10 schienen wenig geeignet, die V. 1a gegebene Antwort zu begründen. Das kommt von seiner Auffassung dieser Verse.

191) So Ch. MÜLLER 45f.

192) Vgl. ThW IV, 218,6ff. Ebenso MUNCK, Israel 84.

193) Für die nachexilische Vorstellung vom "Rest" als Träger der Heilszukunft vgl. FOHRER, Geschichte 273. Besonders in den Volksklageliedern gilt der Rest als Erweis des Erbarmens und der Bundestreue Gottes; vgl. Mich 7,18 (vgl. 20), Esr 9,8.13.15, Neh 9,31 und in Qumran 1QM 13,8; 14,8 (Danklieder); 1QH 6,8; vgl. CD 1,4. Der "Rest" kann der "Same", die "Wurzel" kommender Fruchtbarkeit und Ausbreitung sein: vgl. Is 6,13b (in LXX schon V. 12); 37,21f; Jr 23,3; Mich 4,7; vgl. aethHen 83,8 mit 84,5f; vgl. CD 2,11f: "Und in ihnen allen hat er sich namentlich Genannte erweckt, um Entronnene für das Land übrig zu lassen und die Oberfläche des Erdkreises mit ihrem Samen zu füllen." Diesen steht Z. 13 ähnlich wie Röm 11,7ff die Schar der von Gott in die Irre Geführten gegenüber. Zum jüdischen Restgedanken vgl. BECKER, Heil 62f.

194) So mit einem gewissen Recht Ch. MÜLLER 46; Pl spart allerdings in den folgenden Formulierungen den "Rest" bewußt aus (vgl. V. 17 τινὲς, V. 25 ἀπὸ μέρους). Gut NYGREN: "Der Rest ist nicht nur eine Gruppe einzelner Menschen, die aus dem zum Untergang verurteilten Volk herausgenommen sind, sondern er ist selbst das erwählte Volk, er ist Israel in nuce ... Im 'Rest' lebt Israel weiter als Gottesvolk, aber auf solche Weise, daß jeder Anspruch ausgeschlossen und die Sache restlos in Gottes Hand gegeben wird." Gegenüber MÜLLER hat DIETZFELBINGER, Heilsgeschichte bei Paulus? 20 Anm. 45 darauf hingewiesen, daß auch in der Apkk Restgedanke und Rettung Gesamtisraels in einem Zusammenhang erscheinen können: 4 Esr 7,28; 12,34; 13,12.39ff; syrApkBar 40,2; 77,2.6;

in Sicht -, sie bestätigen aber die unaufgebbare Zuwendung Gottes zu seinem Volk, von der V. 1f sprach. Das Beispiel aus 1 Kg 19 zeigt, daß auch in der aussichtslosesten Situation des Volkes die χάρις Gottes der entscheidende Faktor ist[195]. Diese Gnade ist auch jetzt im judenchristlichen Rest wirksam. Mit dem Stichwort "Gnade" schärft Pl freilich auch den Gegensatz zur jüdischen Werkgerechtigkeit wieder an (V. 6). Erst das wirft ihn wieder auf den Widerspruch von 9,30f zurück. Freilich, er wiederholt nicht einfach den status quo, sondern korrigiert sich mitten im Satz: ἡ δὲ ἐκλογὴ ἐπέτυχεν. Dann beschreibt er den Mißerfolg Israels, diesmal aber nicht als menschlichen Widerstand im Streben nach eigener Gerechtigkeit (9,30ff), sondern als verstockendes Handeln Gottes, das der geneigte Leser aber vom 9,32f genannten "Stein des Anstoßes" her verstehen wird. Wenn aber die Verblendung der Juden jetzt als Wirkung der Hand Gottes erscheint, kann die Frage aufkommen, was Gott damit vorgehabt hat. Darauf geben V. 11ff eine Antwort.

b) In der Rettung Israels kommt das Ev in das von der Verheißung vorgesteckte Ziel (11,11-36)

V. 11a fragt erneut wie schon V. 1a, ob das Straucheln Israels seine eschatologische Zukunft besiegelt. Daß sich jetzt die Prospektive des Heils für dieses Volk auftut, rührt m.E. daher, daß Pl sein Schicksal auf eine neue Weise ins Licht des Ev, und zwar gerade des den Heidenchristen gepredigten Ev, stellt. Während in den bisherigen Großabschnitten die Heiden einbezogen wurden, um die Umwertung des Gottesvolkes durch den freien Ruf Gottes (Kap. 9) oder das Nichterkennen Israels (Kap. 10) schärfer hervortreten zu lassen, bekommen sie jetzt eine positive Bedeutung für

---

80,4 stoßen die 10 Stämme der Zerstreuung zu den im Land aus den Wehen "Übriggebliebenen" hinzu. STUHLMACHER, ZThK 64 (1967) 439 sah darin eine erhellende Parallele zum "jüdisch-assoziativen Denken" bei Pl. Dazu hat LUZ, Geschichtsverständnis 35 Anm. 88a richtig bemerkt, daß hier das Nebeneinander völlig logisch ist. Bei Pl dagegen ist der Fortschritt vom Rest zu "ganz Israel" nicht so homogen.

195) Vgl. KÜHL, DODD, GALLEY 37f; MICHEL: "weil Gottes Gnade Israels Erwählung trägt, kann Pl trotz alles Widerstandes Israels von seiner bleibenden Erwählung reden."

Israel. Dessen Heilszukunft erschließt sich ihnen von ihrer eigenen Berufung her. Pl macht dazu zwei große Schritte[196].

V. 11-24 verquicken das Los Israels epochal mit der Heidenmission. Daß die Juden ablehnten, war von Gott zur Bereicherung der Heiden gefügt; deshalb zielt umgekehrt der Einzug der Heiden auf das zuerst erwählte Volk zurück. In diesem Stück muß Israel sehr stark als der zuerst Angesprochene und (in der Paränese V. 17ff) an sich für das im Ev gegenwärtige Heil Disponierte herauskommen.

Nachdem das "Geheimnis" V. 25ff die gewisse Erlösung ganz Israels verkündet hat, tritt zur epochalen Betrachtung noch etwas Weiteres hinzu: V. 30-32 vereinen Heiden und Juden im Lichtkegel des "jetzt" aktuellen Ev. Das endliche Heil ganz Israels (V. 26) ist die Frucht des über allen waltenden Erbarmens Gottes. Aus dem, was die Heiden im Ev erfahren haben, folgt für sie, was Gott noch für Israel tun kann.

In V. 28-32 wollen zwei parallel gebaute Perioden[197] das soeben mitgeteilte Mysterium einleuchtender machen. Trotz des γάρ in der Mitte (V. 30) sind die Gründe nicht ganz kongruent: in V. 28f schöpft Pl aus dem Quell der Verheißung seine Zuversicht auf die Rettung Israels, in V. 30-32 aus Gang und Dynamik des Ev. Dennoch greifen beide Argumentationsreihen ineinander; wir werden sie Kap. V noch näher untersuchen müssen.

Zunächst interessiert uns aber V. 28f, weil Pl hier eine eindeutige Auskunft auf die Frage nach der Gültigkeit der Verheißungen gibt. Wohl gegenüber den Heidenchristen, die die gottgewollte Funktion des ungläubigen Israel in der Geschichte des Ev (Vgl. V. 11f.15) falsch auslegten und es endgültig für verloren gaben (vgl. V. 19; dagegen V. 23f, 25f), faßt Pl in V. 28 die Lage des gegenwärtigen Israel, so wie sie sich vor Gott darbie-

---

196) Ich darf hier auf die Einzelanalysen in Kap. IV und V verweisen.

197) Vgl. BARRETT, RICHARDSON 127. Während SANDAY-HEADLAM und MICHEL V. 30 wegen des γάρ als unmittelbare Begründung von V. 29 fassen, sehen WEISS und KÜHL, daß hier V. 25ff nachträglich erläutert werden soll.

tet, in einer paradoxen Formulierung zusammen. Für die Auslegung muß man sich darüber klar werden, ob hier nur eine "rhetorische Wortparallele" vorliegt[198], oder ob sich die einander gegenübergestellten Begriffe aus ihrer Entsprechung selbst deuten. Das müssen wir mindestens für die Worte ἐχθροί und ἀγαπητοί annehmen, die das Paradox tragen[199]. Da der zweite Begriff die Stellung des Volkes von Gott her sieht, kann man ἐχθρός kaum aktivisch nehmen[200], zumal im Vorhergehenden das Wirken Gottes im Geschick der Ungläubigen zunehmend herausgearbeitet wurde[201]. Gottes Gegnerschaft und zugleich seine bleibende Liebe stehen sich also hier gegenüber[202]. Verschiedene Hinsichten (κατά) mildern aber den Widerspruch. Das Ev ist weder in seiner Inhaltlichkeit noch als Norm Anlaß für die Verfeindung mit Israel[203], sondern im geschichtlichen Prozeß: weil nach der Verfügung Gottes[204] die Juden verstockt sind, damit das Ev an die Heiden übergehen kann. Israel ist zwischen zwei Um-willen (διά) hineingespannt: wegen der Heidenchristen will Gott nichts von ihm wissen, wegen der Väter ist es nicht aus der Liebe Gottes,

---

198) So LIETZMANN, KÜHL, MICHEL.

199) Ebenso KNOX.

200) So ZAHN, KÜHL, LAGRANGE, F.W. MAIER 145, LYONNET, Quaestiones II,139, SCHMIDT, Ch. MÜLLER 48 Anm. 113, auch STUHLMACHER, Interpretation 564f, obwohl er beklagt, daß kaum jemand wage, den Vers konsequent zu exegesieren. Man kann sich natürlich auf 5,10; 8,7 berufen, wo von der Haltung gegenüber Gott die Rede ist. Doch kommt es auf den Zusammenhang an; daß bei einer anderen Auffassung V. a und b nicht zu vereinbaren seien, kann kein Argument sein. Ausgeschlossen ist die Deutung MUNCKs, Israel 103, auf die Feindschaft gegenüber den Heidenchristen.

201) Pl scheut sich ja nicht, Gerichtsterminologie zu gebrauchen; vgl. ἀποβολή V. 15; οὐκ ἐφείσατο V. 21; ἀποτομία V. 22. Ferner die Aktivität Gottes im Verstocken V. 7ff.25.32.

202) Überscharf gezeichnet von LUZ, Geschichtsverständnis 296. Für eine mehr passivische Fassung von ἐχθρός treten ein: WEISS, SANDAY-HEADLAM, LIETZMANN, SCHLATTER, HUBY, MURRAY.

203) Die Folgerung von MOLLAND 47f "Das Evangelium ist eben die Heilsordnung, die den Heiden Erlösung gibt" ist überzogen. Richtig etwa MICHEL 282 Anm. 3.

204) WEISS, LIETZMANN, ZAHN, KÜHL, KNOX, auch MICHEL im Text tragen zu Unrecht die Reaktion der Juden auf das Ev in das κατά ein. Dagegen gibt LAGRANGE die Wendung besser mit "à cause de la disposition convenable à la diffusion de l'Évangile" wieder.

die in der Erwählung anfing, entlassen[205]. Der Ausdruck διά
τοὺς πατέρας könnte in seiner Kürze glauben machen, Pl verankere
hier die Gunst Gottes nach rabbinischem Muster im Verdienst der
Väter[206]. Aber wahrscheinlicher bezieht er sich hier zurück auf
V. 16 und vor allem auf das Prophetenwort V. 26f: weil sich Gott
von Abraham her Israel zugesagt hat, muß der Christus, der den
Verheißungen der Väter gemäß aus Sion kommt, auch für Israel
kommen. Was in den Vätern begonnen hat, die Liebe Gottes, muß
sich notwendig in der Gegenwart des Ev vollenden. Der mit γάρ
angeschlossene V. 29 klärt, daß diese Notwendigkeit nicht auf
menschlichen Voraussetzungen beruht, sondern die Kontinuität
Gottes ist, insofern er schenkt und ruft. Damit wird die in den
Vätern grundgelegte ἐκλογή interpretiert[207]. Gott scheitert

---

205) Das διά kann hier zwischen "Zweck" und "Grund" schwanken,
je nach dem, ob das Bezugsgeschehen mehr in der Zukunft
oder in der Vergangenheit gedacht ist. Vgl. meine Anm. 58
in ThPh 43 (1968) 61 und LUZ, Geschichtsverständnis 296
Anm. 127.

206) So tatsächlich KNOX: "because of the merit (i.e. faith) of
their fathers"; rabbinisches Material bei BILLERBECK I,117
Nr. 3; II,278f; außerdem TestLev 15,4; TestAs 7,7; syrApk
Bar 78,7; 84,10 u.ö. SJÖBERG 42ff: zwar kann b^lz^ekūt 'abōt
an den Bund Jahwes erinnern (47), doch dieser ist schon
selbst Lohn für die Gerechtigkeit der Väter, so daß der Gedanke an ihre Verdienste immer mehr dominiert; schließlich
hört man aus dem an sich präpositionalen b^lz^ekūt mehr und
mehr das Substantiv heraus (49ff). BARRETT: "the resemblan-
ce is only superficial, for Paul ist not speaking of human
merit but of divine election." Ähnlich BRUCE.

207) LUZ, Geschichtsverständnis 296 Anm. 129 will V. 29 auf den
ganzen V. 28 beziehen, obwohl er selbst merkt, daß der Anschluß an V. 28b enger ist. Dabei übersieht er das μέν - δέ
und den Schwerpunkt von V. 28, der wegen des Zusammenhangs
in der zweiten Hälfte liegt. Die weitreichenden systemati-
schen Folgerungen trägt diese exegetische Basis auf keinen
Fall. Vgl. Einl. Anm. 127. Zu ἀμεταμέλητος vgl. MICHEL und
SPICQ. Er weist auf die Möglichkeit hin, daß das Wort - allerdings nach späten Belegen - einen rechtlichen Unterton
hat. So sicher, wie Ch. MÜLLER 112 Anm. 93 meint, ist das
aber nicht. Jedenfalls hat der Satz V. 29 keinen metaphysi-
schen Hintergrund wie ähnliche Aussagen Philos, noch ist
die Erlösung wie OdSal 4,11 an sich schon unverlierbarer
Besitz. Der Grund der Gewißheit liegt bei Pl eher in einer
Erfahrung des geschichtlichen Rufes Gottes, wie er sie selber in Jesus Christus gemacht hat, auch wenn er das nicht
ausspricht.

nicht am Menschen, so daß er sich durch dessen Ungehorsam zu
einer Trotzreaktion, einem μεταμέλεσθαι, bewegen ließe. Oft
stellt man eine Verbindung zwischen 9,6a und 11,29 her[208];
aber daß das Wort Gottes gilt, hat hier und dort im Kontext
ganz andere Folgen. Dort führte es zu einer Neubestimmung der
Verheißungsträger, hier hingegen werden die 9,4f summierten Gaben für das ganze Volk Israel fruchtbar, eben weil sie "Gnadengaben" sind. Auf diese Differenz wollen wir nun eigens eingehen.

5. Unterschiedliche Fassungen des Volks der Verheißung

Bei 11,29 erhebt DODD Einspruch und fragt, ob Pl seinen eigenen
Prämissen treu geblieben sei:

"The fact is that he has argued from the promise to Abraham on
two divergent and perhaps inconsistent lines. If the promise
means ultimate blessedness for 'Israel', then either the historical nation of Israel may be regarded as the heir of the promise, and Paul is justified in saying that all Israel will be
saved, or its place may be taken by the New Israel, the Body of
Christ in which there is neither Jew nor Greek; but in that case
there is no ground for assigning any special place in the future
to the Jewish nation as such. Paul tries to have it both ways.."

Es ist nicht zu bestreiten: der Begriff des Volkes Israel, für
das sich die Verheißungen verwirklichen müssen, bekommt von
9,6ff bis Kap. 11 einen anderen Umfang. Man sagt, zuerst spreche
Pl vom "eschatologischen Israel", später vom "empirisch-historischen"[209]. Voreilige Versuche, die Begriffe zu harmonisieren[210]

---

208) Z.B. KÜHL; GAUGLER; LUZ, Geschichtsverständnis 296. Weil
Ch. MÜLLER 93 das verschiedene Niveau der Verse nicht berücksichtigt, kann er schließen, das Wort der Verheißung,
das Israel erwählte, falle "nur deshalb nicht dahin (11,29,
vgl. mit 9,6), weil Gott in ständiger Neuschöpfung seines
Volkes dessen natürliche Kontinuität aufhebt, nämlich in
der Verwerfung; eben darin wird die Kontinuität erhalten
bzw. neu gesetzt."

209) Vgl. bes. DINKLER passim, SCHOEPS 248ff.

210) RICHARDSON möchte 9,6ff auch in Kap. 11 durchhalten (131f
gg. DINKLER), kann aber dann das πᾶς 'Ισραήλ 11,26 nicht
mehr wörtlich nehmen (136). - Auch daß Pl verschiedene Ge-
nerationen von Juden im Auge habe (so ZAHN 511), löst das
Problem nicht, denn Pl denkt ja über Israel als Volk nach.
Gg. ZAHN vgl. schon KÜHL. Gerade 11,28 synchronisiert die
widersprüchlichen Aspekte und 11,31f setzt Ungehorsam und
Erbarmen ins gleiche νῦν.

oder die Ausführungen von Kap. 9 nur hypothetisch zu nehmen[211], müssen scheitern.

Aber mit der begrifflichen Unterscheidung allein ist noch nicht viel gewonnen, und auch die Zuflucht zum "wahren Israel"[212] übertüncht eher das Problem, das Pl bewegt: was ist mit dem konkreten Volk? Man kann das Verhältnis der beiden Größen "paradox" nennen, hat aber damit erst den Tatbestand umschrieben. Die Charakteristik "dialektisch"[213] leistet wenigstens, daß natürliches und eschatologisches Israel aufeinander bezogen bleiben. Aber dann darf die Dialektik nicht nur in einer Richtung verlaufen, und das Zauberwort "Aufhebung" erklärt doch nicht, wieso 11,29 der Ruf an Israel für Pl noch so frisch ist wie am ersten Tag.

Für die Verquickung von eschatologisch-definitiver und geschichtlicher Berufung in Röm 9-11 sind drei Beobachtungen kennzeichnend: 1. Auch 9,6ff spricht Pl zunächst das historische Israel an; das Gottesvolk existierte immer schon im Widerstreit zwischen dem es erst begründenden Wort Gottes und dem daraus abgeleiteten Anspruch des Menschen[214]. 2. Das geschichtliche Israel

---

211) KNOX 536, 550ff möchte vor 9,6ff ein "if" einfügen. 9,30ff und 11,1ff negierten dann in umgekehrter Reihenfolge das 9,6ff einmal Angenommene: Gottes Wahl war nicht willkürlich; er hat sein Volk nicht endgültig verstoßen.

212) Vgl. dazu noch ELLIS 136ff.

213) Vgl. Ch. MÜLLER 92; s. auch Einl. c) e) f).

214) Gut BORNKAMM, Paulus 159: "Von Anfang und jeher ist es das einzigartige Wesen und die Bestimmung des empirisch-historischen Israel, gerade nicht aus einem irdisch-aufweisbaren, gleichsam einklagbaren Geschichtsablauf, sondern aus der schlechthinnigen Unverfügbarkeit des göttlichen Wortes zu leben... Diese Israels Geschichte begründende Erwählung ... bleibt das Grund- und Lebensgesetz Israels." Zur Exegese vgl. oben Anm. 135.

215) Gg. DODD, der zu 9,6ff erklärt, Gottes Verheißung bestehe, "even if the entire Israelite nation is rejected". Aber Israel als "corporate whole" ist für Pl nie bloß ein Bündel nationaler Ansprüche, sondern durch die Erwählung Gottes konstituiert.

bleibt unter der Erwählung, und deshalb ist die "Rest"-Vorstellung unentbehrlich[215]. 3. Pl gebraucht dieselben Termini für die eschatologisch gültige Erwählung vor aller Zeit und für die Bestimmung des Volkes in der Geschichte[216]. Ja mehr noch: in 8,28-30 konnten dieselben Vokabeln dem Christen das Heil unverbrüchlich zusichern[217]. Das deutet darauf hin, wie sehr das im Ev gebrachte Heil mit dem Wort Gottes für Israel verschränkt ist; wenn die atl. Vergangenheit nicht "als eine die Gegenwart tragende Ankunft des in Christus erwählenden Gottes erfahren" würde[218], könnten sich Pl die alten Heilszusagen für das Israel der Väter (9,4f) nicht gerade in der Gegenwart des rettenden Wortes unabweisbar melden.

Man wird die Einsicht, daß sich der Umfang des Verheißungsvolkes in Röm 9-11 nicht eindeutig festlegen läßt, positiv verbuchen müssen. Denn das ist auch nicht das direkte Thema dieser Kapitel; Pl macht vielmehr anhand des Gottesvolkproblems Aussagen über Verheißung und Ev. So darf man die Kapitel nur hintereinander lesen[219]. Entscheidend war, daß der Blickpunkt wechselt. Wo Is-

---

216) Vgl. das προγινώσκειν 11,2 mit der πρόθεσις 9,11; die ἐκλογή 11,28 meint die unverlierbare geschichtliche Bestimmung; in 9,11 steht das gleiche Wort für den vorzeitlichen Ratschluß, der sich 11,5.7 im Rest konkretisiert. Während MUNCK, Israel 82, 139 darin nur die geschichtliche Wahl sehen will, hat G. MAIER 394 u.ö. nachgewiesen, daß es sich um die Erwählung von Ewigkeit her handelt. In einer ähnlichen Spannung steht κλῆσις 11,29 (vom ganzen Volk) zum Gebrauch des Verbums 9,12; wieder anders V. 24.

217) Vgl. STUHLMACHER, ZThK 64 (1967) 434f. Weil SENFT diese Übergänge nicht genügend beachtet, leidet sein Versuch, Röm 9-11 aus der Polarität zwischen der "idée traditionelle de l'élection du peuple" und der im Ev proklamierten "justification" zu erklären. Dabei trennt er die Erwählung von der Abrahamsverheißung (138), was nach 11,16.28f nicht geht; schließlich kann er (140) auch das "Mysterion" nicht mehr aus dem Ev Christi begreifen, weil ihm die "élection" "un donnée extérieure à l'Évangile du Christ" bleibt (133).

218) So STUHLMACHER, ZThK 64 (1967) 435.

219) Besonders herausgestellt bei ALTHAUS 101 und SCHMIDT 184: Pl kann "den zuvor radikal zerstörten Gedanken, Israel sei als irdisch-völkische Größe das erwählte Volk auf einer höheren, eschatologischen Ebene erneuern, freilich so, daß

rael allein schon auf Grund seiner Sonderstellung auf das Heil
pocht, muß ihm drastisch vorgeführt werden, daß es diese ja nur
dem zuvorkommenden Ruf Gottes verdankt. Weil für ein selbstsi-
cheres, auf die Verheißungen als Besitz bauendes Israel die
Heilsbotschaft überflüssig wäre, werden die Verheißungen von
der Wahl her interpretiert, die Gott im Ev getroffen hat (Kap.
9) Dabei erfährt die Verheißung eigentlich nur eine Aufwertung
(vgl. 9,8f). Man kann auch sagen, daß sie vom rechtfertigenden
Handeln Gottes her gedeutet wird (vgl. 9,11f; 11,5f). Sobald
aber Israel wieder als Werk Gottes verstanden ist, hängt umgekehrt die Glaubwürdigkeit des rechtfertigenden Ev auch am Bestand der Verheißungen (Kap. 11). Am Nacheinander der Verse
11,28f und 11,30-32 läßt sich veranschaulichen, daß die Verheißung nicht im Ev aufgeht. In der gegenwärtigen Konstellation des
Ev (V. 28) begründet sie sogar eine Polarität in dem, was Israel
vor Gott ist. Andererseits setzt es die Erwählung Israels frei
und macht sie erst neu dringlich. Allein das Ev bietet schließlich auch die Möglichkeit seiner Verwirklichung.

Der unter Nr. 1 vorgeschlagene leitende Gesichtspunkt für die
Betrachtung der Israel-Kapitel hat sich bewährt: Pl ist um des
Ev willen an der Wahrheit der ἐκλογή interessiert; es treibt ihn
nicht nur ein "emotional interest in his own people"[220]. Diesem
überpersönlichen Anliegen wollte man Rechnung tragen, indem man
sagte, Israel habe für Pl "exemplarische Bedeutung"[221], es sei
"für ihn gerade in seiner Verblendung und seinem Scheitern am
Evangelium von beispielhafter Bedeutung für die Verlorenheit aller Menschen und ihr Angewiesensein auf Gottes Erbarmen"[222]. So

---

der Erwählungsgedanke jetzt jedes exklusive und partikulare
Wesen verliert." ULONSKA 188f (gg. DINKLERs Unterscheidung): "Paulus interpretiert" den Begriff 'Israel', "wird
er als Vorzug beansprucht, er behält ihn bei, geht es um
den Vorzug der Juden". Das Letzte wäre m.E. genauer zu sagen: wo es um die Macht des Wortes Gottes geht, mit dem er
sich in der Geschichte bindet.

220) So DODD zu 11,29.

221) Vgl. Einl. Anm. 84 und 85.

222) BORNKAMM, Paulus 159f.

wichtig diese Bemerkungen sind, so wird man doch nicht leugnen
können, daß für Pl das Schicksal Israels nicht nur ein Beispiel
ist, das ja auch durch ein anderes ersetzt werden könnte. Denn
die Verheißungen haben in diesem Volk einen bleibenden Ort. Das
ist auch zu bedenken bei dem Versuch, die Aussagen von Röm 11 zu
aktualisieren[223]. Die Verlegenheit, daß unsere Wirklichkeit so
wenig der Vision des Pl entspricht, führt oft zu sachfremden An-
wendungen. Eine Interpretation, die im Denkraum des Pl bleibt,
müßte überlegen, warum der Apostel in Gal 3 und Röm 4 zu Röm
9-11 mindestens formal entgegengesetzten Ergebnissen kommen
kann. Dort werden die Verheißungen von der eschatologischen Gemeinde in Beschlag genommen, weil die Entschränkung des Heiles
durch das Ev in Frage steht. In den eben durchleuchteten Kapiteln hingegen ist es Pl in anderer Weise um die δύναμις des Ev
zu tun: es ergeht nicht in einen leeren Raum hinein, sondern
entsprechend der Verheißung. Gerade darin erweist es sich als
zukunftsträchtig, daß es diese seine Vorgeschichte einzuholen
vermag.

---

223) Dazu eine kleine Blütenlese: DODD 183 schließt aus Röm 11,
     "that in all the great religions there is a 'promise' of
     man's high destiny, and that the faithfulness of God gua-
     rantees its ultimate fulfillment." BARRETT 220f entdeckt
     nach Ausscheidung des mythologischen Elements als überge-
     schichtliche Wahrheit, daß der "religiöse Mensch" (= Jude)
     Gott nicht zähmen kann und nur, wenn er seinen Stolz auf-
     gibt, mit dem "irreligious man" (= Heide) Gnade finden
     kann. Ähnlich KÄSEMANN, Paulus und Israel 197: für die
     Frommen gibt es nur Verheißung, wenn sie zerbrochen und in
     die Menschlichkeit der Schuld, des Wartens und Leidens zu-
     rückgeworfen sind. CONZELMANN, Theologie 276f findet in Röm
     11 eine spekulative Veranschaulichung des Satzes, daß "der
     Mensch, wie er sein Heil nicht zu schaffen vermag, dieses
     auch nicht gegen Gottes Willen vernichten kann." Auf die
     Kirche angewandt heiße das: "Der empirischen Kirche ist
     verheißen, daß sie die wahre sei - 'in Christus', gegen den
     Augenschein."

K A P I T E L   I I I

DIE GRUNDLAGEN DER UNIVERSALITÄT DES EVANGELIUMS

Wir haben im vorigen Kap. angedeutet, wie einerseits die Verheißungen für Israel vom Ev her neue Aktualität bekommen, wie es
aber andererseits nicht an den durch diese Verheißungen erschlossenen Horizont gebunden ist. Nun ergibt sich die Frage,
was das konkret für die Ausbreitung des Ev heißt. Bedingt die
eigentümliche Stellung des jüdischen Volkes und seiner Väter in
der Verheißung nicht, daß auch die Frohbotschaft zuerst einmal
an die Israeliten adressiert ist? Haben sie einen besonderen
Platz in der Offenbarung der Gerechtigkeit Gottes? Wenn ja, so
würde das auch bedeuten, daß die Universalität dieses Geschehens
wiederum "vermittelt" ist, daß den Heiden das Heil über die Juden zukommt, wenn auch die Weise dieser Vermittlung noch geklärt
werden muß. Eigentlich wäre das ja auch nach dem "zentralisti-
schen" Modell zu erwarten, das sich das Judentum im Laufe der
Jahrhunderte von der Verwirklichung der Heilszusagen zurechtleg-
te[1]. Danach erweist sich Gott als König über alle Welt, indem
er Israel rettet. Sofern die Völker dabei nicht erledigt werden,
sondern das Heil erlangen, geschieht das in der Reaktion auf die
Erhöhung Sions, als Anteil-Bekommen an seinem Glück. Sie ziehen
huldigend zur Stätte des Sieges. Dabei sind sie mehr Resonanzbo-
den und Verstärker der Macht und Bundestreue Gottes, die in der
Erlösung seines Volkes offenkundig wird. Unter diesen Umständen
ist es unsere erste Aufgabe, zu untersuchen, auf welchem Grund
die Universalität des Ev beruht. Geht nach Pl den Völkern die
Herrlichkeit Gottes am Sion auf? Hat etwa die "Gerechtigkeit
Gottes" einen Koeffizienten, der sie als "Bundesverhalten" zuerst einmal Israel gelten läßt? Was macht überhaupt ihre weltweite Erstreckung aus?

---

1) Vgl. SUNDKLER; AALEN, Licht; JEREMIAS, Verheißung; H. SCHMIDT
   und meinen Artikel in BZ 15 (1971) 225-237, dort weitere
   Lit.

A) V o r r a n g   d e r   J u d e n   i m   E v ?

Das πρῶτον in Röm 1,16

Die Stelle, an der sich der Streit um den heilsgeschichtlichen
Vorsprung Israels im Ergehen des Ev gewöhnlich entzündet, ist
die programmatische These Röm 1,16f:
δύναμις γὰρ θεοῦ ἐστιν εἰς σωτηρίαν παντὶ τῷ πιστεύοντι,
᾿Ιουδαίῳ τε πρῶτον καὶ ῞Ελληνι.
δικαιοσύνη γὰρ θεοῦ ἐν αὐτῷ ἀποκαλύπτεται ἐκ πίστεως εἰς πίστιν.
Textkritisch wird man das πρῶτον beibehalten müssen[2]; aber welchen Sinn hat es? Zuerst ist eine temporale Bedeutung nahelie-
gend[3]. So weisen verschiedene Ausleger darauf hin, daß den Juden zuerst die Frohe Botschaft ausgerichtet wurde[4], und zwar
nicht nur faktisch, sondern auch nach der urkirchlich genormten
Praxis des Apostels. Mehrfach wird vermutet, daß Pl hier eine
geprägte Formel der frühen Kirche über das Verfahren der Mission
aufgenommen habe[5]. Selbstverständlich wäre diese zeitliche Ab-

---

2) Es fehlt in BGSa g Marc Ephr Tert. LOGHTFOOT hatte noch eine
   Interpolation aus 2,9f vermutet. Aber die Auslassung des
   nicht leicht verständlichen Wortes, besonders unter dem Einfluß Markions (so SANDAY-HEADLAM, LIETZMANN), ist eher wahrscheinlich. Deswegen behalten es sämtliche eingesehenen Kommentare bei.

3) Vgl. WINDISCH, ThW II,511; W. MICHAELIS, πρῶτος κτλ, in: ThW
   VI, 866-883, 870.

4) LAGRANGE, DODD, SCHLATTER, RICHARDSON 136: "This temporal and
   historical priority is seen not only in the election of Israel, in Jesus' own proclamation to his nation, in the in-
   junction to his disciples, and in the original nucleus of
   Jewish Christians, but also in Paul's own practise of going
   always to the Jewish synagogue in each city he visited before
   taking up his responsability to the Gentiles." Dazu ist anzumerken, daß an die Begegnung des Volkes Israel mit dem im irdischen Jesus inkorporierten Ev bei der pl Bedeutung von εὐαγγέλιον nicht gedacht sein kann. CAMBIER, Évangile 47ff,
   ders., Bibl 51 (1970) 249 spricht von einer "préférence hi-
   storique, - non pas qualitative." Auch LINDESKOG 59, 63 möchte es bei einem chronologischen Voraus bewenden lassen.

5) So MUNCK, Heilsgeschichte 256 mit Hinweis auf Mk 7,27; Apg
   3,26; 13,46. Vgl. auch HAHN, Mission 64. KASTING 115 sieht
   zwar Röm 1,16 in sachlicher Nähe zu Mk 7,27, glaubt aber
   nicht an einen unmittelbaren Zusammenhang.

folge nicht zufällig, sondern von grundsätzlicher, "heilsgeschichtlicher" Tragweite[6]. Sie gilt als Ausdruck der Ersterwählung Israels. Manchmal sieht man diese auch schon in der
üblichen - nur Kol 3,11 durchbrochenen - Wortstellung "Juden"
vor "Heiden" angezeigt[7].

Es kann natürlich nicht bestritten werden, daß das Ev tatsächlich von den Juden zu den Heiden überging. Wie wir S. 209ff zu
11,11 sehen werden, setzt auch Pl dieses Faktum voraus. Aber
an unserer Stelle ist der Kontext zu beachten. Er spricht nicht
von der geschichtlichen Entwicklung der Mission, wie schon ZAHN
bemerkte. Es heißt eben nicht "The Gospel... was delivered to
the Jew first, and then the Gentile too"[8], vielmehr ist das
Paar "Juden und Heiden" mit einer präsentischen Aussage über die
δύναμις εἰς σωτηρίαν der evangelischen Botschaft verbunden. Deshalb räumt KUSS z.St. wohl auch ein, daß Pl nicht hauptsächlich
an das zeitliche prius gedacht haben muß; es könnten ihm eher
wie sonst auch "die unaufhebbaren Privilegien Israels vor Augen
stehen". Das πρῶτον hat demnach eine Rangnuance[9]. Der Heilszu-
spruch des Ev ist den Juden, wo immer er sie trifft, besonders
angemessen; sie sind ihm je schon durch das vorlaufende Handeln
Gottes zugeordnet.

---

6) Vgl. WEISS, ALTHAUS, MICHEL, BARRETT, MURRAY, MOLLAND 98f.
   DINKLER hatte zunächst in seinem Aufsatz nur eine "chronolo-
   gische Prärogative" vertreten, korrigiert sich aber im Nachtrag 268. Für STUHLMACHER, Evangelium 88 spiegelt sich in
   Röm 1,16 ein "heilsgeschichtliches Strukturgesetz", demzu-
   folge sich das Apostolat des Pl in einem rechtlich-verpflich-
   tend gefügten Raum bewegen muß. ULONSKA 154 und NOACK 164
   bringen das πρῶτον in programmatische Verbindung mit dem an-
   geblichen Ziel des Röm, den Vorzug der Juden gegenüber den
   Heidenchristen zu wahren. Bei NOACK 160ff hat das den praktischen Hintergrund, daß Pl die Römer beruhigen muß, weil
   sie wegen der Jerusalem-Reise mindestens noch ein Jahr auf
   seinen Besuch warten müssen.

7) So SCHLIER, Heidenmission 96f; CERFAUX, privilège 344. Aber
   diese Reihenfolge findet sich auch in Zusammenhängen, in
   denen gerade die Unterschiedslosigkeit betont wird: Röm 3,9;
   10,12; 1 Kor 12,13; Gal 3,28; sie scheint so keine prinzipielle Bedeutung zu haben und ist aus der Perspektive des
   Juden Pl leicht erklärlich.

8) Wie BARRETT paraphrasiert.

9) Vgl. BAUER s.v. πρῶτος 2c.

Gegen eine solche Auffassung richtet sich nun allerdings die
Einrede ZAHNs: "Weder in bezug auf die Rettungsbedürftigkeit
des Menschen noch in bezug auf die rettende Wirkung des Ev läßt
sich ein größeres Maß von Anteil bei dem glaubenden Juden als
bei dem glaubenden Griechen oder auch Heiden nachweisen." So
suchte er mit philologischem Scharfsinn nach einem Ausweg. Nach
dem Vorgang von ERASMUS, HOFMANN, KLOSTERMANN wollte er das πρῶτον auf beide Glieder beziehen. In den Analogien, auf die er
sich dabei berief[10], folgt aber auf diese Verknüpfung noch ein
zeitlich abgesetztes drittes Glied. Dies müßte an unserer Stelle
in Gestalt der Barbarenvölker ergänzt werden. Solche Prioritä-
tensetzung widerspricht jedoch 1 Kor 1,26ff; zudem zeigt Röm
2,9f, daß das Wortgespann komplett sein möchte. Deshalb betrachten KÜHL und SCHMIDT, die den Vorschlag ZAHNs aufnahmen, die
beiden Gruppen als exemplarisch für die Teile der Menschheit,
die das Ev am nötigsten haben; es ist Gottes Kraft zur Rettung
den selbstgerechten Juden und den bildungsstolzen Griechen zumal. An dieser Meinung stört, daß das Begriffspaar in der Deutung dieser Autoren keine adäquaten Gegensätze, und somit keine
Gesamtheit bezeichnen kann, wie es doch nach dem πᾶς[11] anzunehmen ist. Dazu kommt, daß Ἕλλην zwar 1,14 den Bildungsunter-
schied mitsagt, aber sonst in seiner auch in der Apg häufigen
Zusammenstellung mit Ἰουδαῖος global den Nicht-Juden meint[12],
zumal Pl offenbar den Begriff als Äquivalent für den Singular
von ἔθνη verwendet[13]. So wird man das πρῶτον nur zu Ἰουδαίῳ
ziehen können.

---

10) Apg 26,20 τοῖς ἐν Δαμάσκῳ πρῶτόν τε καὶ Ἰεροσολύμοις... καὶ
τοῖς ἔθνεσιν. Daß noch ein weiteres Objekt im Akkusativ genannt wird, könnte sekundär durch Röm 15,19 bedingt sein:
vgl. HAENCHEN z.St. und BAUER s.v. τέ; Eusebius, eccl.
proph. III,26: αὐτῷ τε πρότερον τῷ λαῷ καὶ τοῖς τὴν πόλιν
ἐνοικοῦσι πολίταις, ἔπειτα δὲ καὶ τῷ ναῷ. Obige Kritik schon
bei LIETZMANN.

11) In vergleichbaren Fällen (2,9f; 3,9; 10,12 u.ö.) steht immer
ein πᾶς in der Nähe der Gruppierung.

12) Vgl. WINDISCH, ThW II,507ff und Einl. S. 13; HOPPE 12.

13) KUSS z.St.

Es bleibt also dabei, daß das πρῶτον eine Sonderstellung Israels ausspricht. Die eben genannten Autoren haben aber wenigstens die Aufgabe erkannt, daß die Partikel in den Gesamtzusammenhang der Aussage eingebaut werden muß. Erst dann stellt sich heraus, wie Pl den zweifellos vorausgesetzten heilsgeschichtlichen Vorrang <u>wertet</u>. Nun betont der Kontext doch, wie das vorausgehende παντὶ τῷ πιστεύοντι zeigt, die universale Bestimmung des Ev[14]. Nach MICHEL klingt die Dativangabe sogar "wie ein Kampfruf". Sie "besagt, daß vor dem Wort des Evangeliums die gesetzliche Unterscheidung zwischen Judentum und Heidentum hinfällig wird." Dazu drückt τὲ - καί eine "innige und notwendige Verbindung"[15] von zwei an sich konträren Größen unter einem besonderen Aspekt aus. Dieser ist hier die Forderung des Glaubens. Wie soll da im gleichen Atemzug ein verschiedener Ausgangspunkt bezüglich des Ev herausgehoben sein? Diese Schwierigkeit veranlaßte LIETZMANN dazu, im πρῶτον nur mehr "eine factisch wertlose Concession an das auserwählte Volk Gottes" zu sehen[16]. Andere Ausleger bemühen sich, die Spannung im Text dialektisch erträglich zu machen. So meint NYGREN, πρῶτον könne nicht auf einen speziellen Vortritt in der Erlösung gehen. Es sei zwar vielleicht aus dem Gedanken der heilsgeschichtlichen Sonderstellung diktiert, werde aber in Christus "gleichzeitig aufgehoben"[17].

Bevor man aber das πρῶτον als heilsgeschichtliches Rudiment abtut, das Pl mehr zwangsläufig mitschleppt, oder als negative Phase der Dialektik zu überwinden trachtet, sollte der Versuch gemacht werden, ob es den Gedanken des Satzes nicht auch verstärken kann. Dann hieße es, was philologisch durchaus möglich ist, "besonders", "<u>gerade</u>", "in erster Linie". Pl könnte darauf Wert legen, daß der Jude durch das, was ihn besonders auszeich-

---

14) Dagegen ist nach KÜHL παντί verhältnismäßig unbetont.

15) Vgl. K-G § 522,2. Warum sagt Pl nicht πρῶτον μεν... ἔπειτά δε oder ähnliches?

16) Auch bei KUSS bleibt nicht "mehr als eine Art Ehrenvorrang" übrig.

17) Ähnlich CONZELMANN, Theologie 190: "Der Vorzug des Juden kommt nur im Blick auf seine eschatologische Aufhebung zur Sprache."

net, τὰ λόγια τοῦ θεοῦ (3,1f), positiv auf das Ev und die in
ihm offenbare Gottesgerechtigkeit ausgerichtet ist (1,2; 3,21).
Das ist Setzung Gottes und insofern vom tatsächlichen Verhalten
des Juden unabhängig[18]. Freilich ist 1,16, was den Juden angeht, nicht durch die Erfahrung gedeckt. Vielleicht kommt daher
der Nachdruck, mit dem Pl behaupten muß, daß es gerade für Israel nur den Weg des Glaubens gibt. Ein gewisser polemischer
Unterton könnte dadurch verursacht sein, daß sich die Mehrheit
des jüdischen Volkes vor der Heilsmacht Gottes im Ev verschloß
und stattdessen auf das kraftlose Gesetz[19] verließ. Die These
vom besonderen Bezug des Juden auf das rettende Ev bleibt vorerst unentfaltet. 3,21ff werden sie nur in der Richtung entwickeln, daß der Jude eben auf Grund der ihm anvertrauten Offenbarung Gottes schließlich den Heiden als gleichberechtigten
Partner im Heil anerkennen muß (3,29f; 4,1ff). Aber weil auch
das Heil Israels nach 1,16 am Ev hängt, birgt der Satz sachlich
die Ausführungen von Kap. 9-11 in sich, die zeigen, wie die besondere Berufung der Juden dem Ev gegenüber und durch das Ev
doch noch eschatologisch wahr werden können[20].

B)   D i e   U n i v e r s a l i t ä t
     d e r   S ü n d e   u n d   d e s   G e r i c h t s

1. Der Begründungszusammenhang von 1,16f und 1,18ff

Das nachdrückliche πᾶς V. 16 scheint negativ V. 18 wiederzu-
kehren. Das führt auf die Frage, ob der sich über alle Ungerechtigkeit entladende Zorn Gottes vielleicht dem Angebot des
Heiles für alle den Weg ebnet. Daß ein Zusammenhang besteht,
zeigt das γάρ V. 18. Nun hat die Partikel den Exegeten arges

---

18) Das stellt auch HOPPE 11ff heraus.
19) Der Hinweis von NYGREN auf 8,3 το ἀδύνατον τοῦ νόμου
    scheint mir hilfreich.
20) Das soll nicht heißen, die Formulierung von 1,16 verrate
    schon, daß Pl Kap. 9-11 von vornherein geplant hatte.
    Dagegen mit Recht HOPPE 136.

Kopfzerbrechen gemacht. Die augenfällige Parallelität von V. 17
δικαιοσύνη γὰρ θεοῦ... ἀποκαλύπτεται zu Ἀποκαλύπτεται γὰρ ὀργὴ
θεοῦ scheint zu fordern, V. 18 als Begründung von V. 17 zu interpretieren.

Die Versuche dieser Art waren meist wenig glücklich. SCHLATTER
z.B. sieht im γὰρ die Einheit des göttlichen Willens bezeugt.
Weil Gott der menschlichen Gottlosigkeit widersteht, wird seine
Gerechtigkeit offenbar. Man fragt sich, ob dazu nicht schon die
Enthüllung seines Grimms ausreicht. Schließlich ist für SCHLAT-
TER dann auch der Gegensatz zwischen δικαιοσύνη und ὀργή nur "im
menschlichen Erleben" total. Auch G. STÄHLIN unterlegt der Vers-
folge letztlich eine "überraschende, von Menschen nicht auszu-
denkende Übereinstimmung von Zorn und Gerechtigkeit Gottes"[21].
Darin scheint K. BARTHs[22] Auslegung dieser Stelle nachzuwirken:
für ihn ist im Ev das Gerichtsurteil des treuen Gottes über die
ganze Welt offenbar geworden; das hat aber auch die Schattensei-
te des Zornes Gottes. Die Liebe Gottes ist eine verzehrende Liebe, die zugleich das Kreuzesopfer Jesu Christi fordert. BARRETT
nimmt das γὰρ rein gnoseologisch[23]: die Offenbarung des Zornes
erweise den eschatologischen Charakter der Gerechtigkeit Gottes.
BORNKAMM möchte ebenfalls das gleiche Tempus des wiederholten
ἀποκαλύπτεσθαι auswerten, folgert daraus aber umgekehrt, "daß
erst jetzt im Zeichen des Evangeliums die verlorene Welt in das
Licht des ἔσχατον gerückt ist, auf das die bisherige Geschichte
trotz der ἀνοχή Gottes (3,26) freilich immer schon verborgen
ausgerichtet war"[24]. Durch die Offenbarung der δικαιοσύνη θεοῦ
χωρὶς νόμου wird auch das Gesetz als Todesmacht über der sündi-
gen Menschheit offenkundig[25]. Sein Schüler D. LÜHRMANN[26] hat
diesen Gedanken noch vorangetrieben und erklärt mit 2 Kor 2,15f,
die Gleichzeitigkeit von Zorn- und Gerechtigkeitsoffenbarung sei
durch das Ev induziert. Wenn man aber merkt, daß 1,18ff von der
Möglichkeit der Glaubensgerechtigkeit absehen, bleibt nur noch
übrig, das γὰρ als Kontrastmarke[27] oder als bedeutungslose
Übergangspartikel[28] aufzufassen.

---

21) Vgl. G. STÄHLIN u.a., ὀργή, in: ThW V,382-448, 427; 432,27ff
    bietet er eine damit nicht ganz kongruente Begründung.

22) Vgl. seine Kurze Erklärung 24ff. Ihm stimmt CRANFIELD 334f
    zu: "In view of the parallelism between vv. 17 and 18, the
    most natural way of taking v. 18 is to understand Paul to
    mean that ὀργὴ θεοῦ also is being revealed in the gospel."

23) "A clear signal of the revealing of God's righteousness is
    the fact that his wrath is being revealed in the gospel."

24) Vgl. Offenbarung 31.

25) Vgl. ebd. 32. Ihm folgt MAUSER 144ff. Man könne auch 1,18
    ein νῦν ergänzen. Der bisher durch die göttliche Langmut
    eingedämmte Zorn Gottes breche jetzt in der menschlichen
    Geschichte Jesu in voller Stärke los.

26) Offenbarungsverständnis 147f.   27) Mit LAGRANGE, DODD, HUBY.

28) Wie LIETZMANN; KUSS: "freilich".

146

CONZELMANN[29] hat energisch darauf hingewiesen, daß die Parallele zwischen V. 17 und 18 darin entscheidend durchbrochen ist, daß die Offenbarung der Gerechtigkeit im Wort geschieht, der Zorn aber vom Himmel her sich enthüllt. Ὀργή ist auch nicht eigentlich Gegenbegriff zu δικαιοσύνη, sondern zu σωτηρία und ζωή, wie ein Blick auf 2,7f; 5,9; 1 Thess 5,9 (vgl. 1,10; 2,16) lehrt. Damit steht aber die Gerechtigkeit Gottes der menschlichen ἀσέβεια und ἀδικία gegenüber[30], wenn diese auch erst unter dem Zorn Gottes zum definitiven Unheilszustand wird. Zwar kann man den formalen Gleichklang von V. 17 und 18 nicht leugnen, doch ist KÜHL zuzustimmen: V. 18 gibt für V. 16 eine Begründung e contrario, die dem V. 17 genau parallel läuft. Oder noch besser: V. 18ff liefert den Grund für die Exklusivität der Behauptung V. 16b.17 zusammengenommen[31]: daß das Ev rettende Kraft für jeden sei, wenn er nur glaubt, wird dadurch erwiesen, daß die Menschheit ohne diese Botschaft unweigerlich in die Ausweglosigkeit der Sünde und des Gerichts hineinläuft, wenn dieses auch erst im Ev (2,16) offen mitverkündigt wird. Daß es auf der Welt nur Ungerechtigkeit mit dem Siegel des endgültigen Verderbens gibt, soll die ausschließliche Notwendigkeit einsichtig machen, sich im Ev Gerechtigkeit von Gott zusprechen zu lassen, wenn es das Heil gilt.

---

29) Theologie 239; vgl. auch GÄUMANN 146 Anm. 102.

30) Vgl. ἀσεβής gegenüber δικαιοῦσθαι 4,5; 5,6; ἀδικία in formalem Gegensatz zu δικαιοσύνη 3,5; 6,13. Schon LAGRANGE hatte ähnliches zu 1,18 bemerkt. Jetzt stellt RUIJS 264f vielleicht etwas überspitzt V. 16f und 18f als parallel konstruierte Antithesen heraus.

31) So gut HOPPE 28ff. Ähnlich SCHMIDT: "Nach dem Zeugnis von der Rettungskraft des Evangeliums begründet (γάρ) Paulus die universale Notwendigkeit solcher Rettung." Vgl. auch SANDAY-HEADLAM. Nach ALTHAUS - ebenso CRANFIELD 332 - soll sich das γάρ vor allem auf ἐκ πίστεως εἰς πίστιν zurückbeziehen: nur aus dem Glauben gibt es Gerechtigkeit. Aber in den Ausführungen gegen die Heiden weist Pl keine andere Art von Gerechtigkeit ab; das Gericht kommt auch nicht über die Werkgerechtigkeit der Juden, sondern über ihre faktische Ungerechtigkeit. Der Begründungszusammenhang von V. 18 mit V. 16f wird durch die These von ALTHAUS, die ich ThPh 43 (1968) 51 Anm. 4 selbst gebilligt hatte, ungebührlich verengt.

Damit ist auch ein gewisses Gefälle der Ausführungen 1,18ff gegeben. Zunächst überrascht ja, daß trotz der allgemeinen Wendung ἐπὶ πᾶσαν ἀσέβειαν καὶ ἀδικίαν ἀνθρώπων Schuld und Gericht bei den Heiden aufgewiesen werden. Das kann man wegen der jüdischen Prägung der verwendeten Topik nicht bestreiten[32]. Wieso hält Pl hier nicht die Reihenfolge von 1,16b ein? Seine sonst bemerkbare Vorliebe für den Chiasmus gibt keine zureichende Erklärung[33], weil die Abfolge in der kurzen Formel (1,16; 2,9.10; 3,9) davon offensichtlich unberührt bleibt. BORNKAMM[34] versuchte, dieses Vorgehen sachlich zu verstehen: die Umkehrung solle die Sekurität des Juden treffen; nachdem er das Gericht am Heiden bejaht hat, müsse er anerkennen, daß es auch für ihn gilt. M.E. sollte man zunächst vom Zweck des Röm ausgehen. Unsere Hypothese (s. Kap. I) liefert dann einen naheliegenderen Grund dafür, daß der Blick zunächst auf die Verlorenheit der Heidenvölker fällt. Ihnen ist der Apostel ja besonders verpflichtet (V. 13f); auch wenn sie als σοφοί (V. 14) ohne das Ev meinen auskommen zu können, so brauchen sie es doch dringend, weil ihre angebliche Weisheit im Urteil Gottes Torheit ist (V. 22). Pl nützt nun zunächst einmal das überkommene Material der jüdischen Apologetik, um darzutun, daß die Welt ohne das Ev dem Zorn Gottes preisgegeben ist. Er ist dabei weit davon entfernt, einen objektiven Plan zu entwerfen[35], er hält vielmehr eine flammende Anklagerede vor dem Forum des Gerichtes Gottes; das Ergebnis ist: alle,

---

32) Vgl. zuletzt BUSSMANN 108ff; nach ZAHN meinte auch M. BARTH 153 Anm. 27, die Perikope Röm 1,18-32 sollte nicht allein auf die Heiden bezogen werden. Aber die Tatsache, daß die meisten in 1,23 verwendeten atl. Stellen von Israels Irrwegen handeln, ist dafür noch kein Beweis, weil Pl auch nur die Phraseologie des Götzendienstes übernehmen kann.

33) Dies zu RUIJS 259f, 265.

34) Gesetz und Natur 94f. Ähnlich weisen schon SANDAY-HEADLAM zu 2,1 auf die rhetorische List hin, mit der Pl wie Nathan in seinem Gleichnis die Juden zur Identifizierung mit den von ihm selbst verurteilten Heiden zwinge.

35) Wie KUSS 29 verstanden werden könnte, nach dem der Apostel zeigen möchte, "wie die Heiden und die Juden vor Christus in den Heilsplan Gottes einzufügen sind." Das deckt sich nicht mit dem, was KUSS 72 selbst feststellt.

Juden wie Griechen, sind unter der Sünde (3,9) Daß spätestens
mit 2,17 die Juden hereinkommen und das Schwergewicht der Argumentation nun gegen sie gerichtet ist, ist vielleicht gar nicht
so programmgemäß. Denn es ist nicht sicher, ob mit Kap. 2 ein
klar abgeteilter Abschnitt über die Juden einsetzen soll[36]. Mit
ὦ ἄνθρωπε πᾶς ὁ κρίνων bleibt Pl ja noch im Allgemeinen der Dia-
tribenanrede. Er möchte jeden Widerstand gegen den Schuldspruch
ausräumen, woher er auch komme. Auch dem, der meint, den anderen
moralisch disqualifizieren zu können, unterstellt er dieselbe Un-
tat[37]. Am Tag des gerechten Spruches Gottes gilt für jeden der
gleiche Maßstab: er wird nach seinen Werken beurteilt (V. 6).

2. Das πρῶτον des Juden im Gericht (2,9f)

V. 7f differenziert in feierlicher, traditionell vorgegebener
Sprache die Vergeltung. Danach verwundert es ein wenig, daß V.
9f denselben Grundsatz gespiegelt und syntaktisch umgestellt

---

36) Dafür plädiert die Mehrheit der Ausleger: WEISS, SANDAY-
HEADLAM, LIETZMANN, LAGRANGE, DODD, ALTHAUS, NYGREN, MICHEL,
HUBY, KUSS, MURRAY, HOPPE 39ff, SCHLIER, Von den Juden 38,
EICHHOLZ, Theologie 84ff. Dagegen betonten ZAHN, KÜHL,
SCHLATTER, BARRETT, BRUCE, SCHMIDT, daß die Heiden nicht
ausgeschlossen sind. Das Hauptargument der ersten Gruppe ist
V. 3-5, wo spezifisch jüdische Anschauungen über die Langmut
Gottes verurteilt würden, wie sie sich vor allem Weish 11-15
fänden. Z.B. MICHEL: "Dabei verkehrt er in seiner Polemik
den Satz, daß gerade auf die Heiden der Zorn Gottes wartet,
während Israel am jüngsten Tag verschont wird (Sap 11,9f;
12,22)." Abgesehen davon, daß ein direkter Bezug auf Weish
zweifelhaft ist, kennt auch Weish 11,23f.26; 12,28 Gottes
Nachsicht für Nicht-Juden qua "Menschen". Vgl. Sir 18,8.9.
13. Ebenso die Rabbinen: vgl. SJÖBERG 86ff, 113. In der Apkk
finden wir sogar ausdrücklich das Motiv, daß die Menschheit
Gottes Langmut als Schwäche mißversteht (syrApkBar 21,20f;
48,29). Sir 16,10ff zeigt, daß das Thema "Der Unbußfertige
wird dem Gericht nach seinen Werken nicht entrinnen" allgemein weisheitlicher Herkunft ist. Vgl. ThPh 43 (1968) 62f.

37) Der Moralist spricht sich also nicht schon wegen seines
Richtens das Urteil (gg. BARRETT), sondern weil er die von
ihm verworfenen Dinge selber tut (V. 2c). Die pharisäische
Selbstgerechtigkeit liegt somit nicht direkt in der Schuß-
linie. Pl ist hier nicht weniger zimperlich als Sib IV,35ff,
wo gegen die heidnischen Spötter gesagt wird, sie voll-
brächten eben die Schandtaten, die sie den Juden andichten.

noch einmal einschärft[38]. Dabei soll seine ausnahmslose Gültigkeit ἐπὶ πᾶσαν ψυχὴν ἀνθρώπου bzw. παντὶ τῷ ἐργαζομένῳ wohl durch ein Anhängsel noch unterstrichen werden: Ἰουδαίῳ τε πρῶτον καὶ Ἕλληνι. Kein Zweifel, daß damit die Menschheit umfassend beschrieben wird. Aber wieder eignet dem Juden ein πρῶτον. Der Skopus der Verse ist diesmal durch den mit γάρ angefügten gut jüdischen Satz V. 11 gesichert. Das Gericht nach den Werken, das V. 6 ankündigte, trifft ohne Rücksicht jeden Menschen. Wie kann dann zugleich noch ein Vorzug Israels gewahrt sein[39]? Wie in 1,16 ist auch hier wenig wahrscheinlich, daß Pl eine zeitliche Priorität im Sinn hat, obwohl die Tradition auch dieses Motiv bereithält[40]. Denn es geht unserer Stelle nicht um den Ablauf, sondern um den Maßstab des Gerichts. So wird das πρῶτον durch die heilsgeschichtliche Rangordnung begründet sein[41]. Strafe oder Lohn kommen dem Juden je nach seinen Taten "zuvörderst" und "vor allem" zu. Insofern kann man sagen, die heilsgeschichtliche Vorrangstellung des Juden werde zu einem Vorrang im Gericht "verkehrt"[42].

Aber wiederum ist zu fragen, unter welcher Hinsicht Pl hier auf die Heilsgeschichte anspielt. Warum ist der Jude nach V. 11 im Endeffekt doch dem Heiden gleichgestellt? Eine Meinung geht dahin, daß den Juden hier eine vollkommenere Erkenntnis des Willens Gottes zugestanden werde, auf Grund derer ihre Werke bewuß-

---

38) Zum überlieferten Material vgl. MATTERN 127f. Zur Struktur von V. 6-11 vgl. KUSS und ausführlich RUIJS 75ff. GROBEL nimmt sogar ein jüdisches Dokument an, das Pl zitiere. Aber sein Strukturierungsversuch muß Ἰουδαίῳ τε πρῶτον καὶ Ἕλληνι um der schönen Entsprechung willen ausscheiden. Daß die Umkehrung V. 9f auf das Gericht nach den Werken ὑπὸ χάριν hindeutet, wie JÜNGEL, Chiasmus (bes. 178) meint, ist nicht ersichtlich.

39) Besonders KÜHL besteht darauf, daß eine Prärogative der Juden schlecht in den Kontext passe.

40) Daß "das Gericht beim Hause Gottes beginnt", kann zwar auch eine größere Verantwortlichkeit beinhalten, wird aber leicht periodisierend dahin umgedeutet, daß es die Heiden dann um so schlimmer treffen wird. Vgl. Jr 25,29; Ez 9,6; TestBenj 10,8f ἐν πρώτοις; weitere Belege bei O. MICHEL, οἶκος κτλ, in: ThW V, 122-161, 130 zu 1 Petr 4,17.

41) Vgl. WEISS, KUSS.

42) So BORNKAMM, Gesetz und Natur 97.

ter, verdienstlicher bzw. verdammenswerter sind. Deshalb erhielten sie auch größeren Lohn oder härtere Strafe[43]. Ein derartiger Gedanke liegt durchaus auf der Linie prophetischer (Am 3,1f) und auch rabbinischer[44] Überzeugung. Wenn man V. 9 und 10 addiert, ist der Vorwurf der προσωπολημψία entkräftet. Diese Auslegung nimmt m.E. zu Recht das Gesetz als eigentliches Distinctivum. Aus dem erläuternden (γάρ) V. 12 geht nämlich hervor, von woher ein Unterschied reklamiert wurde. Als "erster" verurteilt werden ist da gleichbedeutend mit διὰ νόμου κριθῆναι. Nur sollte man genauer sehen, daß nicht von größerem Verderben oder größerer Herrlichkeit die Rede ist, sondern von der Adäquatheit von Tun und Ergehen, die sich gerade beim Juden auswirkt. "Der Jude ist durch sein Gesetz in erster Linie (πρῶτον wie 1,16) unter den Maßstab Gottes gestellt: auf ihn schaut Gott zuerst" (MICHEL). Dann meint Pl den Juden, der sich auf die Gabe des Gesetzes als solche etwas zugute hält, und denkt weniger an besondere Kenntnis der Einzelvorschriften - wie ja V. 14-16 auch den Heiden eine inhaltliche Vertrautheit mit dem Willen Gottes zubilligen. Durch das geschriebene Gesetz ist der Jude besonders auf Tatgehorsam verwiesen. Diese Spitze ist vielleicht durch V. 6 ausgelöst: wie anderswo (V. 13; 10,5; Gal 3,12; 5,3) sind Jude - Gesetz - Werke assoziiert. Eine noch latente Polemik schränkt den Ausblick auf die Heilsgeschichte ein: von all den Auszeichnungen Israels 9,4f tritt mehr die νομοθεσία in Erscheinung.

E x k u r s

Die Universalität des Gerichts in der jüdischen Tradition

Sagt Pl vom Standard der jüdischen Religionsgeschichte aus etwas Neues, wenn er betont das Gericht über Juden und Heiden ankündigt? In 3,6 scheint es doch eine allgemein anerkannte Wahrheit

---

43) Vgl. LAGRANGE, DODD, SCHLATTER, HUBY.
44) Vgl. dazu im Exkurs S. 154.

zu sein, daß "Gott den Kosmos richten wird" (vgl. noch 1 Kor
6,2; 11,32). MICHEL z.St. vermutet dahinter gar einen palästinischen Lehrsatz, wobei es nur eine kleine Abwandlung bedeute, daß das Rabbinat eher vom "Gericht über die Völker der
Welt" spricht[45]. Könnte diese Nuance aber nicht auch Ausdruck
dafür sein, daß für die Juden das Endgericht immer auch im Licht
des Erwählungsglaubens erscheinen mußte, so daß das eigentliche
Gericht über die Völker ergeht, während Gott gerade darin sein
Sonderverhältnis zu Israel bestätigt und weltweit durchsetzt?
So hat H. SASSE[46] aus der Tatsache, daß in der rabbinischen Literatur der 'ōlām nur selten als Gegenstand des göttlichen Gerichts genannt wird, folgern wollen, das Judentum habe es nicht
"zu einer einheitlichen Weltbetrachtung" gebracht, in der die
Welt Gottes Schöpfung ist und zugleich unter dem Gericht steht.
Wenn solche Schlüsse aus dem Vorkommen eines Begriffes allein
auch überzogen sind[47], so ist doch zu fragen, inwiefern Pl 2,9f
den Juden eine bittere und ungewohnte Wahrheit vorhalten muß.

Eine gewisse Doppeldeutigkeit der Vorstellung vom Richten Gottes
ist bereits in ihrer zweifachen Traditionswurzel[48] grundgelegt.

1. In der Jerusalemer 'ēl-'æljōn-Überlieferung wird der König
Jahwe als "Richter der Völker" epiphan. Er stellt seine Überlegenheit über alle Götter unter Beweis, indem er zugunsten seiner "Armen" bzw. des Hauses Jakob eingreift[49]. An diesen Ge-
richtsherrn über die Nationen appellieren auch die rechtsuchen-
den Einzelnen im Klagepsalm[50], wendet sich der Dank dessen, der
Rechtsbeistand fand[51].
2. Daß Israel dagegen selbst unter dem Gericht seines Gottes
stand, konnten die vorexilischen Propheten nur so bewußt machen,
daß sie die Erwartung des "Tages Jahwes" auf den Kopf stellten[52]. Ihr literarisches Mittel ist der Rechtsstreit, in dem
Gott vor Himmel und Erde seine rīdeqōt an Israel einklagt und
sein Volk "richtet"[53]. Die Völker sind dabei mehr Forum, manchmal Instrument des Gerichtes. Israel wurde so gezwungen, seine
Erwählung einmal aus der Perspektive der Weltöffentlichkeit zu
betrachten und zu würdigen. Nur so konnte es seine Heimsuchung
"vor den Augen aller Völker" (Ez 5,8 u.ö.) als das gerechte Walten seines Bundesgottes verstehen.

---

45) Vgl. BILLERBECK III,139.

46) κοσμέω κτλ, in: ThW III, 867-898, 891.

47) Vgl. die methodischen Vorbehalte von BARR 28ff.

48) Vgl. KRAUS, Psalmen I,200; F. HORST, Gericht Gottes im AT
und Judentum, RGG³ II, 1417-1419.

49) Vgl. Ps 76; 82,7; 96-98.

50) Ps 7,8f; 9,20f; 94; vgl. Gn 18,25.

51) Ps 9,8f.

52) Vgl. V. HERNTRICH, Der at.liche Begriff mišpāṭ, in ThW III,
922-933, 928,11ff.

53) Vgl. Mich 1,2ff; 6,1ff u.a.; Ps 50,4.

Die Prophetie eines Dt-Is geht davon aus, daß die Schuld Israels bezahlt ist; jetzt führt derselbe Gott, der sein Drohwort verwirklichte, sein Heil herauf. Dabei erhält die Kulisse der Völker wieder eine andere Funktion: die Gerichtsrede[54] fordert sie auf, angesichts dieser Großtat Gottes den einzigen Helfer, Jahwe, anzuerkennen. Kyros ist Werkzeug dieses Umschwungs. Das Gericht über die Völker (vgl. 51,5) ist hier geradezu die lichtvolle Offenbarkeit des Heils über dem begnadigten Sion.

Nach dem Exil verläuft der Traditionsstrom vom Völkergericht in zwei Betten:

1. Die weisheitliche Maxime, daß es dem Gerechten gut ergeht[55], wird mehr und mehr im erhofften Gericht Gottes verankert[56]. Dabei denkt man an die individuelle Vergeltung, hauptsächlich gegenüber dem Frevler (z.B. Sir 35,14ff). Das davon inspirierte Gebet schaut aus nach dem Tag, an dem die Bewohner der Erde Gerechtigkeit lernen[57], die Gottesfürchtigen aber Barmherzigkeit finden. Die Weisheit neigt dazu, das Gericht über den Gerechten schon zu dessen Lebzeiten als "Züchtigung" vorwegzunehmen[58], ein Gedanke, der auch in die Apkk eindringt[59].

2. Auch die Apokalyptik erwartet vom Endgericht zunächst einmal die Abrechnung mit den Weltreichen. Die ganze Welt harrt auf das Gericht und die Gnade ihres Schöpfers (4 Esr 11,46). Nach der 10-Wochen-Apokalypse aethHen 91,14 wird in der 9. Woche "das Gericht der Gerechtigkeit der ganzen Welt offenbar werden, und alle Werke der Gottlosen werden von der ganzen Erde verschwinden". Wenn auch immer wieder die Wiederherstellung der Ehre Gottes als das eigentliche Ziel der Geschichte durchschimmert[60], so ist der Tag des Gerichtes für die Erlösten doch die Stunde des Triumphes. Das Gericht "für" die Gerechten ist die Rache an ihren Feinden[61]. Da sich die apk Kreise oft im Gegensatz zu abtrünnigen Juden formierten, kennen sie aber auch ein Gericht über das ungetreue Israel[62].

---

54) Vgl. WESTERMANN, Jesaja 16f.

55) Vgl. v. RAD, Weisheit. Er betont S. 172, daß dabei ursprünglich nicht an einen richterlichen Akt Gottes gedacht sei.

56) Vgl. SJÖBERG 197 zu Sir.

57) Sir 36,1-17; Is 26,8ff; vgl. auch PsSal 8,24ff.

58) Vgl. zu den PsSal SJÖBERG 204f, H. BRAUN, Erbarmen 14f,34ff. LIMBECK 109f kritisiert seine Deutung, weil die Barmherzigkeit, die der Fromme im Endgericht erwarten darf, wegen des vorausgehenden Strafgerichts keinen "geheimen Werkcharakter" trage.

59) Vgl. syrApkBar 1,4 u.ö.; zu Qumran vgl. BECKER, Heil 162ff.

60) Vgl. aethHen 27; 36,4; 46,5f; 63,4ff; 4 Esr 7,60; 8,60; zu Qumran LIMBECK 170ff.

61) Vgl. aethHen 47,2; 1QM 11,13ff; VOLZ § 39, bes. 280ff, 304f.

62) Vgl. VOLZ 284c; BECKER, Heil 63, 71ff für Qumran.

L. MATTERN[63] hat gemeint, im apk Schrifttum könne man nicht von
einem Gericht an den Gerechten sprechen; es gehe nur um ihre
Rettung, die Offenbarung ihrer Gerechtigkeit und ihres im übrigen nicht differenzierten Lohnes. Als Trost-Schriften verfolgen
die Apokalypsen sicher diesen Zweck. Aber man kann aus ihnen
auch nicht die Mahnung zum tōrā-Gehorsam streichen, und so
bricht gerade in den paränetischen Schlußansprachen und in den
Stücken, die zur Umkehr oder Gesetzestreue anhalten wollen, eine
Vorstellung vom Gericht durch, das auch der Fromme ernst zu nehmen hat: z.B. syrApkBar 85,9:

> "Bevor nun das Gericht das Seine fordert
> und die Wahrheit das, was ihr zukommt,
> wollen wir uns vorbereiten,
> daß wir nehmen und nicht genommen werden,
> und daß wir hoffen und nicht zu Schanden werden,
> und daß wir Wonne genießen mit unsern Vätern
> und nicht Pein erleiden mit unseren Hassern"[64].

Und der Nachtrag zum aethHen 108,13 ermuntert durch den Ausblick
auf den Lohn als Frucht des Gerichtes:

> "Sie werden zahllose Zeiten hindurch glänzen,
> denn Gerechtigkeit ist das Gericht Gottes.
> Denn den Treuen wird er in der Wohnung rechtschaffener Wege
> mit Treue lohnen."

Im Rabbinismus kommt das Richten Gottes aus seiner universal
vergeltenden Gerechtigkeit, der auch Israel unterworfen ist. Ja,
gerade dadurch, daß es die tōrā angenommen hat, ist seine Verantwortung größer geworden; wer mit Kenntnis von Lohn und Strafe
sündigt, wird sogar strenger beurteilt[65]. Aber im allgemeinen
gibt die Tatsache, daß Israel sich allein mit der tōrā beschäftigt hat, ihm gerade einen Vorsprung vor den Völkern der Welt[66].
Die Metaphorik des Richters, der Verdienst und Schuld abwägt,
wird in der rabbinischen Theologie stark ausgebaut. Auch sie
kennt den Topos vom unbestechlichen Richter, der keine Rücksicht
nimmt[67]. BILLERBECK III,80f zeigt jedoch, daß man versuchte,
ihn mit der Sonderstellung Israels zu vereinbaren. Weil eben
noch die dem Gottesvolk einmal zugesicherte Barmherzigkeit Gottes mit im Spiel ist, genießen die Juden gegenüber den Heiden
im Gericht mancherlei Vorzüge[68]. Gottes Gerechtigkeit zahlt das

---

63) Vgl. 18, 23.

64) Vgl. außerdem 83,2f; aethHen 50; auch PsSal 9,4f spricht von
    allgemeiner iustitia retributiva Gottes (anders BECKER, Heil
    26ff; ihm widerspricht mit Grund GÜTTGEMANNS, VuF 12 (1967)
    83f). Vgl. ferner 4 Esr 7,105.115; Jub 21,4; vgl. 5,12. Hier
    ist, wie noch PsSal 2,18 und syrApkBar 13,8; 44,4 betont,
    daß Gott kein Ansehen der Person kennt. Ein Gericht mit dop-
    peltem Ausgang nimmt auch Sib IV,40ff.183f an. Hier wird
    ausdrücklich κόσμος in Verbindung mit κρίσις und κρίνειν ge-
    braucht. Vgl. dazu BUSSMANN 149.

65) Vgl. SJÖBERG 24f, 96f.

66) Vgl. BILLERBECK III,84.

67) Vgl. Aboth 4,22, zitiert BILLERBECK IV,1107.

68) Vgl. BILLERBECK   III,81ff; IV,1105f; SJÖBERG 72ff.

wenige Gute, das die Heiden wirkten, ihnen schon in dieser Welt aus, um sie in der anderen bestrafen zu können[69]. Während ein Rechttun einzelner Heiden zum Heil durchaus vorstellbar war[70], galt doch ihr Gros als massa perditionis.

Zusammenfassend läßt sich sagen: der kosmische Horizont des Gerichts ist Pl vorgegeben, besonders von der Apkk. Doch besagt das noch nicht viel: gerade die apk Schriften sehen das richterliche Eingreifen Gottes perspektivisch. Gott nimmt vor aller Welt für das Häuflein seiner Gerechten Partei. Entscheidend ist, worauf sich das besondere Gottesverhältnis stützt. Für das Judentum schied das Gesetz zwischen Outsider und Insider. Bei Pl verbürgt der Besitz des Gesetzes allein noch keine Sonderbehandlung (vgl. V. 13). Er legt den gewiß auch den Juden schon vertrauten Maßstab, nach dem das Tun den Ausschlag gibt, streng an alle an. Da muß auch Israel zusammen mit der ganzen Welt seine Schuld bekennen (vgl. 3,19). Wenn niemand mehr vor den Schranken des Gerichts etwas Gutes vorzuweisen hat, ist damit negativ allen Menschen die gleiche Heilschance eingeräumt.

3. Die Destruktion der jüdischen Vermittlerrolle (2,17ff)

Erst V. 17ff nehmen den Selbstanspruch des Juden, das Gebot Gottes besonders genau zu kennen, auf, aber nicht ohne ironischen Nebenton. Sein Eigenbewußtsein, das auf der im Gesetz Gestalt gewordenen Wahrheit Gottes gründet und sich zum "Führer der Blinden" aufschwingt[71], wird durch die Tat widerlegt und als subjektiver Selbstbetrug[72] entlarvt. Der stolze Titel φῶς τῶν

---

69) Vgl. BILLERBECK III,140ff.

70) Vgl. BILLERBECK III,79. 142m; SJÖBERG 80f.

71) LIETZMANN folgend hat SCHLIER, Von den Juden 44 vermutet, daß sich hinter dem Ausdruck "die Gestalt der Erkenntnis und der Wahrheit" möglicherweise der Titel einer jüdischen Propagandaschrift verberge. Während MICHEL diese Anregung aufnimmt, plädieren KUSS und VAN DÜLMEN 80 Anm. 33 für pl Formulierung. Auch wenn Pl keine Quelle ausschreibt, so spielt er doch auf die Selbstempfehlung jüdischer Missionare in der Diaspora an. Vgl. den folgenden Einschub.

72) Vgl. die Verben ἐπονομάζεσθαι, ἐπαναπαύεσθαι, καυχᾶσθαι, πεποιθέναι und die Auslegung von KÜHL.

ἐν σκότει knüpft wohl an die Is 60,1ff besonders deutlich ausgesprochene Hoffnung an, daß einmal alle Völker zum von Gottes
Glanz erhellten Sion pilgern werden.

Is 42,1ff; 49,6 spricht dynamischer davon, daß der Gottesknecht
die Wahrheit an die Enden der Erde hinaustragen soll und so zum
"Licht der Völker" wird. Die Nachinterpretation 42,5-9 sowie die
Eintragung von "Israel" in 49,3 und in der LXX-Fassung von 42,1
zeigen, daß man Israel diese Rolle zudachte[73]. Die Stellen
scheinen vor allem für das missionarische Selbstverständnis des
hellenistischen Judentums von Bedeutung gewesen zu sein[74].

Die Weiterführung des Motivs von Is 60 in der Synagoge scheint
im allgemeinen daran festzuhalten, daß die Völker erst in der
messianischen Zeit nach dem Licht Sions wallen werden[75]. Midr
HL 1,3 (85a) und 1,15 (94a) nennt allerdings schon das gegenwärtige Israel "Licht der Welt"[76]. Damit soll es nicht nur in
einem statischen Sinn als welterhaltender Faktor gepriesen werden[77]; der Bezug auf Is 60,3 deutet eine zentripetale Bewegung
an. Vermutlich ist der zugrundeliegende Gedanke, daß Israel
durch die Leuchte des Gesetzes der Welt Orientierung gibt[78].

Im Bereich des hellenistischen Judentums, das die tōrā als die
Weisheit im heidnischen Raum propagiert[79], wird das Bild gern
aufgenommen: TestLev 14,4β τὸ φῶς τοῦ νόμου τὸ δοθὲν ὑμῖν εἰς
φωτισμὸν παντὸς ἀνθρώπου; Weish 18,4 τοὺς υἱοὺς σου, δι' ὧν
ἤμελλεν τὸ ἄφθαρτον νόμου φῶς τῷ αἰῶνι δίδοσθαι. Sib III,25ff
appelliert zwar jetzt schon an die Ungläubigen, zum Licht des
Ein-Gott-Glaubens umzukehren, erwartet aber die große Wende erst
in der Endzeit, wenn die Juden durch vollkommmenen Gesetzes-
dienst den heidnischen Völkern zu καθοδηγοὶ βίου (III,194f, vgl.
JosAp II,41) und "Propheten" (III,582.781) werden und sie dazu
bringen, das Gesetz des höchsten Gottes anzunehmen (III,719.757).
Das Mittel der Werbung ist also wie in Röm 2,17ff die tōrā[80].
Entsprechend der Verwendung im Diasporajudentum ist die Vermitt-
lungsaufgabe der Juden bei Pl enteschatologisiert; vielleicht
ist es ein rabbinischer Zug, daß sie durch den einzelnen ge-
schulten "Lehrer" wahrgenommen wird.

---

73) Vgl. WESTERMANN, Jesaja z.St.

74) Vgl. BLANK 227f.

75) Vgl. Midr Ps 36 § 6 (125b) bei BILLERBECK I,162; Pesiqta
    rabbati 36 (162b) ebd. III,149; Midr Ps 72 § 5 (163b) ebd.
    150; ExR 15 (77d) ebd. 254; ferner die ebd. 853 zu Of 21,24
    genannten Parallelen. Vgl. AALEN, Licht 282ff.

76) Vgl. BILLERBECK I,237.   77) Gg. AALEN 288.

78) Vgl. BILLERBECK I,237d BB 4a mit Zitat von Is 2,2.

79) Vgl. GUTBROD, ThW IV,1042.

80) Zum Hintergrund von 2,19f im Ganzen vgl. AALEN 191; DALBERT
    142f; H. CONZELMANN, φῶς κτλ, in: ThW IX, 302-349, 337,1ff;
    GOPPELT, Missionar.

Aber statt daß Gott in seinem Volk verherrlicht wird und alle
Völker auf es schauen, tritt nach V. 23f nun genau die gegenteilige Wirkung ein: durch ihre Übertretungen rauben die Juden
Gott die Ehre. Wo der Name Gottes groß über die finstere Heidenwelt hin hätte leuchten sollen, wird er tatsächlich in den
Schmutz gezogen, wie Pl mit einem seinem Kontext entfremdeten
Zitat aus Is 52,5 bekräftigt[81]. Das heißt doch auch, daß Israel
seine Vermittlerrolle im alten Sinn ausgespielt hat. Wie kann da
etwa Jerusalem noch zum "Vorort" des endzeitlichen Heiles werden? Gegenüber allen Spekulationen, die die Vorstellung von der
eschatologischen Wallfahrt der Völker zum Zentrum des Sion in
Pl-Texte eintragen möchten und die uns noch näher beschäftigen
werden, ist hier schon zu bemerken: Pl begegnet dem jüdischen
Mittleranspruch zunächst einmal in der Form des pharisäischen
Rigorismus und eines Diasporajudentums, in dem der Jude mit dem
Gesetz als Lehrer der unmündigen Welt auftritt. In diesem Sinn
schließt jedoch Pl eine aktive Vermittlung aus. Das Gesetz ist
ein Irrlicht, das nur in den Abgrund führt; und auch die sich
seines Besitzes rühmen, stürzen unweigerlich hinein, weil sie
es selber nicht halten und nur zum Mittel hochmütiger Distan-
zierung mißbrauchen.

C) D i e   n e u e   G e r e c h t i g k e i t
    u n d   d a s   a l t e   B u n d e s v o l k

1. Der Zusammenhang 3,21-30

Das den ganzen Teil 1,18ff abschließende Zitaten-Geflecht von
3,10ff geht wie ein gewaltiges Unwetter über alle vermeintliche
Gerechtigkeit nieder und macht alle Unterschiede vor Gottes Ge-

---

81) Vgl. BILLERBECK I,413a: Israel ist vor allen Völkern er-
    wählt, um den Namen Gottes zu heiligen; seines Gehorsams we-
    gen wird er unter den Heiden gepriesen: III,118.2; TestNaph
    8,4. Ungehorsam dagegen entweiht ihn: I,414ff; TestNaph 8,6
    καὶ ὁ θεὸς ἀδοξήσει ἐν τοῖς ἔθνεσιν δι' αὐτοῦ. Was sollen
    dann die Heiden tun, wenn die einst gesetzestreuen φωστῆρες
    τοῦ Ἰσραήλ sich in Gottlosigkeit verdunkeln (TestLev 14,3f)?

richtshof dem Boden gleich. Die emphatischen Bestimmungen mit
πᾶς (V. 9.12.20) bzw. οὐδὲ εἷς (V. 10.12) lassen niemand dem
Zorn Gottes entrinnen. V. 19 zeigt, daß das Schriftargument
hauptsächlich auf die Juden gemünzt ist, die sich dagegen sträu-
ben, sich mit dem ganzen Kosmos vor Gott schuldig zu geben. Deswegen auch die betonte Klarstellung am Schluß: διότι ἐξ ἔργων
νόμου οὐ δικαιωθήσεται πᾶσα σὰρξ ἐνώπιον αὐτοῦ (V. 20).

V. 21 sagt, daß es nun aber doch Gerechtigkeit vor Gott und von
Gott gibt, und zwar - in der Antithese zu διὰ νόμου V. 20 -
durch den Glauben an Jesus Christus. Εἰς πάντας τοὺς πιστεύοντας
scheint zunächst eine unnötige Verdoppelung, was manche Ausleger
bis heute dazu bewegt, διὰ πίστεως Ἰησοῦ Χριστοῦ zunächst einmal vom "Glauben" bzw. der "Treue Jesu" (Genetivus subiectivus)
zu verstehen[82]. Aber bei näherem Zusehen entpuppt sich die An-
fügung nicht als tautologisch. Das πάντας weist vielmehr auf den
Sinn der Ausführungen, die die These V. 21 einleitet: die Universalität des Heils in Christus, und zwar für Heiden wie für
Juden, wenn auch - mehr als 1,16f - in der Heilsansage eine gewisse Aggressivität gegen letztere liegt; denn sie dünken sich
etwas besonderes, sie betrachten sich als Nicht-Sünder etc. Dadurch daß der Glaube ihr Medium ist, wird die Gerechtigkeit Gottes allen erschwinglich[83]. Der durch das Gesetz markierte Unterschied zwischen Israel und den Völkern ist hinfällig geworden (V. 22c), weil es bei der Kundgabe der δικαιοσύνη θεοῦ
vor aller Menschheit nur noch auf den Glauben ankommt[84].

---

82) Eine Aufzählung der Autoren sei mir erspart. Vgl. nur HO-
WARD, HThR 63 (1970) 223-233: "through the loyalty of Christ
to the Promise all nations are brought into the scope of
God's grace." Gal 2,16 und die Auflösung der Abbreviatur
in Röm 10,9 vereiteln aber diese Deutungsversuche. Gg. die
Version "Treue" spricht auch, daß sich Substantiv und Verb
im gegebenen Kontext gegenseitig bestimmen.

83) Herausgestellt von SCHLATTER, NYGREN, MURRAY, SCHMIDT, HO-
WARD (s. vorige Anm.).

84) KERTELGE, Rechtfertigung 78 Anm. 76 möchte im Anschluß an
STROBEL 188f in πᾶς ὁ πιστεύων eine bereits in der Urgemeinde geprägte Formel sehen. Aber die entsprechenden Stellen
der Apg (10,43; 13,39) sind redaktionell. Die Wendung hat
1,16; 3,22; 10,4.11 noch ihr ganzes Gewicht.

Die Begründung setzt zweifach an:

a) V. 23 rekapituliert noch einmal die seit 1,18ff betriebene
negative Gleichstellung aller in der Schuld. Niemand kann sich
auf eine besondere Nähe Gottes berufen. Die δόξα mag einmal eine
Auszeichnung Israels gewesen sein (9,4; 2 Kor 3,7ff), aber die
Juden nahmen sie so wenig in acht wie die übrigen Menschen den
im Geschaffenen aufleuchtenden Machtglanz Gottes[85], und so zer-
fällt die ganze Kreatur im von der δόξα entleerten Raum (vgl.
8,20ff).

b) V. 24 führt - syntaktisch uneben - den positiven Grund ein.
Pl verarbeitet hier, wie weithin angenommen wird[86], ein hymni-
sches Stück über die Erlösung in Christus. Die wahrscheinlichen
pl Zusätze in diesem Traditionsgut verraten uns die Intention
seiner Aufnahme, mithin auch die theologischen Motive, die für
Pl die Universalität des Heiles gewährleisten.

α) Die Gerechtsprechung geschieht δωρεάν, durch die χάρις Gottes[87], der ja von jeher schon selbst das Sühnopfer beschafft
hat. Diese Initiative Gottes erübrigt die menschliche Sonder-
leistung, die der Jude erbringen möchte.

---

85) Vgl. 1,23; dazu SCHLIER, Doxa bei Paulus, bes. 309f.

86) Vgl. meinen Aufsatz in: ThPh 43 (1968) 51-75,mit den Anm.
8-10 gen. Autoren. Zu ihnen gesellen sich jetzt auch LEEN-
HARDT, Complément 5f, GÄUMANN 149, THYEN 163ff, LÜHRMANN,
ZThK 67 (1970) 437-452, 437ff; WENGST 87ff. CAMBIER, Évangile 74ff dagegen meint, Pl habe nur feste Predigtformeln
verarbeitet. LEENHARDT sagt dazu, das käme auf dasselbe hinaus. Aber dieser Sitz im Leben ist zu ungenau. Die Rekonstruktion von ZIMMERMANN ist mit einigen Unwahrscheinlich-
keiten belastet. Er läßt das Hapaxlegomenon πάρεσις weg und
rechnet auch die Wendung V. 25 εἰς ἔνδειξιν τῆς δικαιοσύνης
αὐτοῦ nicht zur Tradition, obwohl sie Pl womöglich zu deren
Einfügung reizte. Bei seiner Abgrenzung geht ZIMMERMANN von
einer gewissen Unverträglichkeit zwischen Soteriologie und
Christologie aus, um dann am Ende festzustellen, daß diese
Momente im überlieferten Stück noch eng zusammengehören.

87) Während BULTMANN, Theologie 49; STUHLMACHER, Gerechtigkeit
Gottes 89f und CONZELMANN, EvTh 28 (1968) 396 δωρεάν τῇ αὐτοῦ χάριτι für pl Zusatz halten, sieht LÜHRMANN (s. vorige
Anm.) darin noch einen Bestandteil des benutzten Hymnus. Mir
ist aber zumindest für das die Umstandsbestimmungen verviel-

β) Gleichsam in Parenthese[88] und den Hymnus aktualisierend ist V. 25 διὰ πίστεως eingesprengt. Die Tatsache, daß Gott im ἱλαστήριον Christus selbst einen Anfang für ein neues Verhältnis zu ihm setzte, wird im Glauben angeeignet. Denn er bedeutet ja bedingungslose Annahme des Handelns Gottes ohne eigene Voraussetzungen.

γ) Eigens wird V. 26b.c. noch einmal betont, daß es auf dieses Handeln ankommt. Wo der übernommene Text vom "objektiven" Heilsereignis sprach, setzt Pl bewußt hinzu, daß sich das in Gottes δικαιοῦν des Glaubenden auswirkt[89].

Pl baut also die überlieferte Aussage in einen Beweisgang ein, der herausstellt, wie die Erlösung allen in der πίστις Ἰησοῦ als Rechtfertigung zugewandt werden kann. Dadurch daß sich der Glaubende auf das Christusereignis beziehen kann und weil der Glaube die einzige gemäße Antwort darauf ist, kann jeder Gerechtigkeit finden. Das folgernde οὖν V. 27 ist ein Indiz dafür, daß der ganze Passus darauf angelegt ist, jegliches Rühmen - wobei natürlich Pl das vom Juden beanspruchte besondere Gottesverhältnis (2,15) auf Grund der Gesetzesgabe (2,23) aufs Korn nimmt[90] - auszuschließen, weil es durch den von Christus her vorgegebenen νόμος πίστεως faktisch schon ausgeschlossen ist (Aorist). In dem prinzipiellen Satz V. 28 trägt das ἄνθρωπον freilich keinen

_____

fachende τῇ αὐτοῦ χάριτι, das durch αὐτοῦ an das Vorhergehende gekoppelt ist, pl Herkunft wahrscheinlicher.

88) PLUTA nimmt ebenfalls vorpl Überlieferung an; sein Versuch, ihr auch das διὰ πίστεως im Sinn von "Bundestreue" zuzuteilen, scheitert aber an der Festlegung des Begriffes in V. 22.26ff. Zu seinen rhythmischen Erwägungen vgl. WENGST 88 Anm. 7.

89) Anders als in ThPh 43 (1968) 72ff möchte ich nun doch V. 26 ab πρὸς τὴν ἔνδειξιν für pl Erweiterung halten, wobei das δίκαιος noch einmal die Terminologie des Hymnus (im Sinn von 1 Jo 1,9) aufgreift. Ich schließe mich darin der Interpretation von CONZELMANN, EvTh 28 (1968) 396 an. Die Konstruktion mit εἰς τό + Infinitiv verrät - wie in Kap. 4 (s. S. 101) -, wo Pl selbst den gedanklichen Schwerpunkt legt. Immerhin mag meine frühere Deutung gg. KÄSEMANN und seine Nachfolger dargetan haben, daß man den Graben zwischen zitierter Tradition und Weiterführung nicht zu tief ziehen darf. Dazu s.u. 2 b.

90) Vgl. LAGRANGE, KUSS.

besonderen Akzent[91] - auch ein Jude konnte so reden -, es zeigt
nur, daß die Rechtfertigungsproblematik von vornherein im Hinblick auf die ganze Menschheit (vgl. V. 20) erörtert wurde. V.
29 geht noch einmal auf die These des V. 26 ein: wenn alles vom
rechtfertigenden Tun Gottes und vom Glauben abhängt, dann erweist sich Gott eben darin als der Eine, der niemand Sonderwege
reserviert. Pl packt die Juden hier bei ihrem Herzensbekenntnis:
εἷς ὁ θεός. Aber während das Judentum gerade daraus, daß ihm allein der Name und die Einzigkeit Gottes geoffenbart war, seinen
Vorzug ableitete, weil es Dt 6,4 eben auch heißt "der Herr, unser Gott, ist einer", folgert Pl daraus, daß Jahwe nicht nur der
Gott Israels ist, sondern daß er das Heil aller Menschen ins
Werk setzt[92].

2. Gerechtigkeit Gottes = Bundestreue?

Auch das AT konnte von der Offenbarung der Gerechtigkeit Gottes
in einem universalen Rahmen sprechen: Ps 97,2LXX sagt etwa

ἐγνώρισεν κύριος τὸ σωτήριον αὐτοῦ,

ἐναντίον τῶν ἐθνῶν ἀπεκάλυψεν τὴν δικαιοσύνην αὐτοῦ.

Aber der folgende Vers sowie der Tenor der Ps 96-98 macht klar,
daß das Königswalten Jahwes zwei Seiten hat: gegenüber Israel
löst er seine hæsed und ʾæmūnā ein, wenn er den Erdkreis in
Gerechtigkeit richtet (V. 9). Wenn auch Natur und Kosmos von
diesem Geschehen erfaßt werden, so ist die Freude darüber allein
in Sion nicht rhetorisch (Ps 97,8). Im Röm dagegen hat die δι-

---

91) Gg. LAGRANGE; HUBY; KLEIN, Römer 4 149; MARQUARDT 10f; GÜTT-
    GEMANNS, Heilsgeschichte 53f, die darin eine nivellierende,
    bewußt gebrauchte Kategorie erblicken. Prägnanz bestreiten
    mit besserem Anhalt KÜHL; MICHEL; KUSS; LUZ, Geschichtsver-
    ständnis 171 Anm. 135. Vgl. 1QH 16,11: lō jiṣdaq ʾīš mibbal-
    ʿadǣka; Ps 143,2 hatte hier kol ḥaj gebraucht. Wenn Pl ihn
    zitiert, schreibt er πᾶσα σάρξ (3,20; Gal 2,16). Dies ist
    nach 3,28; Gal 2,16a äquivalent mit ἄνθρωπος.
92) Als Kontrast die Äußerung R. Schimeon b. Jochai's in BILLER-
    BECK III,185 mit zahlreichen Parallelen. Zum Monotheismus
    als Thema hellenistisch-jüdischer Missionsliteratur vgl.
    BUSSMANN 176ff.

καιοσύνη θεοῦ für alle Welt Heilscharakter[93]. Wie verhält sie
sich dann zur πίστις (3,3) bzw. ἀλήθεια (15,8; vgl. Ps 97,3LXX)
Gottes, durch die er doch besonders Israel gegenüber im Wort
ist? M.a.W. stellt sich die Frage, ob beim Offenbarwerden der
"Gerechtigkeit Gottes" den Juden nicht schon von daher eine bevorzugte Stelle gebührt, weil der Terminus von seiner Verwendung
in jüdischen Traditionen her unlösbar mit dem heilsgeschichtlichen Engagement Gottes für Israel assoziiert wird. Handelt es
sich um einen Begriff, der den Kontext von Verheißung und Bund
wachruft? Kann man ihn schlichtweg mit "Verheißungstreue"[94]
oder "bundesgerechtem Handeln" wiedergeben? KUSS[95] meint, die
in Christus offenbarte Gerechtigkeit Gottes sei "nichts anderes
... als das Sich-Hinwenden zu seinem erwählten Volke", "nichts
anderes als seine helfende Treue zu seinem Volke, die in der
Schrift immer von neuem bezeugt ist"[96]; aber dieser Gott erschließt sich ganz anders, als ihn die Hoffnung Israels sich
ausdenkt; sein Volk "umfaßt nunmehr grundsätzlich alle Menschen"[97]. Kann das Wort "Gerechtigkeit Gottes", in dem

---

93) SCHWEIZER, EvTh 22 (1962) 105 kann Ps 98,2f nur deswegen in
1,16ff erfüllt sehen, weil er - von V. 18 angeregt - meint,
in der Verkündigung des Ev bei allen Völkern geschehe "zunächst der eschatologische Ausbruch des Zornes Gottes." Wir
sahen aber, daß diese Verknüpfung kaum haltbar ist. In der
Gerechtigkeit Gottes ist allen Menschen eindeutig Heil angeboten.

94) So LYONNET, VD 25 (1947) 23-42; 118-121; 129-144; 193-203;
257-263; ders., VD 42 (1964) 121-152; 139 wird sie bestimmt
als "activitas essentialiter salvifica Dei quâ populus Israel (et in N.T. totum genus humanum) restauratur in bonis
a Deo promissis." Die Schwierigkeit, daß sich Gottes Treue
zu seinem auserwählten Volk nun in der Ausweitung der "Gerechtigkeit" auf alle Glaubenden bekundet, überbrückt LYON-
NET dadurch, daß er die Verheißung in Abraham bereits auf
das "Neue Israel" hin angelegt sein läßt (vgl. in der ersten
Artikelserie S. 33). Wir bemerkten aber bereits im vorigen
Kap., daß diese pl Ansicht sich keineswegs organisch aus der
Überlieferung ergibt, sondern daß sie gegenüber dem Judentum
erkämpft werden muß. Das neue Heil von der Verheißungstreue
Gottes her zu bestimmen, hätte dort nur falsche Assoziatio-
nen hervorgerufen.

95) Paulus 382   96) Ebd. 351.

97) Vgl. ebd. 383, 351. Ähnlich nun ZIESLER 187 zu 1,17: "God's
righteousness is his own covenant loyalty, now in Paul wi-
dened beyond a covenant with Israel and made universal."

diese Neufassung zum Ausdruck kommt, überhaupt noch die Bindung an das geschichtliche Gottesvolk mitsagen? Wir müssen uns also - bedingt durch die Forschungssituation - zunächst einmal mit seiner möglichen Begriffsgeschichte befassen.

Exkurs

Zum semantischen Hintergrund der "Gerechtigkeit Gottes"[98]

a) Der Einfluß des AT

Entscheidend für die heutige Diskussion um die pl δικαιοσύνη θεοῦ war eine Neuinterpretation der Wurzel ṣdq im atl. Vorfeld[99]). Sie baute auf der Erkenntnis H. CREMERs auf, daß Gerechtigkeit im AT nicht an einer abstrakten Norm, sondern am Anspruch eines bestehenden Gemeinschaftsverhältnisses bemessen wird. K. KOCH und G.v. RAD[100]) haben bekanntlich diese Position im deutschen Sprachraum eingenommen. Sie sprechen geradezu von der "Gemeinschaftstreue" Jahwes. Dagegen hat H.H. SCHMID die israelitische Verwendung vorgegebener Elemente eines kananäisch-altorientalischen Ordnungsdenkens herausgestellt, in der der Kosmos auf einen höchsten Gott hin ausgerichtet ist. Während so Bund und Erwählung im ursprünglichen Umkreis von sdq weitgehend fehlen[101]), muß SCHMID doch zugestehen, daß diese Ordnungsvorstellung in Israel geschichtlich gefaßt und - etwa in Ps 50[102]) oder bei den Propheten[103]) auf den Bund hin konkretisiert wurde,wenn er diesen Vorgang auch in seinem Buch kaum darstellt. So können wir davon ausgehen, daß die spezifisch atl. Ausbildung der Gerechtigkeit Gottes - sei es im Rahmen der prophetischen

---

98) Vgl. G. SCHRENK u.a., δίκη κτλ, in: ThW II, 176-229, 197ff; OEPKE, ThLZ 78 (1953) 257-264; KUSS 115-131; KÄSEMANN, Gottesgerechtigkeit; BULTMANN, Theologie 271ff; ders., ΔΙΚΑΙΟΣΥΝΗ ΘΕΟΥ; Ch. MÜLLER; BECKER, Heil; STUHLMACHER, Gerechtigkeit Gottes; KLEIN, Gottes Gerechtigkeit; KERTELGE, Rechtfertigung; GÄUMANN 138-158; CONZELMANN, EvTh 28 (1968) 389ff; ders., Theologie 238ff; LEENHARDT, Complément 9-13; AALEN, tidsskrift for teologi og Kirke 39 (1968) 161-176; GÜTTGEMANNS, "Gottesgerechtigkeit"; ZIESLER.

99) Vgl. die Überblicke bei SCHMID 1ff und REVENTLOW 33ff. Gg. letztere Arbeit sind methodische Vorbehalte anzumelden. REVENTLOW zieht nämlich mit dem Vorsatz aus, das AT von einer - nicht näher erläuterten - Rechtfertigungslehre her auszulegen (z.B. 38), gelangt aber dahin, "den pl. Begriff der δικαιοσύνη θεοῦ von dem Ausgangspunkt des atl. 'Gerechtigkeits'-Denkens aus mit einem umfassenden Inhalt" zu füllen (vgl. 113). Weitere Lit.: F. HORST, Gerechtigkeit Gottes im AT und Judentum, RGG⁵ II, 1403-1406; CAZELLES; SEIERSTAD.

100) Theologie I,382ff.   101) SCHMID 167.

102) Ebd. 145.   103) Ebd. 180.

Gerichtsrede, in der königlichen Theophanie[104], sei es in der Anrufung des rechtschaffenden Helfers im individuellen Klagelied[105] oder Vertrauenspsalm, sei es auch im strafenden Eingreifen gegenüber Israel[106], in der Weiterentwicklung gottesdienstlicher Segenszusage bzw. Heilsankündigung bei Dt-Is oder in nachexilischen Bußgebeten[107] - am Bund orientiert ist[108].

Lassen sich diese Erkenntnisse auf den pl Gebrauch von "Gerechtigkeit Gottes" anwenden? Hier ist vor einem Kurzschluß zu warnen: oft überträgt man einfach als zentral angenommene atl. Gehalte auf den pl Begriff, ohne daß schon geklärt ist, worin dieser eigentlich seine Wurzeln hat. So lädt REVENTLOW[109] ihn unbesehen mit der Idee einer auf Gottes Schöpfermacht beruhenden Ordnung, in die auch der Mensch aufgenommen wird, auf. Andere[110] wollen den Heilscharakter der pl δικαιοσύνη θεοῦ verständlich machen, indem sie an die Gleichsetzung von "Heil" und "Gerechtigkeit" bes. bei Dt-Is und in manchen Psalmen appellieren. Aber es fällt schon auf, daß Pl sich nirgends auf diese Stellen stützt, die ihm doch gelegen kommen müßten, um seine Auffassung von Gerechtigkeit biblisch zu begründen. Die einzigen Schriftworte, die δικαιο- für Pl signifikant verwenden, scheinen Hab 2,4; Ps 143,2 und Gn 15,6 zu sein, wenn wir von 2 Kor 9,9f absehen dürfen. Sie insinuieren aber eher ein anthropologisches Verständnis der Gerechtigkeit; für die Bedeutung "Bundestreue" läßt sich daraus nichts entnehmen. Daß Gesetz und Propheten die Gottesgerechtigkeit bezeugen (3,21), heißt noch nicht, daß sie traditionsgeschichtlich daraus ableitbar ist. Umgekehrt gilt aber auch: daß sie "Sprachereignis" ist, d.h. von Gott im Ev zugesprochen wird und den Bruch mit dem Leben ἐκ νόμου bedeutet, braucht nicht von vornherein auszuschließen, daß sie den Hörer auf einen bestimmten sprachlichen Kontext hin anspricht; diesen könnte das Gesetz als "Schrift" liefern, weil es nach 3,21 gerade nicht mit dem Gesetz als Heilsmittel selbig ist[111]. So müssen wir also zunächst fragen, ob es bei Pl selbst Anzeichen dafür gibt, daß der Begriff einem bestimmten Überlieferungsstrom entnommen ist.

---

104) Vgl. HORST (s. Anm. 99) Nr. 1.   105) Vgl. SCHMID 146ff.

106) Dieser Kontext ist in Is 5,16 und wohl auch 10,22 unbestreitbar. Gg. CAZELLES vgl. SCHMID 113 Anm. 162; SEIERSTAD; WILDBERGER z.St.

107) Vgl. ThPh 43 (1968) 64ff.

108) Vgl. CONZELMANN, Theologie 239; ebenso ZIESLER 38ff.

109) Vgl. 113ff.

110) Z.B. STROBEL 182ff; MURRAY zu 1,17; LYONNET, VD 42 (1964) 128ff. Letzterem gilt als Anhalt, daß im Kontext der 3,5 und 3,20 zitierten Psalmen eine solche helfende und vergebende ṣedāqā vorkommt. Vgl. Bibl 38 (1957) 44f; Exegesis 90f, 192ff.

111) Dies gg. GÜTTGEMANNS, "Gottesgerechtigkeit" 95, 97f.

b) Der Befund bei Paulus

Selbst wenn man in δικαιοσύνη θεοῦ einen Terminus technicus vermutet, dürfen die Verwendungen ohne Genetiv nicht unbeachtet
bleiben[112]), weil das Simplex oft im gleichen Zusammenhang erscheint[113]). Ja, eigentlich müßte die ganze Breite der Ablei-
tungen von δικαιο- in Augenschein genommen werden, da sie häufig
nebeneinander auftauchen[114]). In welchem Kontext stehen nun die
Gerechtigkeitsbegriffe? Welche Begleit- oder Gegenwörter stellen
sich mit einer gewissen Häufigkeit ein? M.E. zeichnen sich zwei
große Gruppen ab[115]).

1. Der Zusammenhang der Rechtfertigungsbotschaft

Das Substantiv δικαιοσύνη, das Verb δικαιοῦν und das Adjektiv
δίκαιος sind oft näher bestimmt durch ἐκ (διά) πίστεως bzw. πί-
στει, πιστεύειν. Den Gegensatz dazu bildet ein Gerechtfertigt-
werden, bzw. eine Gerechtigkeit ἐξ ἔργων (νόμου), ἐκ νόμου bzw.
ἐν νόμῳ. Solche Textpartien sind Phil 3,6-9; Gal 2,15-21; 3,5ff;
5,4ff; Röm 1,17; 3,20ff (V. 25b ausgenommen, s.u.); 4; 5,1ff;
9,30ff; 10,1-11. Hier grenzt Pl sein Heilskonzept polemisch gegen das des offiziellen pharisäischen Judentums ab. Der gemeinsame Hintergrund, auf den er sich dabei bezieht, ist die Frage,
wie der Mensch vor dem Richtergott bestehen kann. Pl kann für
diesen Sachverhalt an anderer Stelle die vom Judentum ererbte
Begrifflichkeit benutzen[116]). Es geht darum, wie man ein δίκαιος
παρὰ τῷ θεῷ sein kann, oder um die Frage: διὰ νόμου δικαιοσύνη;
(Gal 2,21). Die Gegenstellung zu den jüdischen Gesprächspart-
nern, für die das Tun des Gesetzes entschied, was der Mensch am
Ende in den Augen Gottes galt[117]), bewirkt dabei eine forensische Formalisierung des Begriffs "Gerechtigkeit". Obwohl Pl zu-
gesteht, daß das Gesetz dem Menschen das Ziel "Gerechtigkeit"
vorgibt (9,31), bestreitet er doch, daß aus Gesetzestaten jemand

---

112) Das wurde in der Kritik an STUHLMACHER häufig vermerkt,
z.B. E. GRÄSSER in seiner Bespr. ThLZ 93 (1968) 32-36, 33.

113) Vgl. GÄUMANN 156 Anm. 218.

114) Vgl. GÄUMANN 139 Anm. 17.

115) Im Folgenden bin ich bes. BECKER, Heil 250ff verpflichtet.
In seiner Darstellung ist jedoch die Gefahr nicht ganz ge-
bannt, daß es bei einem Nebeneinander der aufgezeigten Aus-
sagekreise bleibt. GÜTTGEMANNS, "Gottesgerechtigkeit" 90ff
hat nun in linguistisch versierter Terminologie die erste
Gruppe herausgestellt. Aber es gibt eben nicht bloß das
"Umfeld", das durch diese "distinktiven Oppositionen" gekennzeichnet ist. Trotz seiner Forderung S. 81 nach einer
umfassenden "semantischen Strukturanalyse der Lexeme des
Semantems" δικαιο- scheint er für ganze Bereiche (s.u. Nr.
2) systemblind zu sein. ZIESLER beschränkt sich auf die
theologiegeschichtlich vorgegebene Frage, "how far the
words are used purely relationally... and how far ethical-
ly." Die Alternative erweist sich im Lauf der Untersuchung
als ungeschickt. Sein Ergebnis erreicht eine Zweiteilung,
die sich mit der unsrigen z.T. überschneidet, basiert aber
auf einer verhängnisvollen Trennung von Verb und Nomen.

116) Vgl. 1 Kor 4,3ff; Röm 1,32 δικαίωμα; 2,2ff, bes. 13; 8,33.

vor Gott als gerecht erfunden werden kann (vgl. 3,10.20); nur
die in Christus geschenkte (δωρεὰ τῆς δικαιοσύνης) Gerechtigkeit verleiht dem Glaubenden Stand im Endgericht; Gott wird ihr
das eschatologische Leben zusprechen[118]. Hier wird die δικαιοσύνη zweifellos vom Menschen ausgesagt.

Wie ist in dieser Konstellation der Genetiv τοῦ θεοῦ zu beurteilen? Auf der mit dem Judentum gemeinsamen Basis könnte nur eine
Gerechtigkeit "vor Gott" damit gemeint sein[119]. Diese Auffassung würde sich etwa im Übergang von 3,20 zu 3,21f nahelegen.
Eine derartige, der δικαιοσύνη θεοῦ entsprechende Bildung ist
jedoch der alten Synagoge fremd. Jüdisch kann nur das abstractum
pro concreto stehen; "das, was vor Gott recht ist", ist aber Objekt menschlichen Tuns[120]. Will Pl sich nicht nur auf die rabbinische Fragestellung einlassen, sondern im Begriff zugleich
seine Gegenthese formulieren, so muß der Genetiv den auctor angeben[121]. Denn Gott konstatiert nicht nur vorhandene Gerechtigkeit, sondern legt selbst den Grund für seinen Spruch. Damit ist
nicht behauptet, daß Pl den Begriff erst in der Auseinandersetzung geschmiedet hat. Bei seinem ersten Auftreten 2 Kor 5,21
fehlen ja noch solche Zusätze wie "aus dem Glauben", "ohne das
Gesetz". Aber wenn Pl eigenem Gerechtsein gegenüber von der ἐκ
θεοῦ δικαιοσύνη (Phil 3,9) spricht oder Röm 10,3 den Genetiv
betont voranstellt[122], dann entfaltet er offenbar nur, was in
der Form δικαιοσύνη θεοῦ schon steckt: sie bezeichnet prägnant
Gott als Urheber der für das ewige Heil ausschlaggebenden Gerechtigkeit[123]. Es ist nun zu sehen, wie dieses Vorkommen sich

---

117) Vgl. BILLERBECK I,250f; III,162ff.

118) Vgl. 5,16ff. Das Futur V. 19 halte ich mit BECKER, Heil
268f gg. BULTMANN, Theologie 274f und KERTELGE, Rechtfertigung 144ff für "echt", d.h. eschatologisch. Und zwar gerade wegen der bei diesen Autoren gegebenen Begründung: die
Apodosis ist vom Standpunkt der Zeitenwende aus gesprochen;
wie das ganze 5. Kap. will sie dartun, daß die schon ge-
schehene Rechtfertigung das Leben Gottes verbürgt, weil es
im Gericht auf sie ankommt.

119) Genetivus relationis; diese Deutung wird kaum pointiert
vertreten. KLEIN, Gottes Gerechtigkeit 230 nennt δικαιοσύνη
θεοῦ "primär" einen Beziehungsbegriff (BULTMANN, Theologie
278: sie meint die Relation des Menschen zu Gott); aus 231f
wird aber klar, daß die "neue Daseinsbestimmung" nicht nur
"Ergebnis von Gottes Freispruch", sondern auch "Gabe" ist.

120) So Jak 1,20 und die Targume zu Dt 33,21 (vgl. BILLERBECK
III,29). Dort steht bezeichnenderweise der Plural.

121) So BULTMANN, ΔΙΚΑΙΟΣΥΝΗ ΘΕΟΥ 470; LÜHRMANN, Offenbarungsverständnis 144f; GÄUMANN 156; BORNKAMM, Paulus 147; offensichtlich auch CONZELMANN, Theologie 243.

122) Das ist anzunehmen, wenn V. 3c keine Tautologie von V. 3a
sein soll. Vgl. K-G § 464,3.

123) OEPKE, ThLZ 78 (1953) 260 hat im Anschluß an KÜHL 41 gemeint, der Ausdruck bedürfe einer Ergänzung, um in der Aus-

zu einem zweiten Kreis von Aussagen verhält, der zwar für Pl
weniger "typisch" ist, aber doch einen ziemlich eindeutigen Umfang hat.

2. Mehr traditionsgebundene Verwendung von δικαιοσύνη bzw. δικαιοῦσθαι

Außerhalb des antijüdischen Kontextes lassen sich Stücke zusam-
menstellen, die von der "Gerechtigkeit" als eschatologischem Gut
und bereits jetzt das Leben verwandelnder Macht sprechen. Hier
hindert Pl nichts, sich an überkommene - sei es christliche, sei
es jüdische - Redeweise anzulehnen. Es sind zu nennen:

α) Der aus der Taufansprache überkommene judenchristlich-hellenistische Gebrauch von δικαιοῦσθαι, weniger im forensischen
Sinn, sondern mehr als Ausdruck für die Gerechtmachung des Christen in der Taufe: 1 Kor 6,11[124]; parallel geht ἁγιασθῆναι. In
derselben Tradition stehen die 1 Kor 1,30c aufgereihten Begriffe
δικαιοσύνη, ἁγιασμός, ἀπολύτρωσις. Das ἀπὸ θεοῦ von V. 30b ist
auch bei ihnen mitzuhören und entspricht dem Passiv des Verbs in
6,11. Pl trägt Eigenes zum Übernommenen bei, indem er diese Er-
rungenschaften in Christus für den Gläubigen personifiziert.

β) Durch das Stichwort ἁγιασμός ist dieser Komplex mit den Ausführungen Röm 6 (vgl. V. 19.22) verbunden, in denen offensichtlich Taufparänese nachhallt. Hier erscheint die δικαιοσύνη schon
fast als Inbegriff des Heils, weil sie das eschatologische Leben
garantiert (vgl. V. 16). Scharf profiliert sich ihr Gegensatz zu
ἁμαρτία (V. 18.20; 8,10), ἀδικία (V. 13), ἀκαθαρσία und ἀνομία
(V. 19). Wie ihr Widerpart tritt auch die Gerechtigkeit als
Macht auf[125], die den Menschen in ihren Dienst (δουλεύειν, δοῦλος) stellt, bzw. seine Glieder als "Waffen" beansprucht[126].
Während in der ersten Aussagereihe logischerweise der Schuldspruch ihr Gegenteil bildet, steht der Gerechtigkeit hier die
Sünde als gottwidrige Macht gegenüber. Sie ist ein Verhältnis,

---

einandersetzung griffig zu werden. Aber die Tatsache, daß
er eine solche immer (2 Kor 5,21 liegt im γενέσθαι, daß es
sich nicht um des Menschen eigene Gerechtigkeit handelt)
hat, könnte auch anzeigen, daß die Genetivkonstruktion im
Unterschied zum Simplex nicht bloß das gemeinsame Objekt in
der Diskussion mit dem Judentum ist, sondern daß spezifi-
sche Gehalte der pl Rechtfertigungslehre damit verbunden
sind.

124) Auch Röm 3,24; 8,30 könnte das Wort vorgegeben sein: vgl.
STUHLMACHER, Gerechtigkeit Gottes 185f. Zu 4,25 s. Anm. 135.

125) Das sollte GÄUMANN 140 Anm. 35 nicht bestreiten. Wenn δικαιοσύνη auch V. 16 nicht im selben Kasus steht wie ἁμαρτία, so entsprechen sich die Ausdrücke doch in V. 18-20
vollkommen.

126) Das Bild von den "Waffen" ist 13,12 und 2 Kor 6,7 etwas
anders verwandt: dort ist die Gerechtigkeit bzw. das Licht
selbst die eschatologische Ausrüstung. Vgl. E. KAMLAH 189ff.

durch das der Mensch Gott zu eigen ist (Vgl. V. 13; V. 18 im Vergleich mit V. 22) und in der Heiligung "Frucht" bringt[127]. So erntet Gott im Gericht nur, was schon sein ist, und führt den Glaubenden in sein ewiges Leben ein (V. 22f).

γ) Vom "Dienst der Gerechtigkeit" sprechen auch 2 Kor 3,9 und 11,15, allerdings nicht im Bezug auf den Gläubigen, sondern auf den Verkünder. Auch ist δικαιοσύνη hier weniger die Macht, der gedient wird, als die Qualifikation des Dienstes, ebenso wie Leben, Herrlichkeit und Licht im Kontext. Er hebt sich so von der διακονία τῆς κατακρίσεως ab, die dem Untergang geweiht ist. LÜHRMANN[128] vermutete in διάκονοι δικαιοσύνης eine Selbstbezeichnung der hellenistischen Pneumatiker, mit denen Pl es zu tun habe. Nun bietet aber der Lehrvortrag 1QS 3,13ff mit seinen Anhängen eine ganz ähnliche dualistische Begrifflichkeit: Im "ewigen Bund" (4,22) stehen die vom Geist der Wahrheit erleuchteten "Söhne des Lichts" im "Dienst der Gerechtigkeit" (vgl. 3,22ff; 4,9; 1QH 6,19) und sind des "Lebens" und der "Herrlichkeit" gewiß; der "Dienst der Unreinheit" (4,10; vgl. Röm 6,19), der von Belial inspiriert ist, endet hingegen im Verderben[129]. Ebenso scheidet der in seiner Terminologie Qumran eng verhaftete Text 2 Kor 6,14ff zwischen Licht und Finsternis, δικαιοσύνη und ἀνομία[130]. In solcher Sprache setzte sich offenbar in jüdischem Raum der rechte Glaube gegen die Irrlehre ab.

Für die beiden letztgenannten Motivzusammenhänge läßt sich ein ziemlich einheitlicher religionsgeschichtlicher Hintergrund aufweisen: es ist die jüdische Apkk, die auch das Denken der Qumrangemeinde leitet. Danach beherrscht die "Sünde" (im Singular) den zu Ende gehenden Äon. "Gerechtigkeit" ist das Kennzeichen der Gottesherrschaft (vgl. Röm 14,17), in der die Gerechten mit ihrem Gott den Sieg erringen. Apokalyptisch ist der schwarz-weiß gemalte Antagonismus der Endzeit, der durch das äonenwendende

---

127) Zu καρπός V. 22 vgl. Phil 1,11 und im Zitat 2 Kor 9,10 γενήματα τῆς δικαιοσύνης. Den traditionellen Charakter der Wendung belegen ferner Hebr 12,11; Jak 3,18. Vgl. E. KAMLAH 181f.

128) Offenbarungsverständnis 141f.

129) Es kommt hinzu, daß der Ausdruck "Engel des Lichts" (2 Kor 11,14) im genannten Stück eine Parallele hat. Ähnlich gelagert ist 1QM 13,1-6. Vgl. zur Analyse v.d. OSTEN-SACKEN 108ff; 116ff; E. KAMLAH 163ff. Vielleicht gehört auch aeth Hen 41,8 in den Rahmen dieser Zwei-Geister-Lehre. Dort heißt es: Gott stärkte die Geister der Gerechten im Namen seiner Gerechtigkeit. Das δουλεύειν ist im Zwei-Wege-Schema negativ präformiert: vgl. TestAs 5f; 6,5 sagt, daß die Seele dem bösen Geist ἐδούλευεν ἐν ἐπιθυμίαις καὶ ἔργοις πονηροῖς; vgl. Mt 6,24.

130) Vgl. BECKER, Heil 240ff. Für "Gerechtigkeit" kann in manchen bezeichnenden Verbindungen auch "Licht" eintreten: vgl. Eph 5,8 mit den Anm. 127 gen. Belegen; Röm 13,12 mit 2 Kor 6,7; 2 Kor 11,14 mit 15.

Eingreifen Gottes entschieden wird[131]. Zu vermerken ist, daß im betrachteten Kontext δικαιοσύνη ohne den Genetiv τοῦ θεοῦ steht. Aus der Tatsache, daß "Gerechtigkeit" hier Machtcharakter annimmt, sind also keine voreiligen Schlüsse auf die Verbindung δικαιοσύνη θεοῦ erlaubt[132].

3. Die Frage nach dem vorgegebenen Terminus

Andererseits dürfen die beiden Felder nicht so getrennt werden, daß man nur die für Pl "charakteristischen" Verwendungen heranzieht, um den Sinn von δικαιοσύνη τοῦ θεοῦ zu bestimmen[133]. Denn schon 2 Kor 5,21 läßt sich da nicht so glatt einordnen. Es geht Pl in diesem Vers darum, die V. 18ff eingeführte "Versöhnung" mit anderen Worten noch einmal zu umschreiben. Der wechselnde Umfang des "Wir" zwischen V. 20 und 21 deutet darauf hin, daß Pl auf liturgische Überlieferung zurückgreift[134]. Das ist für die Interpretation wichtig. Denn dann gehört die Sühnevorstellung, die einen forensisch-moralischen Sinn von ἁμαρτία als "Schuld" und von δικαιοσύνη als "Rechtsein" impliziert, der Tradition an[135]. Pl nimmt sie wohl so auf, daß er sie nach Analogie von Röm 8,3f versteht. So sind ἁμαρτία und δικαιοσύνη θεοῦ

---

131) Für ἁμαρτία vgl. exemplarisch aethHen 104,9; 1QH 1,26f: "Bei dir, du Gott der Erkenntnisse sind alle Werke der Gerechtigkeit und der Rat der Wahrheit, aber bei den Menschenkindern sind Dienst der Sünde und Taten des Trugs." Ferner die Anm. 159 angeführten Stellen. Für die ἀνομία vgl. DE LA POTTERIE 68ff; zur ἀδικία vgl. LUZ, Geschichtsverständnis 73f.

132) Gg. STUHLMACHER, Gerechtigkeit Gottes 75f.

133) So GÄUMANN in seinem Exkurs 138ff.

134) Das hat zum erstenmal KÄSEMANN, Erwägungen 50 angenommen. STUHLMACHER, Gerechtigkeit Gottes 77 Anm. 2 wird in seinen Bemerkungen hierzu darin recht haben, daß V. 19-21 kein einheitliches Zitat sind. Immerhin ist aber auch für ihn V. 21 "traditionsgesättigt". THYEN 188 Anm. 5 stimmt wieder KÄSEMANN zu, KASTING 141 Anm. 49 lehnt ab.

135) Vgl. 1 Petr 2,24; Röm 4,25. Zur Herkunft beider geprägter Stücke aus dem hellenistischen Judenchristentum vgl. WENGST 83ff, 101ff. THYEN 188f erkennt wohl den traditionellen Sühnegedanken, hebt aber davon nicht eine mögliche pl Akzentuierung ab. KLEIN, Gottes Gerechtigkeit 231 fordert dazu auf, den Vers zu "entmythologisieren". Wie das aber gerade durch die forensische Interpretation geschehen soll, ist mir unerklärlich. Das viel berufene μὴ λογιζόμενος αὐτοῖς τὰ παραπτώματα αὐτῶν V. 19 ist ja für Pl untypisch; es scheint der Gebetssprache zu entstammen (vgl. Ps 31,2LXX; TestZab 9,7; 2 Tim 4,16; Joseph und Asenath 11,10 Langtext; analog Apg 7,60; W. HEIDLAND, λογίζομαι, in: ThW IV, 287-295 bringt leider nicht alle Belege.

nicht einfach Qualitäten, die Christus und die Gläubigen im Urteil Gottes tauschen. Die "Sünde" ist der Status der ganzen Menschheit im alten Äon. In Kreuz und Auferstehung - nicht nur im Sühnetod - spricht Gott ein für allemal über sie das Machtwort[136] und führt so für die Christen jene "Gerechtigkeit" herauf, die nur in der "neuen Schöpfung" möglich ist[137]. Die Begriffe können da, wo sie nicht gegen die jüdische Position gewendet sind, in einer neuen Weise "gefüllt" werden.

Ähnliches ist in der 2 Kor 5 verschwisterten Passage Röm 5 zu beobachten. Sie geht von der Rechtfertigung (5,1) aus, um sie als "Versöhnung" im Tod Jesu auszulegen. Aber schließlich wird daraus der königliche Triumph διὰ δικαιοσύνης über die "Sünde" (vgl. V. 21). Die Gerechtigkeit hat, weil sie im δικαίωμα des letzten Adam den Sündern zugänglich wurde, die Wertigkeit des neuen Äons. Da Kap. 5 faktisch überleitet zur Folgerung, die das 6. Kap. für den Stand des Christen zieht, ist die dort beschriebene δικαιοσύνη sachlich keine andere als die 3,21ff proklamierte. Daß Pl dennoch die Verpflichtung und die Heilsverheißung dieser Gerechtigkeit mit apk Kontrastmitteln herausstellen kann, zeigt, daß sie für ihn in solcher Beleuchtung Farbe bekommt.

Das apk Denkschema verrät auch der Gebrauch der Verben ἀποκαλύπτεσθαι - πεφανεροῦσθαι 1,17; 3,21. Natürlich ist damit nicht schon apk Herkunft der damit verbundenen Inhalte erwiesen[138], wie die eigenartige Kombination von der πίστις μέλλουσα ἀποκαλυφθῆναι Gal 3,23 belegt. Aber die Intention des Pl wird ersichtlich: die δικαιοσύνη θεοῦ tritt im Ev als eschatologisches Heilsgut in Erscheinung, das den Menschen an sich nicht zur Verfügung steht, sondern von Gott "offenbart" werden muß[139], während die Welt durch ἀσέβεια und ἀδικία dem Zorn verfallen ist.

---

136) Vgl. κατέκρινεν Röm 8,3; auf die Auferstehung weist außer V. 15 das ἐν αὐτῷ.

137) Den Zusammenhang mit V. 17 betonen STUHLMACHER, Gerechtigkeit Gottes 75ff und KERTELGE, Rechtfertigung 99ff.

138) Richtig CONZELMANN, Theologie 242 Anm. 7. Seine Auskunft, Pl formuliere "in der Sprache der Tradition von Psalmen, später Prophetie und Weisheit", ist allerdings zu ungenau, wie sich unten zeigen wird.

139) Vgl. BULTMANN, Theologie 275f; LÜHRMANN, Offenbarungsverständnis 145ff. Er arbeitet 98ff, 104ff heraus, daß das Verb in der Apkk zweifach verwendet wird. Es bezeichnet 1. das endzeitliche In-Erscheinung-Treten göttlicher Wirklichkeiten, 2. vorweggebende Deutung verschlüsselter himmlischer Tatsachen. STUHLMACHER, Gerechtigkeit Gottes 79 Anm. 1 und Evangelium passim, scheint mir zu sehr die 2. Bedeutung zu strapazieren und kommt so zu seiner "proleptischen" Auffassung des Ev. Der erste Sinn ist im Röm 1,18; 2,5; 8,18f belegt; dazu kommen noch ἐνδείξασθαι und γνωρίζειν 9,22f; vgl. ἔνδειξις 3,25f.

Ist diese Auffassung nun durch einen Terminus technicus der
Apkk, die status-constructus-Form ṣidqat 'ēl, vermittelt? Das
behaupten - nach Ansätzen bei ZAHN (zu 1,17) - OEPKE[140], KÄSE-
MANN[141]) und sein Schüler STUHLMACHER[142]) sowie KERTELGE[143]).
Dagegen haben sich KLEIN[144]), GÄUMANN[145]), CONZELMANN[146]),
THYEN[147]) und GÜTTGEMANNS[148]) ausgesprochen. Auch BULTMANN[149])
hält den Begriff für eine "Neuschöpfung des Paulus". Aus dem
Bisherigen ergibt sich:

Eine traditionelle Färbung von δικαιοσύνη war - von 2 Kor 5,21
einmal abgesehen - zunächst für die Verwendung ohne Genetiv
festzustellen. Die Genetivverbindung begegnete hauptsächlich in
der Auseinandersetzung mit dem jüdischen Anspruch, wobei der Genetiv erst sein volles Gewicht erhielt. Das widerrät doch eigentlich den Versuch, ausschließlich die Genetivformel zum Leitfaden für die traditionsgeschichtliche Arbeit zu nehmen. Außerdem verdoppelt sich das Problem in der einschlägigen Lit. der
Überlieferung. Auch hier steht absoluter Gebrauch neben Genetiv-
konstruktionen. Wir suchen, von den Anklängen in der 2. Gruppe
angeregt, zunächst einmal in einem weiteren Rahmen danach, wo
"Gerechtigkeit" von Gott her innerhalb eines endzeitlichen Er-
wartungshorizontes auftaucht.

---

140) ThLZ 78 (1953) 260ff: "spezifisch jüdische Formel". Damit
Pl sich darin mit seinen Gegnern einig sein kann, muß OEPKE
den an sich erkannten Genetivus auctoris einem obiectivus
oder relationis annähern: 263; vgl. dazu o. Anm. 123.

141) Gottesgerechtigkeit 185.   142) Gerechtigkeit Gottes 71.

143) Rechtfertigung 107.   144) Gottes Gerechtigkeit 226f.

145) Vgl. 157.   146) Theologie 241.

147) 56ff. Er zieht in seiner Kritik vor allem die methodischen
Forderungen von BARR bei. Sie wären noch durch RICHTER 99ff
zu ergänzen: wenn "formal gleichgebaute Wortverbindungen
oder Wortgruppen" bei einem Autor wiederholt belegt sind,
liegt eine "geprägte Wendung" vor. Von einer "Formel" kann
man erst sprechen, wenn die festgeprägte Wortverbindung
sich in mehr als einem literarischen Werk findet. THYEN
legt nun zu Recht den Finger darauf, daß die Genetivverbindung in der jüdischen Lit. keinen einheitlichen Sinn hat.
Ebenso ZIESLER 170. Entscheidend ist der Kontext. Außerdem
ist STUHLMACHER in der Auswertung der Belege mit Genetiv
inkonsequent.

148) "Gottesgerechtigkeit" 77f: um einen traditionsgeschichtlich
auswertbaren Befund herauszudestillieren, muß STUHLMACHER
die Voraussetzung eines unauflösbaren "stereotypen synse-
mantischen Syntagmems" dauernd durchbrechen.

149) ΔΙΚΑΙΟΣΥΝΗ ΘΕΟΥ 475. Er wäre aber geneigt, die pl "Gerechtigkeit Gottes" eine "Formel" zu nennen (ebd. 474), d.h.
in der Terminologie RICHTERs (s. Anm. 147) eine "geprägte
Wendung". Dagegen ist GÄUMANN 157 Anm. 219f skeptisch, weil
der Ausdruck im Corpus paulinum relativ selten vorkommt und

<u>c)</u> Gerechtigkeit als eschatologisches Prinzip in der Apkk

1. Zuerst sind "Recht und Gerechtigkeit" in der Verkündigung der <u>Propheten</u> die Faktoren einer durch Gott bestimmten Zukunft Israels. Während jetzt die Rechtlosigkeit Jerusalem zeichnet, will Jahwe eines Tages ṣædæq und mišpāṭ in seinem Volk hervorbringen (vgl. etwa Os 2,21; Is 1,26f). Bei Is und Jr verbindet sich diese Hoffnung mit dem verheißenen Davidssproß. Aber die Idee ist breiter gestreut, so daß man nicht einfach sagen kann, "Gerechtigkeit" sei für den spätjüdischen Leser der LXX Bezeichnung dessen, "was der Messias ist, wirkt und schenkt"[150]. Nachexilische Texte erwarten von dieser gottgeschenkten Ordnung geradezu eine paradiesische Umwandlung des Landes (Is 32,16f; 33,5; vgl. Ps 85,10ff), wobei das später in Qumran und bei Pl aufgenommene Bild von der "Pflanzung"[151] die Gerechtigkeit als Werk Jahwes veranschaulicht. In dieser Heilszeit hängen menschliches Rechttun und jᵉšūā, manchmal auch ṣᵉdāqā, eng zusammen, ohne deswegen identisch zu sein[152]. Nur im Sinn von "Heil" und mit dem Index der göttlichen Herkunft kann von der "Gerechtigkeit" gesagt werden, daß sie sich "offenbaren" wird[153].

2. Eine mehr technische Nuance erhält dieses Verbum aber erst in der <u>apk</u> beeinflußten Lit. "Offenbarwerden der Gerechtigkeit" des Schöpfers heißt dabei zunächst, daß den Frevlern auf der ganzen Erde das bisher verborgene gerechte Walten Gottes schlagartig aufgeht (vgl. aethHen 91,14) und die Frommen an ihnen seine vergeltende Gerechtigkeit schauen (ApkAbr 31,5). Ein etwaiger Genetiv ist subjektiv zu verstehen; die Gerechtigkeit Gottes entläßt aus sich den Zorn (vgl. aethHen 101,3). In diesem Sinn spricht etwa Röm 2,5 von der ἡμέρα ὀργῆς καὶ ἀποκαλύψεως δικαιοκρισίας τοῦ θεοῦ.

---

in Röm 3,5.25 dazu noch eine andere Nuance hat. Doch läßt sich zumindest eine für Pl "typische" Bedeutung eruieren.

150) Gg. STROBEL 177ff. Ähnlich kurzschlüssig NYGREN 61: "Schon in seiner rabbinischen Zeit war Paulus mit dem Gedanken an die Gerechtigkeit als einem Kennzeichen für die messianische Zeit vertraut. Im Alten Testament war er dem Namen begegnet 'der Herr unsere Gerechtigkeit' als Name des erwarteten Messias" (vgl. Jr 23,5f). Natürlich sind "Recht und Gerechtigkeit" königliche propria, die der Messias (vgl. Ps Sal 17,26f.32; TestJud 24; 1QSb 5,26) oder der Menschensohn (vgl. aethHen 39,6; 46,3; 71,14.16) in seinem Reich realisieren wird. Und 1 Kor 1,30 ist die "Gerechtigkeit" christologisch gefaßt. Wir sahen aber, daß erst Pl beides zusammenbringt, indem Christus unsere Gerechtigkeit "wird".

151) Is 60,21; 61,3. Im ThW vermißt man dieses Stichwort. Vgl. aber die Hinweise von CONZELMANN, Der erste Brief an die Korinther 92.

152) Vgl. Is 56,1; 59,8f.14; Bar 5,2ff. Letztere Passage illustriert schön den Übergang von der δικαιοσύνη als göttlichem Verhalten (noch V. 9) zu der Jerusalem zierenden παρὰ τοῦ θεοῦ δικαιοσύνη (V. 2; vgl. 4).

153) Is 56,1; vgl. Ps 98,2.

3. Dies kann nicht der Ahne der Gerechtigkeit sein, die im Ev zum <u>Heil</u> verkündet wird. Wir wenden uns deswegen den Stellen zu, in denen Gott "Gerechtigkeit" für die Seinen offenbart. Hier denkt man zuerst an die "Geheimnisse der Gerechtigkeit" aus den Bilderreden des aethHen[154]. Sie werden nur antizipierend geschaut, aber am Ende mit dem Menschensohn[155] offenbar[156]. Damit ist zugleich die bislang verhüllte Anbetungswürdigkeit Gottes, der Schlüssel des Weltlaufes wie das Los der Gerechten gemeint. Näher kommen wir aber an die Bedeutung von ἀποκαλύπτεσ-θαι Röm 1,17, wenn in Lichtterminologie beschrieben wird, wie Gott am Ende der Tage "Gerechtigkeit" für die Frommen aufgehen läßt[157]. Wenn das Böse endgültig vernichtet ist, ist "Gerech-tigkeit" durch die Macht Gottes verwirklicht und als "Weg"[158] den Auserwählten erschlossen. Ewige Güte und Gerechtigkeit lösen die Zeit der "Sünde" und "Gottlosigkeit" ab[159]. Jub 1,15ff malen das so aus: "... wenn sie mich mit ihrem ganzen Herzen und mit ihrer ganzen Seele gesucht haben, dann werde ich ihnen viel Heil in Gerechtigkeit eröffnen. Und ich werde sie umändern zu einer Pflanze der Gerechtigkeit[160]....und sie werden zum Segen und nicht zum Fluche sein... Und ich werde mein Heiligtum in ih-rer Mitte erbauen und mit ihnen sein in Wahrheit und Gerechtig-keit..." Wieder schildern dem Bereich von Vegetation und Frucht-barkeit entlehnte Metaphern die wunderbare, unaufhörliche Ge-rechtigkeit der Endzeit[161].

Diese eschatologische Gerechtigkeit wird in der Entscheidung im Endkampf mit dem Bösen gleichsam schon vorweggenommen. So legt TestDan 6,10 der Patriarch seinen Nachkommen ans Herz, was in der Zeit allgemeinen Abfalls not tut:

ʼΑπόστητε οὖν ἀπὸ πάσης ἀδικίας
καὶ κολλήθητε τῇ δικαιοσύνῃ τοῦ θεοῦ
καὶ ἔσται τὸ γένος ὑμῶν εἰς σωτηρίαν ἕως τοῦ αἰῶνος.

---

154) Nachdem nun endgültig feststeht, daß aethHen 37-71 in den aramäischen Fragmenten von 4Q keine Entsprechung hat, wird man diesen Text nur mit Vorbehalt benutzen. Doch die These MILIKs 375, es handle sich um eine <u>christliche</u> Schrift des 3. Jh., müßte auch am Inhalt des Buches nachzuprüfen sein.

155) Vgl. 46,3; 49,2 u.ö.

156) Vgl. 38,1ff; 41,1; 58,5; 63,3; 71,3. Wie ambivalent sie sind, ist daran bemerkbar, daß sie die Bestrafung der Sün-der mit sich bringen.

157) Vgl. DJD I,27, Frgm. 1,I,6 wᵉṣædæq jiglæh kᵉšæmæš...; 1QM 1,8 (Textergänzung mit LOHSE u.a.); TestJud 24,1; Test Zab 9,8 (vgl. Mal 3,20); aethHen 58,3ff.

158) Vgl. Jub 23,26 und oft in der Schlußparänese des aethHen: 91,19; 94,1; 99,10.

159) Diese Gegenüberstellung schon Dn 9,24; aethHen 10,20f; 91,17; 107,1; DJD I,27, Frgm. 1,I,5; ApkAbr 29,13f.

160) Vgl. noch 16,26; 21,24; aethHen 10,16; 84,6; 93,2.5.10.

161) Vgl. 4 Esr 7,113f; aethHen 39,5ff; 48,1ff.

Wie Röm 1,16ff steht δικαιοσύνη τοῦ θεοῦ der ἀδικία gegenüber und bewirkt σωτηρία. Obwohl eine Entscheidung zu ihr gefordert ist, steht sie nicht "für Gottes Macht"[162], sondern meint das Gott gemäße Verhalten, wie die sonst in den TestXII zu κολλᾶσθαι assoziierten Begriffe zeigen[163]. Δικαιοσύνη τοῦ θεοῦ ist also durchaus etwas, was vom Menschen verlangt wird. Und dennoch ist sie nicht jedem beliebig erreichbar; bei der wachsenden Ungerechtigkeit ist nirgends auf Erden Gerechtigkeit zu finden (vgl. 4 Esr 5,2.10f)[164]. So heißt "der Gerechtigkeit nachstreben" Parteinahme für die kommende Herrschaft Gottes, der allein in der sich zuspitzenden Auseinandersetzung mit dem Bösen den Sieg gewährleistet. Dann offenbart sich die Gerechtigkeit als das Heile, dann "freut sich Gerechtigkeit in den Höhen, und alle Söhne seiner Wahrheit jauchzen in ewiger Erkenntnis" (1QM 17,8). Wenn in einem solchen Zusammenhang der Gottesname zum Simplex hinzutritt, dann wird damit die Gerechtigkeit als seinem Fordern und Walten entsprechend gekennzeichnet[165]; allein bei Gott ist sie ermöglicht und vor ihm verwirklicht[166]. Weder die Deutung mit Genetivus subiectivus noch ein forensisches Verständnis als "Geltung für..." kann den Tatbestand recht erfassen.

Immerhin liegen hier für die Pl-Interpretation Kategorien bereit, in denen sich die unter Nr. 2 gesammelten Aussagen einordnen lassen. Vielleicht erklärt dieses Denkschema auch die pl Akzentuierung des Genetivs als Genetivus auctoris: in der apk Engführung gibt es für den Menschen nur noch Gottes Gerechtigkeit. Eines läßt sich freilich sagen: wenn eine Bahn von der Apkk zu Pl verläuft, dann erfolgte die Vermittlung nicht über einen spe-

---

162) Gg. STUHLMACHER, Gerechtigkeit Gottes 171; KERTELGE, Rechtfertigung 27. Hätte STUHLMACHER die Stelle mit den oft in ähnlichem Kontext stehenden absoluten Belegen in TestXII (ebd. 171f) verglichen, wäre er wohl eines andern belehrt worden. OEPKE, ThLZ 78 (1953) 262 will TestDan 6,10 "forensich" (im Gegensatz zu einer "moralischen" Deutung) verstehen und trifft damit ebensowenig den Sinn.

163) Vgl. TestGad 5,2 ἀγάπη τοῦ θεοῦ (Genetivus obiectivus; V. 3 steht parallel dazu einfaches δικαιοσύνη); TestAs 3,1 ἀγαθότης; TestBenj 8,1 beide Begriffe. Natürlich bedeutet dem Bösen "anhängen" auch κολλᾶσθαι τῷ Βελιάρ (TestAs 1,8; TestIss 6,1); trotz dieser eschatologischen Qualifikation bleibt es aber etwas, was der Mensch tut.

164) Man sollte in das Verbum κολλᾶσθαι nicht zu viel hineingeheimnissen. Es scheint Gemeinplatz der jüdischen Zwei-Wege-Paränese (vgl. mit ἀγαθόν Röm 12,9; Barn 20,2; Did 5,2) und gleichbedeutend mit ἀγαπᾶν (vgl. aethHen 94,1 mit "Gerechtigkeit"), ζητεῖν (mit "Gerechtigkeit Gottes" Mt 6,33; mit dem Simplex aethHen 94,4) sowie διώκειν (vgl. Dt 16,20; Is 51,1; Spr 15,9; Röm 9,30; 1 Tim 6,11; 2 Tim 2,22 mit "Gerechtigkeit", die freilich je nach Milieu schillert; rabbinische Belege bei K. MÜLLER 80).

165) So m.E. TestDan 6,10; aber auch aethHen 99,10.

166) Vgl. aethHen 39,7; 58,4.6; 71,14.

ziellen Terminus δικαιοσύνη θεοῦ mit Genetivus subiectivus. In
zwei Punkten bieten diese Texte aber keine Analogie: zwar überwindet die eschatologische Gerechtigkeit Gottes in der Apkk das
Böse, niemals aber wird der Böse (ἀσεβής) selbst gerecht gemacht. Der in diesem Schrifttum Angesprochene soll zwar schon
jetzt nach ihr streben, aber ihre "Offenbarung" vollzieht sich
nicht schon in der Gegenwart wie bei Pl. Hier ist vielleicht die
Weiterentwicklung apk Gedankenguts in der Qumransekte zu beachten, die sich bereits für das endzeitliche Bundesvolk hielt.

<u>d)</u> Rechtfertigende Gerechtigkeit Gottes in Qumran[167]

Mit gemeinapk Topoi wollen wir uns nicht lange aufhalten. Die
Gemeinde in Qumran kann im überlieferten Stil ausschauen nach
dem künftigen Gerichtstag, an dem Gottes Gerechtigkeit (Genetivus subiectivus) "offenbar wird vor den Augen all seiner Werke"[168]. Dann triumphiert der zu seinem Bund stehende 'ēl haṣ-
ṣædæq[169]. Doch kommt dort nur der jetzt schon verfestigte Unterschied zwischen dem ṣaddîq und dem rāšā zum Vorschein. Die
eigentliche Entscheidung fiel bereits, als die Getreuen in den
"Bund" aufgenommen wurden.

Diese Wende feiern die Danklieder 1QH und 1QS 10f, die man schon
oft zum Vergleich mit der pl Rechtfertigung aus Gnaden herangezogen hat. Darin fließen verschiedene Verwendungen von "Gerechtigkeit Gottes" zusammen, die man nach ihrer formgeschichtlichen
Herkunft differenzieren muß:

1. Innerhalb der <u>Gerichtsdoxologie</u> erkennt der Beter - wie Ps
51,6, in nachexilischen Bußgebeten und PsSal[170] - das innerge-
schichtlich vorweggenommene Gericht Gottes an sich selbst als
gerecht an[171]; denn er war durch die Verkehrtheit seines "Flei-
sches" gestrauchelt. Die so gepriesene Gerechtigkeit hat zunächst vergeltenden Charakter[172]; aber in der Fülle des Erbarmens wandelt Gott die Strafe in heilsame Zurechtweisung[173]. So

---

167) Vgl. dazu BRAUN, Römer 7,7-25; ders., Qumran und das Neue
Testament II, 166-172; JOHNSON; SCHULZ; GRUNDMANN, RdQ 2
(1960) 237-259; BECKER, Heil; STUHLMACHER, Gerechtigkeit
Gottes 148ff.

168) Vgl. 1QH 14,15; vgl. CD 20,19ff; 1QM 11,14 und die Schrift
auf den Fanalen im Endkampf 1QM 4,6. Dazu THYEN 58.

169) Vgl. 1QM 18,9.

170) Vgl. BRAUN, Erbarmen 42 Anm. 301 mit Stellen, die vom
Rechtgeben gegenüber dem Richtergott handeln.

171) Vgl. 1QS 1,26 (kollektiv); 10,11.13 (individuell); 1QH
9,9ff.

172) Vgl. 1QS 10,17f; 1QH 1,23.25f; gg. STUHLMACHER, Gerechtigkeit Gottes 159. Aber gg. JOHNSON 160f ist festzuhalten,
daß man hier keine Parallele zu Pl ziehen kann; er spricht
nicht von einer Gerechtigkeit, die sich im Zorn Gottes äußern würde.

173) Wie wir im vorigen Exkurs sahen, ein der Weisheit entlehn-
tes Motiv. Exemplarisch 1QH 9,23ff.

wird die Gerechtigkeit ambivalent, weil sie im Rückblick des zur Einsicht gekommenen Psalmisten als ein Moment eines umfassenden Bundeswaltens verstanden werden kann, das in der Aufnahme in den sōd seinen Höhepunkt findet[174].

2. Wenn von dieser Begnadung die Rede ist, wirkt die Sprachprägung der Klagelieder des Einzelnen nach, der die Güte Gottes als Rechtshilfe erfleht[175]. Sie wird jetzt auf den Vorgang, in dem der Beter Gerechtigkeit, Gutsein und Wissen von Gott erlangt, transponiert (z.B. 1QS 10,11f). Er führt die Tilgung seiner Sünden auf die Gerechtigkeit Gottes zurück, womit in atl. Tradition Jahwes Gemeinschaft stiftendes und erhaltendes Wirken gemeint ist[176]; deshalb verpflichtet er sich - wie im Dankgelübde der Psalmen - zu ewigem Lob der ṣid^eqōt Gottes[177].

3. Während etwa PsSal 17 die Zeit der Gerechtigkeit in die messianische Zukunft verlegt, ist für Qumran die Gegenwart der Sühne, des zum "vollkommenen Wandel" befähigenden Geistes kennzeichnend. Darin aktualisiert diese Gemeinde die prophetisch-apk Tradition des endzeitlichen Geschenks von "Recht und Gerechtigkeit". Gott führt sie bereits jetzt auf die "Pfade der Gerechtigkeit"[178] und läßt ihr mišpāṭ und 'æmæt erwachsen[179]. Der Bekehrte wird so fähig, "Treue zu wahren und starkes Recht l^e ṣidqat 'ēl" (1QS 10,25). Der oft umrätselte Ausdruck[180] scheint in der angerissenen Traditionslinie etwa wie TestDan

---

174) Die Änderung ist abzulesen an der Weise, wie die Gerichtsdoxologie (z.B. 1QH 12,31) im Dank umfunktioniert wird: 1QH 16,9 = 17,20. Eine ähnliche Erscheinung in den Bußgebeten: vgl. ThPh 43 (1968) 68f.

175) Das ist die Bedeutung von mišpāṭ 1QS 11,2.5.12.14; vgl. BECKER, Heil 172ff.

176) Vgl. 1QS 11,3 (Plural).5.12.14.16; 1QH 4,37; 7,19f; 11,30f; gleichwertig sind auch 'æmæt, h^a sādīm, raḥ^a mīm, ṭūb (z.B. 1QH 6,8ff; 7,30) verwendet. Umstritten ist die Auslegung von 1QS 11,14 "mit der Gerechtigkeit seiner Wahrheit hat er mich gerichtet." Ist ein Sühnegericht gemeint? Wahrscheinlicher ist aber ṣfṭ= Recht Schaffen. Dann ist s^e dāqā hier wie in den obigen Fällen synonym mit "Erbarmen" und "Gnadenerweise" in Z. 13, wie mit "Güte" im folgenden Teil des Verses. Von daher läßt sich auch der Terminus ṣidqat 'ēl in Z. 12 bestimmen. Ihm geht wieder hasdē 'ēl parallel, so daß ein Genetivus subiectivus, kein Genetivus auctoris vorliegt. Gg. BECKER, Heil 120 richtig gesehen von STUHLMACHER, Gerechtigkeit Gottes 154f.

177) Vgl. 1QS 1,8; 10,23; 11,15; 1QH 1,30; 17,17f.

178) Vgl. 1QS 4,2; 1QH 7,14.

179) Vgl. 1QS 1,5; 4,24; 5,4; 1QH 4,25; 5,8f; 6,5; 1QSb 3,24.

180) Er ist nicht von den ṣidqōt 'ēl Z. 23 her zu deuten, denn er gibt das Maß menschlichen Tuns an. Eher hängt das ṣædæq Z. 26 damit zusammen. Gg. die Behauptung eines Genetivus subiectivus durch STUHLMACHER, Gerechtigkeit Gottes 156 und KERTELGE, Rechtfertigung 30.

6,10 die gottgemäße Lebensweise im Gegensatz zu Lug und Trug
Belials zu umschreiben. Wie die pl Gottesgerechtigkeit ist das
neue Bundesverhältnis der Sektenmitglieder im Endgericht ausschlaggebend und rettet vor Gottes Zorn[181].

Wenn wir die pl Rechtfertigungsbotschaft neben die Theologie
Qumrans stellen, finden wir zunächst eine strukturelle Ähnlich-
keit des Heilsprozesses, die über apk Gemeingut weit hinausgeht:
Gott schafft jetzt schon durch sein Eingreifen den Sünder um
zum Gerechten[182]. Und doch bemüht sich die Forschung, Unterschiede herauszufinden[183]; sie sind gewöhnlich von so tiefgrei-
fender theologischer Art[184], daß wir in diesem Exkurs nicht
darauf eingehen können. Uns interessieren nur sprachliche Eigen-
tümlichkeiten, die eventuell Aufschluß über eine Vorgeschichte
des pl Begriffs "Gerechtigkeit Gottes" geben könnten. Die oben
b 2 α verzeichneten möglicherweise vorpl Spuren von δικαιοῦσθαι
mögen sachlich der Rechtfertigung in Qumran nahestehen, aber ein
Hif'il von ṣdq ist in diesem Sinn in den Höhlenfunden noch nicht
nachgewiesen[185]. Noch weniger ist die forensische Situation in
Qumran und bei der pl Gerechtsprechung des Sünders vergleichbar.
Sie bedeutet bei Pl (s.o. S. 165f) eine regelrechte Vorwegnahme
des eschatologischen Gerichts, wobei der schuldige Mensch mit
allen anderen auf einer Ebene steht. In Qumran kommt nun zwar
auch das Recht-sein des Menschen vor Gott zur Sprache[186], doch
die mišpaṭ-Begrifflichkeit der Dankpsalmen bietet keine eigent-

---

181) Vgl. 1QH 7,29f; 18,25 mit Röm 5,9; 1 Thess 1,10.

182) Vgl. THYEN 86ff; ZIESLER 102f.

183) Man ist allerdings davon abgekommen, eine direkte Bezugnahme oder Beeinflussung des Pl anzunehmen, wie das noch
SCHULZ 184 und GRUNDMANN, RdQ 2 (1960) 250f (über Damaskus)
erwägen.

184) GRUNDMANN, RdQ 2 (1960) 248ff: während die "Gerechtigkeit
aus Gott auf Grund des Glaubens" für Pl bereits vorchrist-
liche Wirklichkeit sei, unterscheide er sich durch die
"Personalgemeinschaft mit Jesus Christus". Dagegen ist zu
fragen, ob das Christusereignis nicht erst die δικαιοσύνη
θεοῦ strukturiert. Andere sehen im "sola fide" das Distinctivum (LOHSE, Texte 281 Anm. 83). Im Gefolge von BRAUN, Römer 7,7-25 legt man immer mehr den Nachdruck auf die Haltung gegenüber dem Gesetz. Dabei kommt es oft zu überspitzten Formulierungen; es klingt so, als sähe Pl das Wollen
des Bösen im Wollen des Guten selbst (BRAUN 114; THYEN 97:
"so sieht Paulus gerade in solcher Befolgung - nicht in der
Übertretung - des Gesetzes (!) die Sünde zur Herrschaft gelangen"). Ich kann hier nur auf Röm 8,4 - auch bei Pl werden die Christen zur Erfüllung des δικαίωμα τοῦ νόμου befreit - und auf das Werk von VAN DÜLMEN verweisen.

185) BRAUN, Qumran und das Neue Testament I,191 macht zwar auf
1QSb 4,22 aufmerksam. Aber dort ist die singuläre Einsetzung des Priesters in der Endzeit Thema.

186) Vgl. das Verbum ṣdq 1QS 3,3 und 1QH 7,28; 9,14f; 16,11 negativ; 1QH 13,17 positiv.

liche Analogie zur pl Rechtfertigung[187]. Denn der unter 1. beschriebene richterliche Akt ist erst der Vorbote der Entsündi-
gung. Dort erfährt sich der Beter aber immer schon der massa
dammnata enthoben. So ist die "Gerechtigkeit Gottes", die er dabei preist, das Einschreiten des Bundesgottes zugunsten der Seinen. Bei diesem mišpāṭ steht nicht der Fromme, sondern die böse
Umwelt vor dem Forum des Richters. Für das pl Paradox, daß gerade der Sünder im Spruch Gottes Gerechtigkeit erhält, und die damit gegebene Tönung von θεοῦ als Genetivus auctoris fehlt eine
wirkliche Präformation.

Wenn wir den Sachverhalt recht sehen, ist δικαιοσύνη θεοῦ für Pl
kein vorgeprägter Begriff, der an sich schon den Gehalt der
Rechtfertigungslehre mitbrächte. Ein forensischer Bezug ist vor
allem durch den Disput mit den Vertretern der Werkgerechtigkeit
bedingt. Das macht, daß der Begriff zugleich individualisierend
und universal ist: jeder Mensch ist vor das Gericht Gottes gefordert. Wegen dieser rechtlichen Komponente könnte Pl den Ausdruck nicht einfach gegen Gottes "Güte, Gnade, Barmherzigkeit,
Liebe" auswechseln[188]; auch die Übersetzung "Heilshandeln" ist
unscharf[189]. Es bleibt jedoch nicht bei einem "Gerechtsein vor
dem richtenden Gott", weil Pl die Frage, wie der Mensch vor Gott
bestehen kann, in der Versöhnungstat Christi beantwortet sieht.
Wenn er aber Sterben und Auferweckung Jesu als Gottes weltumwäl-

---

187) Vgl. SCHULZ 166; BECKER, Heil 255; KERTELGE, Rechtfertigung
40f: "Die Rechtfertigung des Sünders hat in Qumran nicht
die Mitteilung einer göttlichen Gerechtigkeitsqualität zum
Inhalt, sondern, wie 1 QH 4,35-37 zeigt, die Aufrichtung
des Menschen, der seine Sünde erkennt und nun die Gnade erfährt, zum Bund der Erwählten gezählt zu werden." Der qum-
ransche mišpāṭ scheint mir allerdings von der pl Rechtfertigung nicht dadurch unterschieden, daß er noch ein "Hoff-
nungsgut" wäre (gg. KERTELGE 41; vgl. BRAUN, Qumran und das
Neue Testament II,168). Die Imperfekte in 1QS 11 werden daher rühren, daß der Sprecher seine Erfahrung verallgemei-
nern und mitteilen will.

188) Wie KUSS 115ff meint.

189) KÄSEMANN, Gottesgerechtigkeit 187 sieht darin ein nomen
actionis; STUHLMACHER, Gerechtigkeit Gottes 98 ein "heil-
schaffendes Ereignis"; KERTELGE, Rechtfertigung 71ff
spricht öfters vom "Heilshandeln Gottes", desgleichen CAM-
BIER, Évangile 390ff ("action salvifique"), obwohl er 403
selbst sieht, daß sich Gnadenmitteilung und forensischer
Sinn nicht auszuschließen brauchen.

zendes Tun verstand, konnte und mußte er die dadurch heraufge-
führte "Gerechtigkeit" aus apk Denkmöglichkeiten füllen. Er
entnimmt daraus zwar nicht den Terminus als solchen[190], aber
Interpretationshilfen. Sie liefern ihm die Szenerie des schon
heraufziehenden Gerichts (1,18ff), der um sich greifenden "Sünde", der der Mensch an sich hoffnungslos ausgeliefert ist. Sie
machen es auch denkbar, daß das Heil total vom Offenbarungshan-
deln Gottes abhängt, weil die "Gerechtigkeit" das Signum seiner
kommenden Herrschaft ist. Pl kann mit apk Mitteln die "Gerechtigkeit Gottes" als unverfügbare Gabe und als Lebensmacht auslegen. In der Kontroverse zwischen BULTMANN und KÄSEMANN sowie
ihren Gefolgsleuten[191], ob die Apkk die "Mutter" der urchristlichen, speziell der pl Theologie sei, können wir nun differenziert Stellung beziehen. Wir möchten unterscheiden zwischen der
antirabbinisch ausgebauten Fragestellung, die eine anthropolo-
gische Zentrierung der "Gerechtigkeit" vorzeichnet, und der Lösung des Pl, die durchaus auf einem anderen - nämlich apk - Boden gewachsen sein kann. Wie Frage und Antwort nicht nebeneinander stehen, so spielen beide Einflußbereiche gerade in den
Anfangskapiteln des Röm ineinander, ohne deswegen voneinander
abhängig zu sein.

Nach dieser Skizze erscheint es wenig aussichtsreich, die pl
"Gerechtigkeit Gottes" als "Bundestreue" zu bestimmen. Gerade
bei einer Gruppe wie der Qumrangemeinde, die ähnlich wie Pl das
Eschaton greifbar nahe glaubte, führte eine solche Fassung der
"Gerechtigkeit" eher in sektiererisches Sich-Abschließen. Bei Pl
ist aber die δικαιοσύνη θεοῦ grundsätzlich jedem im Ev zugänglich. Vom rabbinischen Judentum kann die Nuance "Bundestreue"
kaum diktiert sein, denn dort tritt allmählich die "Gerechtig-

---

190) Wenn sich 2 Kor 5,21 als vorpl Stück halten läßt, dann wäre
eher zu fragen, ob nicht die Sühne-Soteriologie des hellenistischen Judenchristentums für die auctoris-Fassung der
Genetivverbindung eine Vorlage bot.

191) Vgl. KÄSEMANN, Anfänge 102f, Apokalyptik, Frühkatholizismus. Dazu die Arbeiten seiner Schüler MÜLLER und STUHLMA-
CHER. Dagegen BULTMANN, Apokalyptik; THYEN 180ff zu STUHL-
MACHERs Pl-Exegese. Vgl. die Problemdarstellung bei KOCH
71ff.

keit" als Eigenschaft Gottes in Spannung zu seiner "Barmherzigkeit"[192]. Im Gegenteil, diese Frontstellung führt, wie wir sahen, eher dazu, die "Gerechtigkeit Gottes" auf den Menschen zu
beziehen. Denn hier geht es darum, daß sich der Mensch vor Gott
bewährt, nicht zunächst um die Bewährung Gottes in seinen Bun-
deszusagen. Deshalb sahen wir auch keinen Anlaß, einen Genetivus
subiectivus anzunehmen, wie das die Version "Bundestreue" erfordert. Nun müssen wir uns aber mit zwei Stellen auseinander-
setzen, in denen Gott tatsächlich Subjekt von δικαιοσύνη ist;
wir erhalten dabei zugleich einen Einblick in die Rolle, die der
Bundesgedanke in der pl Rechtfertigungsverkündigung spielt.

a) 3,3-5

Gott und Mensch stehen sich in diesem Abschnitt gegenüber; schon
deswegen ist δικαιοσύνη V. 5 auf Gott zu beziehen. Weil sie offensichtlich der V. 3 genannten πίστις τοῦ θεοῦ entspricht, fand
man hier oft Anhalt, sie bei Pl überhaupt als bundesgemäßes Verhalten Gottes zu interpretieren[193]. Nun hat aber Ch. MÜLLER[194]
hier eindringlich die Redeform des Rechtsstreites nachgewiesen.
In den atl. Zitaten dreht sich alles um die Rechtfertigung (δι-
καιωθῆναι) des treuen Gottes, die der Mensch durch seine ἀπιστία
unfreiwillig besorgt[195]. Die Argumentation V. 5ff geht darauf

---

192) Vgl. dazu SJÖBERG passim. In einigen Fällen kann ṣᵉdāqā
     allerdings auch gnädiges Wohlwollen ausdrücken: vgl. ZIES-
     LER 114.
193) Vgl. KÜHL; LYONNET, VD 25 (1947) 118ff; KÄSEMANN, Gottesge-
     rechtigkeit 182f Anm. 1; STUHLMACHER, Gerechtigkeit Gottes
     85; modifiziert auch KERTELGE, Rechtfertigung 67.
194) 57ff. Vgl. auch LJUNGMAN 21ff, der auch rabbinische Vorkom-
     men von Gerichtsdoxologie (vgl. BILLERBECK III,134f) heran-
     zieht. Ch. MÜLLER dagegen gewinnt durch einseitige Auswer-
     tung apk Texte den Hintergrund für seine Auffassung der δι-
     καιοσύνη: in ihr setzt sich die Macht Gottes gegen die ge-
     genwärtigen Weltherrscher durch. Schon STUHLMACHER, Gerech-
     tigkeit Gottes 139 rügt, daß dabei das Heilsmoment der δι-
     καιοσύνη zu kurz kommt. Weil die Deutung durch Ps 51,6 von
     Pl stammt und die überführten Ungetreuen keineswegs ihr Un-
     recht eingestehen, wehrt sich THYEN 165f gegen die Bezeich-
     nung "Gerichtsdoxologie".
195) Man muß deswegen das κρίνεσθαι nicht passivisch nehmen wie

chiastisch ein[196]. So meint δικαιοσύνη den Sieg im mit Ps 51,6 beschriebenen Prozeß, Gottes Rechthaben[197], das freilich in seinem Recht-Sein, seiner ungebrochenen Treue wurzelt. Dabei kann Gott noch als Prozeßgegner gesehen sein. Nach anderen ist er durch δικαιοσύνη schon als Richter qualifiziert; sie habe den Sinn von iustitia distributiva[198], wie ja in der Gerichtsexhomologese oft das Recht Gottes in seinen Strafgerichten anerkannt wird[199]. M.E. könnte aber dann V. 5b kaum aus der Bestätigung von Gottes Gerechtigkeit folgern, er sei ἄδικος in seinem Zorn. Der Einwand ist nur logisch, wenn δικαιοσύνη vorher formale Bedeutung hat; dann läßt sich V. 5b paraphrasieren: wenn Gottes Recht schon vor der Folie menschlicher ἀδικία groß herauskommt, braucht er es doch nicht mehr einzutreiben. Erst die Widerlegung V. 6 hält die V. 5b angezweifelte iustitia retributiva dadurch fest, daß sie sich auf das Richtertum beruft, das Gott nun einmal zu eigen ist.

Wie dem auch sei: da ab V. 4 die Tendenz dahin geht, das verdiente Gericht über "jeden Menschen" zu erweisen, steht V. 5 Gott nicht nur mehr als der Bundespartner Israels im Blick[200]. Und selbst wenn der Rechtsstreit in diesem Verhältnis spielte, könnte man die im Ev bezeugte und mitgeteilte Gerechtigkeit doch nicht von V. 5 her auslegen, weil diese Ausführungen noch von ihrer Offenbarung abstrahieren[201]. Die hier angesprochene δικαιοσύνη ist ihr auch deshalb nicht verwandt, weil sich das

---

SANDAY-HEADLAM; LAGRANGE; KLEIN, Gottes Gerechtigkeit 229; dagegen medial: BILLERBECK III,134; SCHLATTER; MICHEL; Ch. MÜLLER 65.

196) Vgl. JEREMIAS, Chiasmus 288; RUIJS 239.

197) In diesem allgemeineren Sinn verstehen SANDAY-HEADLAM und ZAHN die δικαιοσύνη.

198) Vgl. LAGRANGE; BULTMANN, ΔΙΚΑΙΟΣΥΝΗ ΘΕΟΥ 471; BORNKAMM, Teufelskunst 145.

199) Vgl. Neh 9,33; PsSal 2,15ff; 9,2 (beide Stellen mit δικαιοσύνη) u.a.

200) Vgl. SCHLATTER; BORNKAMM, Teufelskunst 144.

201) Vgl. das S. 112f zu diesem Abschnitt Gesagte.

doxologisch bekannte Im-Recht-Sein Gottes gerade im Zorngericht entlädt[202]. Daß Gott seine Loyalität trotz aller menschlichen Untreue bewahrt hat, ist in diesem Zusammenhang also Grund für das gerechte Verdammungsurteil über den Sünder, nicht für seine Rechtfertigung. Wir müssen deshalb folgern: 3,5 ist als Schlüsselstelle für die pl δικαιοσύνη θεοῦ ungeeignet[203], weil in dem Dialog V. 1-8 dem Menschen erst schmerzhaft seine wirkliche Stellung vor Gott klargemacht werden muß, bevor er die Erscheinung der "Gerechtigkeit Gottes" (3,21) würdigen kann.

b) 3,25f

Hier liegt der Fall anders. Die durch das δίκαιος eindeutig als Verhalten Gottes ausgewiesene δικαιοσύνη in der hymnischen Prädikation εἰς ἔνδειξιν τῆς δικαιοσύνης αὐτοῦ διὰ τὴν πάρεσιν τῶν προγεγονότων ἁμαρτημάτων ἐν τῇ ἀνοχῇ τοῦ θεοῦ steht in der Tradition kollektiver Bußlieder und erinnert an die ṣᵉdāqā, die wir (vgl. S. 176 Nr. 2) in den Dankpsalmen von Qumran trafen. Da sie mit der Beschaffung von Sühne, mit Vergebung der Sünden und mit der ἀνοχή Gottes gekoppelt ist, sagt sie - zumindest in der angeführten Tradition - schwerlich richterliche Gerechtigkeit[204] aus. Sie nennt vielmehr das Wesen des Gottes, der seinem Volk auch über eine lange Kette von Abfall und Vergehen hinweg verbunden bleibt und ihm neue Gemeinschaft mit sich schenkt[205]. So äußert sich zweifellos ein - wenn auch judenchristlich transformiertes - Bundesdenken. Nun mahnt aber schon die liturgische

---

202) Richtig THYEN 166. Da KERTELGE, Rechtfertigung 69 hier "die eschatologische Erscheinung seiner richtenden Tätigkeit gegenüber der sündig gewordenen Menschheit" erblickt, ist es wenig folgerichtig, wenn er S. 70 bestreitet, der Zorn Gottes sei ein Moment seiner Gerechtigkeit. Diese Inkonsequenz bestätigt nur, daß man 3,5 nicht für die δικαιοσύνη θεοῦ von 1,17 heranziehen kann.

203) Vgl. CONZELMANN, Theologie 241f; BORNKAMM, Teufelskunst 140.

204) Gg. BULTMANN, ΔΙΚΑΙΟΣΥΝΗ ΘΕΟΥ 471; GÄUMANN 149 Anm. 131; THYEN 165. Zur Begründung vgl. ThPh 43 (1968) 59ff; 70ff.

205) Weil die Langmut Gottes zunächst im kollektiven Bußgebet ihren Ort hat, ist nicht nur die Vergangenheit des Einzelnen, sondern die Geschichte des Bundes anvisiert. Vgl. ThPh 43 (1968) 64ff.

Sprachbindung des Stückes zur Vorsicht, diesen Gebrauch auch in den anderen δικαιοσύνη-Stellen des Pl zu wittern[206] Allerdings muß man die pl Verdeutlichung V. 26 daraufhin befragen, warum Pl an der überlieferten δικαιοσύνη-Aussage gelegen war, bzw. weshalb er sie so weiterführte.

Das Verhältnis der V. 25 und 26, und damit der Stellenwert der übernommenen Bundes-Gerechtigkeit, wird nun aber gar nicht einhellig beurteilt. Von unserer traditionsgeschichtlichen Beleuchtung des V. 25 her scheiden einige Deutungen sofort aus:

1. Die Meinung, Pl schalte eine zweifache Offenbarung der Gerechtigkeit in verschiedenen Epochen der Heilsgeschichte hintereinander[207]. Diese Betrachtung rechnet gar nicht mit Tradition, sondern läßt Pl systematisierend sprechen. Sie übersieht dabei, daß auch das εἰς ἔνδειξιν als Finalangabe von der Einsetzung des ἱλαστήριον abhängig ist. Wie der wohl anaphorische Artikel vor dem zweiten ἔνδειξιν andeutet, handelt es sich um ein und denselben Erweis der Gerechtigkeit Gottes.

2. Eine andere Ansicht verlegt nur den Grund für die Demonstration der Gerechtigkeit am Kreuz, den V. 25 nennen soll, in die Vergangenheit. Sie sei durch eine frühere πάρεσις notwendig geworden. Dabei kann man πάρεσις a) als nur vorläufige Vergebung[208] oder b) - die häufigere Auslegung - als Hingehenlassen der Sünden[209] fassen. Aber schon das προ- zeigt an, daß nicht die πάρεσις, sondern die Sünden zurückliegen. Außerdem bezeichnet ἐν τῇ ἀνοχῇ τοῦ θεοῦ keinen Zeitraum, sondern eher ein Verhalten[210]. Wenn diese Möglichkeit dahinfällt, kann die δικαιοσύνη von V. 25 auch schwerlich Strafcharakter haben.

KÄSEMANN[211] hat den Neuansatz dramatisiert, weil er das Ungenügen der "Bundestreue" für die gerade in V. 22f behauptete Universalität des Heilsangebots empfand. Gottes Gerechtigkeit bedeute für Pl eben nicht primär Restitution des Alten Bundes. So stelle er in seinem "korrigierenden Zusatz" die "iustificatio impii, die als solche gerade auch den früheren Heiden zum Glaubensgehorsam befreit", heraus. In seinem Aufsatz über "Gottesgerechtigkeit bei Paulus"[212] drückt sich der Tübinger Forscher

---

206) Vgl. BULTMANN, ΔΙΚΑΙΟΣΥΝΗ ΘΕΟΥ 471; KLEIN, Gottes Gerechtigkeit 230; CONZELMANN, Theologie 242f.

207) So CAMBIER, Évangile 122ff.

208) Vgl. LYONNET, Bibl 38 (1957) 40-61.

209) So in neuerer Zeit REUMANN; ZIMMERMANN 79; auch CONZELMANN, Theologie 90; BLACKMAN.

210) Darin pflichtet mir WENGST 89 Anm. 12 bei.

211) Vgl. Römer 3,24-26 100; vgl. ferner ThPh 43 (1968) 72 Anm. 121 mit weiteren Autoren.

212) 192.

etwas vorsichtiger aus. Das judenchristliche Zitat sei nur möglich, weil diese für Pl immer noch "göttliche Gemeinschaftstreue" bleibe, "freilich nicht bloß Israel, sondern der ganzen Schöpfung gegenüber" (H.v.m.). Dagegen wurde eingewandt, daß eine quantitative Korrektur eigentlich nicht erkennbar sei[213].

Andere Autoren sehen den pl Akzent mehr in der eschatologischen Bestimmtheit des Gerechtigkeitserweises[214]. Aber das ἐν τῷ νῦν καιρῷ trägt diese Zumutung nicht[215], abgesehen davon, daß auch das verarbeitete Stück nicht einfach von einem Geschehen der Vergangenheit sprach und mit dem προέθετο[216] das Sühneopfer Christi auf eine Setzung Gottes zurückführte, die das Eschaton schon anzielt.

Mit den bisherigen Lösungen unzufrieden äußerte THYEN[217] die Meinung, Pl wolle in V. 26 die Formel "existential" interpre-

---

213) So KLEIN, Gottes Gerechtigkeit 230 Anm. 12; THYEN 168: "Eine partikularistische Beschränkung auf Israel, die Paulus nun universalistisch uminterpretierte, ist jedoch nicht erkennbar." - Es ist überhaupt fraglich, ob die von KÄSEMANN lancierte "Schöpfertreue" (Genetivus subiectivus) das Neuartige der pl Interpretation trifft, das durch δικαιοῦντα angezeigt ist. Auch klingt der Begriff eher protologisch als eschatologisch. Außerdem garantieren Schöpfungskategorien noch nicht die Allgemeinheit des Heiles. Das zeigt gerade das Motiv des "neuen Himmels und der neuen Erde" oder der "neuen Schöpfung" in den apk Schriften, Jub und in Qumran (vgl. das Material bei STUHLMACHER, EvTh 27 (1967) 1-35; auf seine Deutung brauchen wir nicht einzugehen). Gott hält nicht seiner Schöpfung die Treue, sondern seinem Volk; deswegen bricht er die Welt ab. Die kosmische Erneuerung bildet nur die gewaltige Staffage für die Restitution der Bundesgemeinde, für die die Welt eigentlich geschaffen war.

214) Besonders KERTELGE, Rechtfertigung 50.62.75.83; schon Ch. MÜLLER 111.

215) Vgl. ThPh 43 (1968) 73. Auch KERTELGE, Rechtfertigung 83 erkennt, daß die Wendung untechnisch ist. CONZELMANN, EvTh 28 (1968) 396: es ist die Zeit, da das Ev verkündet wird.

216) Vgl. dazu ThPh 43 (1968) 56ff; in der Deutung des Verbs gehe ich mit PLUTA 49ff einig.

217) 168f. Schuld an dieser Meinung ist, daß er in V. 25 Gottes richterliche Gerechtigkeit am Werk sieht. Eine solche abstruse Sühneveranstaltung muß freilich "interpretiert" werden. Besser hat KERTELGE, Rechtfertigung 84 die pl Intention erfaßt: Gott ist nicht nur der Gerechte als der Ge-

<u>tieren</u>. Aber damit projiziert THYEN seine eigenen Probleme in
den Text. Pl legt zwar tatsächlich Wert darauf, daß im Glauben
die am Kreuz erwiesene Gerechtigkeit Gottes "ankommt", aber
nicht weil ihm "der Gedanke an eine durch ein 'Sühnewerk' objek-
tiv beschaffte Sündenvergebung zumindest mißverständlich" erschien, sondern weil ihm an den <u>universalen Folgen</u> der Tat Christi am Kreuz lag. Denn schon nach dem Vokabular zu schließen[218]
holt V. 26 den angeführten Text wieder in den Gedankengang ein,
der mit V. 21 einsetzt und - wie wir im vorhergehenden Paragraphen sahen - die Allgemeinheit der im Ev zugänglichen "Gerechtigkeit Gottes" zum Ziel hat. Insofern hat KÄSEMANN nicht Unrecht.
Aber deswegen muß Pl den Horizont des liturgischen Fragments
nicht gewaltsam aufbrechen. Es kommt ihm vielmehr gerade zupaß,
weil es das Moment am Bundesverhalten Gottes feiert, das am we-
nigsten auf Gegenseitigkeit angelegt ist, seine schöpferische
Überwindung der schuldbeladenen Vergangenheit. So wird das καί V.
26c intensiven Sinn haben: es folgert geradezu aus dem vom Hymnus her nachklingenden δίκαιος die Rechtfertigung des Glaubenden.

Mit dem Wort "Bund" können sich recht unterschiedliche Konzep-
tionen einstellen[219]. Pl greift nur eine ganz bestimmte, im
zeitgenössischen Judentum - soviel wir sehen - nicht maßgebende[220], lediglich über liturgische Tradition ins Christentum

---

Getreue, sondern als der, der "<u>allen</u> auf Grund des <u>Glaubens</u>
Zugang zum <u>neuen Gottesverhältnis</u> verschafft."

218) Ἐν τῷ νῦν καιρῷ nimmt das νυνί wieder auf. Ἔνδειξις, dem
vorher ein mehr liturgischer Sinn (Erzeigen) eignete, könnte sich jetzt mehr dem apk (s. Anm. 139) πεφανερῶσθαι nä-
hern.

219) Nach McCARTHY 22f hat die atl. Forschung längst den allge-
genwärtigen Bundesgedanken der Theologie W. EICHRODTs kritisch zerlegt. PERLITT betont, daß das Präfix "Bundes-"
nicht den Gottesglauben Israels zu allen Zeiten und in allen Schichten kennzeichnen kann, und zeigt den beherrschen-
den Einfluß der dtr Schule auf, die den Bund als die verpflichtende Gabe des Gesetzes versteht. DEISSLER 74ff mo-
niert freilich, daß die mit dem Wort gemeinte "Sache, nämlich die Entscheidung Jahwes zu einem Sonderverhältnis mit
Israel einerseits und die Verpflichtung Israels für Jahwe
andererseits", zu den Grunddaten der älteren Sinaiüberlie-
ferung gehört.

220) Das wird etwa daran ersichtlich, daß das berühmte Plädoyer

eingedrungene Ausprägung der "Gerechtigkeit Gottes" auf. In ihr steht Gott zu seiner Gemeinschaft, indem er sie völlig neu dem Menschen anbietet. Diese überlieferte Aussage brauchte Pl V. 26 nur noch in die ihm geläufige Sprache umzusetzen, um auszudrükken, daß Gott jeden, ob Jude oder Heide, voraussetzungslos ruft. Diese Ausnahme bestätigt die Regel, daß für Pl, wo er von sich aus formuliert, "Bund" keine leitende Kategorie ist, um das Gottesverhältnis zu beschreiben[221]. Er betrachtet den "Neuen Bund" nicht als "Erfüllung" des Alten[222], sondern setzt ihn in schroffe Antithese zu jenem (2 Kor 3,6ff; Gal 4,21ff), weil dieses Wortpaar ihm den Gegensatz von Gesetz und Glaube verkörpert[223]. Pl findet im "Bund" keinen gemeinsamen Nenner, auf den sich das Verhältnis zwischen Gott und Mensch damals und jetzt bringen ließe[224]. So empfängt auch die δικαιοσύνη θεοῦ von dieser Vorstellung kein Licht. Geht man nun taktisch von der Linie "Bund" auf die der "Verheißung" zurück, so ist zu sagen, daß die "Gerechtigkeit Gottes" zwar entsprechend den Verheißungen ergeht (vgl. 3,21), deswegen aber noch nicht "Verheißungstreue" ist, weil sie an den entscheidenden Stellen ungezwungener mit Genetivus auctoris zu deuten ist.

---

des Sehers 4 Esr 8,31ff "Denn dadurch wird deine Gerechtigkeit und Güte, Herr, offenbar, daß du dich derer erbarmst, die keinen Schatz von guten Werken haben" in der für die Redaktion entscheidenden Antwort des Engels nicht recht aufgenommen, bzw. umgebogen wird. Vgl. THYEN 49.

221) 1 Kor 11,25 ist übernommen; διαθῆκαι 9,4 wohl gleichfalls untypisch: s. S. 46 Anm. 29; zu διαθήκη im Zitat 11,27 s. u. V B 3 c; Gal 3,15.17 heißt διαθήκη nicht "Bund", sondern "Testament" (vgl. SCHLIER, Galater z.St.). HAHN, Genesis 156 102 Anm. 53 vermutet mit KLEIN, Römer 4 154, die Formulierung σημεῖον περιτομῆς 4,11 wolle den Bundesgedanken bewußt verdrängen.

222) Gg. CULLMANN, Heil 239.

223) Vgl. LÜHRMANN, ZThK 67 (1970) 439.

224) Vgl. LUZ, EvTh 27 (1967) 319ff. Seine Exegese wirkt aber dort gezwungen, wo er in Gal 4,23 und 2 Kor 3,14 zugleich noch die Verbindlichkeit des Schriftworts des AT zum Zug bringen möchte. Vgl. dagegen VIELHAUER, Pl und das AT 46ff: als der "wahre Sinn des AT" enthüllt sich nicht eine Weissagung auf Christus, sondern das Überholtsein des Alten Bundes. Subjekt des ὅτι-Satzes 2 Kor 3,14 ist nicht κάλυμμα (gg. LUZ 327), sondern die παλαιὰ διαθήκη (vgl. V. 13).

Blicken wir auf Röm 1,16-3,30 zurück, wie es sich uns bisher erschlossen hat! Welche Position nehmen Juden und Heiden vor dem
Ev ein? 1,16 hatte thetisch dem Juden den Vortritt gelassen; für
ihn ist die Heilsmacht des Ev besonders bestimmt. Am Ende der
Kap. fragt man sich aber, warum das Positive dieser Zuordnung
nicht stärker zum Durchbruch kommt. Der Duktus des Briefteils
geht doch wohl dahin, Heilsnotwendigkeit und Heilsmöglichkeit
des Ev für alle Menschen aufzuweisen. Obwohl am Anfang eine gewisse Polemik gegen heidnische Überheblichkeit in der σοφία zu
spüren ist (1,14.21f), kehrt sich dabei die Spitze der Ausführungen mehr und mehr gegen den Juden. Warum? Offenbar, weil er
seinen Vorzug im Gesetz sieht. Deshalb mußt ihm in von 2,9f an
zunehmender Deutlichkeit klar gemacht werden, daß das Gesetz ihn
nicht der vor dem Zorn Gottes verlorenen Menschheit entnimmt,
sondern besonders zum Rechttun verpflichtet und so auf die An-
klagebank zwingt. Weil damit die Aussage von 1,16 nicht ausge-
schöpft ist, flackert wohl 3,1ff die Frage nach dem περισσὸν τοῦ
'Ιουδαίου kurz auf. Der Bezirk des Judentums ist durch die
Selbstmitteilung Gottes einmalig aus der Menschenwelt herausgehoben, lautet die vorläufige Antwort. Aber Pl interessiert daran nur so viel, daß die dadurch zugesagte Treue Gottes gerade
sein Richterrecht im Prozeß mit seinem Volk begründet. V. 9[225]
würgt dann die Diskussion ganz ab, damit der Schuldspruch Gehör
finde. Vor dem Gericht Gottes gibt es keinen Unterschied, das
muß sich der unter dem Gesetz stehende Jude eben aus dem Gesetz
gesagt sein lassen. Das Spektrum der λόγια τοῦ θεοῦ ist zwar
breiter, weil darunter auch die unabänderlichen Verheißungen für
Israel fallen, aber 3,1-3 muß vom Zug der Gedanken her gesehen
Intermezzo bleiben, weil sie nicht um die bleibende Gottestat,
sondern um die gleiche Schuld aller Menschen kreisen. Und hier
hindert das Gesetz den Juden daran, seine Heilsbedürftigkeit zu
erkennen; es stempelt bloß die Heiden zu Sündern (Gal 2,15).

---

225) Am meisten leuchtet mir die Deutung ein, die προεχόμεθα im
Sinn des Aktiv versteht und οὐ πάντως mit "keineswegs"
übersetzt. So SCHLATTER, BARRETT, RUIJS 242f. Da nur die
Gerichtssituation bedacht ist, entsteht kein Widerspruch zu
3,1ff. Aber auch die anderen Erklärungen fügen sich in das
oben Gesagte.

Untergründig macht sich wohl die Wirklichkeit der Mission bemerkbar. Da ist der Jude der, der zur Zeit des Röm das Ev weithin von sich gewiesen hat, weil er meint, im Gesetz sich des
Heils sicher zu sein. Ja, durch das Gesetz will er als missionarischer Konkurrent sogar den Heiden Licht bringen (2,17ff)[226].
So demonstriert Pl - eigentlich im Interesse der Heiden, denen
der Gesetzesweg verschlossen ist, - an ihm, daß das Gesetz eher
tiefer in die Sünde stürzt (3,20; vgl. 4,15; 5,20; 7,7). Die Gerechtigkeit Gottes hingegen steht zwar im Einklang mit dem Zeugnis des AT (3,21), aber Pl legt Wert darauf, daß sie χωρὶς νόμου
kund wird und der Zugang zu ihr für Juden und Heiden derselbe
ist: der Glaube an Jesus Christus. Sie ist die eschatologische,
nur von Gott mitteilbare Qualität, die alle früheren Bundesset-
zungen übertrifft, weil alle, die einstigen Partner und die gōjīm, gleichermaßen auf den rechtfertigenden Spruch Gottes angewiesen sind. Deswegen kann der heilsgeschichtlich ausgezeichne-
te Platz des Juden nicht eigens umrissen werden. Erst in den unter den Würdetitel "Israel" gestellten Kap. 9-11[227] geht Pl auf
den Juden als Anwärter auf das Heil ein, an dem sich die Ge-
schichtsmächtigkeit der Verheißung Gottes bewähren muß.

D) D i e c h r i s t o l o g i s c h e B e g r ü n d u n g

Auch in Kap. 9-11 fällt dann das Stichwort νόμος (9,31; 10,4),
wenn Pl zeigen möchte, wie ein partikulärer Irrweg Israel an der
in Christus allen zugesprochenen δικαιοσύνη θεοῦ vorbeiführt.
Die Szene ist 9,30-10,13 allerdings etwas gewandelt, denn Pl
braucht nicht wie 3,21ff die universale Tragweite der Gottes-

---

226) Man erinnert sich, daß Pl den traditionellen Vorwürfen ge-
     gen die Juden 1 Thess 2,15f aus eigener Erfahrung anfügt:
     κωλυόντων ἡμᾶς τοῖς ἔθνεσιν λαλῆσαι ἵνα σωθῶσιν.

227) Vgl. LUZ, Geschichtsverständnis 26f. Auch LÉON-DUFOUR, Juif
     et gentil, sieht, daß im Röm in zweifacher Hinsicht vom Ju-
     den die Rede ist, und möchte "devenir historique" von "ac-
     complissement essentiel" unterscheiden. In der zweiten Be-
     trachtungsweise (z.B. 1,18ff) komme die heilsgeschichtliche
     Differenz nicht zur Geltung. Im Einzelnen scheint mir seine
     Unterteilung jedoch zu schematisch.

gerechtigkeit gegen den jüdischen Anspruch zu verteidigen; vielmehr stellt sich die Frage jetzt umgekehrt: war das Volk, das durch das Gesetz auf der Fährte der Gerechtigkeit war, denn nicht in den Offenbarungsraum der Gerechtigkeit einbezogen, die sogar die Heiden erlangten? Durch den Kontrast zum Gesetzesweg möchte Pl - wie wir S. 123ff festhielten - das Ev, das für alle Gottes Kraft ist, rehabilitieren. Indirekt muß sich also in diesem Text auch ausmachen lassen, worauf für Pl die Universalität des Heil gegründet ist.

Schon ein kurzer Blick zeigt, daß der Apostel hier noch stärker als im liturgischen Splitter 3,24f christologisch argumentiert. Nun tut sich aber für die universale Christusverkündigung ein ähnliches Problem auf wie für den Zentralbegriff "Gerechtigkeit Gottes". Ist nicht der Christus für Pl zunächst der Messias Israels? So hat etwa MAURER[228] das Völkerapostolat des Pl erklären wollen: "Die zu den Heiden führende Missionsverkündigung des ehemaligen Pharisäers Saulus ist entscheidend begründet in dem rechtfertigenden Handeln Gottes an seinem Bundesvolk Israel, wie es sich vollzog und vollzieht in der Person des Messias Jesus." Das Volk, aus dem und zu dem der Messias kam, solle dann um dieses Christus willen "zu einem entscheidenden Werkzeug in Gottes Plan mit der Völkerwelt" werden[229]. Nun macht es nach 9,5 (vgl. 15,8) die heilsgeschichtliche Sonderstellung Israels aus, daß der Χριστὸς τὸ κατὰ σάρκα ihm entstammt. Hat diese Besonderheit aber auch noch 9,30ff Bedeutung? Von dem bereits umschriebenen Zweck des Abschnitts her ist das kaum anzunehmen. Was ist die eigentliche Pointe der christologischen Aussagen in diesem Stück?

1. Christus als Stein des Anstoßes für Israel

9,32f will den Grund für das V. 30f zugespitzt formulierte heilsgeschichtliche Paradoxon angeben. Die verkürzte Redeweise bildet eine Fehlerquelle für die Auslegung: es sieht so aus,

---

228) EvTh 19 (1959) 34.   229) Ebd. 38.

als wäre es für Israel möglich gewesen, durch den Glauben das Gesetz zu halten und die Gerechtigkeit, die es in Aussicht stellt, zu erlangen[230]. Das würde dann erlauben, in 10,4 Christus als die Vollendung des Gesetzes zu betrachten. Aber Pl spricht hier nicht aus, was für ihn selbstverständlich ist: das Gesetz ist faktisch nicht zu erfüllen[231]; der Jude jagt einer Chimäre nach und verpaßt dabei die einzige von Gott gebotene Heilsmöglichkeit: den Glauben an Christus. Wenn er in die Richtung rennt, die ihm das Gesetz vorzeichnet, liegt ihm die andere Setzung Gottes, Christus, im Wege und bringt ihn zu Fall. Das sagt V. 33 mit Schriftautorität.

Obwohl Pl Christus nicht ausdrücklich nennt, werden die Leser aus christlichem Schriftgebrauch die Anspielung verstanden haben[232]. Aber gerade wenn er ein Florilegium benutzt, ist es erstaunlich, wie er Is 8,14 in Is 28,16 einsetzt: alle Heilsprädikate des in Sion gelegten Steins werden dabei ausgebrochen. Das hilft uns, die Funktion des Zitats, besonders seiner zweiten Hälfte, im Kontext zu verstehen. Manchmal hört man hier schon die Verheißung künftiger Rettung für Israel heraus[233]; dann müßte das καί adversativen Sinn haben. Aber in den vorangehenden Versen hatte die πίστις eher zur Vertauschung der

---

230) So ZAHN 471; dagegen KÜHL. Mißverständlich auch SCHLIER, Mysterium 239f: die Juden vergehen sich an der Tora, die nicht das Werk als solches, sondern ein Von-Gott-her-gerecht-Sein fordere. Auch SCHLATTER 309: "Könnte er glauben, so wäre er nicht mehr fern vom Gesetz, sondern im Gesetz und nicht mehr der, der nach der Gerechtigkeit läuft, sondern der, der sie hat." Aber wo es um das Gesetz als Heilsmittel geht, kennt Pl nur ein Entweder-Oder.

231) Vgl. VAN DÜLMEN 125 u.ö.

232) Pl benutzt denselben griechischen Is-Text wie 1 Petr 2,6ff, der von LXX abweicht. Die schon längst (vgl. SANDAY-HEADLAM) ausgesprochene Vermutung, er habe dabei eine Testimoniensammlung für den Messias als "Stein" vor Augen gehabt, hat sich mehr und mehr erhärtet. Vgl. zuletzt LUZ, Geschichtsverständnis 96f; K. MÜLLER 74f. Das ἐπ' αὐτῷ, das auch einige LXX-Hss. bieten, war wohl schon dort messianisch bezogen: vgl. J. JEREMIAS, λίθος κτλ, in: ThW IV, 272-283, 276,28ff. Auch das Targum versteht Is 28,16 von der Einsetzung eines mächtigen Königs: vgl. K. MÜLLER 78f. Is 8,14 wird in bSanh 38a messianisch ausgedeutet.

233) So HASLER 176; LYONNET, Quaestiones II,84; LEENHARDT: vielleicht.

heilsgeschichtlichen Fronten geführt. So wird also auch V. 33b
erläutern, warum das erwählte Volk an Christus strauchelte: weil
nur der Glaube an ihn das Heil ausmacht (καί einschränkend)[234].
Man könnte das noch forcieren und Pl in V. b besonders an die
Heiden denken lassen: die Schrift hätte dann sowohl "the failure
of Israel" als auch "the attainment of the Gentiles"[235] voraus-
gesagt. Aber die Art, wie 10,11 das Schriftwort wieder aufnimmt,
macht es wahrscheinlicher, daß Pl hier zunächst sein Volk im
Sinn hat. Dessen Versäumnis wird freilich am universalen Ev offenkundig. Ich würde also das Verspaar eher synthetisch auffassen. Dann ist aber auch die Interpretation von VAN DÜLMEN[236]
kaum zu halten: "Der Anstoß, den die Juden an Christus nehmen,
liegt in der Tatsache, daß Christus durch die Universalität seines Heils den Vorzug Israels vor den Heiden zunichte macht."
Doch für Pl hätte der Jude ja potentiell ὁ πιστεύων sein sollen.
Sachlich richtig ist, daß Glaubensweg und Allgemeinheit des
Heiles zusammenhängen; aber Pl braucht ihr hier nicht gegen ein
jüdisches Gesetzesstreben erst Bahn zu brechen, da dieses nach
ihm ohnehin fruchtlos bleibt. Das gilt auch für 10,3, wo VAN
DÜLMEN das Sich-Verweigern der Juden gegenüber der Gottesgerechtigkeit als "verstocktes Nichtanerkennen einer Gerechtigkeit,
die nicht mehr ihrem Volk allein (vgl. das ἴδια) vorbehalten
ist", auslegt[237]. Sicher ist jetzt, wo es auf die Gerechtigkeit
Gottes ankommt, niemand mehr der Zugang zum Heil durch Sonder-
verpflichtungen verstellt. Aber V. 3 macht das nicht ausdrücklich; das ἴδια ist nur durch den Urheber[238] negativ qualifi-

---

234) Vgl. MICHEL.

235) So MURRAY, ähnlich K. MÜLLER 82.

236) 217, ähnlich MARQUARDT 40.

237) 177f. Vgl. auch 124: "Das Gesetz, dessen Heilsverheißung
sich nur an die 'unter dem Gesetz', an die Juden wendet,
kann und darf als Heilsweg gar nicht wirksam werden, damit
das Heil nicht nur einer begrenzten Zahl, sondern allen
Menschen zugänglich ist. Wenn die Juden sich auch nach der
Ankunft Christi an die ihnen allein vorbehaltene Gesetzesgerechtigkeit halten, so verwerfen sie damit die Universalität des Heils in Christus, die Gerechtigkeit Gottes
(10,3)." Auch HOWARD, JBL 88 (1969) 336 deutet ähnlich.

238) Die Gegenstellung zu ἡ τοῦ θεοῦ δικαιοσύνη läßt auch für

ziert, nicht dadurch, daß die Juden diese Gerechtigkeit mit keinem teilen wollten. Die eigene Gerechtigkeit kam ja in Wirklichkeit nie zustande.

Was bringt die christologische Aussage 9,33 für Israel? Die Worte ἐν Σίων und οὐ καταισχυνθήσεται rufen zunächst traditionelle Hoffnungen wach. Sie werden aber brüsk enttäuscht. An der Stätte, wo die Juden die endgültige Epiphanie Gottes erwarteten, die ihre Erwählung vor aller Welt bestätigen würde, richtet Gott die End-Marke des Gesetzes auf[239], und gerade dadurch droht Israel zu stürzen. Denn in Christus fordert Gott Glauben und sonst nichts. Dieser Christus, der die tiefste Krise Israels heraufbeschwört, ist - so können wir jetzt schon folgern - nicht nur ὁ Χριστὸς τὸ κατὰ σάρκα (9,5). Der Anstoß umschreibt nicht das Verhalten der Juden gegenüber dem Irdischen[240]. Auch der Gekreuzigte von 1 Kor 1,23; Gal 5,11, an den manche Ausleger denken[241], wird Israel erst dadurch zum σκάνδαλον, daß er ihm in der nachösterlichen Botschaft begegnet. Denn die Predigt vom gekreuzigten und erhöhten Herrn deckt die Sinnlosigkeit menschlicher Selbsterlösungsversuche auf und spricht ihnen das eschatologische Urteil, wenn sie dennoch fortgesetzt werden sollten[242]. Israel mag sich rühmen, die Heimat des Messias zu sein. Es nützt ihm nichts, wenn es nicht diesen gekreuzigten Jesus als den Christus anerkennt. Von diesem behauptet aber Pl, daß er die eschatologisch verbindliche Ablösung des Gesetzesprinzips bedeutet (10,4).

VAN DÜLMEN keine andere Deutung zu. In ihrem Bemühen, das "Tun" des Gebotenen vom Odium der Gottwidrigkeit zu befreien, schießt sie aber über das Ziel hinaus. So kommt sie 178 zu einer gewundenen Auslegung der ἐμὴ δικαιοσύνη Phil 3,9.

239) Das τίθημι erinnert an προέθετο 3,25. Zur Siontradition vgl. den Überblick bei SCHREINER, Sion-Jerusalem und G. FOHRER, E. LOHSE, Σίων κτλ, in: ThW VII, 291-338.

240) So offenbar SCHLATTER und MUNCK, Israel 60ff, nach dem Pl erst mit 10,4 zur nachösterlichen Verkündigung übergeht.

241) Vgl. SANDAY-HEADLAM, LAGRANGE, HUBY u.a.

242) Vgl. G. STÄHLIN, σκάνδαλον κτλ, in: ThW VII, 338-358, 352ff. Dazu würde die Deutung passen, die K. MÜLLER 13ff dem Ps-Zitat 11,9 gibt: "Der Tisch der Sühnung wird für das

2. Die universale Nähe der Gerechtigkeit Gottes in der Proklamation der Herrschaft Christi

Damit kommen wir zu einer pl Kardinalstelle. Kompositionell erklärt 10,4, warum die Juden im Bemühen, aus eigenen Kräften Gerechtigkeit zu erzielen, die Gerechtigkeit Gottes verkannten[243].
Zugleich kann der knappe Satz nur aus dem Folgenden recht verstanden werden. V. 5 erläutert den νόμος als Lebenserwerb durch
eigenes Tun. Dagegen steht die V. 6ff charakterisierte ἐκ πίστεως δικαιοσύνη. Schon wegen dieser Antithetik kann τέλος nur
"Ende" heißen[244]. Wir stellten bereits fest, daß die generelle-
re Tonart εἰς δικαιοσύνην παντὶ τῷ πιστεύοντι die Nachfrage gestattet, worin Pl die Gerechtigkeit für alle Menschen gewährt
sieht, obwohl er von seinem Anliegen her bis V. 13 den Juden
nicht aus dem Auge verliert. Für unseren Zweck ist besonders das
Χριστός wichtig. Ist der Name hier titular gebraucht[245]? Kann
Pl dem Juden auf der Basis einer gemeinsamen Messiasdogmatik
klarmachen, daß mit dem messianischen Zeitalter das Gesetz ein
Ende hat[246]? Ist nach der Ansicht des Pl "Christus" der Punkt,

---

im Wahn der Versöhntheit mit Gott befangene, der apostolischen Predigt gegenüber uneinsichtige Israel... Anlaß zu
Heilsverlust" (27).

243) Den Zusammenhang mit V. 2 hat besonders CAMBIER, Bibl 51
(1970) 245 gg. LUZ betont. Er will V. 3-13 geradezu unter
die Überschrift "la véritable connaissance de Dieu" stellen. LAGRANGE und MICHEL sehen besser die Übergangsfunktion
von V. 4.

244) Vgl. das δὲ V. 6. Die Versuche, in τέλος auch noch die Bedeutung "Ziel", "Erfüllung" unterzubringen, werden zwar nie
abreißen. So in neuerer Zeit LYONNET, Quaestiones II,89;
BARRETT; LEENHARDT; LJUNGMAN 102ff; BRING, Christus 35ff;
CAMBIER, Évangile 187f; HOWARD, JBL 88 (1969) 336. Doch hat
schon LAGRANGE dazu das Nötige gesagt. Vgl. auch G. DEL-
LING, τέλος κτλ, in: ThW VIII, 50-88, 57; LUZ, Geschichtsverständnis 139ff, 156ff; VAN DÜLMEN 126f.

245) So noch ZAHN. DAHL, Messianität 86 stellt aber fest, daß
bei Pl "der Christus-Name seinen Inhalt bekommt durch das,
was Jesus Christus ist, nicht durch einen im voraus fest-
stehenden Messiasbegriff." KRAMER 132 hat gezeigt, daß Pl
das Wort, das herkömmlicherweise Sterbens- und Auferste-
hungsaussagen enthalten, auch einmal bei einer freieren Explikation der Heilsbedeutung des Christusgeschehens wie
10,4 beizieht. Der Titel verschmilzt hier mit der konkreten
Person und ihren eigentlich recht unmessianischen Zügen -
wie dem Sühnetod; er akzentuiert deren eschatologische
Tragweite.

an dem eine Sondergeschichte Israels sich selbst überwinden und in eine weltweite Heilsgeschichte überführen müßte?

Nun hat die religionsgeschichtliche Forschung kaum Belege dafür finden können, daß nach jüdischer Anschauung das Gesetz im messianischen Äon keine Geltung mehr habe[247]. Eigentlich hätte schon der polemische Ton von V. 4 diese Suche erübrigen müssen. Gerade ZAHN hat sich gewundert, warum Pl V. 6ff den Juden gegenüber nicht einfach feststellt, daß und wo der Messias erschienen ist. Stattdessen legt er mit Dt 30,14 den Nachdruck darauf, daß das ῥῆμα dem Menschen nahe ist. Der Zusatz V. 8c verdeutlicht das als ῥῆμα τῆς πίστεως. Damit ist m.E. nicht der Inhalt der rettenden Botschaft gemeint, sondern in einer Art Genetivus qualitatis die Tatsache festgehalten, daß das Wort von Christus[248] nur auf Glauben aus ist[249]. V. 9ff expliziert diesen Glauben als Bekenntnis zum auferstandenen Herrn und versichert, daß er Gerechtigkeit und Heil wirkt. Somit erweist sich das Χριστός in V. 4 als Kürzel für den in der Verkündigung dem Glauben nahekommenden κύριος. Pl argumentiert nicht aus dem Wesen "des" Messias, - deswegen darf man wohl die exegetische Zwischenbemerkung V. 6d nicht auf die Inkarnation beziehen[250] -, sondern aus dem

---

246) So nun wieder PLAG 19ff nach BAECK 584 und SCHOEPS 178f.

247) Vgl. das Referat bei LUZ, Geschichtsverständnis 144f.

248) Vgl. V. 27 ῥῆμα Χριστοῦ. Hier läßt sich nicht zwischen Genetivus subiectivus und obiectivus scheiden, weil für Pl das Wort den Verkündeten so mitbringt, daß es bleibend durch seine Autorität gedeckt ist. Vgl. auch die Wendung ἀκούειν τινός, auf deren Eigenart u.a. LAGRANGE zu V. 14 aufmerksam macht.

249) Vgl. ZAHN, KÜHL, LAGRANGE, die den Genetiv mit den Ausdrücken 3,27 vergleichen; SCHLATTER: "das Ziel des Worts, weshalb es ihm gesagt wird, seine Wirkung, durch die es sich in ihm kräftig erweist, ist der Glaube." Dagegen sehen MICHEL und LEENHARDT in πίστις zugleich den Glaubensgegenstand; KRAMER 45 nur die "fides quae".

250) LIETZMANN hat gut beobachtet: "Um den Sinn zu ermitteln, muss von V. 8f. ausgegangen werden." Die Fragen V. 6f wollen darauf nur rhetorisch hinführen; "das Entscheidende ist der Gegensatz von V. 5 (ὁ ποιήσας) zu V. 8 (ῥῆμα τῆς πίστεως)." So weit ich sehe, hält er es als einziger der Kommentatoren nicht für notwendig, Χριστὸν καταγαγεῖν auf die Menschwerdung zu deuten. Es ist ja ein recht unpl Gedanke

Herrschaftsanspruch dieses bestimmten Jesus, den Gott selbst in der Auferweckung in sein Recht eingesetzt hat. Auch in der Weise, wie Pl V. 6ff die Schrift verwertet[251], kommt er nach meinem Dafürhalten den Juden nicht entgegen, während eine Anzahl neuerer Autoren glaubt, sie seien durch die Weiterentwicklung des angeschlagenen Motivs in der Tradition entsprechend vorbereitet gewesen.

Um die Differenz zwischen dem ursprünglichen Sinn von Dt 30,12ff zu der Verwendung der Stelle in 10,6ff zu verringern, hat man a) zeigen wollen, daß die dtr Theologie und speziell der Kontext unseres Zitats schon Ansätze für die Glaubensgerechtigkeit bot[252]. Aber die Tatsache, daß Pl gezielt das Subjekt ἐντολή sowie die Elemente, die auf das Tun weisen, wegläßt[253], spricht dagegen, daß er sich solches zunutze machte.

b) LYONNET[254] meint, Pl habe den Text in seiner Abwandlung durch das Targum Jer II gekannt und seinem Ziel angepaßt; Christus werde als der neue Moses charakterisiert, der das neue Gesetz des Glaubens vom Himmel hole. Aber GOLDBERG hat plausibel gemacht, daß die Modifikation der Dt-Stelle bei Pl nicht aus der Bekanntschaft mit dem Fragmententargum herrühren muß. K. MÜLLER[255] verweist auf den Kontext, der mit seiner scharfen Wendung gegen die Gesetzesgerechtigkeit jede Typologie zum Sinaigeschehen ausschließt; außerdem ist hier nicht das Gesetz, sondern die Person Christi Objekt des καταγαγεῖν.

c) SUGGS[256] folgert aus dem Umstand, daß das Motiv vom Suchen in der Höhe und Tiefe auch von der Weisheit gebräuchlich ist,

---

daß diese schon die Gegenwart der Offenbarung in sich schließen soll. Erst in V. 7 beginnt das pl Interpretament sich zu konkretisieren. Denn - wie V. 9 zeigt - Pl hat vor allem an der Auferstehung Interesse. Man kann V. 9 unmöglich auf Inkarnation und Auferweckung, bzw. auf die so gedeuteten Verse 6f, verteilen (gg. SANDAY-HEADLAM, LAGRANGE).

251) Daß Pl auch V. 6ff bewußt Schriftwort aufnimmt, um die ἐκ πίστεως δικαιοσύνη mit göttlicher Autorität sprechen zu lassen, ist unverkennbar: vgl. LIETZMANN; KÜHL; LAGRANGE; MICHEL; LUZ, Geschichtsverständnis 92; KÄSEMANN, Perspektiven 270.

252) Vgl. DODD; BARRETT; LEENHARDT; LYONNET, Quæstiones II,94ff; ELLIS 123 Anm. 1.

253) Vgl. SCHMIDT z.St.

254) Exégèse juive; ebenso sein Schüler McNAMARA 70ff.

255) In seiner Bespr. von McNAMARA BZ 15 (1971) 149f.

256) 229ff; ähnliches hatten schon WINDISCH, Weisheit 224 und andere Autoren früher vorgeschlagen. BRUCE; KÄSEMANN, Per-

die Gleichsetzung von tōrā und Christus sei Pl durch den Sophia-
mythos erleichtert worden.

All diesen Hypothesen gegenüber ist zu fragen, ob Pl wirklich
daran liegt, den Abstand zwischen Gesetz und Ev durch solche
Brückenschläge zu überwinden. Zwar wird sich eine polemische
Verkehrung rabbinischer Deutungen von Dt 30,14[257] kaum erweisen
lassen; aber Pl ist weit davon entfernt, eine positive Beziehung
zum Gebot knüpfen zu wollen, das die Fundstelle des Zitats mit
ῥῆμα meint[258]. Daß für ihn ῥῆμα und Christus identisch sein
können, ist die Folge des im Kerygma präsenten Osterereignisses.

Nicht schon dadurch, daß der Messias gekommen ist, wird das Heil
Gottes universal, sondern deswegen, weil Gott seine Herrschaft
so jenseits der Todeslinie verankert hat, daß sie nur noch durch
Boten proklamiert, mit dem Munde bekannt und im Herzen geglaubt
werden kann. Die Gerechtigkeit Gottes, die V. 3 autoritativ Gehorsam forderte, nimmt ihren Anspruch aus der Initiative, die
Gott in der Auferweckung Jesu ergriffen hat. Wie diese kann sie
allein Gottes Werk sein. Nicht zufällig nennt Pl V. 9 als Inhalt
des Credo die Erweckungstat, der die Akklamation κύριος Ἰησοῦς
zugeordnet ist[259]. Denn als Erhöhter hat Jesus die menschliche
Begrenztheit überstiegen (vgl. 14,9); er lebt nur noch aus dem
Leben Gottes. Pl ist überzeugt, daß Gott dieses sein unverfügba-
res Leben in Christus allen Menschen mitteilen will, weil er
eben den Gekreuzigten und vom Gesetz Verfluchten auferweckte.
Darin sind die Schranken des Gesetzes durchbrochen (vgl. Gal
3,13 im Anschluß an die auch Röm 10,5 zitierte Maxime Lv 18,5;
Röm 4,25). Es wäre freilich verfehlt, hier e silentio eine pl
Messianologie zu entfalten. Doch so viel steht fest: zur Begrün-
dung der universalen Heilsmöglichkeit stellt Pl die Herkunft des
Christus aus dem Volk der Verheißung nicht in den Vordergrund.
An anderen Stellen (Gal 3,13f; 4,4) geht diese eher als negative

---

spektiven 275ff schließen sich an. FEUILLET, Christ 321ff
und LUZ, Geschichtsverständnis 92f summieren Lösung b) und
c).

257) Von NYGREN und MICHEL erwogen.

258) Nach GÜTTGEMANNS, Heilsgeschichte 46f wird dem Judentum
durch die gewaltsame Umbiegung des atl. Wortlauts die
Schrift entrissen.

259) Über die gemeindliche Verwendung der 10,9 zitierten Formeln
besteht ziemliche Einhelligkeit: vgl. BULTMANN, Theologie
128; CONZELMANN, Theologie 81ff; KRAMER 61ff; WENGST 27ff,
131ff.

Ermöglichung der Ausgießung des Heiles für alle voran, indem die irdische Existenz des Christus bis zum Tod unter den Fluch des partikulären Gesetzes gerät. Positivere Aussagen wie Röm 1,2ff; 15,7ff (s.u. IV B 2) heben mehr darauf ab, daß das Erscheinen des Christus der Verheißung entspricht - deswegen ist er ein eschatologisch gültiges Zeichen Gottes -, aber auch hier wird erst in einer zweiten, übergeordneten Stufe sichtbar, daß Gott in Christus für die ganze Welt handelt, indem er ihn zum Herrn des Kosmos inthronisiert. Der Auferstandene ist nicht mehr bloß der Messias Israels, er hat zu allen die gleiche Distanz und dieselbe Nähe im Wort der Verkündigung. Als κύριος können ihn alle anrufen und so des Reichtums seines Lebens teilhaft werden (10,12).

Man hat schon oft darauf hingewiesen, daß Pl 10,13 mit Joel 3,5 ein Wort anführt, daß auch Apg 2,21 die Heilswirksamkeit des "Herrn" (V. 36) für "Nahe und Ferne" (V. 39) unterstreichen soll. Da die damit zusammenhängende Selbstbezeichnung der Christen als ἐπικαλούμενοι τὸ ὄνομα κυρίου[260] dem Apostel bereits vorgegeben ist, kann man annehmen, daß gar schon die vorpl judenchristlich-hellenistische Gemeinde dieses Wort als dictum probans für die von der eschatologischen Geistgabe her motivierte gesetzesfreie Mission verwandte[261]. Pl läßt Röm 10,13 wohl die Zitationsformel weg, weil er es auch in der römischen Christenheit als bekannt voraussetzen kann. Offensichtlich baut er auf einem missionstheologischen Christologoumenon auf, das seine für ihn entscheidende Prägung in frühen judenchristlich-hellenistischen Kreisen bekommen hat. Wir fragen deshalb kurz nach seinen Vorstufen und nach dem Einfluß, den es für die pl Begründung der Mission gewonnen haben mag.

---

260) Vgl. den Aufsatz von LANGEVIN 374ff. Daß Joel 3,5 der einzige für die Formel maßgebende LXX-Text war, wird aber kaum zu beweisen sein: vgl. HAHN, Hoheitstitel 118. V. 12b erinnert an Ps 144,18: ἐγγὺς Κύριος πᾶσιν τοῖς ἐπικαλουμένοις αὐτόν.

261) So HENGEL, Christologie 62.

E x k u r s

Christologie und Mission

Die Entwicklung der Christologie muß korrelativ zum Fortschrei-
ten der Mission gesehen werden. So werden die missionarisch aktiven Gemeinden an ihr den größten Anteil gehabt haben. Das ist
auch für die Bedeutungsanreicherung zu veranschlagen, die der
auf Jesus angewandte κύριος-Titel erfuhr. Fixpunkte in der heu-
tigen Diskussion sind der mārē aus dem Gottesdienst aramäisch
sprechender Christen und andererseits das Bekenntnis der Heidenchristen zu ihrem "Herrn" angesichts der κύριοι ihrer religiösen
Umgebung (2 Kor 8,5f). Dazwischen steht die Akklamation κύριος
Ἰησοῦς, deren anfänglicher Ort schwer bestimmbar ist[262]. Es
ist anzunehmen, daß judenchristlich-hellenistische Zentren der
Mission ihre Impulse aus einem entsprechenden Bewußtsein vom
Herrentum Jesu bezogen. Sie harren nicht nur dem Wiederkommenden
entgegen, noch beschränkt sich sein Herr-Sein auf die Gemeinde.
Sie glauben an seine pneumatische Wirksamkeit in der Verkündi-
gung über den kultischen Raum hinaus. Darin wird manifest, daß
Jesus die Herrschaft Gottes und dessen kosmische Machtfülle
teilt. Deshalb muß alle Welt seinen Anspruch hören und kann in
ihm Heil finden. In diesem Milieu werden auch zum erstenmal
Gottes-Aussagen der LXX über das Verbindungswort κύριος auf
Jesus übertragen worden sein.

Der vorpl Hymnus Phil 2,6-11 spiegelt diesen Vorgang, obwohl
nicht feststeht, wieweit er noch vom christlichen Diasporajudentum geprägt ist[263]. Gott erhöht den Knecht-Gewordenen und ver-

---

262) Vgl. KRAMER 76ff; 154ff. Ihm hält HENGEL, Christologie 55ff
 entgegen, daß die "vorpaulinische, christologisch produk-
 tive 'heidenchristliche Gemeinde' eine Fiktion darstellt."
 Nun hat HAHN, Hoheitstitel 67ff das hellenistische Judenchristentum als den Ort beschrieben, an dem sich die Erhö-
 hungsvorstellung mit dem Kyriostitel verband. VIELHAUER,
 Weg 147ff hat seine These kritisch unter die Lupe genommen.
 Er wird darin recht haben, daß schon der Maranatha-Ruf die
 Herrscherstellung Jesu voraussetzt. Ob aber die Akklamation
 κύριος Ἰησοῦς den Titel aus hellenistischen Kulten über-
 nahm und erst in der Antithese zu anderen κύριοι sinnvoll
 ist (165; vgl. auch KRAMER 79, 99; WENGST 134f), ist sehr
 zweifelhaft. Schon chronologisch fällt die Annahme schwer,
 daß erst das Heidenchristentum eine "gottheitliche Auffassung Jesu" geschaffen hat, die "früh" vom Judenchristentum
 "rezipiert und dann... mit Jahweaussagen der LXX verbunden
 wurde" (zu VIELHAUER, Weg 165).

263) Fraglich ist, ob das Motiv des Gottesknechts, um dessetwil-
 len DEICHGRÄBER 130 u.a. für hellenistisch-judenchristliche
 Herkunft plädiert, eine Rolle spielt. Menschsein als δου-
 λεία weist nach EICHHOLZ, Theologie 142f eher auf helleni-
 stisches Selbstverständnis. SCHNACKENBURG 319 warnt davor,
 einen einheitlichen Ansatz für alle Bilder und Begriffe su-

leiht ihm den Namen über alle Namen. Den überragenden Rang Jesu kann nur noch ein LXX-Zitat ausdrücken, das eigentlich die Anerkennung des alleinigen Rettergottes durch die Völkerwelt beschrieb. Jetzt gibt es die Huldigung wieder, die die widergöttlichen Mächte dem Weltherrn mit dem Zuruf κύριος 'Ιησοῦς Χριστός leisten müssen. Dessen Inthronisation bleibt nicht rein jenseitige, verborgene Wirklichkeit. Einmal vollzieht die Gemeinde durch die Rezitation und vielleicht auch durch Kniefall für sich nach, was schon gültig ist[264]. Noch eine weitere Folge hat der in diesem Lied ausgesprochene Glaube an den κύριος[265]: Dadurch, daß die Herrschaft der schicksalsbestimmenden Kräfte in allen Dimensionen des Kosmos gebrochen ist, können und müssen auch alle Menschen für den Kosmokrator gewonnen werden. Die hellenistische Gemeinde betrachtete es nach den Worten KÄSEMANNs[266] als ihre Aufgabe, "den im Weltregiment vollzogenen Wechsel der Ökumene zu proklamieren, wie das exemplarisch etwa in 1. Tim. 3,16 geschieht." Wenn dieser frühe Hymnus der hellenistischen Christenheit[267] aoristisch feststellt: ἐκηρύχθη ἐν ἔθνεσιν, ἐπιστεύθη ἐν κόσμῳ, so spricht er damit weniger eine Erfahrungstatsache aus, sondern deutet die bereits angelaufene Heidenmission enthusiastisch und christologisch. Die Aktionsart ist durch die Erhöhung Christi bestimmt, der schon Herr der Welt ist. Weil das an die Öffentlichkeit drängt, hat die Verkündigung dasselbe Ausmaß. In ihrem Gelingen holt sie nur die kosmische Vorgabe[268] ein.

---

chen zu wollen. HAHN, Hoheitstitel 120f meint, der Hymnus habe die Schwelle zum Heidenchristentum gerade überschritten; ebenso GNILKA, Philipperbrief 147. KRAMER 63f liest hellenistischen Ursprung am abgeblaßten Gebrauch von Χριστός ab; WENGST 149ff folgert ihn mit KÄSEMANN aus dem gnostischen Wegschema.

264) Vgl. KRAMER 71f, 78.

265) THÜSING 58f versucht den Nachweis, in der pl Redaktion des Hymnus seien V. 10f "auch die Menschenwelt und nicht zuletzt die Christen" einbegriffen. Aber es bleibt unsicher, von wem die Schlußdoxologie stammt und wie sie zu beziehen ist. Daß auch die Menschen ihr Knie beugen müssen, ist eher eine Konsequenz davon, daß der Inthronisierte nun Gott der Welt gegenüber repräsentiert und die bisherigen Inhaber der kosmischen Gewalt entmächtigt sind. Zu dieser Auslegung vgl. KÄSEMANN, Analyse 85ff.

266) Apokalyptik 122. Ausführlich jetzt KASTING 131ff.

267) Vgl. DIBELIUS-CONZELMANN; BROX z.St.; SCHWEIZER, Two New Testament Creeds 125ff; DEICHGRÄBER 133ff; WENGST 156ff. Demgegenüber werden STENGER und GUNDRY kaum recht behalten, die auf verschiedenen Wegen einen ausschließlich judenchristlichen Hintergrund verteidigen wollen. Dagegen sprechen die Manifestationsterminologie im 1. Stichus, das Sphärendenken und die mit κόσμος gleichbedeutenden ἔθνη.

268) Vgl. S. 51 Anm. 53. Auch Röm 10,18 scheint diese Anschauung einzuwirken.

Die Heidenmission entspringt so im Übergang von der palästinensischen Menschensohnerwartung zur κύριος-Christologie der hellenistischen Gemeinde[269]. Die Missionare verstanden sich als
δοῦλοι des himmlischen Herrn, von seiner Autorität "gesandt".
Wenn das in Röm 10,15 zitierte Wort Is 52,7 zusammen mit seinem
atl. Kontext schon früher die Verbreitung des Ev deuten konnte,
dann galten seine Boten als Herolde der königlichen Herrschaft
Christi[270].

Mit den Erhöhungstraditionen[271] verschränkte sich wohl im hellenistischen Raum noch ein zweiter, die Mission tragender Gedanke: der der kosmischen Versöhnung in Christus[272], wie sie
die Hymnen Kol 1,15-20 und Eph 2,14-18 feiern. Pl hat ihn sich
2 Kor 5,18ff; Röm 5,1-11; 11,15 zu eigen gemacht.

Auch für das Apostolat des Pl war die "Erkenntnis" des Erhöhten
entscheidend, ohne daß eine bestimmte Titulatur besonders her-
vorsticht, denn die begriffliche Identität Jesu mit dem Messias
bzw. dem Herrn war Pl in der Verkündigung der Gemeinde, die er
verfolgte und in der er seine erste Unterweisung erhielt, vorgegeben[273]. Seine Berufung zum Völkerapostel war Herrschaftsakt
des Erhöhten[274]. Das sahen wir bereits an der pl Adaptation des
überkommenen Glaubenssatzes 1,3f[275]. V. 5 zeigt, daß Pl in der
Sendung zu allen Heidenvölkern und in der Forderung zum Glauben
vom κύριος bevollmächtigt ist. Dessen im Apostel gegenwärtige

---

269) Das entwickelt auch STUHLMACHER, Evangelium 247ff. Vgl.
auch den Anakoluth Apg 10,36, hinter dem freilich kaum alte
Tradition steht. Der Satz bricht deshalb ab, weil die Frie-
densbotschaft für Israel überboten wird durch die Heils-
funktion des κύριος für alle, die auch Lk mit diesem Namen
verbindet.

270) Das "Wenn" ist jedoch zu betonen. Die Stelle trägt jedenfalls nicht die Konstruktion STUHLMACHERs (s. vorige Anm.),
die hellenistisch-judenchristlichen Missionare hätten sich
im Anschluß an die prophetischen m^{e}bašerīm der Endzeit verstanden. Auch der apk Horizont ihres Wirkens läßt sich so
kaum aufweisen.

271) Ob auch aus Mt 28,18-20; Mk 16,15 entsprechende ältere
Überlieferungen zu gewinnen sind, wie STUHLMACHER, Evangelium 254ff glaubt, ist fraglich. Vgl. dazu KASTING 34ff.

272) Vgl. KÄSEMANN, Erwägungen; KASTING 138ff; A. VÖGTLE, Versöhnung, in: LThK² X, 734-736. Zur Frage vorpl Tradition
in 2 Kor 5,19ff s.o. Anm. 134.

273) Vgl. BLANK 249. Während 1 Kor 9,1 vom Sehen des κύριος
spricht, gibt nach Gal 1,16 die Offenbarung des "Gottessohnes" den Anstoß zur Verkündigung unter den Heiden. An anderen Stellen bringt Pl seinen Auftrag mit dem Χριστός zusammen (vgl. 1 Kor 1,17; 2 Kor 5,14ff; Röm 15,16ff; dazu den
vorpl Ausdruck τὸ εὐαγγέλιον τοῦ Χριστοῦ).

274) Vgl. BLANK 206.

275) S. 47f. Dazu den Exkurs 2 "Heidenapostolat und Erhöhung
Christi" bei SCHMIDT.

Hoheit wird wie Phil 2,9f und im Schriftwort 10,13 als ὄνομα[276] umschrieben. Nach 15,20 kommt es dem Apostel darauf an, daß überall Christus "genannt" wird.

Man hat aus diesem Wort Schlüsse auf die Missionsmethode des Pl ziehen wollen. So meint etwa E. LOHMEYER[277], missionieren heiße für Pl "zunächst nicht, Gläubige gewinnen, sondern vor allem den Namen Christi verkünden". Der Apostel betrachte seine Aufgabe als erfüllt, wenn in den Hauptstädten der Provinzen der Name erklungen sei. Die empirische Tätigkeit der Predigt ruhe auf dem Gedanken, daß der Name Christi gleichsam aus eigenem Wesen und eigener Macht durch die Welt zu erklingen habe, und dieses Nennen und Genanntwerden heiße Ausbreitung des Ev. Doch wird in dieser Wendung eher das Wesen und die Kraftquelle der Mission - weniger das konkrete Vorgehen - offenkundig: wie ein Vergleich mit dem atl. bestimmten Ausdruck "Namen Gottes" im Röm[278] nahelegt, ist ὄνομα der Herrschaftsanspruch Christi über die ganze Welt, der sich jedoch nicht automatisch durchsetzt, sondern dadurch, daß der Apostel ihn εἰς ὑπακοὴν πίστεως zur Geltung bringt.

In Röm 10 bekommt die überlieferte Redeweise vom Kyrios als dem Grund der Mission eine bezeichnende Schattierung; nicht seine Machtstellung in sich interessiert, sondern die Auswirkung: da die Nachricht von seinem Herr-sein überall hindringen muß, kann man sich, ob Jude oder Heide, auf ihn berufen. Und die Anerkennung selbst ist kein Gesetzeswerk, sondern bekennende Antwort, ein Wort, das jedem gleichsam auf die Lippen gelegt ist, Glaube. Sie bekennt sich ja zu der Tat Gottes an seinem Christus, durch die das gesetzliche Leistungsprinzip hinfällig und das Heil für alle entschränkt wurde. Pl faßt die Gerechtigkeit Gottes, die die Juden mißachteten, obwohl sie von der Schrift belehrt "verständig" hätten sein sollen (vgl. V. 2f, V. 19 ἀσύνετος), christologisch und spricht dadurch das universale Ev vom Verdacht der Wirkungslosigkeit frei.

---

276) Daß dieser Terminus an κύριος haftet, zeigt KRAMER 71ff.
277) Philipper 48.
278) Vgl. 2,24; 9,17 - in der Nähe von δύναμις -; 15,9.

KAPITEL IV

DER ÜBERGANG DES EVANGELIUMS VON DEN JUDEN ZU DEN HEIDEN

Wir sahen: das Ev vom erhöhten Herrn ist in sich so geartet, daß
es von vornherein alle Menschen betrifft; denn alle sind von der
Gerechtigkeit Gottes gleich weit entfernt, und allen kommt sie
greifbar nahe, wenn sie sie im Glauben an Christus bejahen wollen. Wie verhält sich nun diese Wesensaussage über das Ev, die
Pl in kritischer Gegenstellung zum jüdischen Sonderweg macht,
zur konkreten Geschichte des Ev? Niemand kann doch die Tatsache
abstreiten, daß das rettende Wort zuerst den Juden gesagt wurde,
daß es von den Verheißungen her auf das jüdische Volk vorstruk-
turiert war und daß die Heiden erst in einem allmählichen, für
das Gros des Judentums leidvollen Prozeß in den Umkreis seiner
Verkündigung kamen. Zwar scheinen sich die ersten acht Kap. des
Röm um diesen geschichtlichen Verlauf wenig zu kümmern; aber
Kap. 9 geht dann von der Gegebenheit aus, daß die zuerst Berufenen zum großen Teil dem Heil entfremdet gegenüberstehen. Da
ist auch zu erwarten, daß Pl auf die eigenartige Abhängigkeit
der Völkermission vom Geschick Israels zu sprechen kommt. Er tut
das auch, aber mehr indirekt, wobei dieses Verhältnis mit der
wechselnden Zielsetzung der Kap. je verschieden angeleuchtet
wird.

A) D a s   U n h e i l   I s r a e l s
    u n d   d i e   R e t t u n g   d e r   V ö l k e r

1. 9,22-24

Zum erstenmal innerhalb Kap. 9-11 kommt die Berufung der Heiden
in 9,24 zur Sprache[1]. Vielfach erklärt man den Einsatz V. 22
εἰ δέ damit, daß Pl nun wieder zur Deutung der geschichtlichen
Verhältnisse zurückkehre[2]. Nun haben wir schon früher angenom-

---

1) S. o. S. 115f.
2) Z.B. ZAHN, dem MICHEL und SCHMIDT zustimmen. Dazu kann kommen, daß Pl nach dem Zwischengedanken V. 19ff wiederum zur
   Situation von V. 15ff zurücksteigt: LAGRANGE. LUZ, Geschichtsverständnis 241, 245 möchte das δέ adversativ verstehen, obwohl er einsieht, daß es nicht einen Widerspruch zum
   V. 20f beschriebenen Verfahren Gottes anzeigen kann. V. 22f
   könne nicht auf Juden und Heiden in der Gegenwart bezogen

men, daß die Satzkonstruktion V. 22f deswegen unvollständig
bleiben mußte, weil nicht bloß Juden, sondern auch Heiden zu den
σκεύη ἐλέους gehören. Dann wird im Hintergrund von V. 22f das
Handeln Gottes am jüdischen Volk stehen[3]. Wie verhält sich dann
die Bestimmung der Heiden zu der der Juden? Die Antwort hängt
davon ab, was man mit dem Anakoluth anfängt.

<u>a)</u> Eine Gruppe von Exegeten[4] sieht in V. 22f einen Umschlag des
Denkens. Die Souveränität Gottes bekunde sich nicht nur in der
Ungebundenheit seines Wollens, so daß er wie ein Töpfer mit seinen Erzeugnissen nach Gutdünken verfahren kann (V. 19ff), sondern gerade auch in seinem unerwarteten zweifachen Gnadenhandeln
(V. 22 und 23). <u>Er erträgt auch die dem Zorn geweihten Geschöp-
fe, letztlich um sie zur Umkehr zu bringen.</u> Auf die Juden angewandt hieße das, daß hier 2,4 anklingt und Kap. 11 schon vorbereitet wird. Damit würde Pl aber die V. 21 noch feste Dualität
der beiden Arten von Gefäßen[5], die doch V. 14-18 durch Moses
und Pharao exemplifiziert war, zerstören. V. 17 könnte trotz der
deutlichen Wortübernahme nicht zur Erhellung von V. 22 herangezogen werden. Der nur allzumenschliche Beweggrund solcher Exegese tritt bei DODD zutage: weil die vorhergehenden Verse Gott als

---

werden, weil 11,25ff das nahezu ausschlössen (245 Anm. 67).
Aber Röm 9 und 11 liegen nicht auf der gleichen Ebene: s. S.
133ff. Nach LUZ wechselt erst V. 24 zur geschichtlichen Betrachtung über; weil Pl merke, daß man vom Handeln Gottes in
der Geschichte nicht in abstracto reden kann, müsse er auch
den Gedankengang abbrechen. Aber schon der Plural V. 22f deutet an, daß Pl nicht mehr rein am Pharaobeispiel orientiert
ist, über das auch der starke Akzent auf der Langmut hinaus-
führt. Die Lieblingsidee von LUZ, daß nur der Betroffene angemessen von Gottes Geschichtshandeln sprechen kann, war zwar
dem adversarius von V. 14. 19 fremd, dürfte aber kaum Pl
selbst so unversehens einfallen, daß er sich in der Konstruktion verheddert. Hier werden aus grammatikalischen Beschränk-
heiten theologische Grundpositionen gefolgert.

3) So die meisten Ausleger; nur MICHEL 244 Anm. 2 will in den
Gefäßen des Zornes zunächst die Heiden erblicken. MUNCK, Is-
rael 50ff schwankt, hält das aber auch für wahrscheinlicher.
BARRETT: sowohl Juden als auch Heiden.

4) WEISS, SANDAY-HEADLAM, DODD, LEENHARDT. Dabei wird θέλων kon-
zessiv gefaßt, ἵνα praktisch als zweite Bestimmung zu ἤνεγκεν
ἐν πολλῇ μακροθυμίᾳ gezogen.

5) Dazu G. MAIER 380f.

willkürlich entscheidenden Despot erscheinen ließen, wird es
Zeit, daß Pl nun auch "a moral quality" in seinem Tun aufweist.
Aber Pl lehnt ja in diesem Abschnitt jeden Versuch ab, Gott nach
menschlich-ethischen Maßstäben beurteilen zu wollen. Positiv habe ich in einem früheren Aufsatz zu zeigen versucht, daß es in
der Traditionsgeschichte der "Geduld Gottes" auch eine Strömung
gibt, die das Ertragen des Sünders gerade auf Gottes machtvolles
Richten hinordnet[6]. An unserer Stelle steht zwar nicht wie in
der Apkk das Problem der Bestrafung der Schuldigen im Vordergrund - Gottes Verfügungsgewalt ist ja viel fundamentaler vom
menschlichen ἀνταποκρίνεσθαι her bestritten -, aber wenn Pl demonstrieren wollte, wie Gott die Masse des zu heilssicheren Volkes frei zur ἀτιμία bestimmen konnte, kam ihm dieser traditionelle Gedanke gerade im Fall Israel gelegen, weil man sonst
leicht einwenden konnte, diese sei gar nicht geschichtswirksam
geworden. Daß Menschen in ihrer Verstockung fortbestehen, kann
aller Welt die Überlegenheit des Schöpfers vor Augen führen und
tut dem Ernst des Gerichtes keinen Abbruch[7].

b) Auch wer in V. 22 konsequent den Verwerfungswillen Gottes
anerkennt, ist doch versucht, eine Beziehung zur V. 23 ausgesprochenen Finalität zu konstruieren. Was Gott an den Gefäßen
des Zornes tut, wird dann in irgendeiner Weise dem Herrlich-
keitserweis für die Berufenen zugeordnet. Die Erklärer wiederholen vor dem ἵνα-Satz das ἤνεγκεν entweder als Verbum eines
Hauptsatzes[8] oder innerhalb der εἰ-Periode[9]. Dann gibt es einen "effet parallèle"[10], "einen darüber hinaus liegenden höheren Zweck"[11] an. "Geduld und Zorn stehen in dem höheren

---

6) Vgl. ThPh 43 (1968) 63f.

7) Zu diesem Gericht gehört nicht nur die Verstockung (so KÜHL
   und LYONNET, Quaestiones II,68), sondern auch der folgende
   Untergang (ἀπώλεια).

8) So ZAHN, NYGREN, STÄHLIN, ThW V,426.

9) LIETZMANN, LAGRANGE, ALTHAUS, SCHLATTER, MICHEL, BARRETT,
   HUBY, MURRAY.

10) LAGRANGE, KNOX, HUBY, Ch. MÜLLER 32.

11) ZAHN.

Dienst, sein Erbarmen kundzutun"[12]. Das textkritisch kaum zu
umgehende καί wird dabei notgedrungen mit "auch" übersetzt. Die
leitende Absicht Gottes ist nach dieser Deutung dann die: er
schiebt das Gericht noch auf, denn er möchte Zeit für die Berufung der Gefäße des Erbarmens gewinnen[13]. Dagegen ist einzu-
wenden: wie kann diese Zeitproblematik hinter dem Text stehen,
wo doch Pl bei den σκεύη ἐλέους zunächst an die christlich gewordenen Juden denken muß?

Als Stütze beansprucht diese Auslegung oft den augenscheinlich
aufgegriffenen V. 17. Dort sagen die beiden ὅπως-Sätze ja auch
eine doppelte Wirkung aus. Wie der erste V. 22 entspricht, so
könnte das ὅπως διαγγελῇ τὸ ὄνομά μου ἐν πάσῃ τῇ γῇ in V. 23f
aufgenommen sein: "What is said about Pharaoh is transferred to
Israel, whose hardening and unbelief have furnished the occasion
for a demonstration of God's power and for the worldwide publi-
cation of the Gospel"[14]. Doch widersetzt sich V. 17 einer solchen Aufspaltung. Er nennt schon im atl. Zusammenhang keine ge-
sonderte Heilstat Gottes, sondern die Wirkung, die vom schreck-
lichen Machterweis am Pharao ausgeht. Die Erkenntnisformel ist
typischer Bestandteil der Gerichtsankündigung[15]. Auch findet
sich in V. 23f - im Unterschied zu V. 22 - kein wörtlicher Nach-

---

12) BORNKAMM, Anakoluthe 91. Ebenso MICHEL: Pl "denkt vom Heils-
    plan Gottes aus, der sich der Gerichte bedient, um den Weg
    der Barmherzigkeit zu Ende gehen zu können." Noch radikaler
    wird bei LUZ, Geschichtsverständnis 247 das Zorneshandeln
    Gottes zum Aspekt seiner Gnade, weil er einerseits ihr un-
    verbundenes Nebeneinander stehen lassen und doch aus V. 22f
    eine gegenüber V. 19ff positive Aussage entnehmen will.

13) So ausdrücklich ZAHN; ALTHAUS; MUNCK, Israel 55f als das
    Wahrscheinlichere.

14) BARRETT. Ähnlich KÜHL; SCHLATTER; SCHMIDT; BORNKAMM, Anako-
    luthe 91 und offensichtlich auch LUZ, Geschichtsverständnis
    245.

15) Vgl. ZIMMERLI, Erkenntnis 63f. Zu vergleichen ist etwa Jr
    16,21: καὶ γνωριῶ αὐτοῖς τὴν δύναμίν μου, καὶ γνώσονται ὅτι
    ὄνομα μοι κύριος. 2 Makk 3,34; 9,8.17: Heliodor bzw. Anti-
    ochus. Auch 1QH 15,19f: "du hast sie bestimmt, um an ihnen
    große Gerichte zu vollziehen vor den Augen all deiner Werke,
    damit sie zum Zeichen würden... Ewigkeit, damit alle erken-
    nen deine Herrlichkeit und deine große Kraft" (Übers. nach
    E. LOHSE).

klang von V. 17. Es ist also anzunehmen, daß dort von Gottes freier Huld, wie er sie etwa an Moses, aber nicht am Pharao erzeigt hat, die Rede ist.

So kommen Zweifel auf, ob die von der Mehrzahl der Kommentatoren vertretene Deutung das Richtige trifft. Verfällt sie nicht wieder in den Fehler, das widersprüchliche Handeln Gottes rational in einen Heilsplan einbauen zu wollen, wo es doch im Kontext um die allmächtige Souveränität Gottes geht? Es fällt so schwer, schon hier mit NYGREN und SCHMIDT die "charakteristische Verknüpfung der Verwerfung Israels und der Erlösung der Welt" wie 11,11ff zu finden, denn der Gedankengang will auf etwas anderes hinaus: Gottes Erwählung ist unberechenbar. Daß sie aus der ungeschuldeten Zuwendung heraus kommt, illustriert gerade die Hinzunahme der Heiden[16].

c) Deshalb überzeugt mich mehr eine ziemlich seltene Auffassung der schwierigen Verse, zu der F.W. MAIER[17] die grammatikalische Grundlage bietet: die Periode darf nicht vorzeitig aufgelöst werden; der Parallelismus ist voll durchzuhalten, καί heißt "und", wie es naheliegt; Pl will damit den Konditionalsatz fortführen. Als dessen zweites Verb war wohl ἐκάλεσεν vorgesehen, das jetzt in V. 24 verarbeitet ist. Denn schließlich ist der Ruf Gottes doch der Akt, der am meisten seine δόξα und seinen πλοῦτος offenbart[18]. Dann ist es aber zwecklos, in der Erwählung der einen den Grund für Gottes zorniges Aushalten der anderen zu suchen. Gerade weil man nicht danach fragen darf, warum den Gefäßen des Zorns fortdauernde Verstockung widerfährt, ist dieses Beispiel für die Argumentation des Pl geeignet. Ebenso grundlos ergeht der Reichtum des Erbarmens über die Gefäße der Güte Gottes, so voraussetzungslos, daß hier gleich die Heiden ins Spiel kommen. Denn an ihnen bewährt sich, daß auch die Juden immer

---

16) GAUGLER sieht richtig, daß nicht die gegenseitige Bedingtheit der Akte betont ist, sondern das freie Schalten Gottes. In seiner Übers. lenkt er aber wieder in die alten Bahnen ein.

17) 44ff. In seiner Deutung neigt er allerdings der unter a) besprochenen Gruppe zu.

18) Vgl. 11,33ff; 15,7ff u.a.

schon auf das ἔλεος angewiesen waren. Gerichtshandeln und un-
erwartetes Erbarmen stehen unverbunden nebeneinander, und die
folgenden Bibelzitate verstärken nur noch dieses Paradox.

2. Israel - Heiden in 9,30-10,21

Erst 9,30ff führen auf die Frage nach dem "Warum". Dieses "Warum" sucht aber noch nicht nach einem "heilsgeschichtlichen"
Grund dafür, daß Israel das Ziel der Gerechtigkeit verfehlte[19].
Denn es kann in diesem Stadium nicht darum gehen, daß Israel
seine Bestimmung verfehlen mußte, sondern darum, daß es de facto
die Gerechtigkeit verkannte, die ihm - wie allen andern auch -
Rettung bot. Pl interpretiert so den Heidenchristen das Versagen
der Juden am weltumfassenden Ev. Dabei kann die Berufung der
Heiden in keiner Weise vom Ruf an Israel abhängig sein. Pl projiziert gewissermaßen die in Christus allen zugängliche Gerechtigkeit in die Entscheidungssituation Israels zurück. Wenn er
die Heiden nennt, dann schaltet er die Geschichte ihres Heil-
Findens nicht hinter das Scheitern Israels, sondern bietet sie
als gleichzeitigen Kontrast auf (9,30f; 10,19-21). Daß die Heiden - obwohl Nicht-Volk - gerufen werden und verstehen, kann nur
den Widerspruch des Volkes Gottes krass hervortreten lassen. In
diesem Rückschluß ist freilich eine größere Affinität der Juden
zur Offenbarung Gottes vorausgesetzt: gerade sie hätten darauf
eingehen müssen. Aber gleichzeitig liegt darin, daß sich Gott
von den Heiden ohne Zutun der Juden "finden ließ". Darauf können
die Juden nur eifersüchtig blicken. Das Stichwort παραζηλῶσαι V.
19 steht hier zunächst noch in einem Israel anklagenden Kontext.
Kap. 11 wird es aber auffangen, um anzudeuten, wie die Juden am
vorerst verschmähten Heil wieder Interesse bekommen können.

---

19) BARRETT dürfte zu früh an 11,11ff denken, wenn er schon zu
    10,11 schreibt: "in the back of his mind, the dominant que-
    stion is still, Why have the Jews been rejected? And a major
    part of the answer to this question is (see ch. XI), In or-
    der that the Gospel may be preached to all, Gentiles as well
    as Jews."

3. Der Ungehorsam der Juden als negative Vermittlung

a) 11,11

Der Satz τῷ αὐτῶν παραπτώματι ἡ σωτηρία τοῖς ἔθνεσιν stellt in
sich betrachtet die jüdische eschatologische Erwartung auf den
Kopf[20]: Nicht die Verherrlichung des jüdischen Volkes wirkt in
die Welt hinaus, sondern sein παράπτωμα[21]. Wenn dann noch die
Rettung der Völker die Eifersucht der Juden wecken soll, so
scheint die prophetische Verheißung von der Völkerwallfahrt zum
Sion genau umgekehrt. Jetzt kommen die Juden zur endzeitlichen
Gemeinde der Heiden hinzu[22]. Pl möchte mit dieser Aussage freilich nicht das jüdische Selbstbewußtsein erschüttern, sondern
die Heidenchristen zur Einsicht bringen, daß das Fehlverhalten
Israels um ihretwillen (δι' ὑμᾶς 11,28) notwendig war und schon
deshalb nicht definitiv sein kann. Daß die Erwählung Israels
nicht rückgängig gemacht wird, zeigt allein schon das παραζηλῶσαι; denn es ist nur dann möglich, wenn die Heiden etwas erlangt
haben, was ursprünglich Israel zustand[23]. In welchem Sinn ist
aber genauer die Ablehnung der Juden Voraussetzung für den Gna-
denreichtum der Welt?

Viele Kommentare machen auf die geschichtliche Grundlage von V.
11b aufmerksam, wie sie vor allem nach der <u>Apg</u> zu erkennen ist[24].

---

20) Es ist schon oft bemerkt worden (z.B. LIETZMANN), daß sich
mit den bei BILLERBECK III,289 z.St. gebotenen rabbinischen
Aussagen keine traditionsgeschichtliche Brücke zu 11,11ff
bauen läßt. Daß Gott die Israeliten unter die Völker zer-
streut, damit die Proselyten zahlreich würden (Pesachim 87b;
BILLERBECK I,927), setzt ja den religiösen Bestand des Volkes voraus. Die übrigen angeführten Stellen handeln nicht
vom Heil, sondern von der Weltherrschaft. Daß sie an die
Heiden übergeht, ist ein Unrecht, das durch die Buße Israels
am Ende wieder beseitigt wird.

21) Das Gegenüber zu σωτηρία verbietet, das Wort zum "faux pas"
zu verharmlosen, was leicht geschieht, wenn man seinen ety-
mologischen Gehalt zu sehr betont (so SANDAY-HEADLAM; BAR-
RETT; LYONNET, Quaestiones II,121). Zwar mag das Bild von V.
11a die Wahl des Ausdrucks mitveranlaßt haben, gemeint ist
aber die schuldhafte Heillosigkeit des Unglaubens (vgl.
5,15ff).

22) Vgl. schon WEISS; KÄSEMANN, Frühkatholizismus 244; GEORGI,
Kollekte 84.

23) Darauf weisen u.a. SCHLATTER, NYGREN, MICHEL, LEENHARDT hin.

24) Vgl. SANDAY-HEADLAM, LAGRANGE, DODD, MICHEL, BARRETT.

Zwar hat man zunehmend eingesehen, daß der Verfasser der Apg
einem theologischen Schema folgt, wenn er die Predigt an die
Juden obligatorisch der Hinwendung zu den Heiden vorangehen
läßt. Aber daß Pl in den Synagogen anzuknüpfen suchte, wird sei-
nam faktischen Vorgehen entsprechen[25]. Damit ist noch nicht gesagt, daß die theologische Deutung beim Autor ad Theophilum und
an unserer Stelle dieselbe sein müßte. Lk geht es um die Selbigkeit der dem Judentum entwachsenen Kirche. Die Heidenmission ist
in der Schrift und in den Verheißungen an Israel impliziert und
kann sich dann voll entfalten, wenn der erste Adressat die er-
neute Möglichkeit des Heiles von sich gewiesen hat[26]. Für die
Zeit des Lk ist die Judenmission als Aufgabe erledigt. Ganz anders die Folgerung des Pl V. 11. Wie Lk will er auch nicht nur
eine Tatsache feststellen, sondern diesen Verlauf als Planung

---

25) Vgl. GOPPELT, apostolische Zeit 50; CONZELMANN, Geschichte
    78; BORNKAMM, Verhalten 155 in Auseinandersetzung mit
    SCHMITHALS, Paulus und Jakobus 37ff.

26) Es wird immer noch diskutiert, warum Lk das Verhältnis Is-
    rael-Weltkirche so darstellt. Vgl. das Referat bei SCHMIT-
    HALS, Paulus und Jakobus 47f. Neben dem apologetischen An-
    liegen macht man neuerdings mehr das heilsgeschichtliche
    geltend. Vgl. CONZELMANN, Mitte 128ff; DUPONT, NTS 6 (1959/
    60) 132-155. JERVELL, StTh 19 (1965) 68-96 geht freilich zu
    weit, wenn er meint, die Judenmission sei deshalb Vorausset-
    zung des Wirkens bei den Heiden, weil sich die Verheißungen
    im Gläubigwerden wenigstens eines Teils Israels erfüllen
    müßten, und wenn er diesem dann auch noch eine aktive Rolle
    in der Heidenmission zuschreibt; so in der unscharfen Exe-
    gese von 3,25 (S. 86) und 13,47 (S. 89). Aber: daß die Pre-
    digt der Apostel zu Beginn so gute Resonanz beim "Volk" fin-
    det, soll verdeutlichen, daß sie der Verheißung entspricht.
    Sie macht den später überhandnehmenden Widerstand der Juden
    um so schuldhafter. Vgl. dazu auch GEORGE. Er kommt mit JER-
    VELL 91f darin überein, daß nach Apg 28 eine Bekehrung des
    jüdischen Volkes nicht wie Röm 11,11ff in Aussicht steht.
    BORGEN 175 nimmt eine Mittelstellung zwischen HAENCHEN und
    JERVELL ein: "Lk combines the two ideas: whether Israel re-
    jects Jesus and the Gospel or accepts them in faith, both
    possibilities must serve towards a fulfillment of prophecy
    and towards God's plan of Redemption for the Gentiles." Um
    Lk dem "Frühkatholizismus" zu entreißen, möchte er bei ihm
    eine Weiterentwicklung von Traditionen, die auch Pl benutzt
    habe, nachweisen. Dabei kommt der unterschiedliche theologi-
    sche Standpunkt zu kurz.

Gottes deuten[27], obwohl dieses Subjekt der Geschichte unausge-
sprochen bleibt. Weil V. 11b die Annahme V. 11a widerlegen soll,
hat aber die ähnliche Aussage eine andere Funktion als in der
Apg. Der Sturz der Juden ist nichts Endgültiges, weil er nicht
Selbstzweck ist[28], sondern das Heil der Heiden herbeiführen
sollte. Dieses wiederum soll auf Israel zurückwirken. Daß der
Mißerfolg des Ev bei den Juden den Heiden zum Gewinn wurde, deutet gerade darauf hin, daß es sich eines Tages wieder zum zuerst
angesprochenen Volk zurückwenden wird[29]. Dieser Schluß setzt
voraus, daß das Heil - ungeachtet seiner inneren Universalität
(vgl. Kap. 10) - ein geschichtlich unteilbares Ganzes ist. Durch
die Weigerung der Juden wird es gleichsam frei und kann auf die
Völker übergehen. Dabei bleibt es aber immer in gewissem Sinn
entfremdet und kann so die, denen es unverlierbar zugedacht war,
reizen. Wir haben in τῷ αὐτῶν παραπτώματι einen Dativus causae
vor uns[30].

Verschiedene Autoren versuchten nun, mehr Licht in diesen behaupteten Zusammenhang zu bringen. Warum hat die Ablehnung Israels soteriologischen Wert? ALTHAUS mutmaßt, Pl denke "vielleicht auch daran, daß Israels Unglaube Jesus an das Kreuz gebracht und so zu seinem Versöhnerwerk für die ganze Welt gewirkt

---

27) Darauf legen DODD und SCHLATTER besonderen Wert.

28) Bei dieser Deutung nehmen wir aber weder πταίειν und πίπτειν
    als Synonyma (vgl. dazu K.L. SCHMIDT, πταίω, in: ThW VI,
    883-885) noch das ἵνα rein final wie MURRAY, nach dem Pl
    hier über den Sinn des faktischen Falls "with ultimate con-
    sequences" der Masse Israels nachdenkt. Aber V. 11a ist erst
    beantwortet, wenn im weiteren Verlauf auch die Rettung die-
    ses Israel aufgezeigt ist.

29) Ähnlich BORNKAMM, Verhalten 157.

30) Ganz sicher hat WILCKENS, NT in seinem Kommentar z.St. un-
    terinterpretiert, wenn er nur an eine zeitliche Verknüpfung
    denkt: "Paulus will hier nicht den Abfall Israels selbst als
    Ursache dafür hinstellen, daß die Geltung der Erwählung auf
    die Heidenvölker übergegangen ist. Sein Blick ist vielmehr
    auf die... Tatsache gerichtet, daß die Erwählten sich selbst
    von der Erwählung ausgeschlossen haben - zu eben der Zeit,
    da die alten prophetischen Verheißungen vom endzeitlichen
    Zutritt der Heidenvölker zur Heilsgemeinde Gottes jetzt in
    Erfüllung gehen."

hat"[31]. Aber wir bemerkten schon zu 9,33, daß nach Pl der eigentliche Ungehorsam Israels es bereits mit der Botschaft vom Auferstandenen zu tun hat. Gerade V. 15, der von der "Versöhnung der Welt" redet, sieht den Prozeß vom Tun Gottes aus; die ἀποβολή geschieht aber dann nicht schon in der Kreuzigung.

Andere Ausleger beschäftigen sich mit Eventualitäten: hätte die Masse des Judentums geglaubt, dann hätte das Ev seinen gesetzesfreien und übernationalen Charakter eingebüßt. So aber habe die Verstockung der Juden seine Entschränkung für die Heiden "erleichtert"[32]. Dieser Auffassung steht entgegen, daß nach dem Hauptteil des Röm das Ev grundsätzlich χωρὶς νόμου ergeht. Das geschichtliche "Was wäre, wenn..." kümmert Pl nicht. Eher scheint noch die Deutung KÜHLs akzeptabel: er sieht in 11,11b eine abgekürzte Redewendung dafür, daß dasselbe Tun Gottes, das zum Fall der Juden gereichte, nämlich die Aufstellung des νόμος πίστεως, den Heiden die Teilnahme am Heil ermöglichte[33]. So würde Pl nicht über die Gedanken des 10. Kap. hinausführen. Aber abgesehen davon, daß man diese komplexe Idee in den Text hineinlesen muß, geht es jetzt nicht nur um ein Prinzip, sondern um eine geschichtliche Abfolge, die nach Deutung verlangt. Es ist nicht zu leugnen: um plausibel zu machen, daß Gott auch das Versagen der Juden zum Heil wenden kann, unterlegt Pl seiner Argumentation ein "heilsgeschichtliches" Modell. Den Juden kommt die Priorität des Angebotes Gottes zu. Daß sie deswegen auf das Heil der Völker eifersüchtig werden müßten, kann man einen "psycholo-

---

31) SCHMIDT erklärt ähnlich zu 11,28: das Ev mußte die Juden zu Widersachern Gottes machen, weil es alles verneinte, was ihnen wichtig war. "In dieser Feindschaft, am Kreuz Christi, zerbrach die Macht und die Geltung des Gesetzes und der Partikularismus der Gesetzesreligion, so daß der Weg für die universale Glaubens- und Geistreligion des Evangeliums frei wurde und das Heil zu den Heiden kommen konnte." Die Deutung scheitert schon am passivischen Sinn von ἐχθροί (s. S. 131). Eindringlich hat eine ähnliche These auch P. M. DOORMANN, Münster, in einem Referat vertreten, für dessen Überlassung ich danke.

32) So LAGRANGE, HUBY, F.W. MAIER 118 Anm. 64, teilweise auch KNOX.

33) Vgl. auch seine Interpretation von 11,30.

gistischen Mißgriff" nennen[34], vor allem wenn man die tatsächliche Wirkung bedenkt. Pl drängt sich diese Überlegung aber vom Gotteswort 10,19 her auf, d.h. letztlich von der Realität des um sein Volk eifernden Gottes. Dieses Verhältnis ist offensichtlich auch durch den Abfall der Juden nicht aufgekündigt. Der hergebrachte Gedanke, daß das Heil in Abhängigkeit vom Geschick Israels erst in einem zweiten Schritt auf die Welt übergreift, hat hier Dienstfunktion. Er soll verstehen helfen, daß die Paradoxie der gegenwärtigen Erwählung unter der Fügung Gottes steht, der auch über die Sünde des Menschen triumphiert. Diese Intention kommt allerdings erst V. 30ff an die Oberfläche.

b) 11,30f

Sind auch die beiden Dative in 11,30f in Analogie zu 11,11 auszulegen? Zuerst muß man sich darüber schlüssig werden, ob der zweite Dativ τῷ ὑμετέρῳ ἐλέει in den folgenden Absichtssatz hineingezogen werden soll oder nicht. Wer ihn zum Folgenden nimmt[35], wird hier die Idee des Eifersüchtigmachens wiederholt finden und den Dativ klar instrumental verstehen. Aber DIBELIUS[36] hat richtig gesehen, daß Pl zur Vorbereitung von V. 32 zeigen will, wie Begnadigung paradox mit Ungehorsam wechselt, und nicht, wie das Erbarmen Gottes für die einen auch auf der anderen Seite Erbarmen zeugt.

Wenn sich V. 30 und 31 so entsprechen, werden wir auch die beiden Dative im gleichen Sinn auffassen müssen. Im ersten Sätzchen ἠλεήθητε τῇ τούτων ἀπειθείᾳ wirkt offensichtlich V. 11 und 28a nach. Dann ist hier kaum der Dativus causae zu umgehen[37]. Ein Dativus commodi bzw. incommodi[38] würde den Gedanken der ge-

---

34) So GÜTTGEMANNS, Heilsgeschichte 55.

35) WEISS, SANDAY-HEADLAM, ZAHN, NYGREN, MURRAY; schwankend LIETZMANN.

36) Vier Worte 14ff. Wie DIBELIUS konstruieren KÜHL; LAGRANGE; ALTHAUS; MICHEL; BARRETT; HUBY;LYONNET, Quaestiones II,140f.

37) Nach Bl-Debr. § 196, PLAG 38f, ohne daß wir allerdings mit ihm Israels Ungehorsam, Eifersucht und Begnadigung in einen Topf werfen wollen. Zur "cause occasionelle" schwächen ab: LAGRANGE und HUBY.

38) Wie DIBELIUS, Vier Worte; ZAHN; Ch. MÜLLER 47 Anm. 110.

schichtlichen Bedingung eliminieren. In der Tat kommt es aber in
den beiden Versen nicht nur darauf an, daß sich einstiger Ungehorsam und gegenwärtiges Erbarmen bei Juden und Heiden entsprechen, sondern daß zwischen den entgegengesetzten Phasen der beiden Gruppen ein göttliches Bewirken waltet[39]. V. 31a verdoppelt
dann nicht einfach den vorhergehenden Gedanken, sondern der
Wechsel von ὑμεῖς zu οὗτοι und die Verschränkung der Begriffe
ermöglicht den Heidenchristen, die göttliche Kausalität, die ihnen zum Heil geworden war, sozusagen vom Standort Israels aus zu
sehen. Sie sollen nicht nur - wie der Objizient V. 19 - meinen,
der Ungehorsam der Juden, der zu ihrer Aufnahme führte, sei das
Endziel des Handelns Gottes. In V. 31 wird auch das ἔλεος mit
den Heiden zum Mittel; eben dadurch führte Gott auch für die Juden die Ausgangsposition ἀπείθεια herauf, auf die die Begnadigung folgen kann. Was die Heiden an sich erfuhren, müssen sie
auch den Juden zubilligen, gerade weil ihre Rettung nach V. 30
mit dem Ungehorsam Israels zusammenhängt.

So sind für den Dativ τῷ ὑμετέρῳ ἐλέει psychologische Überlegungen nicht angebracht, etwa die, daß den Juden gerade die Ausweitung des Heiles auf die Heiden widerstrebte und sie deshalb
zum Zorn gegenüber dem Ev aufstachelte[40]. Pl möchte vielmehr
die eigenartige Logik des Heilsplans Gottes verständlich machen.

---

39) Richtig BARRETT, MICHEL nach GAUGLER, obwohl er in der
    Übers. ("angesichts der Erbarmung") nicht konsequent ist.
    Wenn irgendwo, so ist bei dieser pl Stelle ein Schema von
    Nutzen. U = Ungehorsam; E = Erbarmen; dazu die Indizes J =
    Juden; H = Heiden. Eine gestrichelte Linie bezeichnet die
    Entwicklung, eine Parallele die Entsprechung bei verschobe-
    nen Phasen, ein Pfeil das Verursachen nach dem Plan Gottes.
    Dann stellt sich V. 30f so dar:

    V. 30   V. 31

    U_H .... E_H U_J .... E_J
                   U_J E_H

40) So F.W. MAIER 147f; LYONNET, Quaestiones II,142 ("zeloty-
    pia"). Im Bereich des Menschlichen bleiben auch LIETZMANN
    ("sie haben sich durch den Erweis göttlichen Mitleids an
    euch nicht umstimmen lassen") und ALTHAUS (Ungehorsam dem
    euch gewährten Erbarmen gegenüber).

Über V. 11 hinaus sagt diese abschließende Partie: Nicht nur
weil der Widerstand Israels eine geschichtliche Funktion hatte,
kann er nicht das Endstadium sein, sondern weil für Gott Ungehorsam nie unüberwindlich ist. So lernen sich auch die Heidenchristen als Figuren in einem Spiel begreifen, bei dem es keine
Verlierer und Gewinner geben darf, eben weil Gott das Spiel
macht und sich sein Erbarmen auf allen Seiten durchsetzt. Um
auf unsere leitende Frage zurückzukommen: daß die Reaktion der
Juden auf das Ev für die Heiden zur Rettung wurde, besagt keine aktive Mittlerrolle Israels. Es liegt allein an der Entscheidung Gottes. Und doch wäre der merkwürdige Tausch nicht
zustande gekommen, wenn nicht Israel als das eigentlich zum
Gehorsam berufene Volk sich Gott versagt hätte.

- - - - - - - - -

Ziehen wir das Fazit: In Kap. 9 besteht zwischen der Berufung
der Heiden und dem Los Israels kein anderer Zusammenhang als
das grundlose Erbarmen Gottes. In Kap. 10 bildet sie gar die
leuchtende Folie, vor der der Ungehorsam Israels sich erst
scharf abzeichnet. In Kap. 11 bewirkt dieser nur negativ den
Fortgang des Ev; zugleich bleibt dieses aber auch als abgelehn-
tes auf Israel zurückbezogen. Wir sehen, wie Pl denselben Vorgang nach verschiedenen Seiten drehen kann. Die besondere Fina-
lisierung des Textes müssen wir auch beachten, wenn nun gerade
in der zweiten Hälfte von Kap. 11 Israel als Eigentumsvolk Gottes erscheint, in das die Heiden huldvoll eingelassen sind.

B) I s r a e l   a l s   I n t e r p r e t a m e n t   d e s   G n a d e n r u f s   a n   d i e   H e i d e n

1. Das Ölbaumgleichnis 11,16ff

Die unverlierbare Würde und Bestimmung des jüdischen Volkes
drückt Pl V. 16 in zwei Bildern aus, die denselben Sinn haben
müssen[41]: es ist von seiner Erwählung in den Vätern her Gott

---

41) Während die meisten Ausleger V. 16a auf die Väter beziehen,

geweiht und gehört ihm als Ganzes. Der Vers ist zwar seiner logischen Struktur nach ein Echo von V. 15, leitet aber über (δέ!)
zum Gleichnis vom Ölbaum V. 17ff, das Pl durch die Tradition nahegelegt ist[42]. Pl möchte damit sagen: es gibt für die Heiden
keinen geschichtslosen Neuanfang. Durch ihre Berufung werden sie
- und sei es auch noch so unnatürlich - in das noch bestehende
Gottesvolk eingepfropft[43]. Das Heil ist dabei horizontal vermittelt vorgestellt: Die Völker haben teil am Fett der Wurzel,
sie sind getragen vom Stamm.

Das organische Modell verleitet allerdings leicht zum naturali-
stischen Mißverständnis. DODD hat am offensten den Verdacht ausgesprochen, Pl sei hier seinen eigenen Prinzipien untreu geworden[44]. Zweifellos: wenn man die Verse als vollgültige Aussage
über die Heilsbedeutung jüdischer Abstammung betrachtet, scheinen Kap. 2f und 9,6ff vergessen. Oder man muß zu Auskünften
greifen, die keinen Anhalt am Text haben: etwa die Heiligkeit
der Patriarchen liege in ihrer Beziehung auf das Heilswerk Christi[45] oder die Väter seien als "Erstlinge des Glaubens" gedacht[46]. Dagegen hat schon WEISS zu Recht Einspruch erhoben:
der Baum ist der aufweisbare Verband des jüdischen Volkes; als
solcher ist er Gottes besonderes Eigentum. Denn die Heiligkeit
besagt ja keine von Menschen hervorgebrachte Qualität. An dieser unveräußerlichen Gottzugehörigkeit partizipieren sogar noch
die jetzt ausgehauenen ungläubigen Juden. Deswegen darf sie der

---

vermuten in der ἀπαρχή den judenchristlichen Rest: LIETZMANN
(nicht ganz entschieden), GAUGLER, BARRETT, LEENHARDT, BRUCE,
RICHARDSON 129 Anm. 5, OESTERREICHER 324, ZERWICK 336. DODD
und LYONNET, Quaestiones II,127 möchten beides vereinen.

42) Vgl. Ch. MAURER, ῥίζα, in: ThW VI, 985-990, bes. 987; MICHEL
z.St.; LUZ, Geschichtsverständnis 274ff. Die Diss. von S.
MĘDALA, Parabola oleastri (Auslegungsgeschichte), Rom, Gre-
goriana 1963s, war mir nicht zugänglich.

43) Vgl. z.B. NYGREN; LYONNET, Quaestiones II z.St. Ἐν αὐτοῖς
sichert den Bezug zur jetzt lebenden Generation.

44) Er reduziert deshalb die Qualität des auserwählten Volkes
auf eine "innate religious capacity", die eines Tages wieder
die ihr innewohnenden Kräfte entfalten kann.

45) So MAURER, ThW VI,989.

46) Wie G. DELLING, ἀπαρχή, in: ThW I,483f insinuiert.

Heidenchrist nicht verachten[47). Der Eingriff des Schnitters
gibt freilich zu verstehen, daß die lebendige Zugehörigkeit zum
Stamm _jetzt_ unter die Bedingung des Glaubens gestellt ist[48).
Nur so können die Glieder des empirischen Judentums auch Saft
aus der Wurzel ziehen und in der Wirklichkeit der Verheißungen
(vgl. V. 28f) leben. Andererseits kann man aus diesem Detail des
Bildes nicht schließen, Pl kenne in der Vergangenheit ein Israel
als lebendigen Organismus des Segens, das nicht auf Glauben angewiesen war. Denn er gibt überhaupt keine in sich stehende Theorie dieses Volkes.

Wir dürfen die paränetische Spitze dieses Abschnitts nicht übersehen, die auf das κατακαυχᾶσθαι des Heidenchristen zielt. Nach
V. 19 ist der ja gerade versucht, sich in einer schlechten Theologie der Heilsgeschichte als absolutes Ziel der Entwicklung an-
zusehen. Er erliegt der Gefahr des ἐν ἑαυτοῖς φρόνιμοι εἶναι und
folgert voreilig, die Berufung der Heiden habe die Ära Israels
abgelöst. Demgegenüber möchte Pl mit dem Bild vom Ölbaum ein-
schärfen, daß der Heidenchrist nicht einfach von sich ausgehen
darf, daß er vielmehr vom früheren Handeln Gottes abhängt. Pl
redet nicht mehr gegen jüdische Ansprüche wie 9,6ff, sondern
dämpft den Übermut des "Wildlings"[49). V. 20-22 bringen wieder
eine mehr vertikale Auffassung vom Heil herein: sie weisen auf
den Glauben, durch den allein der Christ in der χρηστότης θεοῦ

---

47) Obwohl τῶν κλάδων V. 18 - wie ἐν αὐτοῖς V. 17 - zunächst ge-
    nerell an alle Juden, ob christlich oder nicht, denken läßt
    (SANDAY-HEADLAM, KÜHL, LAGRANGE), ist im Folgenden nur von
    den weggeschnittenen Zweigen die Rede, die vom Heidenchri-
    sten abgeschrieben werden. So scheint Pl vor allem das Ver-
    halten gegenüber dem ungläubigen Israel zu rügen (ZAHN, dem
    MICHEL zuneigt).

48) Vgl. BERGER 83ff.

49) LUZ, Geschichtsverständnis 276ff will dem Abschnitt 11,16ff
    von der Gottesfrage her beikommen, der eine dialektische
    Fassung des Gottesvolkes bedinge. Aber Dialektik besagt ja
    nicht Widersprüchlichkeit, sondern Gesprächscharakter der
    Aussage. Gerade weil die Gottesvolkidee an dieser Stelle dem
    überheblichen Heidenchristen das Gnadenhandeln Gottes aus-
    legen soll, ist sie eindeutig.

bleiben kann. Aber daß der Berufene so auf die Gnade angewiesen ist, soll sich gerade in der Ehrfurcht gegenüber dem Juden äußern. Denn die Güte Gottes hat er so erfahren, daß er παρὰ φύσιν in die vorgegebene Gemeinschaft des Segens eingegliedert wurde[50]. Das Volk der Verheißung dient dem Heiden also als Interpretament für die bleibende Gnadenhaftigkeit seines Rufes.

2. Die Mahnung 15,7ff

In die gleiche Richtung gehen die Ausführungen, die den paränetischen Teil des Briefes beschließen. Dazu müssen wir erst einige exegetische Vorfragen erörtern. Wem gilt der Abschnitt? Wie hängt der bisher thematische Gegensatz zwischen Starken und Schwachen mit der Christenheit aus Juden und Heiden zusammen?

Schon der Wunsch V. 5f hatte einen verallgemeinernden Ton angeschlagen; V. 7 ist mit ihm durch das Stichwort δόξα verbunden. Die Einigkeit der Gemeinde wirkt sich zur Verherrlichung Gottes aus. So wird sich die Mahnung zum gegenseitigen Sich-Annehmen an alle Gläubige, Starke und Schwache, richten[51]. Begründung und Vorbild ist Christus, der sie seinerseits angenommen hat zur Ehre Gottes. V. 8f sagt, warum die Christen Angenommene sind; hier scheiden sich die Geister der Ausleger.

Wer glaubt, die Gruppen von Starken und Schwachen grenzten sich nach heiden- bzw. judenchristlicher Herkunft ab, wird V. 8, bzw. nur V. 8a[52], auf die Annahme der Juden deuten. Das Lob der Heiden V. 9 erscheint dann grammatikalisch von εἰς τό abhängig[53]. Die Pointe der anschließenden Zitate liegt nach dieser Auffassung in der Einmütigkeit des Lobs von Juden und Heiden[54]. Der

---

50) Vgl. V. 22 ἐκκόπτεσθαι als Alternative zu ἐπιμένειν τῇ χρηστότητι.

51) Abgesehen von der Frage, welche Lesart V. 7 ursprünglich ist. Die meisten Kommentare bevorzugen wegen der allgemeineren Adresse ὑμᾶς; anders WEISS, KÜHL.

52) Wenn man annimmt, die ἐπαγγελίαι seien von vornherein den Heiden zugedacht. S. aber S. 84f.

53) So SANDAY-HEADLAM, ZAHN, KÜHL, DODD, ALTHAUS, KNOX, BARRETT, MURRAY.

54) Ausdrücklich ZAHN, KÜHL, MINEAR 16. Nach BARTSCH, Gegner 35f sollen die Zitate sogar belegen, daß das Heil der Heiden nicht von Israel unabhängig ist. BERTRANGS 400, 413 sieht dagegen darin die Gleichheit der Heiden mit den Judenchristen ausgesprochen.

Dienst Christi für die Beschneidung setzt sich harmonisch im universalen Raum der Völker fort[55].

Das ist gewiß ein schöner Gedanke, aber der Text gibt ihn nicht her. In V. 8 steht nichts davon, daß die Juden Gott preisen sollen[56]; es ist vielmehr von einem Tun Christi für die περιτομή die Rede, das ὑπὲρ ἀληθείας θεοῦ notwendig war. Die evidenten Gegenbegriffe, noch dazu durch das δέ markiert, sind in V. 9 τὰ ἔθνη und ὑπὲρ ἐλέους . So ist es natürlicher, die Sätze auch in der grammatikalischen Entsprechung zu belassen: λέγω γὰρ regiert zwei Akkusative mit Infinitiv[57]. V. 8ff führt also 7b aus. Eigentlich war Gott durch seine Zusage nur der Beschneidung verpflichtet, deshalb haben die Heiden allen Grund zum Lob. Dann sind die ὑμεῖς wie auch sonst im Röm = ἔθνη[58], die das Gesicht der Gemeinde prägende heidenchristliche Mehrheit, die man nicht auf Grund dieser Stelle allein schon mit den "Starken" gleichsetzen darf[59].

Nach dieser Deutung, die vor allem LAGRANGE überzeugend vertreten hat, wird also hier wie in 11,16ff die Annahme der Heiden als gnadenhaftes Hinzukommen zum Volk der Verheißung interpretiert. Pl setzt einer "économie de promesse" eine "économie de miséricorde" entgegen[60]. Darin bewahrheitet sich, wie wenig die Berufung der Heiden einfach unter die göttliche Bundestreue (ἀλήθεια) subsumiert werden kann[61]. Umgekehrt hat man Anstoß dar-

---

55) Vgl. NABABAN 114f: "Indem Jesus Christus Diener der Beschneidung war, konnte er auch die die Heiden befreiende Barmherzigkeitstat vollbringen." LJUNGMAN 53:"God's 'truth' and 'the confirmation of the promises made to the fathers' is of no less interest to the Gentiles than is God's mercy' God's 'truth' precisely implies the receiving of the Gentiles, in that God's 'mercy' is for them as much as for the Jews."

56) Richtig THÜSING 43.

57) So vor allem LAGRANGE, auch WEISS und LEENHARDT trotz anderer Auslegung. MICHEL gibt zu, daß diese Möglichkeit stilistische Vorzüge hat.

58) Dafür LIETZMANN, LAGRANGE, HUBY.

59) In dieser Beziehung sind auch ALTHAUS und MURRAY vorsichtig. Wie könnte sich sonst der Judenchrist Pl bei den Starken einbegriffen wissen (15,1)? Bekanntlich macht es auch die 14,2.21 erwähnte Enthaltung von Fleisch und Wein schwierig, die "Schwachen" einwandfrei der jüdischen Observanz zuzuzählen.

60) LAGRANGE; trotz anderer Konstruktion auch BARRETT.

61) Gg. ZAHN, KÜHL, der im καθὼς γέγραπται V. 9 die Erläuterung von V. 8 erblickt. SANDAY-HEADLAM ziehen eine unerlaubte Linie zu Kap. 4: "the call of the Gentiles is shown to be...

an genommen[62], daß nicht auch die Juden mit dem ἔλεος Gottes
zusammengebracht werden, das doch nach 9,15ff und 11,31f auch
für sie entscheidend ist. Aber "la circoncision n'a été nommée
que par une sorte de parenthèse"[63]. Darauf, daß Christus Diener
der Beschneidung - περιτομή steht hier für die Judenschaft -
wurde, ruht kein Nachdruck, so daß V. 8 ungeachtet der paratak-
tischen Stellung sinngemäß eher hypotaktische Funktion hat. Das
Wunder ist, daß die Heiden trotz der Bindung des Messias an Israel nun Gott verherrlichen können.

ZAHN hat eingewandt, daß bei dieser Aufteilung das Lob der Heiden von der Menschwerdung gelöst werde. Das ist nicht richtig;
denn die Tat Christi ist schon V. 7b vorangestellt; in den er-
klärenden V. 8ff muß man allerdings bis zum abschließenden Is-
Zitat V. 12 weiterlesen, um den christologischen Grund für die
Annahme der Heiden wiederzufinden[64]. Christus ist zwar Isai
entsprossen, weil er nach den Verheißungen für die Väter aus
Davids Stamm kommen mußte (vgl. 1,3; 9,5; 15,8), aber nun ist
er doch Herr und Hoffnung der Völker. Während seine Wirksamkeit
nach V. 8 beschränkt ist, setzt V. 12 eine Hoheit Christi voraus, durch die er erst zum von allen anrufbaren κύριος wird[65].
Das ἔλεος Gottes konkretisiert sich für die Heiden darin, daß
der Messias Israels ihr Herrscher wird. Die traditionelle Abhängigkeit der Heiden vom Heil des Volkes Gottes ist dabei reduziert auf die Gestalt des Christus. Sachlich ähnlich wie Gal
3,16ff[66] läuft über ihn die Kontinuität zu den Verheißungen an

---

equally with the fulfilment of the promise to the Jews, de-
pendent on the covenant made with Abraham."

62) Z.B. KNOX.   63) LAGRANGE.

64) Wenn Pl nicht schon V. 9 das "ich" aus Ps 18,50 messianisch
    verstanden hat. Das befürworten WEISS, SANDAY-HEADLAM, LA-
    GRANGE, SCHLATTER, HUBY, THÜSING 42f. Jedenfalls ist der
    folgende V. 51 im Midr Lam Rabba I 16,51 auf den Messias
    ausgelegt worden. Vgl. ELLIS 57, der das aber zu unbedenk-
    lich als Beleg für die messianische Deutung von V. 50 ver-
    wertet.

65) Ἀνιστάμενος wegen der Entsprechung zu 1,4 auf den Aufer-
    standenen zu beziehen, wie das BERTRANGS 402 tut, scheint
    mir wegen des folgenden Infinitivs allerdings doch zu kühn.

66) S.o. S. 97f.

die Väter, weil sie durch ihn in nuce schon erfüllt sind. Doch ist hier die Pointe eine andere als im Gal, weil die Unterwerfung Christi unter die Beschneidung nicht als Übernahme des Gesetzesfluchs ausgelegt wird, sondern als Einlösung des Worts, das Gott den Juden verpfändet hat. Vor diesem Hintergrund soll den Heidenchristen die Gnade ihrer Berufung aufgehen. Sie werden dabei - wie Gal 3 - nicht in das Volk Israel aufgenommen, wie man nach 11,16ff meinen könnte, sondern von Christus angenommen. Die Konstruktion CULLMANNs[67], der in der christologischen Mitte der Heilsgeschichte den Ausgleich zwischen Erwählung Israels und Berufung der Heiden sucht, ist demgegenüber zu schematisch. In den Kontexten, wo Christus als der Israel Verheißene ausdrücklich genannt wird, ist entweder der Ruf an die Völker verschwiegen (9,4f) oder steht in einer pneumatischen Spannung zum Kommen Christi ins Fleisch (1,3f; 15,8ff beim konzessiven Sinn von V.8). Umgekehrt gerät dort, wo Christus den Heidenvölkern das versprochene Heil bringt (Gal 3; Röm 4), Israel als sein Herkunftsort aus dem Blick.

Die Schriftkette bekräftigt unsere Auffassung, denn sie ist ganz auf den Jubel der Heiden abgestimmt[68]. Nur V. 10 erwähnt auch das Volk Gottes[69]. Die Zitate bilden mit V. 8 eine derartig enge gedankliche Einheit, daß es schwerfällt, eine vorher gesammelte Katene anzunehmen[70]. Das Lob Gottes in allen Nationen ist nach jüdischer Überlieferung schon immer das Ziel der Geschichte. Bezeichnenderweise erfolgt es aber immer als Antwort auf die Gnadentat Gottes an Israel, wie die mit kī eingeleitete Begründung der imperativischen Hymnen zeigt[71]. Man braucht ja nur die

---

67) S. S. 19 ad 2).

68) Wie auch DODD, GAUGLER und MURRAY zugestehen.

69) Während KÜHL die Juden künstlich in V. 9 hineinliest, will ZAHN, ebenso NABABAN 122, sie im Aufruf V. 11 eingeschlossen wissen, was aber dem pl Wortgebrauch von ἔθνη widerspricht.

70) Vgl. MICHEL, Bibel 54 gg. R. HARRIS. BERTRANGS 413 möchte wenigstens eine von Pl schon vorher bereitgelegte Stellenkollektion aufrechterhalten.

71) Vgl. GUNKEL-BEGRICH § 2; H.P. MÜLLER 26ff; CRÜSEMANN 41ff zu Ps 47 und Dt 32,43, das Pl V. 10 anführt: die Aufforderung ist in dieser Form nur noch rhetorisch. Bei einer anderen

Fortsetzung des Ps 117 zu hören, die Pl V. 11 wohlweislich nicht
mehr gebracht hat:

"Denn mächtig waltet über uns seine Güte (LXX ἔλεος),
und die Treue (ἀλήθεια) Jahwes bis in Ewigkeit."

F. HAHN[72] vermerkt den Wandel bei Pl gut: "In der Mission unter
den Heiden fängt also schon an zu geschehen, was sich nach alttestamentlicher Weissagung erst hätte ereignen sollen, nachdem
Israel das Heil empfangen hat." Die so vorweggenommene eschatologische Verherrlichung Gottes durch die Völker ist die letzte
Absicht der pl Arbeit unter den Heiden. So kann er sie auch in
liturgischer Terminologie umschreiben: 15,16[73]. Die Stelle fügt
sich gut zu dem von 15,7ff her Erreichten. Im Auftrag Jesu Christi[74] verwaltet Pl priesterlich[75] das Ev, d.h. er besorgt, daß

Kategorie von Hymnen wie Ps 66 enthüllt sich der israel-zen-
trische Blickpunkt beim Übergang zur partizipialen Begründung (V. 6 und 9ff).
Das Motiv des universalen Völkerlobs wäre auch in der nach-
biblischen Literatur weiter zu verfolgen. AethHen 48,5 (vgl.
10,21) ist es beispielsweise mit dem Erscheinen des Men-
schensohnes verknüpft; Kap. 62f machen aber klar, daß das
noch nicht das Heil für alle Erdbewohner bedeutet. Den na-
tionalen Bezug zeigt noch deutlicher TestJud 25: wenn das
Volk Israel in der Auferstehung wieder eines geworden ist,
werden alle Völker den Herrn preisen in Ewigkeit.
Zur Verwendung von Ps 117 in rabbinischer Tradition vgl.
BILLERBECK III,314. Midr Ps 117 § 2 (240a) gründet die Treue
Gottes folgerichtig auf den Bund mit den Vätern. Midr Ps 66
§ 1 (157b): wenn Jahwe König über die ganze Erde ist, werden
ihn alle Völker anbeten. Midr Ps 96 § 2 (211a) koppelt das
am Ende deutlich mit der Erlösung Israels. Beide Passagen in
BILLERBECK III,151f.

72) Mission 92.

73) Dazu WENSCHKEWITZ 128f; MOLLAND 46f; K. WEISS; DENIS, RSPhTh
42 (1958) 405f; SCHLIER, Liturgie 171ff.

74) Λειτουργὸς Χριστοῦ 'Ιησοῦ hat nach dem Kontext einen kultischen Klang. So alle konsultierten Autoren außer ZAHN.
SCHLIER (s. vorige Anm.) möchte noch die Komponente des "öffentlichen Amtes" in die Sinnfülle des Worts hineinpacken.
Er tut damit genau das, was BARR 152f zu Recht brandmarkt.
Man kann auch schwerlich mit GEORGI, Kollekte 75 Anm. 298
halten, der Stamm bezeichne bei Pl immer priesterliches Dienen.

75) WIENER zeigt, daß Subjekt des ἱερουργεῖν, das in heidnischen
und jüdischen Belegen meist "opfern" heißt, nicht unbedingt

aus dem verkündeten Ev Gottesdienst resultiert, indem die Heiden, die es angenommen haben, dadurch für Gott ein im Geist genehmes Opfer[76] werden, wie wir nach 15,7ff ergänzen könnten: ein Opfer des Lobes. Die Huldigung der Völker hat nicht wie in vergleichbaren atl. Aussagen[77] am Heiligtum Israels ihren Ort, weil sie ja auch nicht primär Anerkennung des ihm Gewährten ist, sondern erfaßt in kaum präformierter eschatologischer Fülle die Weite der Welt, ja - nach 12,1 - sogar den Alltag der Glaubenden[78].

---

ein Priester sein muß. Aber seine Wiedergabe, wonach Pl seine Ev-Verkündigung Christus als Opfer darbringt, stößt sich mit dem V. 16c als Gegenstand des Opfers angegebenen τὰ ἔϑνη. Deshalb nimmt man besser einen verwaschenen Gebrauch wie 4 Makk 7,8 an.

76) Τῶν ἐϑνῶν wird allgemein als Genetivus appositionis verstanden. Nur DENIS (s. Anm. 73) setzt sich für Genetivus subiectivus ein, weil Pl die Gläubigen nicht als von ihm überbrachte Opfergabe betrachten könne. Das ist aber im Hinblick auf die nomina actionis ϑυσία und λειτουργία in Phil 2,17 durchaus möglich, nur daß die Christen, auf deren Glauben es dort ankommt, deswegen nicht "passive" Opfer sind.

77) Wir klammern einmal die umstrittenen Stellen Is 19,18ff; Soph 2,11; Mal 1,11 aus. Dann erwartet eine Reihe von prophetischen oder hymnischen Texten, daß die Völker mit ihren Gaben bzw. Opfern zum Jerusalemer Tempel kommen werden: Ps 68,30; 76,12; 96,8; Soph 3,9f; Is 18,7; 56,7; Tob 13,11. Das sind natürlich im Unterschied zu Röm 15,16 Opfer der Heiden, nicht sie selbst. Nach dem Exil kann das Motiv der Geschenke so abgewandelt werden, daß daraus die heimgebrachten Exilierten werden (Is 14,2; 49,22; 60,4; 66,12b.20); darin wird anschaulich, daß es bei dieser Vorstellung letztlich um die Restauration Israels unter dem Beifall der Welt geht. Vgl. auch die Aufnahme des Motivs in nicht kanonischen Schriften des Judentums: BZ 15 (1971) 229 Anm. 39. Dazu Sib III,564f. 625f.718.722f.

78) Die Aussage des Pl läßt sich deshalb nicht einfach als geradlinige endzeitliche Erfüllung des alttestamentlichen Kultus verstehen, wie das K. WEISS und z.T. auch MICHEL versuchen. Ohne die Dazwischenkunft hellenistischen Denkens wären die Kultbegriffe nicht so übertragbar, und ohne das Neue der christlichen Geisterfahrung könnte sich dieser Gottesdienst nicht bereits in der Geschichte realisieren. Vgl. auch noch die aufschlußreiche Stelle 2 Kor 4,17.

C) Die Rolle der Urgemeinde

Gewiß ist die Funktion, die Pl der jüdischen Christenheit in
Palästina und namentlich in Jerusalem einräumt, nicht einfach
identisch mit der Bedeutung, die das jüdische Volk als solches
für seine Mission hat. Und doch mußte er, wie wir zu 11,1ff sahen, unbedingt auf den im Judenchristentum verkörperten gläubigen Rest zu sprechen kommen, um die Kontinuität im Handeln Gottes anzuzeigen. So wird der gläubige Teil des jüdischen Volkes
zum Stellvertreter des Ganzen. Aber erst in Kap. 15 finden wir
konkrete Spuren der Jerusalemer Kirche, wobei wir noch Äußerungen des Gal zur Klärung beiziehen müssen. Läßt sich so etwas zur
heilsgeschichtlichen Fundierung der Mission erschließen?

1. Jerusalem - Ausgangspunkt des pl Ev (15,19)?

In 15,19 erklärt Pl, sein Dienst sei durch den Beistand Christi
so erfolgreich gewesen, ὥστε με ἀπὸ ʿΙερουσαλὴμ καὶ κύκλῳ μέχρι
τοῦ ʿΙλλυρικοῦ πεπληρωκέναι τὸ εὐαγγέλιον τοῦ Χριστοῦ.

a) Wenn wir diese Angabe schlicht <u>historisch</u> fassen wollen[79],
stellen sich uns einige Schwierigkeiten entgegen. Ein Missions-
aufenthalt des Pl in Illyrien ist nirgends bezeugt, wenn man
darunter die Provinz verstehen will[80]. Man kann ihn höchstens
vermuten[81]. Noch problematischer ist die Erwähnung Jerusalems.
Apg 9,26ff berichtet zwar von einem öffentlichen Auftreten des
Pl in dieser Stadt. Doch unterliegt diese Schilderung, die ZAHN
noch als Grundlage für Röm 15,19 in Anspruch nahm, stark dem
Verdacht lk Tendenz[82]. Eine missionarische Tätigkeit daselbst

---

79) WEISS und KÜHL bestehen noch darauf.

80) Ethnisch fiele darunter auch Mazedonien. Darauf deuten LA-
    GRANGE, W.L. KNOX 282 Anm. 44. Dafür spräche, daß Pl auch
    sonst nicht unbedingt römische Provinzbezeichnungen ge-
    braucht; vgl. SCHLIER, Galater 16; HAENCHEN 423. Aber hat
    Pl seinen Auszug aus Makedonien nach Phil 4,15 nicht erst
    als ἀρχὴ τοῦ εὐαγγελίου empfunden? Warum nennt er dann nicht
    einen südlicheren Punkt dieser Missionsreise, etwa Korinth?

81) So DODD, BRUCE.

82) Nach allgemeiner Überzeugung läßt Apg 9,26-28a Pl so betont

scheint dadurch ausgeschlossen, daß Pl Gal 1,17ff beteuert, er
habe erst nach drei Jahren für 15 Tage allein mit Petrus und
Jakobus Kontakt aufgenommen und sei den Gemeinden Judäas unbe-
kannt geblieben (V. 22)[83]. Natürlich steckt auch hinter der
Darstellung des Gal ein Anliegen; Pl will damit seine Unabhängigkeit vom urchristlichen Zentrum dartun, dies wiederum, um den
göttlichen Ursprung seines gesetzesfreien Ev zu erweisen (1,1.
12.15f)[84]. Aber die Historiker halten in diesem Fall heute Pl

---

Anschluß bei den Uraposteln suchen, weil er erst dadurch als
christlicher Missionar legitimiert wird. Aber warum muß er
in Jerusalem auch predigen? Da 26,20 das im Sinn der heilsgeschichtlichen Programmatik des Lk (vgl. Apg 1,8) vergrö-
bert - erst nach Jerusalem und dem "ganzen Land Judäa" (au-
thentisch?) kommen die Heiden an die Reihe - und die Variante 22,17ff wie 9,29 Wert auf die Ablehnung der Jerusalemer Hörer legt, gewinnt man den Eindruck, Lk wolle bei diesem Auftritt Pl in den Gang des Ev von den Juden und ihrem
Zentrum zu den Heiden hineinstellen. Vgl. CAMBIER, NTS 8
(1961/62) 249-257.

83) Dagegen hält BLANK 246 es nicht für unmöglich, daß Pl bei
seinen alten Bekannten, den Diasporajuden, predigte. Den
Ausgleich zu Gal 1,22 stellt BLANK dadurch her, daß er in
den "Gemeinden Judäas" nur den aramäischen Teil der palästinischen Christenheit vermutet, den Pl nicht verfolgt habe. HENGEL, Christologie 49 Anm. 20 billigt offenbar diese
Lösung. Sie stößt aber auf das Hindernis, daß Gal 1,21 die
genannten Gemeinden die Verfolgung auch auf sich beziehen.

84) Die entsprechende Position der Gegner läßt sich allerdings
nicht so leicht umreißen. Die ältere Ansicht, man habe Pl
Abhängigkeit von den Jerusalemer Aposteln vorgeworfen - so
noch KÜMMEL, Einleitung 195 -, verliert heute an Boden; vgl.
dagegen SCHMITHALS, Häretiker 13ff; BLANK 208ff. In der Tat
verträgt sich damit kaum die Gesetzespropaganda der Opponen-
ten, die in der Praxis der Urgemeinde eher eine Stütze hätte
finden können.
Deshalb überlegt eine neuere Erklärergruppe, ob Pl nicht
deswegen seine göttliche Autorisierung herausstellt, weil
die Gegner ihre eigenen Garanten als Empfänger unmittelbarer
Offenbarung Gottes rühmten - so etwa SCHLIER, Galater 22.
SCHMITHALS macht dafür eine gnostische Vorstellung vom Apostolat verantwortlich. Dann muß man 1,12 übersetzen: "denn
auch ich habe es nicht von Menschen empfangen."
WEGENAST 40f und GEORGI, Kollekte 35f schlagen aber eine andere Deutung vor: die Widersacher hätten gerade die Bindung
an eine heilige Tradition verfochten und Jerusalem als Zentrum der christlichen Mysterien ausgegeben. Ähnlich STUHL-
MACHER, Evangelium 66f: man habe an Pl auszusetzen, daß er
nur die antiochenische Botschaft bieten könne. Dann würde
1,12 die gegnerische Voraussetzung angreifen: "ich habe es
ja auch nicht von Menschen empfangen" (nämlich: wie ihr von

durchweg für zuverlässiger, weil er ja nicht mit leicht wider-
legbaren Behauptungen seine Argumentation untergraben konnte.
So müssen wir für Röm 15,19 nach weniger biographischen Lösungen
Ausschau halten.

b) Eine Reihe von Exegeten meint nun, Pl habe durch die Beschrei-
bung V. 19 seine Mission grundsätzlich an den heilsgeschichtlichen Ursprung des Ev binden wollen. Denn auch für ihn sei Jerusalem "le lieu central de la chrétienté"[85], der heilsgeschichtliche Mittelpunkt der Ökumene[86]. LEENHARDT z.St. geht so weit,
die von Pl missionierten Gebiete Jerusalem als Kirchenprovinz
zuzuordnen. STUHLMACHER schließt von 15,19 aus auf die sakralrechtliche Verfassung des Ev überhaupt, das in einem "streng
heilsgeschichtlichen Koordinatensystem und Raum" stehe[87].

Natürlich soll nicht unsere Stelle allein solche Thesen stützen.
Man verweist meist noch auf Gal 2,2 und eventuell auch auf die
Wirksamkeit der Jakobusleute 2,12f. Was geben diese Aussagen für
das Verständnis des Pl selbst her? Im Zusammenhang der Polemik
des Gal setzt er ein gewisses Ansehen der Jerusalemer Autoritäten - mit einer Korrektur V. 6 - selbstverständlich voraus,
führt sie jedoch deswegen an, weil sie die Eigenständigkeit

---

euch behauptet).
Auf jeden Fall scheint man Pl eher ein Abweichen von der Jerusalemer Linie vorgehalten zu haben (KASTING 120f; NICKLE
41; BORNKAMM, Paulus 41f). Vielleicht hat man ihm sogar unterstellt, er habe einst in der Gefolgschaft der Jerusalemer die Beschneidung an ehemaligen Heiden vollzogen (5,11),
und brachte ihn "als Jerusalemreisenden mit der Ambition,
dort Belehrung und Legitimation zu erhalten, in Subordina-
tion unter die Apostel vor ihm" (so ECKERT 291). Weniger
wahrscheinlich ist, daß man ihm diesen falschen Einklang
mit den στῦλοι auch jetzt noch unterschiebt (so TYSON 249f);
vielmehr scheint man ihm nachgesagt zu haben, er habe die
Loyalität mit Jerusalem aus Opportunismus (1,10) aufgegeben.
85) So SUNDKLER 22; auch LOHSE, ThW VII,333f; MICHEL 367 Anm. 1.
    Nach BRUCE nennt Pl Jerusalem als "starting point and metro-
    polis of the Christian movement as a whole".
86) So BORNKAMM, Christus und die Welt 159 Anm. 12. Sein Schü-
    ler NABABAN 131ff entwirft dazu als Gegenpol Rom, die Burg
    des Heidentums.
87) Evangelium 87.

seiner Berufung und seine bereits durch den Erfolg bestätigte
Verkündigung anerkennen mußten. Das ist von dem Grund zu unterscheiden, der ihn damals nach Jerusalem hinaufziehen ließ. Er
ist in V. 2 und 4 nur angedeutet und aus dem objektiven Ergebnis
der Verhandlungen V. 6-10 zu erschließen. Wieso mußte Pl sonst
befürchten, er sei ins Leere gelaufen? Die erst V. 4f auftau-
chende Front der ψευδαδελφοί kann diese grundsätzliche Formulierung nicht erschöpfend erklären[88]; andererseits war sich Pl
seines schon lange Jahre verkündeten Ev gewiß und brauchte es in
keiner Weise durch den Anschluß an die frühere Tradition zu legitimieren[89]. Und doch: sollte sich das eine Ev in den heilsgeschichtlichen Stufungen durchsetzen, so mußte er die κοινωνία
mit den "Säulen" suchen, dann hatte ihr klärendes und die Kompe-
tenzen abgrenzendes Wort Gewicht für die Zukunft des Ev[90]. Indes, in Röm 15,19 kann dieser Gedanke keine Rolle spielen; da
geht es nicht um das Ev überhaupt, sondern um die Aktivität des
Pl, und daß diese ihren Ursprung in Jerusalem hat, kann man kaum
behaupten[91]. Leider verführt das κύκλῳ leicht zu der Vorstellung vom Zirkel, der in einem Mittelpunkt eingesetzt wird[92].

---

88) Gg. GEORGI, Kollekte 15f.

89) So wird die Erklärung SCHLIERs, Galater 68f oft karikiert,
obwohl sie feiner gesponnen ist: gerade weil das Apostolat
des Pl legitim ist, muß sich die Einheit des Ev durch den
Anschluß an das frühere Apostolat erweisen. Gröber SCHMIT-
HALS, Paulus und Jakobus 31f. Seine eigene Lösung, wonach
zuerst Schwierigkeiten der Jerusalemer Gemeinde selbst für
den Konvent ursächlich waren, ist keineswegs eingängiger.

90) So etwa HAHN, Mission 67: er betont einerseits, daß es sich
um gleichberechtigte Partner handelte, andererseits kann es
"keine vom Judenchristentum losgelöste Kirche der Heiden geben; die heilsgeschichtliche Vorrangstellung Israels und der
aus dem Judentum kommenden Christen steht auch für Pl fest,
ohne daß er dabei irgendwelche Rechtsansprüche anerkennen
würde." STUHLMACHER, Evangelium 85ff bewegt sich auf ähnlichen Bahnen; nur möchte er einmal das Verhältnis des Pl zum
heilsgeschichtlich Früheren "dialektischer" sehen und das
"sakralrechtliche Denken" als "integrierendes Moment des er-
wählungsgeschichtlich-eschatologischen" ausweisen.

91) SCHMITHALS, Paulus und Jakobus 41 scheint zu suggerieren,
daß das Jerusalemer Konzil als Wende zu überlokaler, selb-
ständiger Mission des Pl hinter Röm 15,19 steht.

92) Sie taucht auf bei SUNDKLER; BORNKAMM, Christus und die Welt

Aber schon längst ist erkannt, daß der Ausdruck nicht auf Jerusalem zu beziehen ist, sondern adverbial das weite Ausholen bis zum Endpunkt meint[93]. Man mag aus Gal 2 eruieren, was man will, in Röm 15,19 hat Jerusalem ebensowenig wie Illyrien sakralrechtliche Bedeutung.

c) Ein neuerer Vorschlag, den GEYSER gemacht hat, geht dann auch davon aus, daß zwar eine Bindung der Mission an den Ursprungsort Jerusalem ausgesagt sei, diese aber eigentlich auf Pl gar nicht zutreffe. Das genus litterarium der apostolischen καύχησις erlaube ihm jedoch, sich gleichsam mit fremden Federn zu schmükken. Er wolle gegenüber der unbekannten Gemeinde in Rom die "notae apostoli" (Soll das fälschlich als Übersetzung von 2 Kor 12,12 τὰ σημεῖα τοῦ ἀποστόλου gelten?) vorweisen und behaupte auch von seinem Apostolat, was anderen billig sei, nämlich die Grundlegung in Jerusalem. Damit würde Pl im Röm das Kriterium für die Legitimität des Apostels bejahen, das möglicherweise im Hintergrund von Apg 9,26f steht[94] und das er selbst in Gal 1 entschieden bekämpft. Die Belege, die GEYSER für diesen Standard beibringt, sind dann auch - bis auf Jo 20,19ff - alle lk; wir könnten bei Pl nur dann unbefangen dieselbe Überzeugung annehmen, wenn wir die Ansicht GEYSERs[95] ohne weiteres teilen könnten, der Verfasser des 3. Ev und der Apg sei ein "compagnon" des Pl gewesen.

d) Immerhin hat die genannte Arbeit das Verdienst, daß sie im Anschluß an MICHEL auf die sprachliche Eigenart der ganzen Passage V. 17-19 aufmerksam machte, den Stil der καύχησις (s. S. 67ff). Pl will sein Wirken im Osten in möglichst großzügigen Termini umschreiben, weil er damit ja gerade das Werk Christi

---

159; auch schon bei HOLL 171. LEENHARDT: "concentriquement à partir de Jérusalem".

93) "In weitem Bogen": SANDAY-HEADLAM, ZAHN, KÜHL, LAGRANGE, DODD, MICHEL, MURRAY, BAUER s.v. Die Erwägung von KNOX, JBL 83 (1964) 10f, Pl habe in einem "complete circuit" schließlich wieder nach Jerusalem zurückkehren wollen, geht über das aus V. 19 Ersichtliche hinaus.

94) Vgl. HAENCHEN; CONZELMANN, Apostelgeschichte z.St.; ECKERT 291f, 306.

95) 158.

in seiner Mission ans Licht rücken kann. Dann ist es möglich,
daß er die extremsten Punkte aufzählt[96], die er nur irgendwie
berührt hat, ohne in ihnen einen Schwerpunkt seiner Tätigkeit
zu legen. Weil der östliche Raum vollständig durchmessen ist und
Pl andererseits auch nicht in den Fußstapfen anderer Apostel
weiterarbeiten möchte (V. 20f), bleibt ihm nur noch der Ausgriff
nach dem Westen.

Jerusalem als Ort hat hier also keine heilsgeschichtliche Qualität. Das ist mit einem Blick auf Gal 4,21-31 eigentlich zu
begreifen. Auch dieser Text hat allerdings eine Schlagseite:
ἡ νῦν Ἰερουσαλήμ bezeichnet dort die ungläubige Judenschaft,
die sich immer noch unter die Knechtschaft des Gesetzes beugt
und gar die Christen verfolgt. Immerhin bildet hier für Pl das
irdische Jerusalem in der Antithese zum eschatologischen das
Zentrum der Unfreiheit in der Welt.

2. Der Sinn der Kollekte 15,25ff

a) Eine Aussage von heilsgeschichtlicher Relevanz begegnet uns
erst in den V. 25ff, in denen Pl sein Vorhaben bekannt gibt, in
Jerusalem die Sammlung zu überbringen. Es ist freilich zu beachten, daß er diese in ihrem Wesen zuerst als Liebesdienst schil-
dert (διακονεῖν, κοινωνία, λειτουργεῖν), der den Armen innerhalb
der Urgemeinde zukommt[97], wenn V. 25 und 27 auch zugleich eine

---

96) So etwa SANDAY-HEADLAM, LAGRANGE, LIETZMANN, ALTHAUS, HUBY.
Daß die doppelte Angabe einer "totalité qui signifie toute
la terre" entspreche - so CAMBIER, NTS 8 (1961/62) 255 -,
kann man nicht sagen.

97) Grammatikalisch kann man den Genetiv τῶν ἁγίων V. 26 kaum
anders als partitiv auffassen: WEISS, KÜHL, LAGRANGE, ALT-
HAUS, BARRETT. Damit entsteht die Frage, wie sich diese ein-
deutige Verwendung zu dem οἱ πτωχοί Gal 2,10 verhält. Seit
HOLL 167f sieht man darin oft einen eschatologischen Ehrentitel der Jerusalemer Christen. Vgl. E. BAMMEL, πτωχός, in:
ThW VI, 885-915, 908f. Neben KÜMMEL, Kirchenbegriff 16 und
Anm. 85; CONZELMANN, Der erste Brief an die Korinther, zu
16,1 hat dem vor allem KECK widersprochen. Auch NICKLE 100ff
betont die reale Bedürftigkeit der Empfänger. STUHLMACHER,
Evangelium 100ff hat die These HOLLs modifiziert verteidigt.
GEORGI, Kollekte 23, 81f meint, im sich wandelnden Sprachgebrauch von Gal zu Röm einen Wandel der Rolle Jerusalems
im Denken des Pl feststellen zu können. Aber eher

Beziehung zu den ἅγιοι als solchen herstellen. V. 27 bringt dann
- in leichter Spannung zu der vorher so herausgestrichenen Freiwilligkeit - den Beweggrund der Aktion: Makedonien und Achaia
sammelten, weil die ἔθνη den Heiligen in Jerusalem ja eigentlich
verschuldet sind[98]; εἰ γὰρ τοῖς πνευματικοῖς αὐτῶν ἐκοινώνησαν
τὰ ἔθνη, ὀφείλουσιν καὶ ἐν τοῖς σαρκικοῖς λειτουργῆσαι αὐτοῖς.
Was heißt das genauer?

D. GEORGI[99] erinnert an die ähnlich klingende Stelle 1 Kor 9,11
und meint, Pl wende hier einen Grundsatz hellenistisch-synkreti-
stischen Pneumatikertums auf die Kollekte an. Er muß aber zugleich (Nr. 3-5) so viele Unterschiede notieren, daß nicht mehr
übrigbleibt als eine beiden Fällen gemeinsame Vorstellung vom
Austausch zwischen πνευματικά und σαρκικά. Obwohl er sieht, daß
es im Röm nicht um individuelle Prediger geht, sondern um das
Verhältnis zwischen Gemeinden, befähigt ihn sein Vergleich nun
doch, die konkrete Leistung der Jerusalemer zu nennen, durch die
die Heiden ihnen verpflichtet sind: "die Auferstehungsbotschaft
als die kirchengründende Predigt". Aber spricht Pl wirklich von
einer aktiven Vermittlung des Ev durch die Urgemeinde[100]? Hätte

---

    ist es umgekehrt: die heilsgeschichtliche Begründung der
    Kollekte ist nirgends so deutlich wie im Röm. MICHEL z.St.
    gibt einen nützlichen Hinweis: "die Armen" mag eine Selbst-
    bezeichnung der Jerusalemer Urgemeinde gewesen sein. Aber
    davon ist zu unterscheiden, was Pl seinen griechischen Hö-
    rern davon mitteilen kann und will: ihnen spricht daraus
    zunächst faktische Armut. M.E. braucht Pl, wenn er den vor-
    geprägten Begriff aufnimmt, damit nicht schon das eschato-
    logische Selbstverständnis der Jerusalemer voll zu rezipie-
    ren.

 98) Der Ausweg NICKLEs 119f, "the term 'debtors' here as an ex-
    pression for the responsability of voluntary reciprocal
    sharing" zu nehmen, ist nicht gangbar. Natürlich kann das
    Verbum mit Infinitiv manchmal nur eine Liebespflicht oder
    ein "Müssen" meinen (vgl. 1 Kor 5,10 u.a.), aber an unserer
    Stelle ist eine aus der Geschäftssprache stammende Bildhaf-
    tigkeit nicht zu leugnen. Im übrigen lassen auch 1,14 (s.
    S. 58 Anm. 85); 8,12 (vgl. 8,2ff); 15,1 (vgl. V. 3) an eine
    verpflichtende Vorleistung denken.

 99) Kollekte 83.

100) Vgl. W.L. KNOX 284f, 298: "Hebrew Christians as the witnes-
    ses to the Resurrection and the true exponents of Christian
    piety." Ähnliches ist mehr oder weniger auch vorausgesetzt

er dann nicht deutlicher sagen müssen: εἰ γὰρ ἐν τοῖς πνευματικοῖς αὐτῶν ἐκοινώνησαν τοῖς ἔθνεσιν...? Da es aber nur passivisch heißt, die Heiden hätten Anteil an den geistlichen Gütern
der Judenchristen bekommen, wird der Hintergrund für diese Aussage zunächst einmal in den einschlägigen Äußerungen des Röm zu
suchen sein: 1,2ff; 9,4; 11,11ff; 15,7ff. Die Heiden erfreuen
sich des Segensreichtums, der zuerst den Juden zugesagt war[101].
Wie es an den genannten Stellen das Wirken Gottes ist, das die
Verheißungen der Endzeit zu den Völkern weiterträgt, so sagt Röm
15,27 nichts darüber, daß die Kollekte eine positive Vermittlerrolle des Judentums rechtlich anerkennen soll. Sie erscheint
hier vielmehr als der materielle Rückfluß der Gnade Gottes, die
die Völker mit den Juden teilen durften, wobei indirekt diesen
der Erstanspruch zugebilligt wird.

Auch der weitere Kontext läßt nicht erkennen, daß sich die Hei-
dengemeinden der Stiftung der Jerusalemer zu verdanken hätten.
Man hat dies oft in die Formulierung V. 28 σφραγισάμενος αὐτοῖς
τὸν καρπὸν τοῦτον hineingelesen. Legt Pl damit nicht nahe, daß
die Geldgabe den Jerusalemer Christen gleichsam als "sinnenfäl-
lige Frucht des von ihnen in der Heidenwelt ausgestreuten geistlichen Samens" zustand[102]? Und bezeugt er mit seinem σφραγίς

---

bei LAGRANGE, der Is 2,3 heranzieht, bei allen Autoren, die
an die Übergabe ursprünglicher Tradition denken wie BAR-
RETT, STUHLMACHER, Evangelium 282f, oder Jerusalem als
"Mutterkirche" hervorheben, z.B. WEISS, DODD.

101) Ähnlich SANDAY-HEADLAM; KÜHL; HAHN, Mission 93: "als irdische Gegengabe für die geistlichen Güter, welche die Heiden
als Miterben der an die Väter Israels ergangenen Verheißung
empfangen haben (Röm 15,25ff)..."

102) ZAHN, ebenso WEISS, SANDAY-HEADLAM, LAGRANGE, MURRAY. GEOR-
GI, Kollekte 86: "Den Jerusalemer Christen hofft Paulus mit
der Kollekte Brief und Siegel darauf zu geben, daß das von
ihnen begonnene Werk der Evangeliumsverkündigung in der
Heidenwelt Frucht getragen hat." NICKLE 128f beruft sich
zwar auf ZAHN, sieht die Kollekte aber inkonsequenterweise
als Bestätigung des pl Missionserfolges. BARTSCH, Situation
290f "Durch die Kollekte aber bestätigt Paulus die von ihm
gewonnenen Gemeinden als Frucht der Urgemeinde in Jerusalem", ihr Heil hänge an der Verbindung mit der Mutterkirche
"wie Baum und Frucht". Das scheitert aber schon daran, daß
das anaphorische τοῦτον die "Frucht" mit der Kollekte, und
nicht mit den Gläubigen identifiziert. Vgl. jetzt ausführlich ZNW 63 (1972) 96ff. Ebd. 102 schiebt BARTSCH noch den

nicht geradezu ihre Eigentümerschaft[103]? Aber eine weniger
tiefsinnige Auffassung dieser Vokabeln ist auch möglich: σφραγίζεσθαι scheint abgeschliffen zu sein zur Bedeutung "(sicher)
übergeben"[104]. Καρπός kann einfach "Ertrag" heißen, wobei als
Genetiv "der Sammlung"[105] zu ergänzen wäre; möglich ist auch,
mit SCHLATTER[106] an den "Ertrag ihres Christenstandes" zu denken. Pl verwendet hier etwas gewählte Ausdrücke für ein ab-
schließendes Geschehen, weil von dieser Erledigung die Zukunft
seiner Pläne im Westen abhängt[107].

b) Wie verhält sich die Motivierung Röm 15,27 zu den weiteren
Erwähnungen der Kollekte im pl Briefcorpus? Die knappe Klausel
Gal 2,10 läßt vom ursprünglichen Verständnis des Unternehmens
nicht mehr viel durchblicken. Wenn es schon zweifelhaft ist, ob
οἱ πτωχοί für Pl und noch mehr für die Galater titulare Bedeutung haben konnte, wird man auch Hemmungen haben, das Verbum
μνημονεύειν im Sinne sakralrechtlicher Anerkennung aufzula-
den[108]. GEORGI[109] etwa entnimmt dem Sätzchen, daß die Heidenchristen durch die Kollekte der endzeitlichen Demonstration
exemplarischer Armut in Jerusalem Anerkennung zollten. STUHL-

---

Hilfsgedanken von Israel als Ackerfeld Gottes ein.

103) So ausdrücklich WEISS, SANDAY-HEADLAM.

104) Vgl. DÖLGER; LIETZMANN; G. FITZER, σφραγίς κτλ, in: ThW
     VII, 939-954, 948; BAUER s.v. Nach BARTSCH, ZNW 63 (1972)
     104ff weist das Verbum auf den sakramentalen und rechts-
     verbindlichen Charakter der Sammlung. Damit summiert er
     aber Bedeutungen, die σφραγίς nur in bestimmten Kontexten
     (Taufe, Beschneidung) hat.

105) Vgl. LIETZMANN, SCHMIDT, BAUER s.v. Phil 4,17 könnte dafür
     ein Beleg sein.

106) Er verweist auf 2 Kor 9,8-10; Gal 6,7f; Phil 4,17, wo "aus
     dem Geben die Frucht für den Gebenden wachse". Auch MURRAY
     sagt zunächst: "It was the fruit of the faith and love of
     the believers..." Weniger wahrscheinlich ist die Deutung
     KÜHLs: Frucht seiner (des Pl) Lebensarbeit. Da BARTSCH, ZNW
     63 (1972) 103 das breite Feld, wo καρπός "Ergebnis von Hal-
     tungen und Handlungen" bezeichnet, einfach ausklammert, muß
     er das organische Bild strapazieren.

107) Vgl. GAUGLER, MICHEL und o. S. 72ff.

108) Ansätze dazu schon bei O. MICHEL, μνημονεύω, in: ThW IV,
     685-687, 686,41f.

109) Kollekte 27.

MACHER[110] pflichtet ihm bei und möchte das Wort rechtlich-
eschatologisch interpretiert wissen. Wäre solche Terminologie
im Zusammenhang des Briefes, wo Pl gerade das Eigenrecht seines Auftrages ein Anliegen ist, nicht verfänglich gewesen? Da
das Zeitwort in Papyri ein helfendes Eintreten, auch von Höher-
gestellten, bezeichnen kann[111], vermute ich deshalb eher, daß
μνημονεύειν hier zugleich schonend und spirituell überhöhend
die materielle Fürsorge für die Armen umschreibt[112]. Das an-
schließende ὃ καὶ ἐσπούδασα αὐτὸ τοῦτο ποιῆσαι zeigt jedenfalls,
daß es ein ganz reales Bemühen erfordert. Die Leser des Gal
konnten aus dieser kurzen Bemerkung schwerlich die heilsgeschichtliche Tragweite der Kollekte erschließen, wenn sie eine
solche hatte.

In 2 Kor 8,13ff empfiehlt Pl die Sammlung, weil sie zur ἰσότης
beiträgt. V. 14b ἵνα καὶ τὸ ἐκείνων περίσσευμα γένηται εἰς τὸ
ὑμῶν ὑστέρημα will GEORGI[113] im selben Sinn wie Röm 15,27 auslegen. Auch hier soll auf beiden Seiten ein Ausgleich stattfinden. Allerdings ist nicht zu übersehen, daß diesmal das Be-

---

110) Evangelium 103f. Die Tempelsteuer wird wohl kaum noch jemand als Analogie bemühen. So noch v. HARNACK 343 und HOLL
164. NICKLE 74ff, 87ff meint, sie habe noch am ehesten Pate
gestanden, vermerkt aber 90ff auch die Differenzen. Dagegen
CONZELMANN, Geschichte 70f.

111) Vgl. Papiri Greci e Latini, Pubblicazioni della Società
Italiana V, Nr. 502,2 καλῶς ἂν ποιοῖς μνημονεύων ἡμῶν.
Der Schreiber erbittet damit, daß der Adressat sich für
seine Rechtfertigung bei einem gewissen Apollonios einsetzt. Dieselbe, offenbar stereotype Wendung ebd. Nr. 651,2
und Ägyptische Urkunden aus den kgl. Museen zu Berlin III,
Nr. 923,11. Es ist bedauerlich, daß STUHLMACHER diese Belege aus dem alltäglichen Schriftverkehr nicht genügend beachtet und dafür Nuancen, die das Wort in ganz anderen Zusammenhängen (z.B. der jüdischen Apkk) hat, in Gal 2,10
einträgt. BARR 219 spricht in einem solchen Fall von "unbe-
rechtigter Totalitätsübertragung" und meint damit den Vorgang, daß "man die Bedeutungen eines Wortes (verstanden als
eine ganze Serie von Beziehungen, in denen es in der Literatur gebraucht wird) in eine bestimmte Stelle als deren
Aussage und Implikation hineinlesen will."

112) So auch BAUER s.v. Sein Beleg 1 Makk 12,11 spricht allerdings, wie GEORGI, Kollekte 27 richtig gesehen hat, von
kultischem Gedenken. Eine "innere Haltung" ist auch nach
SCHMITHALS, Bespr. GEORGI, Kollekte, ThLZ 92 (1967) 668f
nicht verlangt.

113) Kollekte 67.

schenktwerden der Heidenchristen die Folge des Hilfsdienstes an
den Jerusalemern ist. Deshalb ist auch die Wiedergabe NICK-
LEs[114] "so the Corinthians were assured that they would conti-
nue (H.v.m.) to share in the 'spiritual blessings' of the Jerusalem Christians" kaum korrekt. WINDISCH[115] und LIETZMANN[116]
bleibt in ihren Kommentaren nichts anderes übrig, als Pl den Korinthern eine materielle Vergeltung in Aussicht stellen zu lassen. Dieser Weg ist aber ebensowenig gangbar wie der GEORGIs.
Deshalb möchte ich hier einen anderen vorschlagen: könnte nicht
9,6ff den im ersten Kollektenbrief nur brachylogisch ausgesprochenen Gedanken explizieren? Die Überfülle, die von Jerusalem
zurückströmt (vgl. περίσσευμα 2 Kor 8,14b und περισσεύειν 9,12)
ist dann das Dankgebet der unterstützten Gemeinde, das bei den
Spendern Segen wirkt, eine Vorstellung, deren breite religionsgeschichtliche Basis G.H. BOOBYER[117] aufgewiesen hat.

In diesem Sinn wird auch Röm 15,29 zu interpretieren sein. Die
Kollekte, die Pl 2 Kor 9,5a mit εὐλογία umschreiben kann,
schafft ihrerseits reichen Segen - diesmal für die künftige Aktivität des Apostels -, wenn sie im dankenden Gebet angenommen
wird. Daß das πλήρωμα εὐλογίας mit dem Gelingen der Jerusalem-
reise zu tun hat, zeigt sich V. 30ff, wo Pl mit seiner nachho-
lenden (δέ) Bitte erreichen will, daß sich diese Voraussetzungen
auch erfüllen. Wohlgemerkt: Jerusalem ist hier nicht an sich
schon Ort des Segens. Der Segen geht von Christus aus und ist
die Frucht davon (vgl. 2 Kor 9,6), daß die großzügige Aktion der
Heidenchristen angekommen ist. Man kann natürlich diese Vorstellung mit der in V. 27 enthaltenen kombinieren und erhält dann
den schönen Gedanken eines steten Kreislaufs von Segen[118]. Da-

---

114) 121.   115) Der zweite Korintherbrief z. St.

116) Korinther z.St. G. STÄHLIN, ἴσος, in: ThW III, 343-356,
     348f weiß ebenfalls nichts anderes, wenn er auch die gött-
     liche Zielsetzung betont.

117) Es ist aber nicht nötig, daß die Judenchristen erst am Ge-
     richtstag die Lücke der heidenchristlichen Verdienste auf-
     füllen - so u.a. W. L. KNOX 293 Anm. 19 -, da ἐν τῷ νῦν
     καιρῷ nur "jetzt" heißt und nicht ein Pendant ἐν τῷ καιρῷ
     ἐσχάτῳ erfordert.

118) So GEORGI, Kollekte 86.

bei bleibt aber außer acht, daß der Grund für den Segen je verschieden ist: in V. 27 ist tatsächlich an die bevorzugte Stellung des Volkes gedacht, dem an sich das Ev von der Verheißung
her zufiel; in V. 29 an die Wirkung des Liebeswerkes der Ägäis.

Daß die Kollekte nicht nur ein Beweis brüderlicher Liebe und
eine karitative Maßnahme war, wird heute allgemein angenommen.
Auch sie ein "Zeichen der kirchlichen Einheit"[119] zu nennen,
wird ihrem Wesen nicht voll gerecht, wenn man es versäumt zu
fragen, warum diese Einheit gerade durch eine Gabe für Jerusalem bezeugt wird, ohne daß der Vorgang umkehrbar wäre. Ohne
Zweifel hat so die Sammlung eine "heilsgeschichtliche" Bedeutung. Das Merkwürdige ist nur, daß Pl seine Leser darüber so im
Ungewissen läßt. Meist erscheint sie nur als Pflicht christlichen Bruderdienstes oder sie wird gar, wie in 2 Kor 8f, mit jü-
disch-hellenistischen Gedankengängen motiviert. Die einzige
Stelle, die ausdrücklich an die Heilsgeschichte appelliert, um
die Kollekte zu begründen, ist Röm 15,27. Wie wir sahen, hat
aber hier Pl im ganzen Brief so vorgearbeitet, daß ein Mißverständnis der Rolle Israels ausgeschlossen ist. Möglicherweise
taucht hier nur gleichsam die Spitze eines Eisbergs auf. Warum
erfahren wir nirgends mehr, etwa über das ehrwürdige Alter der
Jerusalemer Gemeinde, über deren Bedeutung als geistige Heimat
der Apostel; warum vermissen wir die doch wohl einflußreichen
Motive der jüdischen Sionstheologie? Es gibt für diesen Tatbestand zwei mögliche Deutungen: entweder hat Pl diese Sinngebung
seinen Gemeinden in mündlichem Vortrag deutlicher gemacht, und
die brieflichen Erwähnungen bieten nur einen zufälligen Aus-
schnitt; oder - das ist schon von manchen Seiten vermutet wor-

---

119) So KECK 126 und schon seit langem O. CULLMANN. Zu letzterem
hat AMBROSANIO bemerkt, daß die Differenzen im Dogma und in
der Missionspraxis nicht so groß gewesen sein können, daß
die Einheit durch die Kollekte weniger bezeichnet als erst
hergestellt worden wäre. CULLMANNs Deutung wurde von seinem
Schüler NICKLE 66f weitergeführt. Nach ihm verursachte der
Zwischenfall in Antiochien einen Bruch zwischen Petrus und
Pl. Dieser wollte durch die Kollekte die Judenchristen dazu
bewegen, die Heidenchristen als "genuine Christian brothers"
anzuerkennen. Die Besorgnis, daß Jerusalem diese Anerkennung verweigern könnte, stehe noch hinter 15,31b (141).

den[120] -: die Jerusalemer hatten eine andere Auffassung der
Sache, die Pl schamhaft verschweigt, oder wenigstens läßt die
Schauseite der erhaltenen Briefe die Jerusalemer Beweggründe
nicht mehr erkennen.

Wie mit der Kollekte verhält es sich auch allgemein mit der
heilsgeschichtlichen Bedeutung Israels für das werdende Christentum. Sie kommt im Röm nur immer unter ganz bestimmten Ge-
sichtspunkten in den Blick; einmal ist das die Freiheit Gottes
gegenüber seinem Volk, dann wieder die Gnade Gottes für die
Heiden. Ebensowenig wie der Ausleger vom Kontext der Einzel-
stelle kann der Angesprochene, sei er Jude oder Heide, von seiner eigenen Situation vor dem Ev abstrahieren. Es wäre z.B.
gefährlich, schon bei Röm 9,22ff vorschnell eine Ökonomie herauszufinden, in der sich Zorn und Erbarmen Gottes bedingen,
obwohl ähnliches 11,30ff doch dem Juden verheißen wird. Genauso
wird es dem Heidenchristen 11,19 verwehrt, von seiner Warte
aus einen absoluten heilsgeschichtlichen Schluß aus dem Übergang des Ev von den Juden zu den Heiden zu ziehen, obgleich er
doch aus 9,30ff wissen konnte, daß das jüdische Volk am universalen Ev zerbrach. Weil alle Aussagen nur perspektivisch
gesehen Tiefe bekommen, läßt sich kaum eine durchgehende Ge-
schichtskonzeption des Pl nachzeichnen.

---

120) Z.B. SCHLIER, Galater 80 Anm. 5; U. WILCKENS, στῦλος, in:
ThW VII, 732-736, 735; BRUCE 264f. Den Aufsatz von F. F.
BRUCE, Paul and Jerusalem, in: Tyndale Bulletin 19 (1968)
3-25, konnte ich leider nicht erreichen. Vgl. aber New
Testament Abstracts 14 (1969/70) Nr. 572.

K A P I T E L   V

DIE HEIDENMISSION UND DIE ZUKUNFT ISRAELS

Wir haben die Stellen des 11. Kap. untersucht, die darüber Aufschluß geben können, wie die frohe Botschaft für die Völker mit Israel als Träger der Verheißung und mit seinem jetzigen Ungehorsam verknüpft ist. Dabei bemerkten wir, daß Pl nicht um einer Geschichtsspekulation willen den Blick in die Vergangenheit richtet; er tut es, um den heidenchristlichen Lesern die Augen für die Zukunft Israels zu öffnen. Dazu nimmt er zwei Anläufe:

V. 11-15: schon die Wirkung, die der Abfall Israels hatte, zeigt, daß das Ev bei ihm noch nicht am Ende ist.
V. 17-24: auch das Bild vom Ölbaum, durch das die Heidenchristen ihre gnadenbestimmte Gegenwart als Zulassung zum Volk der Verheißung schätzen lernen sollten, führt zu einem Rückschluß auf die Heilschance Israels (V. 23f).

Jedesmal handhabt Pl ein gewisses Schlußverfahren, und wir müssen noch näher zusehen, worin die Logik dieser Schlüsse begründet liegt. V. 25-27 wechselt dann unverkennbar die Tonart; Pl gibt seinen Lesern ein μυστήριον bekannt, in dem die Rettung Israels im bestimmten Futur verlautet, und zwar gekoppelt mit dem Eingehen der Heiden. Jeweils ist zu fragen, was es denn für die Heidenmission selbst bedeutet, daß sie dermaßen in einen Rahmen aus Vergangenheit und Zukunft Israels hineingespannt wird. Ist sie selbst nur Episode? Ist sie nur eine Funktion des Heilshandelns Gottes an Israel, der immer wieder auf sein Volk zurückkommt? Wird so das Ev letztlich durch die ἐκλογή überholt? Damit wir die Ergebnisse überprüfen können, bietet sich die exemplarische Person des Heidenmissionars jüdischer Abstammung Pl an. Teil C soll sich damit beschäftigen, wie er seine Rolle in diesem Prozeß auffaßt.

A) D i e S c h l ü s s e i n 1 1 , 1 1 - 2 4

1. Die qal-wāhōmær-Sätze V. 12 und 15

a) Formale Analyse

In V. 11b verschlang Pl schicksalhaft das Heil der Völker mit dem Israels: einerseits verdanken die Heiden ihre Rettung dem

Nein der Juden, andererseits sollen sie die Juden an deren ursprüngliche Berufung erinnern. So von Israel in die Mitte genommen könnten sich die Heiden leicht als bloße Zwischenphase im
Plan Gottes mit seinem Volk vorkommen. Deshalb legt Pl schnell
ein Gewicht auf die andere Waagschale[1] und weist V. 12 auf die
Bereicherung hin, die gerade die "Vollständigkeit"[2] Israels im
Glauben den Heiden bringen würde. Er vergleicht die 11bα berühr-
te Wirkung, die bereits eingetreten ist, mit der künftigen Aus-
strahlung einer vollen Rückkehr Israels und schließt dabei "a
felici effectu causae peioris ad feliciorem effectum causae me-
lioris"[3], eine rabbinische Methode, die er etwas anders schon
5,7-9.10.15.17 angewandt hatte; immer wird ein Prinzip, das bereits im Unheil galt, im Heil zugleich aufgenommen und überboten[4].

V. 13f wendet sich Pl ausdrücklich an die Heiden; nicht als
wechselte das Auditorium[5], die Apostrophe ist vielmehr dadurch
bedingt, daß Pl seinen persönlichen Dienst, der doch auf die
Völker ausgerichtet ist, in Beziehung zu dem von Gott beabsich-

---

1) Wie LAGRANGE fein beobachtet, gg. WEISS und MICHEL, nach
   denen erst V. 13ff die Bedeutung für das Heidenchristentum
   entfalten.

2) Aus πλήρωμα läßt sich der quantitative Sinn nicht wegdeuten.
   Vgl. SANDAY-HEADLAM; LAGRANGE; DODD; SCHLATTER; NYGREN; HUBY;
   BRUCE; F.W. MAIER 120f; DELLING, ThW VI,303. KÜHL und BARRETT
   haben es wahrscheinlich gemacht, daß Pl παράπτωμα noch in
   ἥττημα abwandelt, um eine Entsprechung zur "Vollzahl" zu haben. LIETZMANN, LEENHARDT, BAUER s.v. 4, PLAG 42f deuten dagegen auf "Erfüllung der Forderung Gottes", ZAHN auf geisti-
   ges Erfülltsein, WEISS und ähnlich MURRAY auf die Wiedergut-
   machung ihrer Einbuße an Heil. Abgesehen davon, daß man dann
   ungeschickterweise in V. 25 eine andere Bedeutung annehmen
   muß, ist auch zu beachten, daß es sich um einen "heilsgeschichtlichen Prozeß, nicht um das Verhalten von Menschen-
   gruppen" handelt. So gg. GAUGLER MICHEL, dem SCHMIDT zu-
   stimmt.

3) WEISS.

4) Vgl. MAURER, EvTh 19 (1959) 35ff; ders., ThLZ 85 (1960)
   149-152. Er sieht darin ein Charakteristikum der "Offenba-
   rungsgeschichte".

5) Gg. ZAHN und nun wieder ULONSKA 197 Anm. 133. Schon WEISS
   hatte betont, daß es nicht τοῖς ἔθνεσιν ἐν ὑμῖν heißt.

tigten παραζηλῶσαι V. 11b setzt. Wieder droht die Argumentation aus dem Gleichgewicht zu geraten, wie sich schon in dem dawider gelagerten μὲν οὖν V. 13 andeutet[6]. Es sieht so aus, als hätte das Apostolat des Pl gerade in seinem vollen Einsatz für die Heiden seine Finalität doch bei seinen Volksgenossen. Um das auszubalancieren, begründet V. 15 im Hinblick auf die Heiden die Aussage V. 13f mit der weltweiten Dimension einer Rückkehr Israels, ähnlich wie V. 11b V. 12 ausgelöst hatte. Während V. 14 noch vorsichtig von τινὰς sprach, fällt dieser Satz wieder in die globalen Begriffe von V. 12 ("Israel" - "Welt") zurück[7]. Auch in seiner logischen Struktur gleicht er ihm, obwohl seine Verbalsubstantive nun denselben Vorgang weniger vom Zustand der Menschen als vom Handeln Gottes her sehen lassen[8].

b) Der Hintergrund der Verse

Wir halten fest, daß V. 12 und 15 den Sinn haben, den Heiden-christen vor Augen zu führen, was sie in der Restitution Isra-els gewinnen. Was ermöglicht aber dieses merkwürdige Schlußden-ken des Pl? Weshalb muß die Wiederannahme seines eigenen Volkes solch segensreiche Folgen für die Welt haben? Offenbar ist für Pl Israel das Instrument des Segens für die Welt[9], und zwar - wie die negative Vermittlung im Fall des Ungehorsams beweist - unabhängig von seinem eigenen Dazutun, nach der Setzung Gottes. "Darin macht sich Israels heilsgeschichtliche Stellung geltend, daß es mit allen Wendungen seiner Gottesgeschichte Schicksal für die übrige Menschheit ist. Seine Geschichte mit Gott ist das schlagende Herz der Menschheitsgeschichte"[10]. Die Vorstellung,

---

6) Der Gegensatz dazu ist nicht in V. 12, sondern in V. 14 zu suchen. Vgl. BAUER μὲν 2b und WEISS.

7) Deshalb ist nicht mehr von "convertis individuels" die Rede, wie LEENHARDT meint.

8) Vgl. ἀποβολή, καταλλαγή, deren bewirkendes Subjekt ja bib-lisch immer Gott ist, πρόσλημψις. MURRAY gibt diesen Hin-weis.

9) So LEENHARDT.

10) ALTHAUS, ähnlich KÜHL. F.W. MAIER 123 sieht gerade die Poin-te der Stelle darin, daß Pl in einer zeitgeschichtlich moti-vierten geschichtsphilosophischen Konzeption Israel zum A und O der ganzen Heilsgeschichte mache.

die Pl zugrundelegt, ist also traditionell[11]. Das Gottesvolk
hat eine Schlüsselposition für das Geschick der Welt. Das konnte
sich verschieden artikulieren: etwa in dem schillernden Motiv
der Völkerwallfahrt, aber auch im Abrahamssegen, in der Vorstellung vom Sion als Mittelpunkt[12], im Theologoumenon, daß um Israels willen die Welt geschaffen wurde und der künftige Äon her-
aufgeführt werden sollte[13]. Aber wie sehr Pl zugleich über diese vorgegebene Anschauung hinausgeht, kann man daran klar machen, daß etwa im Motivkreis der Völkerwallfahrt die Heiden oft
ihren Reichtum nach Jerusalem bringen[14], aber nicht einfach die
Begnadung Israels πλοῦτος ἐθνῶν ist. Die "Fülle des Wohlstands
der Völker" (syrApkBar 82,3ff) ist dem Apokalyptiker eher ein
Dorn im Auge.

Kommt man auf dieser Fährte auch bei der viel umrätselten ζωή ἐκ
νεκρῶν weiter, die nach V. 15 die Folge der Annahme Israels sein
soll? Daß Pl damit in einer übertragenen Sprechweise das geistige Wiederaufleben Israels[15] meint, ist deswegen unwahrscheinlich, weil es doch - wie in 15a - um den Reflex des Geschehens
für die Heidenwelt geht. Aber auch ein so umschriebener geisti-
ger Gewinn der Heiden reicht, selbst wenn er ungeahnte Ausmaße
annehmen soll[16], nicht aus, um die καταλλαγή zu übertreffen.

---

11) Auch MUNCK, Israel 90 meint, es sei eine übliche Vorstel-
    lung, daß Israels Heil eine unglaubliche Bedeutung für die
    übrige Welt erlangen soll; das Neue liege in den Umständen,
    unter denen pl das sage.

12) Vgl. Ez 5,5; 38,12; Jub 8,19; deswegen wird er nach Jub 4,26
    "in der neuen Schöpfung zur Heiligung der Erde" geheiligt.

13) Vgl. BILLERBECK III,248; IV,852f. Dazu AssMos 1,12; syrApk
    Bar 14,18f; 15,7, wo statt des Volkes "der Mensch", "die
    Gerechten" genannt werden. Das ist nur eine individualisie-
    rende Variante. SyrApkBar 21,24 bringt dafür die Verhei-
    ßungsträger, z.B. die Patriarchen.

14) Vgl. Is 60,5 μεταβαλεῖ εἰς σὲ πλοῦτος θαλάσσης καὶ ἐθνῶν καὶ
    λαῶν. Weitere Belege BZ 15 (1971) 229 Anm. 37.

15) So in Erinnerung an Ez 37 LEENHARDT; MUNCK, Heilsgeschichte
    303; PLAG 34. Auch Ch. MÜLLER 44,46 versteht das "Leben aus
    den Toten" praktisch von Israel, um dadurch seine These zu
    erhärten, daß das Volk Gottes in einer ständigen Neuschöp-
    fung durch seinen Herrn begriffen ist. Vgl. 99f. Allerdings
    106: "Israels Heil ist auch für die Kirche ζωή ἐκ νεκρῶν
    (11,15)."

16) So MURRAY; HUBY sieht, daß nicht der Akt des Gläubigwerdens

Genügt es dann, daß die Bekehrung der Israeliten das Signal zur allgemeinen Totenauferstehung gibt[17]? Wer diese letztere Deutung befürwortet, stützt sich wieder meistens auf überlieferte eschatologische Schemata[18]. Aber wenn man die traditionellen jüdischen Vorstellungen, die den Heiden noch einen Teil am Endgeschehen einräumen, untersucht[19], stellt sich heraus, daß die Erweckung der Toten höchstens Voraussetzung für die Restauration Israels ist.

Der Tod wird vernichtet, um die Schmach Israels im Angesicht der Völker zu beseitigen (Is 25,7f). Im Entwurf einer mehr diesseitigen messianischen Erwartung konnten die Völker als Demonstrationsobjekt einen Platz haben[20]. Wenn Gott aber das Leben neu aus dem Staub erstehen läßt, soll damit zunächst die Möglichkeit individueller Vergeltung geschaffen werden. Dn 12,1f steht dabei nur Israel im Blick. Auch bei anderen Texten ist es schwer zu sagen, ob sie über das Ergehen der Völker Auskunft geben können[21]. Die Auferweckung soll die Sammlung des "heiligen Volkes"

---

gemeint ist und andererseits nicht stillschweigend ein Erkalten im Glauben vorausgesetzt werden darf; er nimmt deswegen einen "sens figuré, sans trop préciser" an. LYONNET bemerkt in seiner Anm. dazu richtig, daß nach pl Sprachgebrauch (etwa 5,10) das Leben im eschatologischen Vollsinn die einzige auf die Versöhnung möglicherweise folgende Stufe sein kann. In 11,15 ziehe Pl diese Abfolge aber nur zum Vergleich heran; ähnlich Quaestiones II,124ff. Aber Pl schreibt eben nicht nur "quaedam reconciliatio" bzw. "vita quaedam" (126; H.v.m.).

17) So deutlich bei SANDAY-HEADLAM, BARRETT; ZAHN und DODD lassen diese Möglichkeit offen.

18) Rabbinische Äußerungen zur zeitlichen Abhängigkeit des messianischen Zeitalters von der Buße Israels bei BILLERBECK I,162ff.

19) Vgl. VOLZ 238ff; BOUSSET-GRESSMANN 269ff; BILLERBECK IV, 1166ff; RUSSELL 366ff.

20) Vgl. syrApkBar 72: sie werden vernichtet oder am Leben erhalten.

21) So bei aethHen 51, syrApkBar 50f, LebAd (in der griech. Fassung) 13,3. Eine Ausnahme bildet TestBenj 10,9f (A): dort sind - wenn man V. 6ff als logische Folge liest - auch erwählte Heiden zur Herrlichkeit erstanden; durch sie wird Israel gezüchtigt, ein Motiv, das gewöhnlich vor der eschatologischen Wende angesiedelt ist. Die abschließende Mahnung V. 11 zeigt aber das Ziel: συναχθήσεται πρὸς Κύριον πᾶς Ἰσραήλ.

242

ermöglichen; die Verwandlung zur Herrlichkeit scheint von vornherein nur für die "Auserwählten" in Frage zu kommen. Die Heiden haben dabei mehr die Funktion von Zuschauern, die der Erhöhung Israels akklamieren sollen[22].

Um so stärker hebt sich davon die Behauptung des Pl ab. Weil sie auf den Vorteil zielt, der der Welt aus der πρόσλημψις Israels erwachsen soll, kann sie nicht nur eine allgemeine Auferstehung, sei es zur Glorie oder zur Schande, beinhalten[23]. Und der Ton kann auch nicht auf der hergebrachten zeitlichen Verflechtung des Eschaton mit der Wiederaufrichtung Israels liegen[24], sondern ζωή ἐκ νεκρῶν spricht den Heiden die eschatologische Vollendung ihres Heils zu[25], und dies im Zusammenhang mit der sich an Israel offenbarenden Gnade Gottes.

Wie kommt Pl zu einer solch unerhörten Prognose? Traditionelle Vorstellungen vom Konnex Israel-Völker mögen eingeflossen sein, sie tragen aber die Aussage in ihrer Positivität für die Heiden nicht. Pl denkt von der Macht des Ev aus; schon die jeweilige Protasis stand ja im Zeichen des Ev, das trotz der jüdischen Verweigerung ungeahnte Früchte trägt. Weil Pl aus der δύναμις θεοῦ folgert, die sich im Gang des Ev zu den Heiden erwiesen hatte, kann er die mitgebrachte Konzeption derart überbieten. Das Ev sichert die endgültige σωτηρία vorweg zu[26]. Kap. 5, be-

---

22) Vgl. aethHen 90,30. V. 33 versammelt auch die "Tiere des Feldes und alle Vögel des Himmels" mit den erstandenen Israeliten im Haus Gottes. Da aber eigentlich nur die Schafe eine Rolle spielen, könnte hier leicht ein Zusatz vorliegen. Vgl. noch 4 Esr 7,32ff und TestJud 25.

23) Deswegen verwendet Pl wohl auch nicht das dafür naheliegendere Wort ἀνάστασις.

24) Richtig LYONNET, Quaestiones II,124ff. Auch LUZ, Geschichtsverständnis 392ff unterstreicht, daß Pl mehr am Was als am Wann liege.

25) Vgl. ausdrücklich WEISS, LAGRANGE, LIETZMANN, MICHEL, F.W. MAIER 127f.

26) Ich nehme hier sachlich eine Auffassung auf, die STUHLMACHER in seinen verschiedenen Arbeiten entwickelt hat. Vgl. bes. ZThK 64 (1967) 431: "Im Evangelium wird das endgültige Heil im wortwörtlichen Sinn in der Welt und in die Welt hinein vor-getragen... in einer worthaften, also verborgenen, aber zur Hoffnung auf das Ende ermächtigenden, verheißungsvollen

sonders V. 10, hatte eingehämmert, daß aus der jetzigen καταλλαγή πολλῷ μᾶλλον das künftige "Leben" folge; das braucht jetzt
nur noch auf die Geschichte des Heils angewandt zu werden. Wenn
sich das Ev auch an seinem Anfang durchsetzt, dann erfüllt sich,
was es proleptisch verspricht. Die σωτηρία, die den Heiden schon
im Glauben zuteil wurde, als das Ev von Israel kam (11,11), kann
sich voll verwirklichen, wenn es siegreich dahin zurückkehrt.

2. Der Ausblick V. 23f

V. 23f kehren nach der Paränese V. 17ff wieder zum 11,11 eingeleiteten Thema der Rettung Israels zurück, entwickeln es aber
innerhalb der Allegorie vom Ölbaum. Dem κατακαυχᾶσθαι des Heidenchristen soll nicht nur die Konsequenz des eigenen Unglaubens
(V. 21), sondern auch die Aussicht auf die mögliche Umkehr Israels entgegenwirken. Wie V. 21 schon vom Gericht an den Zweigen
κατὰ φύσιν auf die ἀποτομία Gottes gegenüber der Selbstüberhe-
bung des Heidenchristen geschlossen hatte, so zieht auch V. 24
einen Vergleich zwischen Zweigen παρὰ φύσιν und κατὰ φύσιν.
Diesmal ist der Punkt aber das Eingepflanztwerden. "Qui potest
plus, potest et minus"[27]. Die jetzt außerhalb des Heilsverbands
stehenden Juden haben gegenüber den Heidenchristen immerhin den
Vorzug, daß sie τῇ ἰδίᾳ ἐλαίᾳ eingepfropft würden.

Diese Überlegung scheint zunächst seltsam an dem V. 23b vorge-
brachten Argument vorbeizugehen. Was haben solche Vorgegebenheiten der Abstammung da zu suchen, wo es doch eine Sache der Macht
Gottes ist, sein Volk wieder zu begnaden? B. WEISS hat mit Recht
darauf hingewiesen, daß der Gedanke ad hominem zugespitzt ist,
nämlich auf den Heidenchristen, der sich dem "natürlichen Anspruch" der Juden gegenüber sieht[28]. Es geht nicht um die ab-

---

Weise." STUHLMACHERs traditionsgeschichtlichen Herleitungen
  vermag ich freilich nicht immer zu folgen. Vgl. S. 170 Anm.
  139.
27) LEENHARDT.
28) Doch ist das kein Grund, um mit Ch. MÜLLER 44 V. 24 ganz
  auszuschalten und das Wiedereinpfropfen "allein auf Gottes
  δυνατός-Sein" zu gründen. KÜHL: V. 23b und 24 müssen zusammengenommen werden.

strakte Allmacht Gottes, sondern um die, die der Christ aus den Völkern selbst an sich erfahren hat, als er dem Ev Glauben schenkte, und die er jetzt - aus der Perspektive seiner eigenen gnadenhaften Annahme - noch mehr dem Juden zugestehen muß. Eingepflanztwerden bleibt, wie das Passivum divinum in ἐγκεντρισθήσονται andeutet, auch im Fall der Judenschaft das Werk Gottes. Für den noch draußen stehenden Juden gibt es dafür keinen anderen Weg als für den Heiden: den des Glaubens (vgl. V. 23 ἐὰν μὴ ἐπιμένωσιν τῇ ἀπιστίᾳ). So ist die δύναμις Gottes V. 23b letztlich die Kraft des Ev (1,16), allerdings - das muß der heidenchristliche Hörer einsehen - kommt Gott im Ev für Israel seiner eigenen Verheißung entgegen.

B) D a s   G e h e i m n i s   d e r   R e t t u n g
   g a n z   I s r a e l s   (1 1 , 2 5 f f)

Um so mehr drängt sich die Frage auf, ob das "Geheimnis", das Pl 11,25ff enthüllt, für Israel einen Sonderweg am Ev vorbei vorsieht[29]. Wie verhält sich die Gewißheit von 11,26 zu der seit 11,11 erschlossenen Zukunft Israels? Stellen diese Verse ein eschatologisches Wunder in Aussicht, das mit der Völkermission nichts mehr zu tun hat, ja dem sie höchstens hinderlich im Wege ist? Wo ist der theologische Ort solcher Gewißheit?

1. Die literarische Eigenart von V. 25f

Um einen möglichst objektiven Zugang zu diesen umstrittenen Versen zu gewinnen, soll zuerst einmal das Sprachmaterial untersucht werden. Es ist zu fragen, ob es formgeschichtlich relevante Kleinstrukturen aufweist oder traditionsgeschichtlich vorgeprägt ist; dann kann auch deutlicher werden, wie V. 25f sich in den pl Gedankengang einfügt.

---

29) So meint SENFT 140, es sei ebensowenig wie die in V. 11-14 enthaltenen analogen Vorstellungen "lié par un lien direct et organique à l'Évangile du Christ, mais à l'idée traditionelle de l'élection du peuple." Für ihn sind "élection" und "justification" von Hause aus unversöhnbare Prinzipien (133).

Die einleitende Formel οὐ γὰρ θέλω ὑμᾶς ἀγνοεῖν, ἀδελφοί ist uns schon von 1,13 her vertraut[30]. Sie markiert einen Neuansatz, obwohl zugleich das γάρ und der ἵνα-Satz das Neue im paränetischen Anliegen des Kontextes verankern[31]. Gewöhnlich führt Pl damit etwas ein, was ihm sehr am Herzen liegt[32]. An sich müssen die Leser das so Eröffnete nicht ignorieren[33]; in der Verbindung mit dem Objekt τὸ μυστήριον τοῦτο ist es allerdings wahrscheinlich, daß ihnen etwas bisher noch Unbekanntes mitgeteilt wird.

Wenn man die sonstigen Vorkommen der Formel bei Pl durchgeht, dann lockt höchstens die Passage 1 Thess 4,13ff zu einem Vergleich, der meines Wissens noch nicht gründlich durchgeführt wurde. Dort leitet die Wendung eine Belehrung über die Verstorbenen ein, die in ihrem Kern - neben der Aktualisierung des Kerygmas V. 14 - einen λόγος κυρίου enthält; dieses - auf welche Weise auch immer - vorgegebene Material suchen heutige Ausleger meist in V. 16.17a[34]. In der Art, wie es dargeboten ist, ergeben sich einige Ähnlichkeiten zu Röm 11,25f.

Röm 11,25f	1 Thess 4,13ff
	Einleitung
οὐ γὰρ θέλω ὑμᾶς ἀγνοεῖν, ἀδελφοί	οὐ θέλομεν δὲ ὑμᾶς ἀγνοεῖν, ἀδελφοί

---

30) Vgl. S. 50 Anm. 47 und den dort gen. Aufsatz von MULLINS.

31) Schon von daher ist die These PLAGs unhaltbar, wonach V. 25-27 einen sekundären Einschub aus einem anderen Pl-Brief darstellen, der einen von der Heidenmission unabhängigen Heilsweg im Auge habe. Gegen die Behauptung S. 45, die "disclosure"-Formel gehöre immer an den Briefeingang, ist auf 1 Kor 10,1; 12,1; 1 Thess 4,13 zu verweisen.

32) So fast alle Kommentatoren, z.B. LAGRANGE, SCHMIDT.

33) Richtig LUZ, Geschichtsverständnis 286 Anm. 84.

34) Vgl. DIBELIUS, Thessalonicher; JEREMIAS, Jesusworte 78ff; HOFFMANN 208ff; LUZ, Geschichtsverständnis 326ff; MARXSEN, ZThK 66 (1969) 30f.

ἵνα μὴ ἦτε ἐν ἑαυτοῖς   ἵνα μὴ λυπῆσθε καθὼς καὶ οἱ
φρόνιμοι   λοιποί

Konjunktion

ὅτι   ὅτι (V. 15)[35]

Folgerung

καὶ οὕτως πᾶς 'Ισραὴλ   καὶ οὕτως πάντοτε σὺν κυρίῳ
σωθήσεται   ἐσόμεθα

Das betrachtete Stück aus 1 Thess ist thematisch eng verwandt
mit 1 Kor 15,51f, wo wir auch innerhalb der Pl-Briefe die einzige Analogie zum Gebrauch von μυστήριον in Röm 11,25 finden.
Denn schon das hinzugesetzte τοῦτο zeigt an, daß es hier nicht
um das zentrale Christusgeheimnis geht, wie es dann besonders
die Deuteropaulinen im Revelationsschema entfalten werden. Das
"Geheimnis" birgt vielmehr eine Erkenntnis über Endgeschehen,
die vorweg Menschen wie den 1 Kor 13,2 gemeinten "Propheten" zuteil wird[36]. Auch 1 Kor 15,51[37] steht zuerst ein Ruf zur Aufmerksamkeit: ἰδοὺ μυστήριον ὑμῖν λέγω. Dann spricht Pl im Futur
seine Gewißheit über das Endgeschick der Gläubigen aus, wobei er
in V. 52a vorformuliertes Gut benutzt. Die Erläuterung V. 53 und
die Bestätigung aus der Schrift V. 54f sind wieder von anderer
literarischer Machart. Die nächsten formalen Parallelen bieten
die Schlußermahnungen des aethHen "Ich weiß dieses Geheimnis,
daß..." mit Futur: 103,2ff vom Los der Gerechten; 104, 10.12 vom
Schicksal des Buches und der entsprechenden Sanktion[38].

---

35) Während in Röm 11,25 ein ὅτι recitativum vorliegt, ist das
     ὅτι 1 Thess 4,16 offenbar begründend. So ist höchstens das
     ὅτι V. 15 zu vergleichen, das eine Vorwegnahme der angezo-
     genen Tradition einführt, ähnlich wie 1 Kor 15,51 V. 52 vor-
     angeht.

36) Zum Begriff vgl. G. BORNKAMM, μυστήριον, in: ThW IV, 809-834,
     bes. 821ff, 829; BROWN, Background; COPPENS; LÜHRMANN, Of-
     fenbarungsverständnis 99ff. Daß es sich Röm 11,25 um spezi-
     ell apk-prophetisches Wissen handelt, sehen auch MICHEL,
     BARRETT. Dagegen differenzieren moderne Autoren wie LEEN-
     HARDT und MURRAY die Belege noch nicht genügend.

37) Vgl. zur Interpretation LUZ, Geschichtsverständnis 354f und
     CONZELMANN, Der erste Brief an die Korinther z.St. Er be-
     grüßt einen Vorschlag von E. SCHWEIZER, V. 50 als Abschluß
     von V. 36-49 zu betrachten und mit V. 51 neu einzusetzen.

38) Aus der inhaltlichen Verwandtschaft dieser Stellen mit Apk

Situierung und Struktur des "Geheimnisses"

Vergleichen wir Röm 11,25f mit diesen prophetischen Worten, so
blickt unsere Stelle zwar ähnlich auf ein endgültiges Geschehen
(σωθήσεται) hinaus, aber zugleich zeigt sie eine sachliche Besonderheit: sie ist auf die Zukunft Israels konzentriert. Das
wirft die Frage auf, ob es in apk Schriften und der Qumranlit.
traditionsgeschichtliche Vorgänger gibt, in denen ebenso ein
"Geheimnis" auf die Beendigung eines Unheilszustandes für Israel
weist. Dabei soll die Antwort, die Röm 11,25f gibt, nicht inhaltlich präjudiziert werden. Vielmehr ist eine ähnliche Situation gesucht, in der der Begriff "Geheimnis" Anwendung fand.
Möglicherweise bedingte diese besondere Problemlage auch formale Eigenheiten der jeweiligen prophetisch-apk Auskunft.

In Qumran gilt vieles als "Geheimnis": der verborgene Sinn der
Schrift, den der "Lehrer der Gerechtigkeit" erschließt, die Erkenntnisse, die das "Ich" der Hōdājōt den Erwählten mitteilt,
die kosmische Ordnung, die das kultische Leben der Gemeinde bestimmt. Daneben stehen aber auch "Geheimnisse" der Geschichte:
die Endlösung für das Gottesvolk, das sich natürlich jetzt auf
den Rest in Qumran beschränkt; die Dauer der Versuchung durch
Beliar und die Zeit für seine Vernichtung ist in den rāzē 'ēl[39)
beschlossen. Diese böse Endzeit wird durch die Sammlung in Qumran vorweg durchbrochen; ihr schenkt Gott die Vergebung der Sünden "in seinen wunderbaren Geheimnissen" (CD 3,18). Ähnlich
spricht aethHen 106,19 von ihm offenbarten Geheimnissen, die die

---

14,13 bzw. 22,18f kann man schließen, daß auch der so eingeleitete Stoff in die Apkk gehört. Die literarische Einklei-
dung kann wechseln; in der geheimen Offenbarung des Johannes
ist es Audition einer Stimme vom Himmel bzw. das inspirierte
"Zeugnis" des Schreibers.

39) Vgl. 1QS 3,23; 4,18. Auch das Individuum lernt, daß seine
Bedrängnis nach den "Geheimnissen der Sünde" erfolgte: 1QH
5,36; 9,23 wendet das positiv als "Züchtigung". Der an 2
Thess 2,7 τὸ μυστήριον τῆς ἀνομίας gemahnende Ausdruck steht
noch im Frgm. zu H 50,5; 1QGenApoc 1,2 und DJD I,27 Frgm.
1,I,2.7 nach der von BROWN, CBQ 20 (1958) 442 Anm. 93 vor-
geschlagenen Lesart; vgl. zum Gedanken ferner 1QM 3,9; 14,9;
16,11; 17,9. Nach 1QpHab 7,8.14 zieht sich die Zeit in den

anwachsende Gottlosigkeit betreffen[40]. Hier liegt durchaus
eine Sachparallele zum μυστήριον von Röm 11,25 vor, wo nach
dem Ratschluß Gottes Verstockung Israel in Bann schlägt bis zu
einem vorweg kundgegebenen Zeitpunkt, an dem Gott die Vergebung
der Schuld bereit hält.

Zwei weitere Texte der Apkk erlauben einen Schluß auf die Situation, in der dem Seher solche Geheimnisse der Zeiten gezeigt
werden: syrApkBar 81 trauert er um Sion und fragt: "Wie lange
bleibt dies für uns bestehen?" Schließlich erfährt er durch das
tröstende Wort Gottes vom Ende der Trübsal. Ebenso erfolgt 4
Esr 10,28f die Offenbarung der großen Geheimnisse als Antwort
auf die Trauer um das Volk Israel.

Die Frage nach dem "Wie lange...?" im Zusammenhang einer Vision
oder eines Gesprächs mit einem Himmelsboten hat ein formge-
schichtliches Vorspiel im Alten Testament[41]. Is 6,10f erhält
der Prophet den Auftrag, das Herz seines Volkes zu verstocken
(!). Auf seine Frage "Wie lange, Herr?" antwortet ein Satz mit
ʿad ʾašær. Nun ist interessant, daß LXX den an sich aussichts-
losen V. 12 so wiedergibt, daß darin noch eine Wende zum Heil
aufscheint. Auch dem Engel, der Zach 1,12 an der Stelle des
Sehers nach dem "Wie lange" fragt, gibt Gott eine tröstliche
Auskunft. Dasselbe formgeschichtliche Schema begegnet dann wieder Apk 6,10f. Hier sind es die Märtyrer, die Johannes unter dem
Altar "sieht", welche das ἕως πότε schreien. In der Antwort werden sie bis zum Ablauf einer gewissen Frist beschwichtigt.

Nun fällt auch in Röm 11,25 das ἄχρι οὗ auf, das Pl auch sonst
nur vom Eintreten eines noch ausstehenden eschatologi-

Geheimnissen Gottes in die Länge, bevor das Ende kommt
(vgl. Apk 10,6f). Zum Ganzen BROWN im eben gen. Aufsatz
437ff; COPPENS 135f.

40) Vgl. noch 83,7; 104,10.

41) Vgl. C. WESTERMANN, mātaj wann?, in: ThHAT I, 933-936. Er
unterscheidet allerdings nicht genau zwischen dem Vorwurf
der Klage, der nicht von einer Antwort gefolgt ist, und dem
"Bis wann" in der Vision, das einen Bescheid Gottes nach
sich zieht.

schen Ereignisses gebraucht[42]. Wenn wir das Geheimnis als Aufschluß über das in formgeschichtlicher Tradition erfragte "Wie
lange" der Verstockung Israels verstehen dürfen, dann liegt der
Kern in der Befristung des Unheilszustandes. Formale Entspre-
chungen in der spätjüdischen Lit. finden sich in ziemlicher Menge, auch wenn dort der Terminus "Geheimnis" nicht vorkommt: etwa
die Engelsbotschaft Dn 9,24ff; Tob 14,4-7; die "sin-exile-re-
turn"-Ausblicke der TestXII, die oft mit einem "bis" zu Ende gebracht werden[43]. Im NT könnte man Lk 21,24 vergleichen. Charakteristisch ist jedesmal das "bis", mit dem Gott der Untreue
oder der Bedrängnis seines Volkes ein Ende setzt, ohne daß man
hier schon generell von einer "eschatological epoch formula"[44]
sprechen könnte. Ch. MÜLLER[45] hat das Verdienst, die Frage nach
in Röm 11,25 verarbeiteten Traditionen ausdrücklich gestellt zu
haben; leider zieht er aber den Kreis zu eng. Da die genannte
"Bis"-Formel teilweise mit dem Motiv des Völkersturms gefüllt
ist, meint er, die bei Pl gegebene Befristung, nur weil sie auch
das Wort ἔθνη enthält, damit in Verbindung bringen zu müssen[46].
Für die formgeschichtliche Bestimmung des "Geheimnisses" genügt
aber eine entsprechende Situation und eine ähnliche Struktur der
diesbezüglichen Antwort, wobei diese die pl aber nicht der Sache
nach vorwegzunehmen braucht.

---

42) Vgl. 1 Kor 11,26; 15,25, wo es durch Ps 109,1bLXX nahegelegt ist.

43) Vgl. zur Gattung DE JONGE 83ff. Beispiele: TestLev 16,5;
TestJud 22,2; 23,5 ἕως, TestNaph 4,5 ἄχρις οὗ; in TestAs
7,2f scheint diese Konjunktion Indiz eines christlichen
Nachtrags zu sein. Vgl. ferner aethHen 107,1 μέχρις τοῦ
mit Infinitiv.

44) So BORGEN 172.   45) 38ff.

46) In Röm 11,25 wird jedoch niemand an den Völkersturm gegen
Sion denken. Denn Israel wird ja nicht an die Heiden "preisgegeben", sie "schließen" es nicht vom Heil "aus". Ihr Zum-
Heil-Kommen ist auch kein vorläufiges Negativum, dem später
der Untergang folgen müßte. Vgl. die noch zu zaghafte Kritik
von LUZ, Geschichtsverständnis 81 Anm. 222, 289 und die Ablehnung PLAGs 56 Anm. 233. BORGEN 172f bringt ebenfalls Röm
11,25 und Lk 21,24 zusammen, trägt aber hier den Lk fern-
liegenden Gedanken einer künftigen Umkehr Israels ein.

Damit wird auch die Faktur von Röm 11,25f durchsichtiger:

πώρωσις ἀπὸ μέρους τῷ ʼΙσραὴλ γέγονεν,

ἄχρι οὗ τὸ πλήρωμα τῶν ἐθνῶν εἰσέλθῃ

folgt dem traditionellen Muster und könnte die persönliche Er-
leuchtung des Pl umfassen. Mit

καὶ οὕτως πᾶς ʼΙσραὴλ σωθήσεται

zieht er wie im 1 Thess 4,17 mit καὶ οὕτως eingeleiteten Sätzchen daraus die Folgerung, die ihm für seine Leser eigentlich
wichtig ist[47]. Dadurch ist zugleich eine Entscheidung für das
Verständnis dieser in letzter Zeit so umstrittenen Partikel
gefallen.

1. Sie ist nicht als Vorbote des κάθως zum Zitat zu ziehen[48].

2. Sie legt keinen besonderen Wert auf die zeitliche Relation
   ("dann erst")[49], obwohl nach dem μυστήριον natürlich klar
   ist, daß die Verstockung erst mit dem Eingehen der Heiden
   ihr Ende finden kann.

3. Sie sagt aber auch nichts über eine Kausalität des πλήρωμα
   τῶν ἐθνῶν, die nach 11,11bβ zu erklären wäre[50].

Darin geht das "Geheimnis" über das bisher von der Zukunft Israels Gesagte hinaus, daß es einen Terminus ad quem für seine Ver-
stocktheit angibt[51]. Diese Erkenntnis befähigt Pl dann auch,
mit Bestimmtheit die künftige Rettung ganz Israels als Tat Gottes anzusagen. Darauf liegt dem Kontext nach der Hauptakzent[52].

---

47) Ähnlich grenzt MURRAY ab; ZAHN und MICHEL bevorzugen eine
dreigliedrige Form. Keineswegs gehört der Schriftbeweis zum
Stil einer solchen Voraussage: gg. LUZ, Geschichtsverständnis 288.

48) Gg. BAUER s.v. 2; Ch. MÜLLER 43 Anm. 88; PLAG 37 Anm. 148.
Auch STUHLMACHER, Interpretation 560 setzt sich für diese
Beziehung ein, wobei er sich aber nicht auf LIETZMANN berufen dürfte. Sie sichert ihm eine "endzeitliche Ereignisab-
folge..., die nach dem Eingehen der Heiden die Bekehrung
ganz Israels und die Parusie des Erlösers vom Zion her zu-
sammenordnet." Damit möchte er Vorschlag 1) und 2) zugleich
haben.

49) Wie ZAHN, ALTHAUS, BRUCE wollen. Dagegen LEENHARDT, LUZ,
Geschichtsverständnis 293.

50) Gg. SANDAY-HEADLAM, LAGRANGE, HUBY. Dagegen LUZ, Geschichtsverständnis 393. Zur näheren Begründung s.u. 2 c.

51) Richtig WEISS, F.W. MAIER 140f.

52) Darin hat MICHEL recht.

Schon V. 11f rechnete er mit dem πλήρωμα Israels. Nachdem aber das μυστήριον eröffnet ist, kommt jenes im Zug eines göttlichen Plans in Sicht.

c) Vokabular[53] und Herkunft

Sagt der Wortschatz von V. 25f etwas darüber aus, ob Tradition verwendet wurde oder ob Pl selbst eine Einsicht formulierte? Πώρωσις ἀπὸ μέρους τῷ 'Ισραὴλ γέγονεν ist in 11,7 schon potentiell enthalten[54]. Das γέγονεν umschreibt dabei das Verhängnis von Gott her, das dort in V. 8 ausdrücklicher gemacht war. "Αχρις οὗ ist für Pl nicht erstaunlich, eher - wie wir sahen - von formgeschichtlichem Belang. Auch πλήρωμα τῶν ἐθνῶν überrascht vom Wort her nicht, es bringt nur einen gedanklichen Fortschritt, der sich genauer fassen läßt, wenn auch das allerdings für Pl untypische εἰσελθεῖν in seinem Inhalt geklärt ist. V. 26 weist keine unpl Diktion auf, denn das "semitisierende" πᾶς 'Ισραὴλ bezieht sich zurück auf πλήρωμα 11,12 und das konträre ἐκ μέρους V. 25[55].

Wir haben also den merkwürdigen Befund, daß V. 25 zwar formgeschichtlich "gebunden" scheint, daß aber nach dem Vokabular kein Zitat, keine aufgenommene Tradition erkennbar wird. Läßt sich damit etwas zur Herkunft des "Geheimnisses" vermuten? Die Form und die Bezeichnung μυστήριον sprechen dagegen, daß es sich um allgemein christliches Glaubenswissen handelt. Es ist auch nicht einfach eine theologische Konsequenz, die Pl aus dem Zusammen

---

53) Die Feststellungen von LUZ, Geschichtsverständnis 288 Anm. 98 dazu kann ich hier voraussetzen.

54) Ich verstehe nicht, warum LUZ, Geschichtsverständnis 288 Anm. 98 πώρωσις als "unpaulinisch" betrachtet. Zwar ist das Motiv atl., aber Pl verwendet es 11,7 und 2 Kor 3,14, ohne sich direkt an einen Schrifttext anzulehnen. Zu ἀπὸ μέρους vgl. 15,24; 2 Kor 1,14. Weil 11,7 nachwirkt, ist eine zeitliche Deutung, wie sie nun wieder PLAG 37 Anm. 145 vertritt, ausgeschlossen.

55) Angesichts dieses klaren Tatbestandes hat die Meinung, πᾶς 'Ισραὴλ umfasse die gläubigen Heiden und das bekehrte Israel, nur noch exegesegeschichtliches Interesse, wenn auch CULLMANN, Heil 143 sie wiederum aufwärmt.

von Erwählung und Gegenwart Israels ziehen konnte[56]. Es ist
ferner nicht aus der Schrift gewonnen, denn V. 26f wissen nichts
mehr von einem Termin für die Rettung Israels. Andererseits läßt
sich kein vorgegebener Prophetenspruch mehr rekonstruieren[57].
So wird es wahrscheinlich, daß Pl hier eine eigene prophetische
Eingebung niederschreibt, die er in eine überlieferte Form gefaßt hatte. Unsere formgeschichtliche Überlegung gestattet vielleicht sogar einen Rückschluß auf die Situation, in der dem Apostel solch eine Offenbarung zukommen konnte. War syrApkBar 81
und 4 Esr 10,38f die "Trauer um Israel"[58] der Sitz im Leben für
die Mitteilung des Geheimnisses, das die Spannung um das "Wie
lange" lösen sollte, so könnte die λύπη μεγάλη καὶ ἀδιάλειπτος
ὀδύνη des Pl (9,2) und die Fürbitte für sein Volk (10,1) dafür
den sehr real zu denkenden Ort abgeben.

2. Der Inhalt des Geheimnisses

a) Dunkel ist vor allem die Angabe der Frist ἄχρι οὗ τὸ πλήρωμα
τῶν ἐθνῶν εἰσέλθῃ. An sich könnten unsere Beobachtungen zur
Formgeschichte eine deterministische Lösung begünstigen. In den
geheimnisvollen eschatologischen Ausblicken ist nämlich oft der
Zustand des Unheils durch das von Gott festgesetzte Maß einge-
dämmt, sei es das Maß der Sünde[59] oder das Maß der Zeit[60]. Dabei spielt oft der Stamm πληρ- eine Rolle. Für unsere Stelle,
die ja von einem πλήρωμα τῶν ἐθνῶν spricht, wäre aber höchstens
eine apk Abwandlung dieser Idee bedeutsam, wo auf die Frage
"Wie lange noch?" auf eine in Gottes Plan festgelegte Zahl von

---

56) Gg. BORNKAMM, ThW IV,829.

57) MICHEL 291 Anm. 3 meinte noch: "Wahrscheinlich ist, daß ein
älterer Gottesspruch von Pls neu geformt wurde."

58) LUZ, Geschichtsverständnis 26 Anm. 39 führt dazu weitere
apk Stellen an.

59) Vgl. Gn 15,16; Dn 8,23; 9,24f; 2 Makk 6,14f; aethHen 18,16;
Mt 23,32; 1 Thess 2,16.

60) Vgl. VOLZ 139f; DELLING, ThW VI, 287,6ff; 298,25ff; 304,27ff.
Besonders die Erniedrigung Sions (4 Esr 6,19) und die και-
ροὶ ἐθνῶν sind bemessen (Lk 21,14).

Menschen verwiesen wird, die noch voll werden muß[61], damit das
Ende anbrechen kann. Entsprechend hat man bei unserem Ausdruck
manchmal an eine nur Gott bekannte Zahl von Heiden gedacht, die
ins Reich Gottes eingehen sollen. Sie wäre nicht unbedingt mit
ihrer Gesamtheit gleichzusetzen[62]. Εἰσελθεῖν gilt in dieser und
in anderen Auslegungen als übernommene, verkürzte Redeweise für
"Eingehen ins Reich Gottes, bzw. ins ewige Leben"[63]. Aber das
ist keineswegs zwingend. PLAG[64] hat dagegen zu Recht eingewandt, daß das absolute εἰσέρχεσθαι bei den Synoptikern leicht
seine Ergänzung im Kontext findet, hier dagegen nicht. Zudem
paßt eine solch "jenseitige" Bedeutung von "eingehen" schlecht
in den Zusammenhang, in dem es doch um Missionsgeschehen geht.
Die ζωὴ ἐκ νεκρῶν ist für die Heiden nach 11,15 ja erst durch
die Wiederaufnahme des Volkes Gottes hervorgebracht. Aber noch
andere Bedenken stellen sich diesem Vorschlag entgegen: das Moment der tatsächlichen Fülle, das das Wort πλήρωμα 11,12 noch
enthielt, ginge verloren; denn die apk Vollzahl könnte nur eine
ἐκλογή umfassen. Auch denkt der Apokalyptiker an eine Auswahl
von Individuen, während bei Pl das Schicksal großer Gruppen,
Israels und der Heidenvölker, zur Debatte steht.

b) Ausgehend von dem εἰσελθεῖν hat PLAG[65] versucht, einen ande-

---

61) Vgl. VOLZ 140; HARNISCH 279ff. Wir können drei Formen unter-
    scheiden:
    1. Die Zahl der Adamskinder: syrApkBar 21,10; 23,4f; 48,46;
       4 Esr 5,36 (?).
    2. Die Zahl der Gerechten: syrApkBar 30,2; 75,6; 4 Esr 4,36;
       vgl. Apk 7,4; 14,1. Sie warten in den Kammern auf den
       Lohn bei der Auferstehung. Auch 5 Esr 2,40f könnte noch
       jüdisches Gedankengut erhalten sein.
    3. Die Zahl der Märtyrer: Apk 6,11.

62) So offenbar SCHLATTER, ALTHAUS, GAUGLER, MICHEL (unklar),
    F.W. MAIER 142, G. MAIER 397f. Dagegen MUNCK, Israel 100;
    MURRAY.

63) SANDAY-HEADLAM; ZAHN; ALTHAUS; MICHEL; BAUER s.v. 2a; F.W.
    MAIER 140 Anm. 147; KASTING 108; LUZ, Geschichtsverständnis
    288 Anm. 98.

64) 43ff.

65) Ebd. Er ist inspiriert von BAECK 588. Auch LUZ, Geschichts-
    verständnis 289 weist auf zeitgenössische Parallelen, nach
    denen das Judentum die Annahme der Heiden erwartet habe.

ren Vorstellungshintergrund für den limitierenden Satz V. 25c zu
zeichnen: den der <u>endzeitlichen Wallfahrt der Völker zum Sion</u>.
Zwar muß er zugeben, daß in den einschlägigen Texten der Tradi-
tion das Kompositum nicht wörtlich vorkommt; aber er meint doch,
Pl wolle hier einen von der Heidenmission unabhängigen Weg für
Israel aufzeigen. Das Eingehen der Völker ist das eschatologi-
sche Wunder, das dann auch die Wende für Israel auslöst. Aber
wir sahen schon Anm. 31, daß es nicht ratsam ist, sich in der
Exegese des μυστήριον so weit vom Kontext und vom Geschehen der
Mission zu entfernen, daß sich geradezu zwei konkurrierende
Heilskonzepte ergeben.

STUHLMACHER[66] übt darin berechtigte Kritik an PLAG: was das
Mysterium verkündet, müsse vom Ev her und im Zeichen der Rechtfertigung des Gottlosen gesehen werden. Er möchte indes ebenso
V. 25 das Motiv der Völkerwallfahrt unterlegen, das Pl hier
christlich verarbeitet und auf die Heidenmission angewandt habe.
Aber ihm und PLAG gegenüber ist die Lehre aus der Motivge-
schichte zu ziehen: die Vorstellung existiert nie selbständig,
sondern nur in sachlicher - nicht bloß zeitlicher[67] - Abhängigkeit von der Erhöhung des Sion. Wenn wir, um die Eigenart der
Aussage 11,11 zu erfassen, in Anlehnung an KÄSEMANN davon spra-
chen, daß Pl die prophetische Verheißung "umkehrt", so drückte
sich eben darin das unerhört Neue aus, das das Ev in eine feste
"Heilsgeschichte" hereinbringt. Das überlieferte Motiv mag als
Kontrast dienen; von einer "<u>Erfüllung</u> (H.v.m.) der alttestament-
lich-jüdischen Hoffnung auf die Wallfahrt der Völker zum Sion
und die endzeitliche Verherrlichung Israels" wird man aus der
Sicht des Pl und seiner Leser nicht reden können[68]. Weder strömen die Heiden zum Sion, noch wird Israel verherrlicht. Ob V.
26f auf die "Parusie des Christus" zu beziehen ist, muß sich
noch zeigen.

---

66) Interpretation 562ff.
67) Das wird besonders bei PLAG 57 verwischt, wenn er meint,
    die Völkerwallfahrt sei traditionell "der Auftakt zur Ret-
    tung Israels".
68) Gg. STUHLMACHER, Interpretation 561.

c) Es scheint mir möglich, den Sinn des "Geheimnisses" in der Verlängerung des Kontextes zu fixieren, ohne auf traditionelle Modelle zurückgreifen zu müssen. Wahrscheinlich zieht Pl die Linie von 11,12 aus. Aus dem πλοῦτος ἐθνῶν wird das πλήρωμα τῶν ἐθνῶν. Während Israel verstockt bleibt, breitet sich das Ev in aller Welt mit ungeheurer Fruchtbarkeit aus. Kraft einer eigenen Offenbarung weiß Pl nun, daß die in V. 12 angestoßene Dynamik einem Höhepunkt entgegentreiben muß, bis es auch für das verhärtete Israel einen Umschwung geben kann. V. 25 reflektiert allerdings nicht mehr die gegenseitige Bedingtheit dieser Verläufe wie V. 11bα.12a.15. Denn es ist ja nicht einzusehen, warum Israel sich nicht bekehren sollte, nachdem einmal der Funke des Heils auf die Völker übergesprungen ist. Deswegen ist es auch zu wenig, wenn BORNKAMM[69] zu 11,25 sagt, Pl wolle "den eschatologischen Sinn" der gegenwärtigen πώρωσις aufdecken. Dann hätte er statt des ἄχρι οὗ besser eine finale Konjunktion gewählt. So aber zeigt er über die Notwendigkeit der Absage Israels hinaus auf ihr Ende. Dabei verlautet nichts darüber, daß dies die Wirkung des παραζηλῶσαι ist, das durch die Vollzahl der Heiden zum Äußersten gesteigert wäre.

Vielleicht hat Pl nun deswegen das anschauliche Verbum εἰσελθεῖν verwandt, um das Hinzukommen zu einem Grundbestand, der als umfangender Raum gedacht ist, zu beschreiben. Dieser ist nicht Sion, wie im Modell der Völkerwallfahrt, oder Israel, wie beim Bild vom Ölbaum[70], sondern die jetzt schon reiche Ernte der gläubigen Heiden, die durch das πλήρωμα voll gemacht wird[71]. Entsprechend πᾶς Ἰσραήλ bezeichnet also auch πλήρωμα τῶν ἐθνῶν

---

69) Vgl. ThW IV,829.

70) So möchten WEISS, LAGRANGE, LEENHARDT (als Möglichkeit) εἰσέρχεσθαι als Äquivalent von ἐγκεντρισθῆναι nehmen. Abgesehen davon, daß Zweige kaum "hineingehen" können, steht Israel in V. 25 draußen. BARRETT, SCHMIDT reden von der Inkorporation ins Volk Gottes, ohne dies genau zu bestimmen. LIETZMANN paraphrasiert "(zum Glauben) eingehen"; dabei mag ihm eine Metapher wie θύρα πίστεως Apg 14,27 vorschweben.

71) Πλήρωμα kann leicht diese aktive Nuance haben; so ausdrücklich WEISS.

die Gesamtheit einer heilsgeschichtlichen Größe, bei der ebensowenig wie in πᾶς 'Ισραήλ jeder Einzelne eingeschlossen zu
sein braucht[72]. Nicht die Tatsache, daß ein Jude die Rettung
ganz Israels als Volk erwartet, ist erstaunlich[73], sondern daß
Pl sie mit der Vollendung des doch von Israel weglaufenden Ev
zusammensieht. Wenn wir annehmen konnten, daß das πλήρωμα τῶν
ἐθνῶν kein vom Missionswerk unabhängiges Ereignis ist, dann
wird auch für Israel gelten, daß es durch den Glauben an
das Ev zum Heil kommt[74]. So liegt auch das μυστήριον in

---

72) So mit Ausnahmen wie KÜHL die meisten Erklärer.

73) Vgl. VOLZ 342f. In apk Tradition konnte man die Wiederherstellung der 12 Stämme im heiligen Land erhoffen: vgl.
VOLZ 344, DAVIES 80ff. Äußerungen des apk Glaubens, daß
das ganze Volk Israel nicht untergehen kann, bei VOLZ 100f.
Qumran kann hier nicht paradigmatisch sein. Wenn etwa 4Qflor
1,12f zu lesen ist, der Sproß Davids werde am Ende der Tage
Israel retten, dann ist damit nach Z. 2 die Gemeinde des
Bundes gemeint. Dennoch ist die Verwurzelung in der traditionellen, ursprünglich weiteren Sprechweise erkennbar.

In tannaitischer Zeit gibt es nach SJÖBERG 117ff nur zwei
Belege für die Rettung jedes Israeliten. Darunter ist die
viel berufene Stelle Sanh 10,1 (Text bei BILLERBECK IV,
1053; die Meinung BILLERBECKs III,293, hier sei ein Läute-
rungsfeuer vorausgesetzt, hat SJÖBERG 122 widerlegt).
Dabei ist zu bedenken, daß es sich hier um einen Lehrsatz
handelt, der eine allgemeine Überzeugung auf den Einzelnen
anwendet; deswegen werden auch zugleich Ausnahmen von der
Regel festgestellt. Vgl. R. MEYER, λαός D, in: ThW IV, 39-
49, 45,18ff: "Dieser Satz, der sich in tannaitischer und
amoräischer Zeit fast allgemeiner Anerkennung erfreut hat,
darf als Beweis für die im Grunde kollektive, volksmäßig
bestimmte Erwartung angesehen werden, die man mit dem Glauben an das große Weltgericht verband."
LUZ, Geschichtsverständnis 290 hebt Röm 11,26 gegen kollektive Aussagen der Überlieferung ab, um eine religionsgeschichtliche Sonderstellung zu erweisen. Dabei setzt er
praktisch ein individualisierendes Verständnis der Stelle
voraus, das er doch 291f selbst ablehnt. PLAG 58 möchte
πᾶς 'Ισραήλ wie in Leqach tob zu Nm 24,17 (130a) - s. BIL-
LERBECK I,960 - als Terminus technicus für das in der messianischen Heilszeit restaurierte Israel fassen. Aber dafür
ist wohl das Belegmaterial zu gering und zu disparat.
Außerdem wäre dann σωθήσεται überflüssig.

74) Vgl. HAHN, Mission 91 Anm. 1: "Doch es wäre unpaulinisch
gedacht, wenn dieses Israel am Ende der Zeiten in seiner
Vorfindlichkeit und um seiner bloßen fleischlichen Abrahamskindschaft willen gerettet werden würde. Gerade darum

der Konsequenz von V. 20ff (dazu S. 244f). Pl muß ja auf das
"Geheimnis" verweisen, weil für ihn - wie uns am Ende von Kap.
II aufging - mit der Gewinnung Israels die Macht des Ev auf
dem Spiel steht[75].

3. Der Schriftgrund V. 26f

Pl entnahm dem μυστήριον, daß Israels Heilszukunft trotz des
Augenscheins gewiß ist. Das kombinierte Zitat aus Is[76], das
er anfügt, zeigt, daß es ihm eigentlich auf dieses Faktum ankam.
Denn darin steht nichts mehr von der Vollzahl der Heiden, die
dem vorangehen soll. Σωθήσεται wird sachlich in ὁ ῥυόμενος aufgenommen. Der beiden Bibelstellen gemeinsame Gedanke, die Verzeihung der Sünden, interpretiert die Überwindung der πώρωσις.
Zugleich bezeichnet das Is-Zitat das theologische Reservoir,
aus dem die Gewißheit des Pl gespeist ist.

Man hat nun aus Einzelheiten des Schriftworts Vermutungen darüber angestellt, wie ganz Israel gerettet wird. Für uns ist
dabei die Frage, ob das Ev, dessen Bedeutung wir am Ausgang
des vorigen Abschnittes behaupteten, dabei überspielt wird. Methodisch ist allerdings Vorsicht geboten: aufschlußreich wäre,

---

ist es ja verstoßen, weil es nicht geglaubt hat. So wird
das Heilsangebot noch einmal an Israel ergehen, es wird
erneut vor die Glaubensentscheidung gestellt und als glau-
bendes Israel zum Heil gelangen."

75) Auch BATEY hebt auf die existentielle Verankerung des "Geheimnisses" im Missionsvorhaben des Pl ab. "His mystery
was the affirmation of God's saving power over mankind,
resulting from the apocalyptic conviction that God controls
human destiny" (223).

76) Is 59,20f geht in Is 27,9 über. Dafür sind zwei Gemeinsamkeiten der beiden Texte die Ursache: 1. Jedesmal ist vom
Wegnehmen der Sünde Jakobs die Rede. 2. Das αὕτη αὐτοῖς ἡ
παρ' ἐμοῦ διαθήκη hat wohl den ähnlichen definitorischen
Satz τοῦτό ἐστιν ἡ εὐλογία αὐτοῦ 27,9 mit seiner Fortsetzung
in Erinnerung gebracht. So sind die Stellen wohl nur ge-
dächtnismäßig verschweißt: vgl. ZAHN; KÜHL; LAGRANGE; MI-
CHEL, Bibel 86. Man kann also weder sagen, Pl habe Is 59
inhaltlich weiterzitieren wollen (gg. LYONNET, Quaestiones
II,138), noch daß er den Rest von 59,21 mit Absicht wegge-
lassen habe, weil er ihm nicht passend schien (gg. LAGRAN-
GE, RICHARDSON 128f).

wenn sich nachweisen ließe, daß Pl seinen Text bewußt verändert
hat. Bei dem Schriftmaterial, das er sozusagen unbehauen stehen ließ, kann man nur dann legitim einen pl Akzent annehmen,
wenn es Kontextaussagen verstärkt.

<u>a)</u> Wer ist der ῥυόμενος?

Nach ZAHN und F.W. MAIER[77] meint Pl damit - dem atl. Text entsprechend - Gott selbst, weil nur er nach den theologischen
Passiva V. 23f.26a.30ff die Wende Israels wirkt; die meisten
Autoren plädieren aber für eine messianische Deutung[78]. Dafür
sprechen m.E. die besseren Gründe:

- ἐκ Σιών ist sonst schwerer zu erklären[79].
- ῥύεσθαι wird 1 Thess 1,10 vom wiederkommenden Jesus, dem Ret-
  ter, ausgesagt[80].
- Der Wechsel von der 3. Person zum "Ich" V. 27 deutet darauf
  hin, daß Pl nicht jedesmal denselben meint.
- Sanh 98a 19 bezieht Is 59,19 auf die messianische Zeit[81].

<u>b)</u> Wann kommt er?

Ist die Beziehung auf Christus in V. 26 gesichert, dann stellt
sich gleich das Problem, an welches Kommen Pl denken mag und
wann die Tilgung der Schuld Israels stattfinden soll. Das letztere ist eindeutig: sie geschieht im Zuge der V. 26a angesag-
ten künftigen Rettung. Folgerichtig müßte auch ἥξει auf den

---

77) 144.

78) Vgl. SANDAY-HEADLAM; KÜHL; LAGRANGE; MICHEL; LUZ, Geschichtsverständnis 294; WESTERMANN, EvTh 27 (1967) 315.

79) Das ἐκ ist bekanntlich weder im hebr. noch im griech. Text
begründet, könnte also eine pl Verdeutlichung sein. Um es
vom Kommen Gottes verstehen zu können, muß man entweder annehmen, daß ein Topos der göttlichen Epiphanie die pl Wiedergabe beeinflußt hat - WESTERMANN, Jesaja 279 zieht Ps
49,2LXX bei -, oder auf die Ps 13,7; 52,7LXX bezeugte Erwartung rekurrieren, daß Gott von Sion aus das Heil schenkt.

80) Das berechtigt aber noch nicht zur Annahme von STUHL-
MACHER, Interpretation 561, "daß die Übernahme dieses Tradi-
tionskomplexes im Zusammenhang der Prädizierung Jesu als des
Gottessohnes zu sehen ist." - 2 Kor 1,10 gebraucht das Verbum übrigens auch von Gottes Tun.

81) Vgl. BILLERBECK IV,981; ELLIS 57.

kommenden Herrn gehen[82]. 'Εκ Σιών könnte dann auf das himmli-
sche Jerusalem konkretisiert werden[83], doch ist das hier kaum
vorbereitet. Die Folge wäre freilich, daß die Rettung Israels
nicht nur die Geschichte abschließt[84], sondern selbst ein Werk
des Wiederkommenden ist. Man hat dabei an apk Bilder erinnert,
etwa das von PsSal 17, wo die Sammlung Israels und die Reinigung
des Sion der messianischen Zeit angehören[85]. Aber konnte Pl
solche Anschauungen einfach übernehmen, wo für ihn doch der Messias schon gekommen war? Auf V. 15 kann man sich kaum berufen,
denn dort ist zwar das endzeitliche Leben für die Völker Folge
der πρόσλημψις Israels; es steht aber nirgendwo, daß diese
selbst in einem eschatologischen, nicht mehr der Geschichte zu-
zurechnenden Akt erfolgt. Das könnte man auch nur schlecht mit
der Überzeugung des Pl vereinbaren, die er z.B. 1 Kor 1,23 ausspricht, daß der Mensch, ob Heide oder Jude, mit dem gekreuzigten Herrn durch das Ev konfrontiert wird, um in ihm ἀπολύτρωσις
(1 Kor 1,30) zu erlangen, aber nicht mit dem in Herrlichkeit
wiedererscheinenden Erlöser.

Deshalb kann Israel in Zukunft nur Sündenvergebung finden, wenn
es dem bereits gekommenen Messias im Glauben begegnet. Pl wird
so mit dem Schriftwort das erhoffte Geschehen als noch aus-
stehende Konsequenz des Kommens Christi deuten[86]. Ein vorge-

---

82) So ALTHAUS; SCHLATTER; GAUGLER; MICHEL; BRUCE; STUHLMACHER,
Interpretation 561.

83) SANDAY-HEADLAM, MICHEL; SCHLATTER als Möglichkeit.

84) Z.B. ALTHAUS: "Anbruch der letzten Dinge", vgl. auch BORN-
KAMM, Paulus 160. ZAHN u.a. bemühen für diese Anschauung
Lk 13,34f par. Mt 23,37-39. Doch das Gerichtswort denkt
kaum an eine Umkehr Jerusalems.

85) Schon SANDAY-HEADLAM; nun wieder STUHLMACHER, Interpretation 561. Aber seine Prägung "Parusie des Christus", die er
zukünftig verstehen möchte, entbehrt nicht einer gewissen
Zweideutigkeit, wenn er dafür 562f die für Pl schon ver-
wirklichten Messiastraditionen von Röm 4,17ff; 9,4 und Gal
3,15ff in Anspruch nimmt.

86) Vgl. KÜHL; einen Hinweis auf die Herkunft des Irdischen
erblicken in ἐκ Σιών auch WEISS, LAGRANGE, MURRAY. LAGRANGE
möchte sich allerdings nicht weiter festlegen. Auf das
Christusgeschehen insgesamt deuten SCHMIDT; LUZ, Geschichtsverständnis 294f.

gebenes Futur kann ja auch einmal bereits Verwirklichtes reka-
pitulieren, wie 15,12 zeigt[87]. Gerade weil die Verheißungen
den Erlöser mit Sion verbinden (s. S. 189ff), muß schließlich
die von ihm erwirkte Versöhnung auch in Jakob Raum greifen. Diese Deutung wird dadurch bestätigt, daß sich wohl das διὰ τοὺς
πατέρας im folgenden V. 28 auch auf das Zitat zurückbezieht.
Denn nach 15,8 lassen sich ja die den Vätern gegebenen Verheißungen darin zusammenfassen, daß der Christus aus Israel kommt.
Pl bezieht aus der eingelösten Zusage ἐξ ὧν ὁ Χριστὸς τὸ κατὰ
σάρκα (9,5) die Zuversicht, daß seine Volksgenossen durch eben
diesen Christus tatsächlich gerettet werden. Und um diese Gewißheit zu untermauern, fügte er das Is-Wort an, nicht um die
besondere Art und Weise anzudeuten, wie sich die Rettung Israels vollziehen soll[88]. Israel wird nach Meinung des Pl die
Verzeihung der Schuld nicht anders erreichen, als es bereits
4,7f vorzeichnet: in der Rechtfertigung durch den Glauben an
den Gekommenen[89].

c) Der Sinn von διαθήκη

Wenn Israel auch bei seiner wunderbaren Heimkehr auf das Ev angewiesen bleibt, dann klärt sich auch das Wort διαθήκη in seiner Tragweite. Im Is-Text bedeutet es nur so viel wie "Verfügung"[90]. Manche Ausleger sehen aber mehr darin: es bezeichne
nach Pl das besondere Verhältnis Gottes zu seinem Volk, ja den
"Neuen Bund" von Jr 38,31-34LXX, der sich gerade in der einseitigen Vergebung realisiere[91]. Obwohl dieser Gedanke sachlich -

---

87) Auch dort nimmt das Is-Wort das im Sinn des Pl geschichtlich schon eigetretene Christusereignis (ἔσται ἡ ῥίζα τοῦ
   'Ιεσσαί) im Futur mit dem zusammen, was sich erst daraus
   ergibt.

88) Richtig KÜHL und SCHMIDT.

89) Das ist gg. WEISS anzumerken, nach dem das entsündigende
   Tun des Retters schon voraussetzt, daß das Volk bekehrt ist.
   Andererseits ist damit auch die These PLAGs 59ff unmöglich
   geworden, daß 11,25-27 einen Heilsweg ohne Umkehr vorsieht.

90) Vgl. J. BEHM, διαθήκη B-D, in: ThW II, 127-137; 129, 132;
   BAUER s.v. 2.

91) Vgl. SANDAY-HEADLAM, WEISS, LAGRANGE, BARRETT, SCHMIDT.

nach dem oben S. 182ff Ausgeführten - in 3,25 enthalten ist,
läßt er sich m.E. schwer aus der pl Schriftverwendung 11,26f
herauslesen. Einmal benötigte Pl Jr 38 nicht als Vorlage für
sein Schriftkonglomerat[92]. Zum andern legt das Zitat den
Nachdruck auf die Heilsaussicht für Israel, die im unumstößlichen Ratschluß Gottes verbürgt ist. Deswegen wird auch das παρ'
ἐμοῦ voll gehört werden müssen; διαθήκη hat wohl seinen vorgegebenen Sinn. Den Juden wird also nicht auf Grund ihres Bundes-
verhältnisses ein eigenes Recht auf Erlösung zugestanden, sondern der Gott, dessen Messias aus Sion kam, wird nach seinem
festen Entschluß auch dem berufenen Volk die vergebende Gnade
zukommen lassen, die bereits die Heiden erfahren haben. Man
darf nicht vergessen, daß zwischen dem ἥξει und dem ἀποστρέψει
gedanklich die Rettung der Heiden liegt; was an Israel erst noch
geschehen soll, ist so nie Ergebnis einer isolierten Bundes-
oder Sionstradition, sondern immer schon "gefärbt" von dem weltweiten Ereignis des Erbarmens Gottes. Das explizieren dann V.
30ff[93].

4. Das Ziel der Geschichte (V. 30-36)

a) Ungehorsam und Erbarmen über alle

V. 30-32 sind durch γάρ nur locker an die unmittelbar vorangehenden Verse angeschlossen. Es geht darin nicht mehr um die Gewißheit der Rettung Israels, die schon früher etabliert wurde,
sondern darum, den Heidenchristen von ihrem eigenen Glaubensweg
her dieses damit verschlungene (s. S. 213ff) Geheimnis einiger-

---

92) Ich habe ThPh 43 (1968) 74 Anm. 130 selbst noch gemeint,
weil Jr 38LXX Bund und Sündennachlaß verbindet, sei es
gleichsam der Leim für das Zitatengefüge. Doch ist das nach
Anm. 76 nicht beweisbar. Noch weniger stammt die zweite
Hälfte des Zitates aus Jr, wie DODD, MURRAY, BRUCE, THE
GREEK NEW TESTAMENT raten. Dagegen F.W. MAIER 143, RICHARD-
SON 128 Anm. 8.

93) Auch LUZ, Geschichtsverständnis 294 legt V. 25ff im Vorblick
auf V. 32 aus, trägt diesen aber zu Unrecht in das Mysterium
hinein, wenn er als dessen Skopus die unerwartete und paradoxe Weise angibt, auf die Israel noch gerettet wird.

maßen aufzuhellen. Es ist Pl wichtig, daß sie gerade in der Gegenwart die verborgenen Gedanken des gnädigen Gottes für Israel wahrnehmen. Deshalb wird das νῦν dreimal wiederholt. Das dritte νῦν[94] macht bekanntlich Schwierigkeiten. Wodurch ist es bedingt? Manche Autoren[95] meinen, da für Pl das Ende der Dinge unmittelbar vor der Tür stehe, könne er sich auch die Bekehrung Israels nur in sehr naher Zukunft denken. Doch schöpft er seine Zuversicht nicht aus der Naherwartung, sondern aus der wunderbaren Tatsache, daß das Ev jetzt die ungehorsamen Heiden berief, wobei nach dem Plan Gottes gerade der Ungehorsam der Juden eine Rolle spielte. Das νῦν ist also das im Ev angebotene "Jetzt" des Heils[96]. Deshalb wird es aber nicht ungeschichtlich; das Ev ist nicht als abstraktes Heilsprinzip gemeint, sondern in seiner konkreten Situation, in der es bei den Heiden ungeahnte Erfolge zeitigt. Gerade darin sieht Pl die Voraussetzung für seine siegreiche Rückkehr zum erwählten Volk. Das νῦν impliziert offenbar, daß Pl seinen Hörern die "Fülle der Heiden" (V. 25) als greifbar nahe vorstellt. Darauf werden wir in Teil C noch zurückkommen.

---

94) ZAHN, HUBY, PLAG 40 wollen es aus sachlichen Gründen streichen. Aber als lectio difficilior ist es im Text zu belassen.

95) So LIETZMANN, ALTHAUS, MICHEL.

96) KÜHL hatte das νῦν "von der gegenwärtig bestehenden göttlichen Absicht" verstanden. Im obigen Sinn nun vor allem LUZ, Geschichtsverständnis 297f; er beruft sich auf die Vorprägung des mit ποτέ kontrastierenden νῦν in der Gemeindepredigt über alten und neuen Wandel (vgl. ebd. 87f). Ebenso TACHAU 110ff: das Schema diene hier der Heilsgewißheit, indem es auf die Gegenwart des Handelns Gottes verweist. Er mißt jedoch den Dativen zu wenig Gewicht bei, in denen sich die geschichtlichen Wege dieses Handelns anzeigen. Nach STUHLMACHER, ZThK 64 (1967) 441 Anm. 41 ist das νῦν das eschatologische Jetzt, das als "Spitze eines von Gott her in die Gegenwart herein eröffneten Zeit-Raumes" mit der Bekehrungspredigt durch die Zeiten ziehe. Ich möchte aber doch festhalten, daß dieses "Jetzt" vom Ev ermöglicht ist, und nicht so sehr vom andrängenden Ende. Dabei braucht nicht ausgeschlossen zu sein, daß Pl die Zeit des Ev in verkürzter eschatologischer Perspektive sah. So F.W. MAIER 147.

V. 32 nennt dann ausdrücklich den, der die Geschichte macht: συνέκλεισεν γὰρ ὁ θεὸς τοὺς πάντας εἰς ἀπείθειαν ἵνα τοὺς πάντας ἐλεήσῃ. Πάντας kann hier nicht alle Individuen im Sinn einer ἀποκατάστασις πάντων umschließen[97]; wie der konkretisierende Artikel zeigt, sind damit "sie alle", nämlich Juden und Heiden, gemeint[98]. Allerdings sagt Pl auch nicht τοὺς ἀμφοτέρους, weil das Handeln Gottes an Juden und Heiden prinzipiell die ganze Menschheit betrifft[99]. Alle hat Gott in souveräner Verfügung in den Ungehorsam preisgegeben[100], um sich aller zu erbarmen.

Die Ausleger geraten hier manchmal in Versuchung, V. 32 als spekulativen Satz über das Handeln Gottes zu betrachten, nach dem Gott schließlich alles so lenke, damit seine Heilsmitteilung den Charakter freien Erbarmens trage[101]. Es ist richtig, daß der Satz von Gott ausgeht; aber deswegen will er keine abstrakten Überlegungen über seine Möglichkeiten und Notwendigkeiten anstellen. Ebensowenig darf man etwa aus 5,20 herauslesen, daß Gott gleichsam die Sünde des Menschen brauche, um sich gnädig erweisen zu können. Pl statuiert hier keine Gesetzmäßigkeit, sondern stellt sich unter Gottes absoluten Willen zum Erbarmen, das am Ende aller noch so wirren Wege der Menschheitsgeschichte steht.

Man kann diesen Vers mit 15,7ff kombinieren und dann der Meinung sein, daß Israel, wenn es den Ruf Gottes gehört hätte, auf

---

97) Dazu neigt DODD, vgl. ders., Mind 122ff.

98) Vgl. Bl-Debr § 275,7; WEISS; KÜHL; LAGRANGE; LUZ, Geschichtsverständnis 299. Überzeugende Parallele: 1 Kor 9,22.

99) Vgl. MICHEL, SCHMIDT. Es geht nicht nur um die "neue" Menschheit, von der Ch. MÜLLER 48 redet.

100) Das συν- sagt keine Gemeinsamkeit der Ungehorsamen aus, sondern ihr unentrinnbares Ausgeliefertsein an ihren eigenen Widerspruch. In LXX kann συγκλείειν wie παραδιδόναι gebraucht werden; vgl. am ausführlichsten WEISS. So sagt Pl dieselbe Verfallenheit an die Sünde, die er 1,24.26.28 mit παραδιδόναι von den Heiden behauptete, jetzt vom ungläubigen Verhalten der Juden aus, das seit 11,7 zunehmend vom geschichtsbestimmenden Gott her gesehen wurde. Ob das Bild vom Gefängnis wie möglicherweise Gal 3,22f noch bewußt ist (LEENHARDT, MICHEL), scheint mir fraglich.

101) Vgl. KÜHL, HOPPE passim.

Grund der ἀλήθεια τοῦ θεοῦ zum Heil gekommen wäre[102]. Hier dagegen stelle es sich heraus, daß nicht nur die Heiden, sondern
auch die Juden des ἔλεος bedürfen; nicht bloß die Heiden sind
Angenommene, sondern (V. 15) auch für die Juden ist die πρόσλημψις die einzige Rettung. Doch genau besehen sagt Pl nirgends,
daß die Treue Gottes in irgendeiner Weise seiner Güte gegenüber
Israel im Wege steht. 15,7ff sprechen aus der Sicht der Heidenchristen. Und auch bei 11,30ff ist die besondere Ausrichtung zu
beachten.

Fragen wir einmal, wem dieser Satz eigentlich eine Überraschung
bringt. Sicher stellt V. 32a in schockierender Weise die Juden
auf die gleiche Stufe mit den Heiden[103]. In ihrem Ungehorsam
nützen ihnen alle heilsgeschichtlichen Auszeichnungen nichts,
ja - so könnte man mit Hilfe von Gal 3,22f interpretieren - die
Gabe des Gesetzes, auf die sie am meisten stolz sind, wird gar
zum Instrument in der Hand Gottes, der alles in ohnmächtigen Widerstand einschließt. Aber Pl sagt das an unserer Stelle nicht,
um sich rühmenden Erwählungsglauben niederzuschlagen; er möchte
ja den Heidenchristen unter dem Paradox des Abfalls das Ziel
Gottes zeigen. Wenn auch in V. 32 die zeitlichen Phasen des
Heilsplans irrelevant geworden sind, so bedeutet er nur für sich
genommen eine absolute Nivellierung der Heilsgeschichte; der
ἵνα-Satz aber bringt das Wozu an den Tag und zeigt, auf wen das
Ganze gemünzt war: die Heidenchristen, die ihre Erwählung als
letzten Zweck der Geschichte betrachten wollten, sollen merken,
daß dieses Erbarmen Gottes auch den Juden zukommt[104]. Wie in
den Zielangaben von Gal 3,22-24 kommt zum Schluß zum Vorschein,
worauf die Geschichte ursprünglich angelegt war. Während aber
dort Israel unter den Tisch fiel, sind hier V. 28f durch V. 30ff
nicht außer Kraft gesetzt. Im ἐλεηθῆναι Israels wird vollendet,
was in der ἐκλογή bzw. in der κλῆσις einmal in der Geschichte
angefangen hat. Deswegen erschöpft sich für Pl in der Rückschau
auf die ἀπείθεια nicht das Ganze der Geschichte Gottes mit sei-

---

102) Vgl. SANDAY-HEADLAM, WEISS zu V. 31.   103) Vgl. NYGREN.
104) Mit Recht vermerken KÜHL und F.W. MAIER 149, daß der Akzent
     auf dem Einschluß der Juden liegt.

nem Volk, so wenig er an ihr als Ablauf interessiert ist[105]. Mag sie sich ins Unheil verkehrt haben, so ist sie deswegen nicht aus dem Willen Gottes entlassen. Er bestimmt letztlich die Wertigkeit dieser "Heilsgeschichte mit negativen Vorzeichen", weil er im Ev ebenso unverdient Gnade anbietet, wie in den χαρίσματα, die Israel vorausliegen. Damit sollen die Aussagen über die Väter 11,16.28 nicht nach dem Rezept von Röm 4 und Gal 3 "tendenzkritisch" der Rechtfertigungslehre untergeordnet werden, so daß "die ἐκλογή des Judentums auf die an Christus glaubenden und in ihm gerechtfertigten Väter gegründet ist"[106]. Pl kann V. 28-32 beides, die Zusage an die Väter und das Erbarmen über den Sünder, unvermischt und doch im Zug eines Beweisganges miteinander einhergehen lassen. Sucht man nach der Einheit dieser Aussagen, dann kann man sie im gnadenhaft wirkenden Wort Gottes vermuten, ohne dadurch dessen verschiedene geschichtliche Dimensionen zu verkürzen.

Wenn man V. 25ff würdigen will, ist man gezwungen, einen Weg zwischen den extremen Positionen von CULLMANN und KLEIN hindurch zu suchen. V. 32 zerstört die Vorstellung von einer Heilsgeschichte, die ein stetes Aufbauen ist oder sich in Wellenlinien bewegt[107]. Gott übt Erbarmen, wenn die menschlichen Voraussetzungen auf dem Nullpunkt sind. Man kann auch nicht mit CULLMANN[108] im Hinblick auf 11,30ff die menschliche Sünde als "Durchkreuzung" eines Heilsplans Gottes verstehen, der sich danach noch modifiziert und gerade deswegen unvorhersehbare Überraschungen birgt. Es gibt für Pl keinen anderen Heilsplan, als den, der im Ev offenbar geworden ist; und danach ergeht das Erbarmen Gottes immer schon über menschlichen Ungehorsam. Anderer-

---

105) Das ist gg. KLEIN, ZNW 63 (1971) 34 festzuhalten. Deshalb wird der Versuch KÄSEMANNs, Perspektiven 124, die Heilsgeschichte als paradoxe Kontinuität zu fassen, mehr der Sachlage gerecht.

106) So GÜTTGEMANNS, Heilsgeschichte 58.

107) Vgl. CULLMANN, Heil XI.   108) Vgl. Heil 106f, 139, 242.

seits wirkt das Ev an den Juden das Erbarmen gemäß dem nicht zu
übertönenden Ruf Gottes in der Vergangenheit. Die Verheißung
macht, daß die Geschichte nicht nur das Mal der Heillosigkeit
trägt, wenn dieser Heilssinn der Geschichte auch keineswegs
"innewohnt"[109]. Während nach V. 28 in der Gegenwart εὐαγγέλιον
und ἐκλογή das Verhalten Gottes zu Israel in widersprüchliche
Aspekte auseinanderklaffen lassen, fallen in V. 32 Erwählung und
das Erbarmen Gottes als Botschaft des Ev in eins.

b) Der Lobpreis der Wege Gottes

Wenn man auch das abschließende hymnische Stück V. 33-36[110]
für die Stellung des Pl zum göttlichen Heilsplan auswerten will,
ist es nützlich zu wissen, warum er so endet. Nimmt der Apostel
nun alles wieder in das Dunkel Gottes zurück, nachdem er doch
sein geschichtlich sich realisierendes Gnadenhandeln vorher mit
Bestimmtheit verkündet hatte? Nein, das Lob der unergründlichen
Wege Gottes ist ganz konkret auf das μυστήριον bezogen[111], das
auch in seiner Mitteilung Geheimnis bleibt. Pl hatte ja nicht
Einblick in die Zukunft gewährt, um aufs neue die spekulierende
Phantasie erblühen zu lassen, sondern ἵνα μὴ ἦτε ἐν ἑαυτοῖς φρό-
νιμοι. Weder die von Gottes Verheißung stimulierte Erwartung der
Juden noch der in 11,19 angedeutete heilsgeschichtliche Kurz-

---

109) So BULTMANN, Geschichte und Eschatologie 46f.

110) Lit. dazu: BORNKAMM, Lobpreis; MICHEL; DEICHGRÄBER 61ff.
Er behandelt das Stück praktisch wie einen präexistenten
Hymnus, wenn er dafür einen einheitlichen Wurzelboden im
Diasporajudentum sucht. Da m.E. aber BORNKAMM 70 zuzustim-
men ist, daß die Schlußverse spontan ad hoc geformt sind,
kann man unterschiedliche Einflüsse annehmen.

111) Hier ist vielleicht die formgeschichtliche Beobachtung
hilfreich, daß das weisheitlich-apk Motiv der unerforschli-
chen Gerichte Gottes nicht nur in der Klage des Sehers (syr
ApkBar 14,8f), in der Mahnung zur Erkenntnis des Gotteswil-
lens (syrApkBar 44,6), in der Zurechtweisung menschlicher
Neugier (4 Esr 4; 5) begegnet, sondern auch im Dank dessen,
der Offenbarung erfahren hat: syrApkBar 75 (LUZ, Geschichtsverständnis 228 hält diese Erwähnung irrtümlich für eine
Einrede), in den Hōdājōt aus Qumran und verwandten Stücken
wie 1QS 11,15ff. Stereotyp beschließt der Preis Gottes die
Visionen des Engelbuches im aethHen 22,14; 25,7; 27,5; 36,4.

Schluß der Heidenchristen hätten sich diesen Ausgang träumen
lassen. Deswegen ist er jeder menschlichen Berechnung entzogen.
Aber V. 33ff sollen nicht nur die Erwägungen des Menschen ad ab-
surdum führen, ihr Tenor ist dankbarer Jubel dafür, daß Gottes
Gnadenwille[112] auf unbegreifliche Weise doch noch zum Ziel gelangt, weil alles in seiner Initiative begründet ist. Daß der
Mensch die Gedanken Gottes nicht nachvollziehen kann, kommt
nicht bloß negativ daher, daß er sie immer wieder durchkreuzt;
es hängt positiv mit dem unerschöpflichen Reichtum (vgl. 9,23;
10,12) von Gottes gnädigem Wesen zusammen. Das spricht V. 35
noch einmal mit einem Wort aus Job 41,3 in einer Pl eigenen
Übersetzung aus: Gott ist dem Menschen nicht verpflichtet; wenn
er gibt, dann aus Gnade[113]. V. 36 fügt dem noch hinzu, daß alles, weil es in Gott seinen Ursprung hat und von ihm getragen
wird, auch wieder zu ihm hinführen muß. Die All-Formel umgreift
in ihrer hellenistischen Herkunft[114] wohl den ganzen Kosmos.
Aber im Kontext des Pl ging es bisher um die Wege Gottes in der
Geschichte[115]. V. 36a stellt sie nun in eine größere Dimension:
weil Gott der Schöpfer von allem ist, laufen alle Fäden bei ihm
zusammen. So kommt auch ihm allein die Ehre zu.

Diese Gedankenfolge erlaubt auch eine Folgerung für unsere
heilsgeschichtliche Problematik. Die eingangs gestellte Frage,

---

112) Wie man γνῶσις θεοῦ übersetzen könnte. MICHEL macht nicht
     eindeutig genug klar, daß es sich um einen Genetivus sub-
     iectivus handelt.

113) Manche Autoren entdecken in V. 35 eine besondere Spitze
     gegen die jüdische Werkfrömmigkeit. So SCHMIDT nach MICHEL.
     Aber es fällt schwer, die Aussage so einzuengen. Die Heiden
     wie die Juden haben die Großzügigkeit Gottes am eigenen
     Leib erfahren.

114) Vgl. LIETZMANN.

115) Darauf insistieren WEISS; KÜHL; BARRETT; BORNKAMM; Ch. MÜL-
     LER 49; BULTMANN, Theologie 229. STUHLMACHER, ZThK 64
     (1967) 442 Anm. 42 bringt für die geschichtliche Deutung
     noch 1QH 1,23 hakkōl bei. Das Targum verwendet den Ausdruck
     allerdings im Zusammenhang der Schöpfung. SANDAY-HEADLAM
     und LAGRANGE wehren sich gegen eine Einschränkung von V. 36
     auf die Geschichte. Vielleicht sind das alles nur moderne
     Alternativen.

ob die Geschichte Israels auf die Berufung der Heiden hingeord-
net ist, oder umgekehrt diese ein Moment der Geschichte Gottes
mit seinem Volk sei, erweist sich von 11,33ff her als überholt.
Vielleicht hatte sie heuristischen Wert. Aber eigentlich läßt
sich weder das eine noch das andere behaupten. Da alles Handeln
Gottes doxologischen Sinn hat[116], gibt es nirgends im Feld des
Geschichtlichen eine Aura der Vollendung, etwa ein Volk, das ein
anderes in sich inkorporiert. Jede Phase der Heilsgeschichte
weist über sich hinaus. Was wir in 15,7ff für die Heidenchristen
feststellten, das gilt am Ende des 11. Kap. auch für die Juden:
daß sie wieder von Gott angenommen werden, führt recht verstanden zu seinem Lob. Darin sind alle heilsgeschichtlichen Gaben
wieder ihrem Ursprung vereignet. Der Lobpreis Gottes kommt aus
der Dankbarkeit des grundlos Beschenkten. Die "Wege", die Gott
mit den Menschen in der Geschichte geht, werden nicht rückgängig
gemacht, sie werden auch nicht (dialektisch) "aufgehoben", vielmehr soll sie der Mensch rühmend "erheben", weil er nicht End-
station sein kann.

C) D e r   H e i d e n m i s s i o n a r   P l   u n d
   d a s   S c h i c k s a l   s e i n e s   V o l k e s

Wenn im universalen Preis der Huld Gottes der Blick von den Unterschieden zwischen dem Juden und dem Heiden weg auf Gott ge-
lenkt ist, so können doch auf dem Weg zu diesem Ziel für den
einen oder den anderen Prioritäten gesteckt sein. In solchen
Schaltungen sollen sie das Lob des Erbarmens Gottes lernen, die
Heiden, die in den Stamm des von jeher berufenen Gottesvolkes
aufgenommen werden, wie die Masse Israels, die erst den Heiden
hintangesetzt wird, bevor sie wieder heimfindet. Dieser Abschnitt soll darlegen, wie die Person des Pl in diesen vorläufi-
gen Wendungen des Ev steht. Dabei kann es nicht darum gehen, sozusagen die Generalstabskarte Gottes zu entfalten, die Pl in der

---

116) Das scheint ein besonders in der Apkk ausgeprägter Zug zu
     sein. Vgl. vorerst S. 153 Anm. 60.

Tasche hatte, wir möchten nur das namhaft machen, was seinem missionarischen Einsatz Richtung gab.

1. Das Motiv des Heidenapostolats

Gerade im Röm bezeichnet sich Pl besonders eindeutig als "Apostel der Heiden" (11,13; vgl. 1,13f; 15,16.18), dessen Missionsgebiet keine Grenzen kennt (1,5: ἀποστολὴ ἐν πᾶσιν τοῖς ἔθνεσιν). Zwar nannte er sich nicht "der Heidenmissionar", denn - wie neben anderen Stellen[117] 15,20 erkennen läßt - er wußte auch um die Initiative anderer in diesem Raum. Diese Festlegung schloß auch nicht gelegentliche Predigt an Juden aus, besonders wenn sie ihm den Zugang zu den "Gottesfürchtigen" erleichterte[118]. Aber kein Zweifel: seine Arbeit galt grundsätzlich der Völkerwelt[119]. Nach Gal 1,15f hatte schon die Berufungsoffenbarung des Sohnes Gottes den Zweck, ἵνα εὐαγγελίζωμαι αὐτὸν ἐν τοῖς ἔθνεσιν. Für unsere Betrachtungsweise ist es nicht erheblich, ob Pl diese Konsequenz gleich gezogen hat[120]. Jedenfalls steht im Ergebnis des Jerusalemer Treffens fest: ἵνα ἡμεῖς εἰς τὰ ἔθνη, αὐτοὶ δε εἰς τὴν περιτομήν (Gal 2,9; vgl. V. 7). Bis heute wird diskutiert, wie diese Abgrenzung zu verstehen ist. Man kann das Problem nicht einfach von der aktuellen Fragestellung des Gal aus lösen[121]. Aber auch ein streng geographisches Verständnis, das dem Petrus Palästina zuteilt[122], kann wegen

---

117) Vgl. Barnabas Gal 2,9; auch 1 Kor 3.

118) Vgl. 1 Kor 9,20; BARRETT zu 1,6 und oben S. 209 Anm. 25.

119) Vgl. EICHHOLZ, Theologie 20ff. Zur Ansicht von ZAHN, Missionsmethoden 70ff, nach dem das Heidenapostolat nur eine besondere Seite des apostolischen Berufes des Pl ist, s. S. 14 Anm. 2 zu 1,5.

120) Wie HOLL 156 Anm. 17 und KASTING 56 meinen. Weitere Autoren bei ECKERT 290 Anm. 30. Vermittelnd RIGAUX 86ff.

121) Dort beklagt sich Pl ja nicht darüber, daß die Judaisten den Heidenchristen gepredigt haben, sondern daß sie ihnen die Beschneidung auferlegten. So meint HAENCHEN 408f, Gal 2,9 meine ursprünglich nur das Zugeständnis der Heidenmission ohne Beschneidung. Ihm stimmt BORNKAMM, Verhalten 155 Anm. 12 zu.

122) Vgl. ZAHN, Missionsmethoden 66ff; FRIDRICHSEN, Apostle 12;

der ungeklärten Stellung der Diasporajuden nicht recht befriedigen. So werden die Gruppen nach dem religiösen Herkommen unterschieden sein[123]. Dann ist aber immer noch zu sehen, was diese Arbeitsteilung theologisch bedeutet. STUHLMACHER[124] hält den "eschatologischen Gesichtspunkt" für entscheidend. Zu greifen ist aber nur, daß offenbar eine neue Wertung des Gesetzes das Abkommen ermöglichte. Die Ansicht der Jerusalemer bleibt dabei im Dunkel. Pl konnte eine auf das Gesetz verpflichtende Verkündigung an die Juden akzeptieren, weil auch für ihn das jüdische Volk als solches dadurch gekennzeichnet ist, daß Gott es - auch im Gesetz - angesprochen hat. Was seine Aufgabe jedoch betraf, so hatte die "Erkenntnis Christi Jesu" als des in Macht eingesetzten Heilsmittlers zur Folge, daß alle Völker ohne vorgeleisteten Tatbeweis in seinem Namen gerettet werden können[125]. Pl ist im Anspruch des κύριος aufgegangen, daß er speziell zu den Heiden gesandt ist. Auch die prophetische Berufungsterminologie umschreibt diesen besonderen Dienst[126].

MUNCK, Heilsgeschichte 111f; LIECHTENHAN 58.

123) Rigoros "ethnographisch" vertreten von SCHMITHALS, Paulus und Jakobus 36. CONZELMANN, Geschichte 70 ist offener dafür, daß sich gerade daraus die kommenden Konflikte ergeben. Wenn man die späteren Übergriffe des Pl oder seiner Gegner von vornherein einberechnen will, deutet man die Angaben - wie SCHLIER, Galater 79 - vorsichtiger als "Richtungen, wohin sie sich wenden sollen", GEORGI, Kollekte 21f sogar nur als "Verantwortlichkeit für", womit das εἰς kaum angemessen wiedergegeben ist.

124) Evangelium 99: während die Jerusalemer Partner auf die Restitution des Gottesvolkes hinarbeiten, sei für Pl das Heil grundsätzlich entschränkt. Aber ist es denkbar, daß die Judenchristen die Heidenmission "im Rahmen traditioneller Parusieerwartung" nur als Ausnahme und Zeichen tolerierten (ebd. 98)? Und wenn solche Hintergründe mitspielten, dann können sie selbst kaum zum Gegenstand vertraglicher Übereinkunft werden. Nach MUNCK, Heilsgeschichte 271 übernimmt Pl sogar die eschatologische Grundanschauung der Kontrahenten, nur daß er die Reihenfolge Juden - Heiden umdreht.

125) Vgl. S. 193ff.

126) Vgl. Gal 1,15f; Röm 1,1, 1 Kor 1,1 u.a. CERFAUX, "serviteur de Dieu"; MUNCK, Heilsgeschichte 17; HOLTZ; STANLEY; BLANK 224ff (aber nicht Is 52f) möchten einen besonderen

a) Eine apk Deutung der pl Missionsaufgabe

Nun hat man manchmal diese Ausdrucksweise für die Berufung des
Pl zur Heidenmission zum Anlaß genommen, um sie in einen apk
Heilsplan hineinzustellen[127]. Pl habe die Hauptrolle in den
Geschehnissen vor dem Ende zu spielen, das dann auch die Umkehr
Israels bringt[128]. Die Pl anvertraute οἰκονομία wird als ein-
zigartiger heilsgeschichtlicher Sonderauftrag ausgelegt[129]; in-
dem der Apostel das Ev bis an die Grenzen der Erde ausbreitet,
erfüllt er eine notwendige Bedingung der Parusie[130] und führt

---

Einfluß der Gestalt des Gottesknechtes aus Dt-Is (vgl. Gal
1,15f mit Is 49,1) auf die Missionsauffassung des Pl nachweisen. Aber da dieser für Pl nicht in einer literarisch
umgrenzten Einheit Konturen gewinnt, ist es fraglich, ob
er mehr als die Begrifflichkeit der Prophetenberufung übernimmt. Apg darf man dazu nicht heranziehen; die methodische
Sorglosigkeit von KERRIGAN vermag ich nicht zu teilen. Zu-
rückhaltend auch RIGAUX 85f. K.H. RENGSTORF, ἀποστέλλω κτλ,
in: ThW I, 397-448, 440 sieht den Berührungspunkt mit bes-
serem Anhalt im ungebundenen, autorisierenden und gnadenhaften Ruf Gottes.

127) Vgl. FRIDRICHSEN, Apostle 1ff zu κλητός (1 Kor 1,1 u.a.):
"a predetermined series of eschatologic events is bound up
with certain elected persons who have a distinct and parti-
cular place in God's plan of salvation." Pl betrachte sich
und seine Verkündigung "as main factors in that which has
to happen before the Lord would return".

128) Vgl. CULLMANN, eschatologischer Charakter 335. MUNCK, Heilsgeschichte 32ff: Wo das Werk der Apostel scheiterte, "wird
der von Gott für Israel vorgesehene Heilsweg durch Paulus
Arbeit an den Heiden Wirklichkeit werden. Daher ist auch
das Werk des Apostels wichtiger als das aller alttestamentlichen Gestalten, weil er von Gott auf dem entscheidenden
Platz im letzten grossen Heilsdrama angebracht worden ist"
(36).

129) CULLMANN, Heil 58, 229; STUHLMACHER, ZThK 64 (1967) 430f.

130) Nachdem die Deutung CULLMANNs, eschatologischer Charakter
305ff von τὸ κατέχον 2 Thess 2,6f auf die Völkermission wenig Anklang fand, wird immer mehr Mk 13,10 als Beleg für
diese Anschauung beansprucht. Aber es ist zweifelhaft, ob
man diese traditionsgeschichtlich spätere, wahrscheinlich
sogar redaktionelle Einfügung für pl Missionslosung ausge-
ben darf. So GRUNDMANN, NovT 4 (1960) 281. CULLMANN, eschatologischer Charakter 312; Mission 353 sieht darin einen
verbreiteten christlichen Grundsatz. Nach SCHOEPS 242 teilt
Pl 'den Glauben vieler seiner pharisäischen Zeitgenossen,
daß man durch Mission das Kommen der Messiaszeit beschleu-
nigen könne, für deren Anbruch die Propheten ja die Beke-
rung der Völker geweissagt haben." BOUTTIER 101: "la fin du

so indirekt die Rettung seines Volkes herbei, die entweder noch
vor dem Ende stattfinden muß oder in die Wiederkunft selbst hin-
einverlegt wird. Verschiedentlich entdeckt man bereits 11,1ff,
wo Pl sich mit Elias vergleiche, eine Anspielung auf diese Funktion[131]. Ist er wie der wiederkommende Prophet (vgl. Mal 3,22f)
zur Wiederherstellung Israels bestimmt[132]? Aber wenn hier eine
Parallele vorliegt, dann ist das Tertium comparationis nicht die
eschatologische Aufgabe des Elias, sondern die Restvorstellung,
die in einer ähnlich trostlosen Situation Hoffnung macht[133].

An der ganzen Konstruktion behagen zwei Dinge nicht recht:
1) Die Mission des Pl wird einseitig von der Naherwartung her
motiviert[134]. Daß er diese trotz gelegentlicher mehr individueller Wendungen durchgehend festgehalten hat und seinen Dienst
als unmittelbare Zurüstung der Gemeinden für den Tag Christi
verstand, kann als gesichert gelten[135]. Aber beides ist von
gleichem Einfluß: der lebendige Herr steht hinter seinem Boten[136], und dieser hat die ἀποκάλυψις τοῦ κυρίου (1 Kor 1,7)

---

monde apparaît comme relative à la marche de l'évangile
vers les confins de la terre et la course apostolique con-
ditionne (H.v.m.) l'heure finale." Ähnlich nun HENGEL, NTS
18 (1971) 19ff. STUHLMACHER, Interpretation 567 Anm. 49
meint, Pl arbeite der "Parusie des Christus faktisch und
wahrscheinlich auch willentlich" voran.

131) Vgl. GRUNDMANN, NovT 4 (1960) 267, 276.

132) Diese Tradition hält vor allem Ch. MÜLLER 41f, 44f in Röm
11 für einflußreich. Während MUNCK, Heilsgeschichte 50, 302
auch den Unterschied zu Elias betont, der in der Fürbitte
des Apostels für sein Volk liege, zieht RENGSTORF 460f eine
Linie zum irdischen Wirken des Propheten.

133) Vgl. GALLEY 37f und LUZ, Geschichtsverständnis 80ff.

134) Bedenken dagegen bei CONZELMANN, NTS 12 (1965/66) 233, Geschichte 77f; LUZ, Geschichtsverständnis 390 Anm. 13; KA-
STING 107; KNOX, JBL 83 (1964) 4ff.

135) Gg. die schon klassische "Entwicklungstheorie" bei DODD,
Mind 109ff vgl. HOFFMANN 323ff; GNILKA, Philipperbrief 81ff;
STUHLMACHER, ZThK 64 (1967) 447f; BECKER, EvTh 30 (1970)
593-609, 600; BAIRD; KUSS, Paulus 288ff.

136) Oft werden die Ausdrücke, die von einer Verpflichtung des
Pl zur Mission sprechen (1 Kor 9,16f; Röm 1,14), auf den
eschatologischen Druck, unter dem Pl stand, ausgelegt: vgl.

vor Augen. Seine auf repräsentative Erfassung der ganzen Ökumene angelegte Missionsmethode[137] ist zweifellos dadurch bedingt, daß er möglichst vielen Menschen das Heil noch vor der Wiederkunft Christi ansagen will. Dies aber nicht so, daß die Parusie in irgendeiner Weise auf ihre vorgängige Proklamation als conditio qua non angewiesen wäre[138]. Denn die Eigenart der apostolischen Predigt entspricht auch ihrem Inhalt: sie ruft Namen und Würde des erhöhten κύριος aus, dessen Machtergreifung Gott schon garantiert hat. In der ὑπακοή πίστεως, gerade in der gläubigen Erstbegegnung mit dem Wort des Ev (vgl. 15,20), wird zeichenhaft seine Herrschaft angenommen. Die Überzeugung vom Herr-Sein Jesu trägt den ausgreifenden Optimismus der Mission, sie eröffnet ihr den Raum. Das baldige Kommen des Herrn erfordert auch schnellen Vollzug; doch wird es dadurch nicht zeitlich verfügbar[139].

2) Auch die Tatsache, daß die pl Mission indirekt auf die Rückgewinnung Israels ausgerichtet ist, erklärt man besser nicht so, daß sie diese gleichsam mit der Ankunft Christi herbeizwingt. Einmal kommt man bei der Deutung des "Geheimnisses" 11,25f auch ohne die Parusie aus. Und in 11,15 ist das "Leben aus den Toten"

CULLMANN, eschatologischer Charakter 331, 336 zur ἀνάγκη von 1 Kor 9,16; ders., Mission 357 zu Röm 1,14; ebenso CLAVIER 182. Sie gehen aber in Wahrheit auf die Übermacht des Christus, der durch Tod und Auferstehung sich die ganze Welt zum Eigentum erworben hat (2 Kor 5,14ff) und sich Pl bei seiner Bekehrung in den Weg stellte, daß ihm um Heil und Leben keine andere Wahl blieb. Vgl. BLANK 206ff. Das Eschaton kann der Verkündigung nicht so äußerlich sein, daß sie dadurch in Zeitnot geriete, zumal die weiter ausholende Heidenmission durch ein gewisses Nachlassen der akuten Naherwartung gefördert wurde; vgl. HENGEL, NTS 18 (1971) 18ff.

137) Vgl. HARNACK 80f; DIBELIUS-KÜMMEL 62f; BORNKAMM, Paulus 73; ROWLINGSON.

138) Die Mission vollstreckt die βασιλεία des Christus nicht so, daß er sie am Ende ihres Zuges durch die Welt dem Vater übergeben müßte; 1 Kor 15,24f spielt allein innerhalb der Determination Gottes.

139) Was VÖGTLE 291 generell von der nachösterlichen Christusverkündigung sagt, gilt auch für das Wirken des Pl: ihr primäres Interesse haftet nicht "an der Länge der auf die Endoffenbarung ausgerichteten und zueilenden Zeit, nicht an ihren Maßen und Fristen, sondern am Inhalt der Zwischen-

die Folge der Wendung Israels zum Ev und nicht unmittelbar vom
Wirken des Pl abhängig. Das Eschaton zeigte sich freilich als
Horizont des Ev. Sonst könnte nicht, wenn das Ev in seinem Sie-
geslauf durch die Welt nach Israel zurückkehrt, das endgültige
Heil eintreten. Aber solcher Horizont ist nicht zu verwechseln
mit einem apk Fahrplan, dessen einzelne Stationen in das Vermögen von Menschen gestellt wären.

b) Das Verhältnis von Heidenmission und Bekehrung der Juden

In der genannten Konzeption droht die Heidenmission zum bloßen
"Zwischen-"phänomen[140] zu werden, das letztlich auf die eschatologische Verherrlichung des Christus in Israel abgezweckt ist.
MUNCK[141] hat sogar die These aufgestellt, das Wirken des Pl sei
ein einziger gottgewollter Umweg zum Heil Israels. Dies kann bei
der Einigung über die Missionszuständigkeiten Gal 2,9 sicher von
keiner Seite intendiert gewesen sein. Denn da begleitet ja eine
regelrechte Judenmission die Sendung des Pl zu den Heiden. Höchstens Röm 11,13 könnte dieser Ansicht Auftrieb geben. Wie verträgt sich nach diesem Text die Stoßrichtung in die Heidenwelt
mit der Sorge des Apostels um seine Stammesbrüder (9,1ff; 10,1;
11,1)? Die Lage ist gegenüber Gal 2 verändert: jetzt steht die
überwiegend negative Haltung der Juden zum Ev fest. Pl liegt nun
11,11ff daran, daß das gegenwärtig abseits stehende historische
Israel noch im Wirkungsbereich des bei den Heiden so erfolgrei-
chen Ev verbleibt. Wenn das Ev auch äußerlich von Israel fort-
strebt, so steht sein Um-sich-Greifen in der Heidenkirche doch

---

zeit, an der durch die bisherige Christusoffenbarung, abschließend durch die Erhöhung Jesu und die Geistsendung er-
folgten Qualifikation dieser Zeit."

140) Diese Gefahr läuft besonders STUHLMACHER, Evangelium 252f
Anm. 2. Vgl. ders., Interpretation 565f: "Die Zeit der Heidenmission ist also... nur eine Zwischenzeit, und das Ende
der Geschichte kommt erst und kann erst kommen, wenn auch
Israel zur Rechtfertigung gelangt ist." "Die Heidenmission
ist... ein in Gottes Geschichtsplan mit der Welt vorgesehe-
nes, freilich auch epochal begrenztes Geschehen."

141) Vgl. Heilsgeschichte 32f, 35f, 101, 270f, 329. KÄSEMANN,
Frühkatholizismus 244 hat das in der obigen Ausdrucksweise
aufgenommen. BORNKAMM, Verhalten 156f meldete dagegen Widerspruch an.

in geheimer Korrespondenz zum Schicksal der Judenschaft. V. 13
kommt Pl den Heidenchristen gegenüber auf seinen persönlichen
Anteil am παραζηλῶσαι (V. 11) zu sprechen. ᾿Εφ' ὅσον μὲν οὖν
schränkt nicht ein, als wäre der Dienst an den Heiden nur ein
Aspekt seines Amtes[142] und stünde noch eine zweite Tätigkeit
zu erwarten. Pl steckt wirklich seine ganze Kraft in die Mission
unter den Völkern; doch je mehr er sich in seinem weltweiten
Operationsgebiet einsetzt[143], desto eher spüren die Juden den
Stachel der Eifersucht, desto mehr wächst die Aussicht, daß er
doch einige unter ihnen[144] retten kann[145]. Warum sagt der Apostel das? LIETZMANN hat angenommen, Pl wolle schon jetzt heidenchristliche Überhebung dämpfen[146], und deshalb den Sinn der
Stelle so wiedergegeben: "Gerade euch Heidenchristen versichere
ich, dass ich mein Amt an euch mit besonderer Freude darum (H.
v.m.) übe, weil ich dadurch indirekt meinem eigenen Volke nützen
kann." Das klingt so, als wäre die Heidenmission nur Mittel zum
Zweck. Nach KÜHL trifft das tatsächlich "in gewissem Grad mit
Stimmung und Gedanken des Apostels zusammen". Andere Ausleger
wie MICHEL empfinden es jedoch zu Recht als bedenklich, wenn man
in einem allgemeinen Grundsatz von der Heidenmission sagt, ihr
letztes Ziel sei die Gewinnung Israels[147].

M.E. ist die Lösung vom Zweck des Röm her zu suchen, wie er

---

142) Gg. ZAHN; LIECHTENHAN 59. Eine temporale Deutung wird allgemein abgelehnt. Zum Zusammenhang s.o. S. 239f.

143) Δοξάζειν hat hier nichts mit dem Dankgebet zu tun (gg. MI-
CHEL), noch rühmt sich Pl rein verbal; wie im Deutschen
sagt "seinem Amt alle Ehre machen" den tatkräftigen Einsatz
mit; vgl. WEISS, SANDAY-HEADLAM, ZAHN, LAGRANGE, SCHMIDT.

144) Das τινὲς ist mit der Selbstbescheidung 1 Kor 9,22 vergleichbar, aber nicht mit dem schonungsvollen τινὲς von
3,3; 11,17 (gg. MUNCK, Heilsgeschichte 38). Es reduziert
deutlich die Erwartung gegenüber μου τὴν σάρκα.

145) So BARRETT, SCHMIDT.

146) Ähnlich ZAHN und KÜHL. Gg. LIETZMANN hat sich mit Recht
LAGRANGE gewandt.

147) Die Formulierung von F.W. MAIER 124ff, die Gewinnung der
Juden sei letztes und eigentliches Ziel der Völkermission,
ist in dieser Ungeschütztheit mißverständlich. Vgl. auch
SCHLIER, Heidenmission 98.

sich uns in der Analyse des Briefrahmens profilierte. Dort hat
sich dem Verfasser des Röm ja angelegentlich als Heidenapostel
empfohlen. In δοξάζω klingt schon ein wenig der Ton der καύχησις
15,16ff an. Pl stellt sich wohl vor, daß den Lesern von 11,11
die Frage kommen mußte, wie bei diesem Schwerpunkt bei den ἔθνη
eine Rückwirkung auf die Juden möglich sei. In V. 13 versucht
er gleichsam einen Ausgleich zwischen seinem Hauptanliegen und
den Israelkapiteln. Die Kontingenz dieser Aussage hindert uns,
sie als vollgültigen Ausdruck seines apostolischen Selbstbewußtseins einzuschätzen[148]. Nach dem vorsichtigen εἴ πως ist der
Erfolg auch recht unsicher[149]. Wenn alles so auf die Bekehrung
der Juden ankäme, hinge das Werk des Pl in der Luft. An dieser
Stelle kann Pl sich noch nicht auf die Gewißheit des μυστήριον
V. 25f berufen. Deshalb darf man die τινές, die er gewinnen
kann, und das πᾶς Ἰσραήλ, das nach der Verfügung Gottes dem
Heil zugeführt werden soll, auch nicht ohne weiteres identifizieren[150]. Zwischen beiden Größen liegt das πλήρωμα τῶν ἐθνῶν.
Ihm ist die direkte Arbeit des Apostels gewidmet, obwohl er es
nirgends ausdrücklich als deren Produkt bezeichnet[151]. Wenn -
nach unserer Exegese - die Erlösung des jüdischen Volkes in der
erneuten Begegnung mit dem Ev erfolgen soll, dann schreibt sich
Pl diese missionarische Anstrengung im eigenen Hause mit keinem
Wort zu. Er kann ihr Gelingen nur mittelbar vorbereiten, indem
er die Botschaft zu allen Heidenvölkern trägt. Vielleicht soll
V. 13.25 und das νῦν V. 31 zusammengenommen den Römern unter der
Hand zu verstehen geben, daß die Rettung der Juden auch von dem

---

148) Auch DODD betont, daß sie an den augenblicklichen Kontext
gebunden ist.

149) Dazu MICHEL, BAUER s.v. VI, 12b.

150) Während MUNCK, Israel 93 beide Angaben für vereinbar hält,
beharren ZAHN; KÜHL; SCHLATTER; MICHEL; BARRETT; LYONNET,
Quaestiones II,123; LUZ, Geschichtsverständnis 393f wie ich
auf der Differenz.

151) Diese Reserve ist gegenüber MUNCK, Heilsgeschichte 34ff
und FRIDRICHSEN, Apostle 2 Anm. 2 am Platz. Andererseits
will Pl nach 15,16 die aus den Heiden bestehende Opfergabe
zu ihrer eschatologischen Bestimmung bringen. Auch hier
spricht er von einer Gesamtheit. Darauf hat HENGEL, NTS 18
(1971) 20 treffend aufmerksam gemacht.

Engagement abhängt, mit dem sie Pl dabei unterstützen, das πλήρωμα τῶν ἐϑνῶν der Verwirklichung näher zu bringen.

Wie weit ist Pl noch von diesem Ziel entfernt? Nach 15,19 ist er
mit der Ausrichtung des Ev Christi schon in einer Hälfte der
Welt fertig[152]. Im Osten hat er bereits keinen Platz mehr für
seine grundlegende Missionstätigkeit (15,23). Glaubt er, wenn er
jetzt Spanien ansteuert, die πέρατα τῆς οἰκουμενης (10,18) erreicht zu haben[153]? Heimst er mit der Spanienmission die "Fülle
der Heiden" ein[154]? Mit Bestimmtheit läßt sich aus dem dürfti-
gen Textmaterial nicht erheben, daß Pl selbst der Überzeugung
war, er habe mit der Reise nach Spanien seine Sendung bis an die
Grenzen der Erde erfüllt, wie 1 Klem 5,6f in verklärender Rückschau rühmen kann. An sich liegt doch im Westen noch ein ausge-
dehntes unbeackertes Gebiet vor ihm. Doch so viel kann man,
glaube ich, sichern: den Lesern von Kap. 11 und 15 stellt sich
die Sache so dar, daß sie merken, ihr möglicher Beitrag zur Mission des Pl hat Bedeutung für die Heimholung der Welt.

Wenig verlockend wäre es, wenn ihnen die Heidenmission lediglich
als Zwischenetappe auf dem Weg zum Heil der Juden erschiene.
11,12.15 hatten, wie sich herausstellte, das endgültige Geschick
der Heiden nur so mit dem Israels verwoben, daß sie nicht ohne
es, vielmehr gerade durch seine Annahme zur Vollendung kommen
können, die das Ev verheißt. Sie gehen sozusagen gemeinsam mit
ihm über die Ziellinie. Das Apostolat des Pl aber hat, wie wir
in der Auslegung von Kap. 10 und 15,7ff sahen, einen durchaus eigenen eschatologischen Sinn: es soll den Völkern den

---

152) Nach STUHLMACHER, ZThK 64 (1967) 430 Anm. 15 meint das πεπληρωκέναι das "heilsgeschichtlich-eschatologische, also
durchaus zeitlich zu verstehende zur Fülle und Vollendung
Bringen des Evangeliums". Ähnlich DIETZFELBINGER, Heilsgeschichte bei Paulus? 43 Anm. 81. Aber in Verbindung mit den
Ortsangaben ist das Verb räumlich, nicht zeitlich bezogen.
Das Ev ist kein absolutes Zeitmaß, sondern eine Botschaft,
die es überall hinzubringen gilt.

153) Vgl. HARNACK 83, den BORNKAMM, Paulus 73 zitiert. Weiter
MICHEL 3 und GRUNDMANN, NovT 4 (1960) 28.

154) Vgl. HENGEL, NTS 18 (1971) 19 Anm. 19.

Reichtum und die Nähe des κύριος künden und alle Welt in das
Lob Gottes einbeziehen. Obwohl sich Pl praktisch auf diese Aufgabe konzentriert, bindet er sie an das Ergehen des Volkes, dem
er entstammt. Dabei spielen folgende Faktoren mit: a) Er selbst
ist Jude und schon der σάρξ (9,3; 11,14) nach mit seinen jüdischen Brüdern verwachsen. b) Er glaubt an den ungebrochenen
Heilswillen Gottes für sein Volk, auch wenn der geschichtliche
Weg des Ev von Israel fortführt (11,11). c) Der krönende eschatologische Abschluß der Heidenmission ist nur mit Israel zu erreichen (11,12.15). d) Wenn die Heidenchristen sich etwas auf
ihre Erwählung einbilden, dann muß Pl sie daran erinnern, daß
sie nur Gottes "zweite Garnitur" sind (11,16ff; 15,7ff).

2. Die Kollekte für Jerusalem und das Endheil Israels

Nun hat man versucht, die Zielsetzung 11,13f in den Reiseplänen
des Apostels zu konkretisieren; manchmal wiederum, indem man sie
in einen apk Rahmen hineinspannte. Die Kollekte für die Urgemeinde habe auch den Zweck gehabt, eine Wende im Unglauben Israels herbeizuführen, die ihrerseits wieder auf das Ende weise.
So meint BARRETT zu 15,25, ohne sich im einzelnen zu erklären,
von der Sammlung: "it was intended to play a vital part among
the events of the last days". NICKLE[155] weiß schon genauer, wie
es im eschatologischen Terminkalender des Pl aussah:

"The testimony of the collection to the genuine Christian love
and concern in the Gentiles for the Jewish Christians... would
remove all reservation from the attitudes of the latter and an
unqualified reconciliation would occur.
At the same time, the witness of the Gentile delegates to the
reality of their reception of redemption would, by provoking
jealousy among the Jews, revitalize the hitherto ineffectual
mission to Israel and prompt their acceptance of the gospel.
In the meantime Paul would have gone on to Spain and proclaimed
Christ at that edge of the civilized world. Thus the presuppositions for the consummation of the End, in so far as men were in-
strumentally involved, would be fulfilled" (H.v.m.).

Wie steht es damit?

---

155) 136. Weil er manche gängige Anschauungen zusammenfaßt, wird
    er so ausführlich zitiert.

<u>a)</u> Die Kollekte als Anreiz zur Umkehr Israels?

An sich wird folgendes schon zu Recht hervorgehoben: Pl hatte
die Hilfe für die Jerusalemer so sehr zu seinem Anliegen gemacht, daß sie in allen großen Briefen zur Sprache kommt. Jetzt
riskiert er auch noch - obwohl es ihn in den Westen drängt -
sein Leben, um sie, begleitet von einer stattlichen Zahl von Ge-
sandten[156], an ihren Bestimmungsort zu bringen. Warum dieser
Aufwand? Sollte die Kollekte nicht nur auf die Urgemeinde, sondern auch auf ihre ungläubigen Landsleute eine Wirkung ausüben?
Wollte Pl damit das παραζηλῶσαι von 11,14 in Szene setzen[157]?

Wie 2 Kor 8f ersehen läßt, soll das äußerliche Zeichen der Bru-
derliebe aus den heidenchristlichen Gemeinden für die Jerusalemer zugleich ein Zeugnis ihres Glaubenseifers (8,7; 9,2) und ihrer ὑποταγή τῆς ὁμολογίας... εἰς τὸ εὐαγγέλιον τοῦ Χριστοῦ
(9,13) sein, das in der Urgemeinde Dank bei Gott hervorruft.
Aber wohlgemerkt: diese Wirkung erhofft sich Pl ausdrücklich nur
von den Judenchristen[158]; ihnen konnte die Kollekte zeigen, daß
das gemeinsame Ev durch die Kraft Gottes unter den Völkern lebendig ist. Nach 15,27 tragen die Gläubigen aus den ἔθνη damit
auf sichtbare Weise ihre Dankesschuld gegenüber der jüdischen
Gemeinde ab, weil sie unverdientermaßen die eigentlich ihr zu-
stehenden πνευματικά mit ihr teilen durften. Aber wiederum betrifft der Solidarietätsbeweis nur die ἅγιοι; daß sie dem Judentum dadurch einen Impuls geben, sich dem Ev zu öffnen - was ja

---

156) Man sollte sie aber auch nicht übertreiben. Wenn wir die
     Liste Apg 20,4 durch die wohl fehlenden Delegationen aus
     Korinth und Philippi vervollständigen, kommen wir höchstens
     auf zehn Mann. Vgl. HAENCHEN z.St.

157) So MUNCK, Heilsgeschichte 297f; HAHN, Mission 94; GEORGI,
     Kollekte 84f; RICHARDSON 145f; NICKLE 130ff. Für erwägens-
     wert halten das MARXSEN, Einleitung 96 und BRUCE.

158) GEORGI, Kollekte 72f und NICKLE 137 suchten unabhängig von-
     einander auf ähnliche Weise aus dem atl. Kontext der Zitate
     2 Kor 9,10 eine Bedeutung der Kollekte für die endzeitliche
     Umkehr Israels zu folgern, die sich nach GEORGI paradoxer-
     weise zuerst an den Heiden erfüllt. Aber vergeblich: ohne
     jeden Bezug auf die Umgebung der Fundstellen will Pl mit
     den Bibelworten den Christen Korinths nahelegen, daß ihre
     Mildtätigkeit vor Gott Frucht bringen wird. Ablehnend auch
     SCHMITHALS, Bespr. GEORGI, Kollekte, ThLZ 92 (1967) 670.

etwas "Geistliches" wäre -, ist nicht gesagt.

Es soll in dieser Arbeit nicht bestritten werden, daß Pl sich
deshalb an der Übergabe der Kollekte beteiligt, weil er damit
bei der Urgemeinde Skepsis und Widerstand gegen seine Verkündigung unter den Heiden ausräumen will[159]. Nur ist davon die
Frage zu trennen, welchen Eindruck die Demonstration des Glaubens auf die dem Christentum verschlossenen Juden machen konnte.
In 15,31a äußert Pl ja Besorgnis, daß diese ihm nach dem Leben
trachten könnten, bevor er überhaupt Gelegenheit hat, die Spen-
de an den Mann zu bringen. Und wenn mit der Annahme der Kollekte auch eine gewisse Anerkennung der Heidenmission verbunden
war, dann konnte das aller Voraussicht nach den Ingrimm der
ἀπειθοῦντες nur schüren. Deswegen wird auch bei den Autoren, die
die Aktion des Pl auf die Bekehrung Israels ausrichten wollen,
das "Reizen" zu einer sehr zweischneidigen Angelegenheit, deren
negativer Ausgang wahrscheinlicher ist[160]. Wenn aber Pl damit
rechnen mußte, daß sein Unternehmen bei den Juden eher auf Ablehnung stoßen würde, konnte er kaum darin ein Mittel sehen, sie
für das Ev zu gewinnen. Jedenfalls geht diese Absicht aus keinem
Text hervor[161].

Was die Schar der Delegierten angeht, so wird man sich mit naheliegenderen Motivationen begnügen müssen. Nach 2 Kor 8,19-21
nahm Pl zwei unbekannte Gesandte von Spendergemeinden als Garanten der rechtmäßigen Überbringung mit. Ein Gesichtspunkt war
wohl auch die Sicherheit des in barem Gold mitgeführten Betra-
ges. Hier kann man die Analogie ähnlicher Transporte von Tempel-

---

159) Ich meine nur, daß sich dieses Vorhaben nicht genügend im
Text des Röm abzeichnet, daß man daraus den eigentlichen
Fokus des Briefes machen kann. Zudem ist der "Jude", mit
dem sich Pl auseinandersetzt, zunächst einmal der Ungläu-
bige, der das Ev verschmähte und dem nun der Verlust der
Verheißungen droht.

160) Vgl. GEORGI, Kollekte 85, 89; NICKLE 142.

161) Ebenso urteilen SCHMITHALS (s. Anm. 158) 671; F.V. FILSON,
Bespr. MUNCK, Heilsgeschichte, in: Interpretation 14 (1960)
352-354, 354.

steuern aus der Diaspora, die oft stark bedeckt waren[162), in Anschlag bringen. Ferner stand wohl die Mannschaft, mit der Pl nach Jerusalem reiste, für den Glauben seiner Gemeinden, wie die Begleiter der Tempelsteuer ihre Ursprungsstädte beim Opfer im Tempel vertraten. Doch war dies im Fall der Kollekte kein Zeichen für den Tempel und das offizielle Judentum, sondern für die "Heiligen".

b) Die Kollekte
und die eschatologische Völkerwallfahrt zum Sion

Kann man in den Vertretern der heidenchristlichen Kirchen jenes πλήρωμα τῶν ἐθνῶν angedeutet sehen, von dem Pl den großen Umschwung im Judentum erwartete? Diese Möglichkeit scheidet schon deswegen aus, weil Pl zur "Fülle" noch die Völker der westlichen Hemisphäre fehlen. Immerhin verkörpert das Häufchen aus dem ägäischen Raum, das unter der Menge der Jerusalembesucher verschwinden mußte, für MUNCK[163) eine repräsentative Auswahl aus den Völkerschaften, die einen neuen Missionsvorstoß in Israel rechtfertigt. Wenn dann noch eine Brücke von den etwa 10 Repräsentanten zu den Völkern geschlagen wird, die nach dem traditionellen jüdischen Motiv am Ende der Tage nach Sion strömen sollen, schießt die Phantasie der Ausleger vollends ins Kraut. Meist wird dann die Wendung von 15,16 ἵνα γένηται ἡ προσφορὰ τῶν ἐθνῶν εὐπρόσδεκτος, in der Pl allgemein das Ziel seines Apostolats angibt, mit dem Vorhaben für Jerusalem verbunden. Realisiert sich in den Überbringern der Kollekte nicht jene von den Propheten vorhergesagte Wallfahrt der Völker zum Sionsberg, zu dem sie nach einer Reihe von Belegstellen[164) ihre Gaben bringen? Ist die Übergabe der Sammlung nicht ein Indiz eschatologischer Erfüllung, in der sich schließlich auch das Gläubigwerden Israels ereignen wird[165)?

---

162) Vgl. die Belege bei NICKLE 83 Anm. 65f. Diese Begründung fällt bei ihm nicht ins Gewicht, weil er den Ertrag der Sammlung für eher niedrig hält (129f), während GEORGI, Kollekte 88 an eine ansehnliche Summe denkt.

163) Heilsgeschichte 299.   164) S. o. S. 222 Anm. 77.

165) Vgl. MUNCK, Heilsgeschichte 298; HAHN, Mission 93; GEORGI,

Man sollte dieser Hypothese endlich den Rest geben, nachdem ihr schon LUZ[166] einen entscheidenden Schlag versetzt hat. Zwischen der 15,16 angegebenen Finalität des Werks Pauli und der Kollekte besteht keine erkennbare Beziehung. Von der Komposition des Stückes 15,14ff her gesehen erweist sich der mit νυνὶ δὲ V. 25ff eingeführte Plan der Jerusalemreise zunächst eher als Hindernis für die Darbringung der ganzen Welt durch den Apostel. Zwar gibt es unbedeutende Wortberührungen[167], aber ein sachlicher Zusammenhang zwischen den beiden Dingen ist nicht ersichtlich, da der Opferdienst des Pl von 15,16 ja keineswegs in Jerusalem statt hat. Erst V. 29 stellt nachträglich eine Verbindung her: der Segen des guten Werkes wird sich auch für das missionarische Projekt im Westen auswirken[168].

Oft wird <u>Is 66,20</u> als Hintergrund in Anspruch genommen[169]. In LXX lesen wir:

καὶ ἄξουσιν τοὺς ἀδελφοὺς ὑμῶν ἐκ πάντων τῶν ἐθνῶν δῶρον κυρίῳ ... εἰς τὴν ἁγίαν πόλιν Ἱερουσαλήμ, ... ὡς ἂν ἐνέγκαισαν οἱ υἱοὶ Ἰσραὴλ ἐμοὶ τὰς θυσίας αὐτῶν μετὰ ψαλμῶν εἰς τὸν οἶκον κυρίου.

Wörtlich klingt diese Stelle sicher nicht an. Aber auch der Sache nach scheint sie mir weder für die Sammlung zugunsten der Armen noch für 15,16 die Leitvorstellung zu bilden. Einmal ist die Huldigung mit Gaben als triumphalistische Version des Motivs vom Zug der Völker einzustufen, besonders wenn aus den Gaben die Zerstreuten Israels werden wie in unserem Fall. Das Besondere an Is 66,20 ist freilich, daß der Dienst der Fremden mit dem Opferkult der Söhne Israels verglichen wird[170]. Zu den pl Sachver-

---

Kollekte 28, 30, 72f, 84f, der allerdings sehr die pl Umwandlung des Gedankens hervorhebt. Ferner BARTSCH, Gegner 42.

166) Geschichtsverständnis 391f.

167) Vgl. εὐπρόσδεκτος 15,16 und 31; λειτουργεῖν scheint nur V. 16, nicht aber V. 27 (vgl. das Dativ-Objekt τοῖς ἁγίοις) kultischen Sinn zu haben. Vgl. H. STRATHMANN, H. MEYER, λειτουργέω κτλ, in: ThW IV, 221-238, 234, 237.

168) S.o. S. 233.

169) Auch bei MICHEL, MURRAY zu 15,16; E. SCHWEIZER, Jesus 81.

170) Was unter Umständen dadurch verstärkt wird, daß die Glosse

halten bestehen aber tiefe Unterschiede: die Heidenchristen
sind nicht out-group, die vom Handeln Gottes an Israel überwäl-
tigt ist, sondern sie zählen zur eschatologischen Heilsgemeinschaft. Sie überbringen keine Juden, sondern das Zeugnis ihres
eigenen Glaubensreichtums, die Kollekte. Nach 15,16 sind sie
gar selbst die Opfergabe, der Judenchrist Pl ist der Priester.
Aber weder sein Amt für die Völker noch die Kollekte haben ihren
Ort am Tempel in Jerusalem. Nach unserer Interpretation von
11,26 kommt Jerusalem für Pl nicht als Stätte eschatologischer
Sammlung der Völker mit dem wiedererstandenen Israel in Frage;
und auch aus dem Os-Zitat 9,26 läßt sich das nicht herauslesen[171]. All diese Abweichungen kann auch HAHN[172] nicht übersehen. Wenn er aber gegenüber MUNCK auf die "eschatologische
Gebrochenheit" der Vorstellung aufmerksam macht, so komme ich
nach allem eher zu dem Schluß, daß ein derart zerbrochenes und
entstelltes Modell keinen Erkenntniswert hat. Für 15,16 ergab
sich S. 222f eine weniger gezwungene Erklärung im Rahmen der
Übertragung von Opferbegriffen auf den apostolischen Dienst.
Die Kollekte hingegen hat zwar mit der Völkerwallfahrt gemeinsam, daß sie eine gewisse Anerkennung der Ersterwählung Israels
einschließt, sie kann sie aber in ihrer vollen endgültigen Wirklichkeit für das ganze Volk weder bestätigen noch provozieren.
Denn zuerst muß die Weite der Welt vom Ev durchdrungen sein, bevor Pl einen echten Fortschritt bei den Juden erwarten kann.

V. 21 sich auf die Vertreter der Völker, und nicht, wie oft
angenommen, auf die heimgebrachten Juden bezieht.

171) MUNCK, Heilsgeschichte 301, Israel 18 wollte καὶ ἔσται ἐν
τῷ τόπῳ οὗ ἐρρέθη αὐτοῖς, οὐ λαός μου ὑμεῖς, ἐκεῖ κληθήσονται υἱοὶ θεοῦ ζῶντος lokal nehmen. Auch MICHEL 248 Anm. 1
hält es für möglich, daß man hier an die Wallfahrt der Völker nach Is 2,2ff denken kann. Aber einmal ist nicht sicher, ob Pl ἐκεῖ gegen die LXX eingefügt hat, da der Text
dort nicht einhellig bezeugt ist. Zum anderen legt der Zusammenhang keinerlei Wert darauf, daß die Annahme des früheren Nicht-Volks örtlich gebunden ist. Auch ist das Volk
nicht mehr wie bei Os Israel. So wird das vom Zitat vorgegebene ἐν τῷ τόπῳ οὗ einfach gleichbedeutend sein mit
"stattdessen". Vgl. BAUER s.v. τόπος 2d.

172) Mission 93f.

D)   Z u s a m m e n f a s s u n g

Zum Schluß überschauen wir noch einmal den Brief im Ganzen, wobei die Ergebnisse der vorangegangenen Kap. einfließen sollen.
Was sagt er über Juden und Heiden in der Mission des Pl aus?

1. Die Juden im Röm

Wir gingen davon aus, daß Pl nach Rom schreibt, um dort bewußt-
seinsmäßigen und tatkräftigen Mitvollzug seiner Heidenmission
zu mobilisieren, deren Schwerpunkt sich nun in den Westen ver-
lagert. Deshalb schickt er die tragende These voran, daß das Ev
jedem, der glaubt, das Heil wirkt, weil in ihm Gott selbst die
allen fehlende Gerechtigkeit mitteilen will. Den Juden wird <u>1,16</u>
<u>ein Vorrang</u> in diesem Geschehen zuerkannt, ohne daß seine Uni-
versalität dadurch eingeschränkt wäre. Dieser Satz steht vorerst
verschiedenen Deutungen offen, bleibt aber eigenartigerweise in
den folgenden Kapiteln - von 3,1-3 abgesehen - ohne positiven
Nachhall. Wir meinten, das aus der primären Intention des Briefes erklären zu können: <u>wenn es darum geht, den Heiden die</u>
<u>gleiche Heilschance zu sichern, tritt der Jude als Verheißungs-</u>
<u>träger in den Hintergrund</u>; dafür wird mehr und mehr die Gesetz-
lichkeit zu seinem Stigma. Pl löst auch die Abrahamsgestalt -
wenn auch weniger radikal als in Gal 3 - in Röm 4 von Gesetz und
Judentum, um die ursprüngliche Beziehung der Verheißung auf die
gesetzesfreie, allen nahe Glaubensgerechtigkeit aufzuweisen.

Wenn die Verheißung so von der Gegenwart des Ev absorbiert wird,
fragt sich, ob und wie Pl in <u>Röm 9-11</u> den überkommenen Besitz-
titel Israels an den Verheißungen durchhalten kann. Des Apostels
lebhafte Anteilnahme am Geschick seiner Brüder dem Fleische nach
kann ebensowenig den Ausschlag geben wie der traditionelle Kata-
log der Auszeichnungen Israels 9,4f. Dieser muß erst durch den
kritischen Filter von 9,6-10,21 gehen. Zunächst wird die Erwählung der Israeliten vom Ev her re-interpretiert, das aus Gottes
zuvorkommendem Erbarmen auch die Heiden rief. Und auch die Ablehnung des Ev durch die Juden stellt Pl so dar, daß er seine
universale Nähe als ῥῆμα τῆς πίστεως mit ihrem blinden Gesetzes-

eifer konfrontiert. Erst nach dieser Katharsis kann 11,1 den
Begriff des "Volkes Gottes" wieder aufnehmen. Während 9,22ff
und 9,30ff der geschichtliche Übergang des Ev von den Juden zu
den Heiden - an sich ein Indiz der Vorzugsstellung Israels -
noch nicht aktiv zu Buch schlug, schließt Pl von 11,11 an daraus auf die Heilszukunft des erwählten Volkes. Nachdem 9,33ff
im Namen des Erhöhten auf Sion skandalös das Ende des Gesetzes
ausgerufen ist, kann 11,26 aus der Herkunft des Messias aus Israel, die den Verheißungen an die Väter entspricht, dessen künftige Errettung folgern. Und die Väter garantieren nun auf einmal
- anders als in Röm 4 - die bleibende Zuwendung Gottes zu seinem
Volk (11,16f.28f). Wie ist eine solche Umwertung möglich? Offenbar hat Pl, indem er den Anspruch der Juden am Anspruch des Ev
maß, die Elemente ihrer Sondergeschichte an den Tag gefördert,
die sie mit dem Ereignis des Ev verbinden. Das sind: das ge-
schichtsmächtige Wort Gottes (vgl. einerseits 3,1f; 9,6 und andererseits 10,8) und der Gnadencharakter der Erwählung (vgl.
9,11ff.23f; 11,5f.29), die letzten Endes Rechtfertigung des Ungehorsamen ist (11,30-32). Nun muß sich die δύναμις Gottes im
Ev daran bewähren, daß sie die so begründete Anlage Israels zur
σωτηρία verwirklicht. Weil die Zusagen Gottes an sein Volk im
Licht des Ev neu aufscheinen und ihrerseits seine Heilsmacht
herausfordern, wird auch 11,25ff so auszulegen sein, daß sie
sich eben durch das Ev realisieren. Nach der prophetischen Eingebung des Pl muß aber dazu paradoxerweise erst die Völkermission bis ans Ende vorangetrieben werden.

Diese Deutung ermöglicht es, die Israelthematik doch in Zusammenhang mit dem Hauptanliegen des Röm zu bringen. Wie soll denn
ihre positive Aufnahme dadurch bedingt sein, daß die Gedanken
des Pl schon zu der Auseinandersetzung in Jerusalem voraus-
eilen[173]? Mir scheint, Pl denkt den Vollzug der Erwählung Israels mit der Wirkkraft des Ev zusammen. Zunächst geht es ihm

---

173) Diese Frage richtet sich an BORNKAMM, Paulus 109f. Wir sahen, daß der Apostel sich von der Überreichung der Kollekte
noch keinen Durchbruch bei der ungläubigen Mehrheit der Juden versprechen kann.

im Blick auf sein Missionsvorhaben um die Rettung der Menschheit, die vom Ev noch nichts weiß. Aber je mehr Pl das Ev, das
er den Heiden zu bringen hat, gegen das Gesetz als Heilsprinzip
verteidigt, desto mehr fällt auch die Tatsache ins Gewicht, daß
es bei den Juden fruchtlos blieb. Wie kann es alle Menschen retten, wenn es nicht einmal im erstberufenen Volk Anklang fand?
Weil das Ev bei den Heiden schon zu machtvoller Entfaltung kam,
wird der Nachholbedarf der Juden um so dringlicher. Röm 11 zeigt
nun auf, wie es seine Kraft auch an Israel erweist, und zwar so,
daß als Voraussetzung dafür gerade seine Ausbreitung bei den
Heiden nötig ist.

2. Die "heilsgeschichtliche" Verankerung der Heidenmission

In Gal 3 und Röm 1,2; 3,21; 4 tut Pl dar, daß das bedingungslose
Angebot Gottes an die Völker in der Schrift je schon von ihm
niedergelegt ist. Das bedeutet keine Bindung an die Vergangenheit Israels, weil Pl von der eschatologischen Erfüllung her
die Schrift eher gegen das Volk ins Feld führt, das sie eigentlich besonders kennen müßte. Röm 1,3ff; 15,8ff zeigen freilich,
daß Gott sein schriftlich gegebenes Wort zunächst einlöste, indem sein Messias im Raum Israels κατὰ σάρκα erschien. Über die
Menschwerdung Christi läuft der Verbindungsfaden zwischen den
Verheißungen an Israel (9,5) und dem den Heiden erschlossenen
Heil. Dieses wurde für die Völker aber erst dadurch frei, daß
dieser Christus den Fluch des Gesetzes ausstand und jetzt an der
Seite Gottes herrschend allen Menschen Gottes Gerechtigkeit verbürgt. Der erhöhte Herr war es auch, der Pl die Straße zu den
Völkern wies; denn sein Machtbereich dehnt sich über die ganze
Erde. Dem Wink des κύριος folgend sieht der Apostel in der Heidenmission seine eigentliche Aufgabe; in der Zuversicht auf die
baldige Offenbarung seiner Herrschaft plant er die Durchquerung
der bewohnten Welt und meint sogar, den Augenblick absehen zu
können, da der Ruf vom κύριος 'Ιησοῦς sie ganz erfaßt hat. Darin
erlag er einer perspektivischen Täuschung.

Daß die Juden fern von diesem Christus sind, versteht Pl nach
9,30ff so, daß sie eben an der glaubenfordernden Botschaft des
Erhöhten scheiterten. Deswegen kann es nicht auf eine aktive

Vermittlung des Judentums zurückgehen, wenn das Ev auf die Heidenwelt übergriff (11,11). Gott selbst fügte das Widerstreben seines Volkes, indem er es verstockte, zur Bereicherung der Völker. Obwohl der judenchristliche Rest für Pl ein Zeichen der dauernden Gnadenwahl Gottes ist (11,1ff), wird die Rolle der jüdischen Urgemeinde nur andeutungsweise sichtbar. Die am weitesten gehende "heilsgeschichtliche" Deutung der Kollekte 15,27 gemahnt die Heidenchristen daran, daß sie unverdientermaßen Teilhaber der eigentlich den Judenchristen angestammten πνευματικά wurden. Pl leitet damit seine Botschaft aber nicht von Jerusalem als Ort her (gg. eine Auslegung von 15,19). Sicher bringt er von Kap. 11 an stärker die Priorität Israels, die auf den Verheißungen für die Väter beruht, zum Zug. Dafür schien uns auch ein paränetisches Interesse verantwortlich. Denn wenn die Heidenchristen sich für die "dernière raison" im Plan Gottes halten, muß ihnen Pl ihre Annahme als Volk als Tat des unvermuteten göttlichen ἔλεος begreiflich machen, indem er sie ins Verhältnis zum Vorrecht Israels setzt (11,16ff; 15,7ff). Dieses Erbarmen ist nach 11,31 sogar selbst ein Mittel im Heilswalten Gottes, dessen Gnade gerade über den mit der Öffnung für die Heiden verknüpften jüdischen Ungehorsam siegt. Pl deutet 11,11ff die Fortentwicklung des Ev von Israel als das Werk Gottes: wider allen Anschein wirbt er und sein Apostel darin um sein Volk, indem er dessen Eifersucht weckt. Solche Interpretation ist freilich, vielleicht weil sie überlieferte "heilsgeschichtliche" Vorstellungen zu Hilfe nehmen muß, am meisten durch die Subjektivität des Pl belastet.

Daß Gottes Bemühen um Israel so der Heidenmission vorausliegt und in ihr weitergeht, besagt aber nicht, daß diese zu einer "Zwischenzeit" würde. Sie steht ja im Zeichen des endzeitlichen Handelns Gottes, und das in ihr gewährte Heil ist keineswegs vorläufig. Vielmehr verlangt gerade seine Endgültigkeit nun auch, daß sich die Verheißungen an Israel erfüllen. Wenn sich Gott in Christus als der offenbarte, der über dem Ungehorsamen sein Erbarmen ausschüttet, darf auch Israel nicht zurückstehen, das von altersher aus den χαρίσματα Jahwes lebte (11,28ff). Die

paradoxe Weise, auf die die Heiden Heil fanden, läßt den Apostel auch für sein Volk hoffen. Dann kann am Horizont des Ev
die ζωὴ ἐκ νεκρῶν (11,15) für die ganze Menschheit aufleuchten.
Die Umklammerung durch Israel hat für die Heiden denselben Sinn
wie die Zurückstellung Israels hinter die Völker. Mit diesem
"Zug um Zug" wirkt Gott nach der Einsicht des Pl einer Verselb-
ständigung entgegen, zu der sowohl Juden wie Heidenchristen versucht sind. Nur im Glauben, der vom menschlichen prius weg auf
Gott schaut und ihm die Ehre gibt (vgl. 4,20 und die Schlußdoxo-
logien 9,5; 11,36), kann es beiden Gruppen gelingen, ihren Stand
in der χρηστότης θεοῦ (vgl. 11,22) zu finden und zu behalten.

– – – – – – –

LITERATURVERZEICHNIS

1. Quellen

Als gesicherte pl Briefe gelten Röm, 1 Kor, 2 Kor, Gal, Phil,
1 Thess, Phm (vgl. BORNKAMM, Paulus 245f). Die Deuteropaulinen
werden aus methodischen Gründen nur dann herangezogen, wenn
formgeschichtliche Analogien oder urkirchlich geprägte Sprache
vorliegen. Wenn nur Kap. und V. zitiert sind, handelt es sich
um Stellen aus dem Röm.

BIBLIA HEBRAICA, ed. R. Kittel, Stuttgart [13]1962

SEPTUAGINTA, ed. A. Rahlfs, Stuttgart [7]1962, 2 Bde.

DISCOVERIES IN THE JUDAEAN DESERT, Oxford 1955ff

DIE TEXTE AUS QUMRAN, hrsg. E. Lohse, Darmstadt 1964

DIE APOKRYPHEN UND PSEUDEPIGRAPHEN DES ALTEN TESTAMENTS,
    übers. u. hrsg. E. Kautzsch, Nachdr. Darmstadt 1962, 2 Bde.

THE GREEK VERSIONS OF THE TESTAMENTS OF THE TWELVE PATRIARCHS,
    ed. R.H. Charles, Nachdr. Darmstadt 1966

APOCALYPSIS HENOCHI GRAECE, ed. M. Black
FRAGMENTA PSEUDEPIGRAPHORUM QUAE SUPERSUNT GRAECA, ed. A.-M.
    Denis, Leiden 1970

ALTJÜDISCHES SCHRIFTTUM AUSSERHALB DER BIBEL, übers. P. Rießler,
    Augsburg 1928

NOVUM TESTAMENTUM GRAECE, ed. E. Nestle - K. Aland,
    Stuttgart [25]1963

THE GREEK NEW TESTAMENT, ed. K. Aland, M. Black, B.M. Metzger,
    A. Wikgren, Stuttgart 1966

2. Hilfsmittel, Allgemeines, Einleitungen

BARR, J., Bibelexegese und moderne Semantik, München 1965

BAUER, W., Griechisch-deutsches Wörterbuch zu den Schriften des
    Neuen Testaments, Berlin[5]1963

BLASS, F. - DEBRUNNER, A., Grammatik des neutestamentlichen
    Griechisch, Göttingen [12]1965

DIE RELIGION IN GESCHICHTE UND GEGENWART, 3. Aufl. hrsg. K.
    Galling, Tübingen [3]1957, 6 Bde.

FEINE, P., Einleitung in das Neue Testament, Leipzig[5]1930

FUCHS, E., Hermeneutik, Bad Cannstatt 1954

HATCH, E. - REDPATH, H.A., A Concordance to the Septuagint,
    Nachdr. Graz 1954, 2 Bde.

KÜHNER, R. - GERTH, B., Ausführliche Grammatik der griechischen
    Sprache, 2. Teil, Nachdr. Darmstadt 1966, 2 Bde.

KÜMMEL, W.G., Einleitung in das Neue Testament, Heidelberg [B]1964

KUHN, K.G., Konkordanz zu den Qumrantexten, Göttingen 1960

LEXIKON FÜR THEOLOGIE UND KIRCHE, 2. Aufl. hrsg. J. Höfer, K.
    Rahner, Freiburg 1957, 10 Bde.

MARXSEN, W., Einleitung in das Neue Testament, Gütersloh 1963

MOULTON, W.F. - GEDEN, A.S., A Concordance to the Greek Testa-
    ment, Edinburgh [4]1963

RICHTER, W., Exegese als Literaturwissenschaft, Göttingen 1971

THEOLOGISCHES HANDWÖRTERBUCH ZUM ALTEN TESTAMENT, hrsg. E.Jenni,
    München/Zürich 1971, bisher 1 Bd.

THEOLOGISCHES WÖRTERBUCH ZUM NEUEN TESTAMENT, hrsg. G. Kittel,
    G. Friedrich, Stuttgart 1933ff

3. Zum AT und zur Überlieferung des Judentums

AALEN, S., Die Begriffe 'Licht' und 'Finsternis' im Alten Testa-
    ment, im Spätjudentum und im Rabbinismus, Oslo 1951

BECKER, J., Das Heil Gottes, Göttingen 1964

BILLERBECK, P. (u. H.L. Strack), Kommentar zum Neuen Testament
    aus Talmud und Midrasch, München 1922ff

BOUSSET, W. - GRESSMANN, H., Die Religion des Judentums im
    späthellenistischen Zeitalter, Tübingen [4]1966

BRAUN, H., Vom Erbarmen Gottes über den Gerechten, in:
    Gesammelte Studien zum Neuen Testament und seiner Umwelt,
    Tübingen [2]1967, 8-96

-   Qumran und das Neue Testament, Tübingen 1966, 2 Bde.

BROWN, R.E., The Pre-Christian Semitic concept of "mystery", in:
    CBQ 20 (1958) 417-443, jetzt wieder in:

-   The Semitic Background of the Term "Mystery" in the NT,
    Philadelphia 1968

CAZELLES, H., A propos de quelques textes difficiles relatifs à
    la justice de Dieu dans l'Ancien Testament, in:
    RB 58 (1951) 169-188

CRÜSEMANN, F., Studien zur Formgeschichte von Hymnus und Dank-
    lied in Israel, Neukirchen-Vluyn 1969

DALBERT, P., Die Theologie der hellenistisch-jüdischen Missions-
    literatur, Hamburg 1954

+   DEISSLER, A., Die Grundbotschaft des Alten Testaments,
    Freiburg 1972

EHRLICH, E.L., Abraham in der jüdischen Tradition, in: Littera
    Judaica in memoriam E. Guggenheim, o.O.u.J. (1964), 68-75

FEUILLET, A., Un sommet religieux de l'Ancien Testament.
L'oracle d'Isaïe XIX (vv. 16-25) sur la conversion de
l'Égypte, in: RSR 39 (1951) 65-87

FOHRER, G., Geschichte der israelitischen Religion, Berlin 1969
- Das Buch Jesaja I, Zürich/Stuttgart [2]1966

GUNKEL, H. - BEGRICH, J., Einleitung in die Psalmen, Göttingen
1933

HARNISCH, W., Verhängnis und Verheißung der Geschichte,
Göttingen 1969

de JONGE, M., The Testaments of the twelve Patriarchs, Assen
1953

KNIERIEM, R., Offenbarung im Alten Testament, in:
Probleme 206-235

KOCH, K., Ratlos vor der Apokalyptik, Gütersloh 1970

LIMBECK, M., Die Ordnung des Heils, Düsseldorf 1971

MARTIN-ACHARD, R., Israël et les nations, Neuchâtel 1959

MAYER, G., Aspekte des Abrahambildes in der hellenistisch-jüdischen Literatur, in: EvTh 32 (1972) 118-127

McCARTHY, D.J., Der Gottesbund im Alten Testament, Stuttgart
1966

MILIK, J.T., Problèmes de la Littérature Hénochique à la Lumière
des Fragments Araméens de Qumrân, in:
HThR 64 (1971) 333-378

MÜLLER, H.P., Ursprünge und Strukturen alttestamentlicher Eschatologie, Berlin 1969

von der OSTEN-SACKEN, P., Gott und Belial, Göttingen 1969

PERLITT, L., Bundestheologie im Alten Testament,
Neukirchen-Vluyn 1969

von RAD, G., Das erste Buch Moses, Göttingen [5]1958
- Theologie des Alten Testaments, München I [4]1962, II [4]1965
- Weisheit in Israel, Neukirchen-Vluyn 1970

REVENTLOW, H. Graf, Rechtfertigung im Horizont des Alten Testaments, München 1971

RUSSELL, D.S., The Method and Message of Jewish Apocalyptic,
London 1964

SCHARBERT, J., Heilsmittler im Alten Testament und im alten
Orient, Freiburg 1964

SCHMID, H.H., Gerechtigkeit als Weltordnung, Tübingen 1968

SCHMIDT, H., Israel, Zion und die Völker, Diss. Zürich 1966

SCHMITZ, O., Abraham im Spätjudentum und im Urchristentum, in:
Aus Schrift und Geschichte, Festschr. A. Schlatter,
Stuttgart 1922, 99-123

SCHREINER, J., Segen für die Völker in der Verheißung an die
Väter, in: BZ 6 (1962) 1-31

- Sion-Jerusalem Jahwes Königssitz, München 1963

SEIERSTAD, I.P., Guds rettferd i Det gamle testamente, in:
tidsskrift for teologi og kirke 39 (1968) 81-104

SJÖBERG, E., Gott und die Sünder im palästinischen Judentum,
Stuttgart 1939

STECK, O.H., Genesis 12 1-3 und die Urgeschichte des Jahwisten,
in: Probleme 525-554

VOLZ, P., Die Eschatologie der jüdischen Gemeinde im neutestamentlichen Zeitalter, Nachdr. Hildesheim 1966

WESTERMANN, C., Das Buch Jesaja Kap. 40-66, Göttingen 1966

WILDBERGER, H., Jesaja 1-12, Neukirchen-Vluyn 1972

WOLFF, H.-W., Das Kerygma des Jahwisten, in: Gesammelte Studien
zum Alten Testament, München 1964, 345-373

ZIMMERLI, W., Verheißung und Erfüllung, in: Probleme alttestamentlicher Hermeneutik, München ^{3}1968, 69-101

- Erkenntnis Gottes nach dem Buche Ezechiel, in:
Gottes Offenbarung, München 1969, 41-119

4. Kommentare zum Röm

Sie werden innerhalb der Arbeit nur mit Autorenname und gewöhnlich in der Reihenfolge ihrer Erstauflage angeführt. Hier ist
aber die benutzte Auflage verzeichnet, und zwar in alphabeti-
scher Ordnung.

ALTHAUS, P., Der Brief an die Römer, Göttingen ^{9}1959

BARRETT, C.K., A Commentary on the Epistle to the Romans,
London 1957

BRUCE, F.F., The Epistle of Paul to the Romans,Grand Rapids 1963

DODD, C.H., The Epistle of Paul to the Romans, London 1948

GAUGLER, E., Der Brief an die Römer, 2. Teil, Zürich 1952

HUBY, J. - LYONNET, S., Saint Paul. Épître aux Romains,
Paris 1957

KÜHL, E., Der Brief des Paulus an die Römer, Leipzig 1913

KNOX, J., The Epistle to the Romans, New York 1954

KUSS, O., Der Römerbrief, Regensburg 1957ff

LAGRANGE, M.-J., Saint Paul, Épître aux Romains, Paris ^{6}1950

LEENHARDT, F.-J., L'Épître de Saint Paul aux Romains,
Neuchâtel/Paris 1957, dazu

- Complément, Neuchâtel 1969

LIETZMANN, H., An die Römer, Tübingen ^{2}1919

LIGHTFOOT, J.B., Notes on the Epistles of St. Paul,
   Nachdr. Grand Rapids 1957

MICHEL, O., Der Brief an die Römer, Göttingen [4]1966

MURRAY, J., The Epistle to the Romans, London 1967

NYGREN, A., Der Römerbrief, Göttingen [2]1954

SANDAY, W. - HEADLAM, A.C., The Epistle to the Romans,
   Edinburgh [5]1902

SCHLATTER, A., Gottes Gerechtigkeit, Stuttgart [2]1952

SCHMIDT, H.W., Der Brief des Paulus an die Römer, Berlin [2]1966

WEISS, B., Der Brief an die Römer, Göttingen [9]1899

5. Sonstige Literatur

Lexikonartikel und Besprechungen sind nicht aufgenommen; ausführliche Angaben am ersten Ort ihrer Zitation.

AALEN, S., En eksegese av Rom 1,16-17, med saerlig hinblikk på
   begrepet Guds rettferdighet hos Paulus, in:
   tidsskrift for teologi og kirke 39 (1968) 161-176

AMBROSANIO, A., La "colletta paolina" in una recente interpre-
   tazione, in: StPCIC II, 591-600

BAECK, L., Der Glaube des Paulus, in: Paulusbild 565-590

+ BAIRD, W., Pauline Eschatology in Hermeneutical Perspective, in:
   NTS 17 (1971) 314-327

BALZ, H.R., Heilsvertrauen und Welterfahrung, München 1971

BARRETT, C.K., I am Not Ashamed of the Gospel, in: Foi et Salut
   19-41

BARTH, K., Kurze Erklärung des Römerbriefes, München/Hamburg
   1967

BARTH, M., Rechtfertigung, in: Foi et Salut 137-197

BARTSCH, H.W., Röm. 9,5 und 1. Clem. 32,4. Eine notwendige Kon-
   jektur im Römerbrief, in: ThZ 21 (1965) 401-409

   - Die antisemitischen Gegner des Paulus im Römerbrief, in:
     Antijudaismus im Neuen Testament? München 1967, 27-43

   - Die historische Situation des Römerbriefes, in:
     Studia Evangelica IV, Berlin 1968, 281-291

+ - ... wenn ich ihnen diese Frucht versiegelt habe. Röm 15[28]
     Ein Beitrag zum Verständnis der paulinischen Mission,
     in: ZNW 63 (1972) 95-107

BATEY, R., "So All Israel Will Be Saved", in:
   Interpretation 20 (1966) 218-228

BAUR, F. Ch., Paulus, der Apostel Jesu Christi, Leipzig [2]1866

BERGER, K., Abraham in den paulinischen Hauptbriefen, in:
   MThZ 17 (1966) 47-89

BERTRANGS, A., La vocation des Gentils chez saint Paul, in:
EThL 30 (1954) 391-415

+ BLACKMAN, C., Romans 3 26b: a Question of Translation, in:
JBL 87 (1968) 203f

BLANK, J., Paulus und Jesus, München 1968

BLOCH, R., Israélite, Juif, Hébreu, in:
Cahiers Sioniens 5 (1951) 11-31; 258-280

BOOBYER, G.H., "Thanksgiving" and the "Glory of God" in Paul,
Diss. Heidelberg 1929

BORGEN, P., From Paul to Luke, in: CBQ 31 (1969) 168-182

BORNKAMM, G., Die Offenbarung des Zornes Gottes, in:
Das Ende des Gesetzes, München 51966, 9-33

- Der Lobpreis Gottes (Röm 11,33-36), ebd. 70-75

- Paulinische Anakoluthe, ebd. 76-92

- Christus und die Welt in der urchristlichen Botschaft,
ebd. 157-172

- Gesetz und Natur (Röm 2 14-16), in: Studien zu Antike und
Urchristentum, München 1959, 93-118

- Wandlungen im alt- und neutestamentlichen Gesetzesverständnis, in: Geschichte und Glaube, 2. Teil, München 1971,
73-119

- Der Römerbrief als Testament des Paulus, ebd. 120-139

- Theologie als Teufelskunst, ebd. 140-148

- Das missionarische Verhalten des Paulus nach 1 Kor 9,19-23
und in der Apostelgeschichte, ebd. 149-161

- Paulus, Stuttgart 1969

BORSE, U., Die geschichtliche und theologische Einordnung des
Römerbriefes, in: BZ 16 (1972) 70-83

BOUTTIER, M., Remarques sur la conscience Apostolique de St.
Paul, in: Oikonomia, Festschr. O. Cullmann, Hamburg 1967,
100-108

BRAUN, D., Heil als Geschichte, in: EvTh 27 (1967) 57-76

BRAUN, H., Römer 7,7-25 und das Selbstverständnis des Qumran-
Frommen, in: Gesammelte Studien zum Neuen Testament und
seiner Umwelt, Tübingen 21967, 100-119

BRING, R., Christus und das Gesetz, Leiden 1969

BROX, N., Die Pastoralbriefe, Regensburg 1969

BULTMANN, R., Weissagung und Erfüllung, in: Glauben und Verstehen II, Tübingen 1952, 162-186

- Theologie des Neuen Testaments, Tübingen 31958

- Geschichte und Eschatologie im Neuen Testament, in:
Glauben und Verstehen III, Tübingen 1960, 91-106

- Geschichte und Eschatologie, Tübingen [2]1964
- Heilsgeschichte und Geschichte, in: Exegetica, Tübingen 1967, 356-368
- ΔΙΚΑΙΟΣΥΝΗ ΘΕΟΥ, ebd. 470-475
- Ist die Apokalyptik die Mutter der christlichen Theologie?, ebd. 476-482

BURGER, Ch., Jesus als Davidssohn, Göttingen 1970

BURTON, E. de W., The Epistle to the Galatians, Edinburgh 1921

BUSSMANN, C., Themen der paulinischen Missionspredigt auf dem Hintergrund der spätjüdisch-hellenistischen Missionsliteratur, Bern/ Frankfurt a.M. 1971

CAMBIER, J., Le Voyage de S. Paul à Jérusalem en Act. IX.26ss et le Schéma Missionaire Théologique de S. Luc, in: NTS 8 (1961/62) 249-257
- L'Évangile de Dieu selon l'épître aux Romains I, o.O. 1967
- L'histoire et le salut dans Rm 9-11, in: Bibl 51 (1970) 241-252

CERFAUX, L., Abraham "père en circoncision" des Gentils, in: Recueil L. Cerfaux II, Gembloux 1954, 333-338
- Le privilège d'Israël selon saint Paul, ebd. 339-364
- Le monde païen vu par saint Paul, ebd. 415-423
- Saint Paul et le "serviteur de Dieu" d'Isaïe, ebd. 439-454

CLAVIER, H., Méthode et inspiration dans la mission de Paul, in: Verborum Veritas, Festschr. G. Stählin, Wuppertal 1970, 171-187

CONZELMANN, H., Die Apostelgeschichte, Tübingen 1963
- Die Mitte der Zeit, Tübingen [4]1964
- Paulus und die Weisheit, in: NTS 12 (1965/66) 231-244
- Grundriß der Theologie des Neuen Testaments, München 1967
- Die Rechtfertigungslehre des Paulus: Theologie oder Anthropologie?, in: EvTh 28 (1968) 389-404
- Der erste Brief an die Korinther, Göttingen 1969
- Geschichte des Urchristentums, Göttingen 1969

COPPENS, J., 'Mystery' in the Theology of Saint Paul and its Parallels at Qumran, in: Paul and Qumran, London 1968, 132-158

CRANFIELD, C.E.B., Romans 1.18, in: Scottish Journal of Theology 21 (1968) 330-335

CULLMANN, O., Der eschatologische Charakter des Missionsauftrags und des apostolischen Selbstbewußtseins bei Paulus, in: Vorträge und Aufsätze, Tübingen/Zürich 1966, 305-336
- Eschatologie und Mission im Neuen Testament, ebd. 348-360

- Christus und die Zeit, Zürich ^{3}1962
- Heil als Geschichte, Tübingen ^{2}1967

DAHL, N.A., Der Name Israel, in: Judaica 6 (1950) 161-170
- Die Messianität Jesu bei Paulus, in: Studia Paulina, Festschr. J. de Zwaan, Haarlem 1953, 83-95

DAVIES, W.D., Paul and Rabbinic Judaism, London 1955

DEICHGRÄBER, R., Gotteshymnus und Christushymnus in der frühen Christenheit, Göttingen 1967

DEISSMANN, A., Licht vom Osten, Tübingen ^{4}1923

DELLING, G., Zeit und Endzeit, Neukirchen-Vluyn 1970

DENIS, A.-M., La fonction apostolique et la liturgie nouvelle en esprit, in: RSPhTh 42 (1958) 401-436; 617-656

DESCAMPS, A., La Structure de Rom 1-11, in: StPCIC I, 3-14

DIBELIUS, M., An die Thessalonicher I II, an die Philipper, Tübingen ^{3}1937
- Vier Worte des Römerbriefs, in: SBibUps 3 (1944) 3-17
- CONZELMANN, H., Die Pastoralbriefe, Tübingen ^{3}1955
- KÜMMEL, W.G., Paulus, Berlin ^{3}1964

DIETZFELBINGER, Ch., Paulus und das Alte Testament, München 1961
- Heilsgeschichte bei Paulus? München 1965

DINKLER, E., Prädestination bei Paulus - Exegetische Bemerkungen zum Römerbrief, in: Signum Crucis, Tübingen 1967, 241-269

DODD, C.H., The Mind of Paul, in:
New Testament Studies, Manchester 1953, 83-128

DÖLGER, F.J., Zu σφραγίζεσθαι Rom 15,28, in: AuC IV (1934) 280

DOEVE, J.W., Some Notes with reference to TA ΛΟΓΙΑ ΤΟΥ ΘΕΟΥ in Romans III 2, in: Studia Paulina, Festschr. J. de Zwaan, Haarlem 1953, 111-123

DORNFRIED, K.P., A Short Note on Romans 16, in:
JBL 89 (1970) 441-449

van DÜLMEN, A., Die Theologie des Gesetzes bei Paulus, Stuttgart 1968

DUPONT, J., Gnosis, La Connaissance religieuse dans les Épîtres de Saint Paul, Louvain/Paris 1949
- Le problème de la Structure littéraire de l'Épître aux Romains, in: RB 62 (1955) 365-397
- Le Salut des Gentils et la Signification Théologique du Livre des Actes, in: NTS (1959/60) 132-155
- La conversion de Paul et son influence sur la conception du salut par la foi, in: Foi et Salut 67-88

+ ECKERT, J., Paulus und die Jerusalemer Autoritäten nach dem Galaterbrief und der Apostelgeschichte, in: Schriftauslegung, Paderborn 72, 281-311

EICHHOLZ, G., Der ökumenische und missionarische Horizont der
    Kirche, in: Tradition und Interpretation, München 1965,
    85-98

-   Prolegomena zu einer Theologie des Paulus im Umriß, ebd.
    161-189

+   -   Die Theologie des Paulus im Umriß, Neukirchen-Vluyn 1972

ELLIS, E.E., Paul's Use of the Old Testament, London 1957

FANGMEIER, J., Heilsgeschichte?, in: ders. u. GEIGER, M.,
    Geschichte und Zukunft, Zürich 1967

FEUILLET, A., La Citation d'Habacuc II 4 et les huit premiers
    Chapitres de l'Épître aux Romains, in: NTS 6 (1959/60)
    52-80

-   Le Christ, Sagesse de Dieu, Paris 1966

FRIDRICHSEN, A., The Apostle and his Message, Uppsala/Leipzig
    1947

-   Aus Glauben zu Glauben, Röm. I.17, in: Coniectanea Neo-
    testamentica XII, Uppsala 1948, 54

FUNK, R.W., The Apostolic Parousia: Form and Significance, in:
    Christian History and Interpretation, Festschr. J. Knox,
    Cambridge 1967, 249-268

GÄUMANN, N., Taufe und Ethik, München 1967

GALLEY, K., Altes und neues Heilsgeschehen bei Paulus, Stuttgart
    1965

GEORGE, A., Israël dans l'oeuvre de Luc, in: RB 75 (1968) 481-
    525

GEORGI, D., Die Gegner des Paulus im 2. Korintherbrief,
    Neukirchen-Vluyn 1964

-   Die Geschichte der Kollekte des Paulus für Jerusalem,
    Hamburg 1965

GEYSER, A.S., Un Essai d'Explication de Rom XV.19, in:
    NTS 6 (1959/60) 156-159

GNILKA, J., 2 Kor 6,14-7,1 im Lichte der Qumranschriften und
    der Zwölf-Patriarchen-Testamente, in: Neutestamentliche
    Aufsätze, Festschr. J. Schmid, Regensburg 1963, 86-99

-   Der Philipperbrief, Freiburg 1968

GOLDBERG, A.M., Torah aus der Unterwelt? Eine Bemerkung zu
    Röm 10,6-7, in: BZ 14 (1970) 127-131

GOPPELT, L., Typos, Die typologische Deutung des Alten Testa-
    ments im Neuen, Gütersloh 1939

-   Die apostolische und nachapostolische Zeit, Göttingen 1962

-   Der Missionar des Gesetzes. Zu Röm. 2,21f, in:
    Christologie und Ethik, Göttingen 1968, 137-146

-   Israel und die Kirche, heute und bei Paulus, ebd. 165-189

-   Paulus und die Heilsgeschichte. Schlußfolgerungen aus Röm.
    4 und 1. Kor. 10,1-13, ebd. 220-233

-   Apokalyptik und Typologie bei Paulus, ebd. 234-267

GRAYSTON, K., "Not ashamed of the Gospel", Romans 1,16a and the
Structure of the Epistle, in: Studia Evangelica II, Berlin
1964, 569-573

GROBEL, K., A chiastic Retribution-Formula in Romans 2, in:
Zeit und Geschichte, Festschr. R. Bultmann, Tübingen 1964,
255-261

GRUNDMANN, W., Paulus, aus dem Volke Israël, Apostel der Völker,
in: NovT 4 (1960) 267-291

- Der Lehrer der Gerechtigkeit von Qumran und die Frage nach
  der Glaubensgerechtigkeit in der Theologie des Apostels
  Paulus, in: RdQ 2 (1960) 237-259

GÜTTGEMANNS, E., Der leidende Apostel und sein Herr, Göttingen
1966

+ - Heilsgeschichte bei Paulus oder Dynamik des Evangeliums?
  in: studia linguistica neotestamentica, München 1971, 34-58

+ - "Gottesgerechtigkeit" und strukturale Semantik, ebd. 59-98

GUNDRY, R.H., The Form, Meaning and Background of the Hymn
quoted in 1 Timothy 3:16, in: Apostolic History and the
Gospel, Festschr. F.F. Bruce, Exeter Devon 1970, 203-222

HAENCHEN, E., Die Apostelgeschichte, Göttingen [14]1965

HAHN, F., Das Verständnis der Mission im Neuen Testament,
Neukirchen-Vluyn 1963

- Christologische Hoheitstitel, Göttingen [2]1964

- Genesis 15$_6$ im Neuen Testament, in: Probleme 90-107

HARDER, G., Der konkrete Anlaß des Römerbriefes, in:
Theologia Viatorum 6 (1954/58) 13-24

HARNACK, A.v., Die Mission und Ausbreitung des Christentums
in den ersten drei Jahrhunderten, Leipzig [4]1924, 2 Bde.

HASLER, V., Judenmission und Judenschuld, in:
ThZ 24 (1968) 173-190

HENGEL, M., Die Ursprünge der christlichen Mission, in:
NTS 18 (1971) 15-38

- Christologie und neutestamentliche Chronologie, in:
  Neues Testament und Geschichte, Festschr. O. Cullmann,
  Zürich/Tübingen 1972, 43-67

HESSE, F., Abschied von der Heilsgeschichte, Zürich 1971

HESTER, J.D., Paul's Concept of Inheritance, Edinburgh/London
1968

HOFFMANN, P., Die Toten in Christus, Münster 1966

HOLL, K., Der Kirchenbegriff des Paulus in seinem Verhältnis
zu dem der Urgemeinde, in: Paulusbild 144-178

HOLTZ, T., Zum Selbstverständnis des Apostels Paulus, in:
ThLZ 91 (1966) 321-330

HOPPE, Th., Die Idee der Heilsgeschichte bei Paulus, Gütersloh 1926

HOWARD, G.E., Christ the End of the Law: the Meaning of Romans 10 4ff, in: JBL 88 (1969) 331-337

- Romans 3:21-31 and the Inclusion of the Gentiles, in: HThR 63 (1970) 223-233

JEREMIAS, J., Jesu Verheißung für die Völker, Stuttgart [2]1959

- Unbekannte Jesusworte, Gütersloh [3]1963

- Der Gedanke des "Heiligen Restes" im Spätjudentum und in der Verkündigung Jesu, in: Abba, Göttingen 1966, 121-132

- Zur Gedankenführung in den paulinischen Briefen, ebd. 269-276

- Chiasmus in den Paulusbriefen, ebd. 276-290

- Die Gedankenführung in Röm 4, in: Foi et Salut 1-58

JERVELL, J., Das gespaltene Israel und die Heidenvölker, in: StTh 19 (1965) 68-96

- Der Brief nach Jerusalem. Über Veranlassung und Adresse des Römerbriefes, in: StTh 25 (1971) 61-73

JEWETT, R., The Agitators and the Galatian Congregation, in: NTS 17 (1971) 198-212

JOHNSON, S.E., Paul and the Manual of Discipline, in: HThR 48 (1955) 157-165

JÜNGEL, E., Das Gesetz zwischen Adam und Christus, in: Unterwegs zur Sache, München 1972, 145-172

+ - Ein paulinischer Chiasmus, ebd. 173-178

KÄSEMANN, E., Die Legitimität des Apostels, in: Paulusbild 475-521

- Kritische Analyse von Phil. 2,5-11, in: Exegetische Versuche und Besinnungen, Göttingen 1964, I, 51-95

- Zum Verständnis von Römer 3,24-26, ebd. 96-100

- Amt und Gemeinde im Neuen Testament, ebd. 109-134

- Die Anfänge christlicher Theologie, ebd. II, 82-104

- Zum Thema der urchristlichen Apokalyptik, ebd. 105-131

- Gottesgerechtigkeit bei Paulus, ebd. 181-193

- Paulus und Israel, ebd. 194-197

- Paulus und der Frühkatholizismus, ebd. 239-252

- Erwägungen zum Stichwort "Versöhnungslehre im Neuen Testament", in: Zeit und Geschichte, Festschr. R. Bultmann, Tübingen 1964, 47-59

- Der Ruf der Freiheit, Tübingen 1968

- Paulinische Perspektiven, Tübingen 1969

KAMLAH, E., Die Form der katalogischen Paränese im Neuen Testament, Tübingen 1964

KAMLAH, W., Christentum und Geschichtlichkeit, Stuttgart [2]1951

KASTING, H., Die Anfänge der urchristlichen Mission, München 1969

KECK, L.E., The Poor among the Saints in the New Testament, in: ZNW 56 (1965) 100-129

KERRIGAN, A., Echoes of Themes from the Servant Songs in Pauline Theology, in: StPCIC II, 217-228

KERTELGE, K., "Rechtfertigung" bei Paulus, Münster 1967

- Das Apostelamt des Paulus, sein Ursprung und seine Bedeutung, in: BZ 14 (1970) 161-181

KINOSHITA, J., Romans - Two Writings combined, in: NovT 7 (1964/65) 258-277

KLEIN, G., Der Abfassungszweck des Römerbriefes, in: Rekonstruktion und Interpretation, München 1969, 129-144

- Römer 4 und die Idee der Heilsgeschichte, ebd. 145-169

- Exegetische Probleme in Römer 3,21-4,25, ebd. 170-179

- Individualgeschichte und Weltgeschichte bei Paulus, ebd. 180-224

- Gottes Gerechtigkeit als Thema der neuesten Paulus-Forschung, ebd. 225-236

- Bibel und Heilsgeschichte. Die Fragwürdigkeit einer Idee, in: ZNW 62 (1971) 1-47

KNOX, J., A Note on the Text of Romans, in: NTS 2 (1956) 191-193

- Romans 15 14-33 and Paul's Conception of his Apostolic Mission, in: JBL 83 (1964) 1-11

KNOX, W.L., St. Paul and the Church of Jerusalem, Cambridge 1925

KÖSTER, H., GNOMAI DIAPHOROI: Ursprung und Wesen der Mannigfaltigkeit in der Geschichte des frühen Christentums, in: ders. u. J. M. ROBINSON, Entwicklungslinien durch die Welt des frühen Christentums, Tübingen 1971, 107-146

KRAMER, W., Christos Kyrios Gottessohn, Zürich/Stuttgart 1963

KRAUS, H.-J., Die Biblische Theologie, Neukirchen-Vluyn 1970

KRIEGER, N., Zum Römerbrief, in: NovT 3 (1959) 146-148

KÜMMEL, W.G., Kirchenbegriff und Geschichtsbewußtsein in der Urgemeinde und bei Jesus, Uppsala 1943

KUSS, O., Paulus, Regensburg 1971

LANGEVIN, P.-É., "Ceux qui invoquent le nom du Seigneur" (1 Co 1,2), in: Sciences Ecclésiastiques 19 (1967) 373-407; Sciences et Esprit 20 (1968) 113-126; 21 (1969) 71-122

LÉON-DUFOUR, X., Juif et gentil selon Romains I-XI, in:
StPCIC I, 309-315

- Une lecture chrétienne de l'Ancien Testament:
  Galates 3:6 à 4:20, in: L'Évangile, hier et aujourd'hui,
  Festschr. F.J. Leenhardt, Genf 1968, 109-115

LIECHTENHAN, R., Paulus als Judenmissionar, in:
Judaica 2 (1946) 56-70

LIETZMANN, H., Zwei Notizen zu Paulus, in:
Gesammelte Kleine Schriften II, Berlin 1958, 284-291

- KÜMMEL, W.G., An die Korinther I II, Tübingen ^{4}1949

LINDESKOG, G., Israel in the New Testament, in:
Svensk exegetisk årsbok 26 (1961) 57-92

LJUNGMAN, H., PISTIS, A Study of its Presuppositions and its
Meaning in Pauline Use, Lund 1964

LÖWITH, K., Christentum und Geschichte, in: Hat die Religion
Zukunft? Graz 1971, 101-112

LOHFINK, N., Methodenprobleme zu einem christlichen "Traktat
über die Juden", in: Bibelauslegung im Wandel, Frankfurt
1967, 214-237

LOHMEYER, E., Der Brief an die Philipper, Göttingen ^{10}1954

LOHSE, E., Die Briefe an die Kolosser und an Philemon, Göttingen
1968

LÜHRMANN, D., Das Offenbarungsverständnis bei Paulus und in den
paulinischen Gemeinden, Neukirchen-Vluyn 1965

- Rechtfertigung und Versöhnung. Zur Geschichte der paulinischen Tradition, in: ZThK 67 (1970) 437-452

LUZ, U., Der alte und der neue Bund bei Paulus und im Hebräer-
brief, in: EvTh 27 (1967) 318-336

- Das Geschichtsverständnis des Paulus, München 1968

- Zum Aufbau von Röm. 1-8, in: ThZ 25 (1969) 161-181

LYONNET, S., De 'Iustitia Dei' in Epistola ad Romanos, in:
VD 25 (1947) 23-42; 118-121; 129-144; 193-203; 257-263

- Note sur le plan de l'Épître aux Romains, in:
  RSR 49 (1951/52) 301-316

- Saint Paul et l'exégèse juive de son temps. A propos de
  R. 10,6-8, in: Mélanges Bibliques A. Robert, Paris 1956,
  494-506

- Notes sur l'Exégèse de l'Épître aux Romains, in:
  Bibl 38 (1957) 35-61

- Exegesis Epistulae ad Romanos I-IV, Rom ^{2}1960

- Quaestiones in Epistulam ad Romanos I, Rom ^{2}1962, II, ^{2}1962

- De notione 'iustitiae Dei' apud S. Paulum, in:
  VD 42 (1964) 121-152

- "La circoncision du coeur, celle qui relève de l'Esprit et non de la lettre" (Rom. 2:29), in: L'Évangile, hier et aujourd'hui, Festschr. F.-J. Leenhardt, Genf 1968, 87-97

MAIER, F.W., Israel in der Heilsgeschichte nach Röm. 9-11, Münster 1929

MAIER, G., Mensch und freier Wille, Tübingen 1971

MANSON, T.W., St. Paul's Letter to the Romans - and others, in: Studies in the Gospels and Epistles, Manchester 1962, 225-241

MANSON, W., Notes on the Argument of Romans (Chapters 1-8), in: New Testament Essays, Studies in memory of Th.W. Manson, Manchester 1959, 150-164

MARQUARDT, F.-W., Die Juden im Römerbrief, Zürich 1971

MARTIN, J.P., The Kerygma of Romans, in: Interpretation 25 (1971) 303-328

MARXSEN, W., Auslegung von 1 Thess 4,13-18, in: ZThK 66 (1969) 22-37

MATTERN, L., Das Verständnis des Gerichtes bei Paulus, Zürich 1966

MAURER, Ch., Paulus als der Apostel der Völker, in: EvTh 19 (1959) 28-40

- Der Schluß "a minore ad majus" als Element paulinischer Theologie, in: ThLZ 85 (1960) 149-152

MAUSER, U., Gottesbild und Menschwerdung, Tübingen 1971

McNAMARA, M., The New Testament and the Palestinian Targum to the Pentateuch, Rom 1966

MEYER, E., Ursprung und Anfänge des Christentums, Stuttgart/ Berlin 1923

MICHEL, O., Paulus und seine Bibel, Gütersloh 1929

MINEAR, P.S., The Obedience of Faith, London 1971

MOLLAND, E., Das paulinische Euangelion, Oslo 1934

MOLTMANN, J., Exegese und Eschatologie der Geschichte, in: EvTh 22 (1962) 31-66

- Theologie der Hoffnung, München [8]1969

MORRIS, L., The Theme of Romans, in: Apostolic History and the Gospel, Festschr. F.F. Bruce, Exeter Devon 1970, 249-263

MÜLLER, Ch., Gottes Gerechtigkeit und Gottes Volk, Göttingen 1964

MÜLLER, K., Anstoß und Gericht, München 1969

MULLINS, T.Y., Disclosure, A litterary Form in the New Testament, in: NovT 7 (1964/65) 44-50

MUNCK, J., Paulus und die Heilsgeschichte, Kopenhagen 1954

-      Christus und Israel, Eine Auslegung von Röm 9-11,
       Aarhus/Kopenhagen 1956

NABABAN, A.E.S., Bekenntnis und Mission in Römer 14 und 15,
       Diss. Heidelberg 1963

NICKLE, K.P., The Collection, A Study in the Strategy of Paul,
       London 1966

NOACK, B., Current and Backwater in the Epistle to the Romans,
       in: StTh 19 (1965) 155-166

OEPKE, A., ΔΙΚΑΙΟΣΥΝΗ ΘΕΟΥ bei Paulus in neuer Beleuchtung, in:
       ThLZ 78 (1953) 257-264

-      Der Brief des Paulus an die Galater, Berlin ^{2}1957

OESTERREICHER, J.M., Israel's Misstep an her Rise, in:
       StPCIC I, 317-327

OLIVIERI, O., Quid ergo amplius Iudaeo est? etc., in:
       Bibl 10 (1929) 31-52

PANNENBERG, W., Heilsgeschehen und Geschichte, in:
       Grundfragen systematischer Theologie, Göttingen 1967, 22-78

PLAG, Ch., Israels Wege zum Heil, Stuttgart 1969

PLUTA, A., Gottes Bundestreue, Stuttgart 1969

PORTEOUS, N.W., A Question of Perspectives, in: Wort-Gebot-
       Glaube, Festschr. W. Eichrodt, Zürich 1970, 117-131

-      Magnalia Dei, in: Probleme 417-427

de la POTTERIE, I., "Le péché, c'est l'iniquité" (1 Jn 3,4), in:
       ders. u. S. LYONNET, La Vie selon l'Esprit, Paris 1965,
       65-83

PREISKER, H., Das historische Problem des Römerbriefes, in:
       Wissenschaftliche Zeitschrift der Friedrich-Schiller-
       Universität Jena, Gesellschafts- und sprachwissenschaft-
       liche Reihe Heft 1 (1952/53) 25-30

PRÜMM, K., Zur Struktur des Römerbriefes, in:
       ZkTh 72 (1950) 333-349

RENGSTORF, K.H., Paulus und die älteste römische Christenheit,
       in: Studia Evangelica II, Berlin 1964, 447-464

REUMANN, J., The Gospel of the Righteousness of God, in:
       Interpretation 20 (1966) 432-452

RICHARDSON, P., Israel in the apostolic Church, Cambridge 1969

RIGAUX, B., Paulus und seine Briefe, München 1964

ROETZEL, C.J., Διαθῆκαι in Romans 9,4, in:
       Bibl 51 (1970) 377-390

ROLLER, O., Das Formular der Paulinischen Briefe, Stuttgart 1933

ROOSEN, A., Le genre littéraire de l'Épître aux Romains, in:
       Studia Evangelica II, Berlin 1964, 465-471

ROWLINGSON, D.T., The geographical Orientation of Paul's missio-
       nary Interests, in: JBL 69 (1950) 341-344

RUIJS, R.C.M., De Struktuur van de Brief aan de Romeinen, Utrecht/Nijmegen o.J. (Diss. 1964)

+ SAND, A., "Wie geschrieben steht...". Zur Auslegung der jüdischen Schriften in den urchristlichen Gemeinden, in: Schriftauslegung, Paderborn 1972, 331-357

SANDERS, J.T., The Transition from opening epistolary Thanksgiving to Body in Letters of the pauline Corpus, in: JBL 81 (1962) 348-362

SATAKE, A., Apostolat und Gnade bei Paulus, in: NTS 15 (1968/69) 96-107

SAUTER, G., Zukunft und Verheißung, Zürich/Stuttgart 1965

SCHELKLE, K.H., Paulus Lehrer der Väter, Düsseldorf [2]1959

SCHLIER, H., Von den Juden. - Röm.2,1-29, in: Die Zeit der Kirche, Freiburg [2]1958, 38-47

- Die Entscheidung für die Heidenmission in der Urchristenheit, ebd. 90-107

+ - Das Mysterium Israels, ebd. 232-244

- Doxa bei Paulus als heilsgeschichtlicher Begriff, in: Besinnung auf das Neue Testament, Freiburg 1964, 307-318

- Der Brief an die Epheser, Düsseldorf [2]1958

- Der Brief an die Galater, Göttingen [12]1962

- Die "Liturgie" des apostolischen Evangeliums (Röm 15,14-21), in: Das Ende der Zeit, Freiburg 1971, 169-183

- Zu Röm 1,3f, in: Neues Testament und Geschichte, Festschr. O. Cullmann, Zürich/Tübingen 1972, 207-218

SCHMITHALS, W., Paulus und Jakobus, Göttingen 1963

- Die Häretiker in Galatien, in: Paulus und die Gnostiker, Hamburg 1965, 9-46

- Die historische Situation der Thessalonicherbriefe, ebd. 89-157

- Die Irrlehrer von Röm 16,17-20, ebd. 159-173

+ SCHNACKENBURG, R., Christologie des Neuen Testamentes, in: Mysterium Salutis III/1, Einsiedeln/ Zürich/Köln 1970, 227-388

SCHOEPS, H.J., Paulus, die Theologie des Apostels im Lichte der jüdischen Religionsgeschichte, Tübingen 1959

SCHRENK, G., Der Römerbrief als Missionsdokument, in: Studien zu Paulus, Zürich 1954, 81-106

SCHUBERT, P., Form and Function of the Pauline Thanksgivings, Berlin 1939

SCHÜRMANN, H., Die geistlichen Gnadengaben in den paulinischen Gemeinden, in: Ursprung und Gestalt, Düsseldorf 1970, 236-267

SCHULZ, S., Zur Rechtfertigung aus Gnaden in Qumran und bei
    Paulus, in: ZThK 56 (1959) 155-185

SCHWEIZER, E., Zur Interpretation des Römerbriefs, in:
    EvTh 22 (1962) 105-107

- Two New Testament Creeds Compared, in:
    Neotestamentica, Zürich/Stuttgart 1963, 122-135

- Jesus Christus im vielfältigen Zeugnis des Neuen Testa-
    ments, München/Hamburg 1968

SENFT, Ch., L'élection d'Israël et la justification (Romains
    9 à 11), in: L'Évangile, hier et aujourd'hui, Festschr.
    F.-J. Leenhardt, Genf 1968, 131-142

SPICQ, C., ΑΜΕΤΑΜΕΛΗΤΟΣ dans Rom., XI,29, in:
    RB 67 (1960) 210-219

STANLEY, D.M., The Theme of the Servant of Yahweh in Primitive
    Christian Soteriology and its Transposition by St. Paul,
    in: CBQ 16 (1954) 385-425

STECK, K.G., Die Idee der Heilsgeschichte, Zollikon 1959

STECKER, A., Formen und Formeln in den paulinischen Hauptbriefen
    und den Pastoralbriefen, Diss. Münster 1966

STENGER, W., Der Christushymnus in 1 Tim 3,16, in:
    TThZ 78 (1969) 33-48

STROBEL, A., Untersuchungen zum eschatologischen Verzögerungs-
    problem, Leiden 1961

STUHLMACHER, P., Gerechtigkeit Gottes bei Paulus, Göttingen 1965

- Theologische Probleme des Römerbriefpräskripts, in:
    EvTh 27 (1967) 374-389

- Erwägungen zum ontologischen Charakter der καινὴ κτίσις
    bei Paulus, in: EvTh 27 (1967) 1-35

- Erwägungen zum Problem von Gegenwart und Zukunft in der
    paulinischen Eschatologie, in: ZThK 64 (1967) 423-450

- Das paulinische Evangelium I, Vorgeschichte, Göttingen 1968

- "Das Ende des Gesetzes". Über Ursprung und Ansatz der
    paulinischen Theologie, in: ZThK 67 (1970) 14-39

- Neues Testament und Hermeneutik, in: ZThK 68 (1971) 121-161

- Zur Interpretation von Röm 11 25-32, in: Probleme 555-570

SUGGS, M.J., 'The Word is Near You', in: Christian History and
    Interpretation, Festschr. J. Knox, Cambridge 1967, 289-312

SUNDKLER, B., Jésus et les païens, in: ders. u. A. FRIDRICHSEN,
    Contributions à l'étude de la pensée missionnaire dans le
    Nouveau Testament, Uppsala 1937, 1-38

TACHAU, P., 'Einst' und 'Jetzt' im Neuen Testament, Göttingen
    1972

THÜSING, W., Per Christum in Deum, Münster 1965

THYEN, H., Studien zur Sündenvergebung, Göttingen 1970

TROCMÉ, E., L'Épître aux Romains et la méthode missionaire de l'apôtre Paul, in: NTS 7 (1960/61) 148-153

TYSON, J.B., Pauls Opponents in Galatia, in: NovT 10 (1968) 241-254

ULONSKA, H., Die Funktion der alttestamentlichen Zitate und Anspielungen in den paulinischen Briefen, Diss. Münster 1963

VIELHAUER, Ph., Ein Weg zur neutestamentlichen Christologie? in: Aufsätze zum Neuen Testament, München 1965, 141-198

- Paulus und das Alte Testament, in: Studien zur Geschichte und Theologie der Reformation, Festschr. E. Bizer, Neukirchen-Vluyn 1969, 33-62

VÖGTLE, A., Zeit und Zeitüberlegenheit in biblischer Sicht, in: Das Evangelium und die Evangelien, Düsseldorf 1971, 273-295

WEGENAST, K., Das Verständnis der Tradition bei Paulus und in den Deuteropaulinen, Neukirchen-Vluyn 1962

WEISS, K., Paulus - Priester der christlichen Kultgemeinde, in: ThLZ 79 (1954) 355-364

+ WENGST, K., Christologische Formeln und Lieder des Urchristentums, Gütersloh 1972

WENSCHKEWITZ, H., Die Spiritualisierung der Kultusbegriffe, Leipzig 1932

WESTERMANN, C., Prophetenzitate im Neuen Testament, in: EvTh 27 (1967) 307-317

WHITE, J.L., Introductory Formulae in the Body of the Pauline Letter, in: JBL 90 (1971) 91-97

WIEFEL, W., Die jüdische Gemeinschaft im antiken Rom und die Anfänge des römischen Christentums, in: Judaica 26 (1970) 65-88

WIENER, C., ʿIEPOYPΓEIN (Rom 15,16), in: StPCIC II, 399-404

WILCKENS, U., Die Rechtfertigung Abrahams nach Römer 4, in: Studien zur Theologie der alttestamentlichen Überlieferungen, Festschr. G. v. Rad, Neukirchen-Vluyn 1961, 111-127

- Zu Römer 3,21-4,25. Antwort an G. Klein, in: EvTh 24 (1964) 586-610

- Das Geschichtsverständnis des Paulus, in: ThLZ 95 (1970) 401-412

- Das Neue Testament, Hamburg 1970

WILLIAMS, P.R., "Paul's Purpose in Writing Romans", in: Bibliotheca Sacra 128 (1971) 62-67

WILSON, R. McL., Gnostics - in Galatia? in:
  Studia Evangelica IV,1 Berlin 1968, 358-367

WINDISCH, H., Die Weisheit und die paulinische Christologie, in:
  Neutestamentliche Studien für G. Heinrici, Leipzig 1914,
  220-234

- Der zweite Korintherbrief, Göttingen [9]1924

WOOD, J., The Purpose of Romans, in:
  Evangelical Quarterly 40 (1968) 211-219

WREDE, W., Paulus, in: Paulusbild 1-97

ZAHN, Th., Der Brief des Paulus an die Galater, Leipzig [2]1907

- Missionsmethoden im Zeitalter der Apostel, in:
  Skizzen aus dem Leben der Alten Kirche, Leipzig [3]1908,
  42-92

ZELLER, D., Sühne und Langmut. Zur Traditionsgeschichte von
  Röm 3,24-26, in: ThPh 43 (1968) 51-75

- Das Logion Mt 8,11f/Lk 13,28f und das Motiv der "Völkerwallfahrt", in: BZ 15 (1971) 222-237; 16 (1972) 84-93

ZERWICK, M., Drama populi Israel secundum Rom 9-11, in:
  VD 46 (1968) 321-338

+ ZIESLER, J.A., The Meaning of Righteousness in Paul, Cambridge
  1972

+ ZIMMERMANN, H., Jesus Christus, hingestellt als Sühne - zum Erweis der Gerechtigkeit Gottes, in: Die Kirche im Wandel
  der Zeit, Festschr. J. Höffner, Köln 1971, 71-81

Das Register beschränkt sich auf eingehender besprochene Stellen aus den Pl-briefen. Analysen des Zusammenhangs sind vorangestellt.

ABKÜRZUNGEN

Die Abkürzungen für biblische und außerbiblische Schriften, Zeit-
schriften, Standardwerke sowie die allgemeinen Abkürzungen sind
dem Lexikon für Theologie und Kirche, Freiburg ²1959ff. (= LThK²)
entnommen. Qumranliteratur ist nach der gebräuchlichen Weise
(s. DJD I, 46ff.) abgekürzt. Außerdem werden verwendet:

apk	=	apokalyptisch
Apkk	=	Apokalyptik
Dt-Is	=	Deuteroisaias
dtr	=	deuteronomistisch
Ev	=	Evangelium
Foi et Salut	=	Foi et Salut selon S. Paul. Colloque oecuménique à l'abbaye de S. Paul hors les murs, 16–21 avril 1968, Rom 1970
H.v.m.	=	Hervorhebung von mir
J	=	Jahwist
K-G	=	R. Kühner – B. Gerth, Grammatik der griechischen Sprache, 2. Teil, Darmstadt 1966
lk	=	lukanisch
m.E.	=	meines Erachtens
P	=	Pristerschrift
Paulusbild	=	Das Paulusbild in der neueren deutschen Forschung, hrsg. K. H. Rengstorf, Darmstadt 1969
Pl	=	Paulus
pl	=	paulinisch
Probleme	=	Probleme biblischer Theologie, Festschr. G. v. Rad, München 1971
RdQ	=	Revue de Qumrân, Paris 1958ff.
StPCIC	=	Studiorum Paulinorum Congressus Internationalis Catholicus, Rom 1963, 2 Bde.
ThHAT	=	Theologisches Handwörterbuch zum Alten Testament, hrsg. E. Jenni, München/Zürich 1971
ThPh	=	Theologie und Philosophie, Freiburg (bis 1965 Scholastik)
VuF	=	Verkündigung und Forschung, Beihefte zur „Evangelischen Theologie", München